LE MÉTRONOME DE MAÉBIEL

LES CHRONIQUES DE VICTOR PELHAM
TOME 4

LE MÉTRONOME DE MAÉBIEL

Pierre-Olivier Lavoie

Éditeur : François Doucet
Révision linguistique : Féminin pluriel
Correction d'épreuves : Nancy Coulombe, Carine Paradis
Conception de la couverture : Tho Quan
Photo de la couverture : © Thinkstock
Mise en pages : Sébastien Michaud
ISBN papier 978-2-89667-452-7
ISBN numérique 978-2-89683-201-9
Première impression : 2011
Dépôt légal : 2011
Bibliothèque et Archives nationales du Québec
Bibliothèque Nationale du Canada
Éditions AdA Inc.
1385, boul. Lionel-Boulet
Varennes, Québec, Canada, J3X 1P7
Téléphone : 450-929-0296
Télécopieur : 450-929-0220
www.ada-inc.com
info@ada-inc.com
Diffusion
Canada : Éditions AdA Inc.
France : D.G. Diffusion
Z.I. des Bogues
31750 Escalquens — France
Téléphone : 05.61.00.09.99
Suisse : Transat — 23.42.77.40
Belgique : D.G. Diffusion — 05.61.00.09.99
Imprimé au Canada
Participation de la SODEC.
Nous reconnaissons l'aide financière du gouvernement du Canada par l'entremise du Programme d'aide au développement de l'industrie de l'édition (PADIÉ) pour nos activités d'édition.
Gouvernement du Québec — Programme de crédit d'impôt pour l'édition de livres — Gestion SODEC.

Table des matières

Chapitre 1

Les trois qui profanèrent une tombe

Bientôt trois ans plus tard

Le ciel étoilé et ses quelques nuages timides veillaient sur la froide nuit égyptienne. Au beau milieu du désert du Sahara, on pouvait voir, à travers les dunes, une lumière fantomatique qui s'étirait sur le sable. Cette lumière provenait d'un trou, comme une caverne, creusé au flanc d'un monticule de terre sablonneuse. Ce dernier était bien assez grand pour qu'un humain de taille moyenne puisse y entrer, à condition de garder la tête baissée, et assez large pour que deux hommes puissent y marcher de front. Trois silhouettes, dessinées par la lumière d'une lanterne, se trouvaient au fond de la grotte, qui s'enfonçait dans le sol avec une certaine inclinaison. L'une était de taille humaine, une autre, plus petite, et la dernière, beaucoup plus grande et plus large. C'est celle-ci qui avait creusé le tunnel. À travers le grognement dû à l'effort physique, on pouvait entendre l'écho de coups de pelles gratter la terre et la roche.

— Je commence à en avoir par-dessus la tête de creuser cette satanée galerie ! grogna une voix grave depuis le fond de la caverne. Et puis, on ne sait même pas s'il se trouve réellement ici ! Dire que tu fais confiance à ce qui est écrit dans cette maudite lettre…

— J'aurais dû amener une flasque d'huile, commenta une voix féminine. La lanterne va bientôt s'éteindre…

— On y est presque, fit la voix d'un jeune homme, qui, les bras croisés, observait le hobgobelin, lequel pelletait furieusement la terre désertique.

La créature se retourna, le dos voûté comme un bossu pour ne pas se cogner, avant de dévisager le jeune homme de ses petits yeux noirs à la pupille rouge. Sa mâchoire inférieure était plutôt proéminente, ses dents, crochues et son nez, fortement retroussé. Son crâne était chauve et ses oreilles, pointues, trouées par deux gros anneaux en or, tandis que sa peau tirait sur le brun foncé. La créature portait son habituel plastron vieilli par l'usure et les combats. Sur l'armure, on pouvait voir les vestiges d'un emblème gravé — une tête de lézard sectionnée —, qui avait été effacé depuis par une substance chimique. De sa voix grave, l'humanoïde rugit d'un air irrité :

— C'est facile à dire, Pelham !

Vêtu d'un manteau de voyageur souillé et de bonnes bottes en cuir noir fournies par Dweedle Fislek, et muni d'un sac qu'il portait en bandoulière, le jeune homme décroisa ses bras et posa le pied de la canne, qu'il tenait de la main gauche, sur le sol. Dans le reflet de la lanterne, ses yeux verts paraissaient étincelants. Ses joues salies par la crasse et la terre étaient aussi couvertes d'une barbe de deux ou trois jours. Son visage bien découpé et tant apprécié de la gent féminine était maintenant marqué de deux petites rides de sourire. Malgré la fatigue clairement visible par les cernes présents sur son visage, Victor Pelham paraissait énergique et, il fallait le dire, enthousiaste.

— Surtout quand on ne fait qu'observer ! poursuivit Rudolph.

— Allons, allons, reprit le jeune homme en souriant au hobgobelin, qui était à bout de nerfs. Rudolph, mon ami, ressaisis-toi. Nous avons pratiquement terminé. En plus, la terre vient tout juste d'être retournée. C'est-à-dire, pas plus tard qu'hier soir.

Le hobgobelin pointa vers le jeune homme le manche de sa pelle, qu'il mania comme s'il s'agissait d'une plume, et lui dit :

— C'est la dernière fois que je me laisse entraîner dans tes idioties !

Une main délicate, recouverte d'un gant de cuir, se posa sur la pelle et l'abaissa. Celle qui venait d'intervenir était nulle autre que Clémentine. Ses cheveux bruns étaient attachés, et une imposante paire de lunettes rappelant celles des aviateurs était déposée contre son front. Avec les années, son visage de gobeline, maintenant presque adulte, était devenu plutôt fin et très efféminé. Ce qui était, par ailleurs, contraire à ses manières. Arrivant aux pectoraux de Victor et à l'abdomen de Rudolph, la gobeline dit d'un air défiant :

— Tu te répètes sans cesse depuis le début du voyage, Rudolph ! Arrête de te plaindre et fais ton boulot. Tu es payé, je te ferais remarquer. On croirait entendre une grand-mère !

À la suite des paroles de Clémentine, le hobgobelin s'apprêta à répliquer furieusement, mais son regard croisa celui de Victor... et ce fut assez pour dissuader Rudolph d'ajouter quoi que ce soit. Sa bouche se referma et il se remit au pelletage. Ce qui s'avéra être une excellente idée.

— Regarde comme il travaille bien ! ajouta Clémentine, indiquant Rudolph du menton tout en donnant un coup de coude à Victor.

Le jeune homme lui envoya un regard désapprobateur, mais amusé. La jeune femme avait parlé assez fort pour que le hobgobelin l'entende. Ce qui était probablement son intention. D'ailleurs, la pelletée suivante de Rudolph fut nourrie de trop de force et accompagnée d'un juron rageur. Un bruit métallique survint au coup de pelle suivant, et les trois compagnons le remarquèrent. Victor se rua vers le trou que creusait Rudolph et s'y agenouilla aussitôt.

— Tu disais quoi, au sujet de la lettre ? envoya le pianiste d'un air taquin à l'intention du hobgobelin, qui ne lui répondit que par un grommellement incompréhensible.

Victor se mit à creuser la terre à mains nues, délogeant centimètre par centimètre l'objet qui, comme lui et ses amis l'espéraient, devait être un sarcophage. Clémentine l'avait rejoint, l'aidant à creuser, tandis que Rudolph reprenait son souffle, incliné, les paumes sur les genoux. Au bout de quelques secondes, le jeune homme eut sa confirmation. C'était bel et bien le sarcophage.

— On l'a trouvé, dit Victor à voix basse, échangeant un sourire avec Clémentine.

— Tu... tu crois qu'il est là-dedans ? demanda la gobeline.

— Forcément, lui répondit Victor. Allez, continuons, Rudolph !

— J'arrive, grommela le hobgobelin, qui se laissa tomber sur ses genoux et se mit à creuser le sol à mains nues dans le but de déloger le sarcophage de son emprise.

— On l'a, dit Victor une dizaine de minutes plus tard, lorsqu'il eut jugé que le sarcophage était suffisamment déterré. Rudolph, tu peux arrêter, ajouta-t-il en essuyant la sueur qui coulait sur son visage, la respiration haletante. Aide-nous plutôt à pousser le couvercle.

En fait, le hobgobelin écarta Victor et Clémentine d'un geste et, ancrant ses grosses bottes recouvertes d'acier sur le sol, fit glisser le couvercle sans problème. Tandis que Clémentine approchait la lanterne du jeune homme pour lui faire plus de lumière, Victor plongea les mains dans le sarcophage pour en tirer son contenu, qu'il brandit aussitôt devant son visage.

— C'est une blague? pouffa Rudolph d'un air grincheux. Une tête de mort?

À première vue, on aurait dit un crâne humain. Ce dernier n'était pas fait en os, mais bien d'un métal argenté. C'était la tête d'un métacurseur qui lui était bien familier. Néanmoins, quelque chose sortait de l'ordinaire : un petit objet était incrusté dans l'une des orbites oculaires du crâne métallique.

— C'est lui? demanda Clémentine, qui observait par-dessus l'épaule de Victor.

— C'est lui, confirma le jeune homme.

— Qu'est-ce qu'il a dans l'œil? demanda Rudolph, qui se trouvait derrière.

— C'est un drone, lui répondit Victor en lui adressant un bref coup d'œil. Un drone à champ électromagnétique. Très efficace contre les entités robotisées.

D'une grimace de confusion, Rudolph lâcha :

— Qu'est-ce que ça veut dire, ton charabia?

Victor pinça le drone de son index et de son pouce et, avec un certain effort, parvint à le déloger de l'orbite du métacurseur. Le drone s'était ancré dans l'œil avec ses quatre petites pattes fourchues, qui étaient maintenant tendues en l'air, un peu comme une araignée morte. En s'aidant de sa canne, le jeune homme se releva et lança le drone vers le hobgobelin, qui le rattrapa avec maladresse.

— En gros, résuma Victor, ce petit robot projette une impulsion électromagnétique qui désactive la plupart des unités robotisées et mécaniques.

Pendant que Rudolph observait le drone dans sa main aussi grande qu'une patte d'ours, le jeune homme secoua la tête du méta-curseur, mais sans succès. Il la cogna contre sa cuisse quelques fois, dans le but de la réveiller, puis on entendit une voix, celle du crâne, vociférer :

— Hé ! non, mais ! merde ! arrête de me...

— Il est éveillé ! s'exclama Clémentine d'un air surpris.

Victor leva le crâne et lui adressa un sourire.

— Pose-moi par terre, mortel ! ordonna le crâne d'un air assez hostile.

Le crâne métallique s'était apparemment réveillé. Deux petits points rouges lumineux s'étaient allumés au fond de ses orbites.

— Tiens, tiens, fit Victor d'un air amusé.

— Je vais t'étriper, espèce de mollusque ! lui rétorqua le crâne.

— Mollusque ? reprit le jeune homme en souriant. Manuel, mon vieil ami, tes insultes se ramollissent avec le temps, c'est le cas de le dire !

La mâchoire du crâne s'ouvrit grandement et se figea. Même si Manuel ne pouvait pas vraiment afficher d'expression sur son visage humanoïde, Victor savait qu'il était plus que surpris de le voir.

— Victor ? Ça alors ! Tu es encore en vie ?

Le crâne que le jeune homme tenait dans sa main avait prononcé ces paroles avec une touche de déception sarcastique.

— Heureux de voir que je t'ai manqué, lui répondit Victor en ricanant.

— Qu'est-ce qui est arrivé à tes poils, qui poussent sur vos têtes, vous, les sacs de chair ?

Victor s'était fait couper les cheveux, quelques mois auparavant. Il avait en effet délaissé ses cheveux longs pour une coupe plus moderne. Ses cheveux étaient maintenant très courts, presque rasés, hérissés au centre en un petit mohawk. Ce changement n'était pas volontaire, puisqu'en fait, il avait simplement perdu un pari contre Pakarel alors qu'ils jouaient aux cartes, après une soirée un peu trop arrosée de vin, même si généralement, le jeune homme ne buvait pas. C'était un changement drastique, mais apparemment, les jeunes femmes ne s'en plaignaient pas. S'adressant à Clémentine et à Rudolph, Victor dit :

— Nous pouvons retourner au carrosse, nous avons ce que nous cherchions.

Clémentine reprit la lanterne, Rudolph prit sa pelle, et tous deux suivirent Victor, qui s'éloignait déjà vers la sortie de la galerie fraîchement creusée.

— Je suis si content de te voir ! lâcha Manuel d'un tout autre air de lèche-bottes. Je te remercie infiniment de m'avoir sauvé de cette… de cette horrible… horrible punition ! Si imméritée ! Si tu savais ce que j'ai enduré…

Victor répondit par des grognements. Il n'écoutait pas vraiment Manuel qui déblatérait maintenant sur l'injustice de sa supposée punition. En fait, le jeune homme savait exactement pourquoi le métacurseur s'était, à nouveau, retrouvé décapité et, pire, coincé dans un sarcophage. Et c'était amplement mérité. À travers la rafale de plaintes un peu vulgaires de Manuel, Rudolph glissa à Victor, la main près de la bouche :

— Il parle toujours comme ça, le crâne ?

Le pianiste, qui mettait maintenant les pieds à l'extérieur de la grotte, lui fit signe que oui. C'est là que le jeune homme vit que quelque chose n'allait pas. Son moyen de transport n'était plus là.

— Les salauds ! continua Manuel d'un air théâtral. Ils ont volé mon corps ! Encore ! Je jure que si jamais je les attrape, je vais…

— Arrête de parler, le coupa aussitôt Victor en observant les lieux.

— Merde, dit le hobgobelin. Où est-il ?

— Hein ? lâcha stupidement Manuel. De quoi parlez-vous ?

Le jeune homme observait les lieux de son regard affûté. Il déposa doucement un genou à terre, la main sur le pommeau de la canne. Les traces du carrosse se dirigeaient en sens inverse, par-delà les nombreuses dunes.

— Tu aurais de quoi manger, Victor ? demanda le crâne, visiblement inconscient de la situation.

— Comment se fait-il que nous ne l'ayons pas entendu partir ? fit remarquer Clémentine, dont la voix laissait paraître son inconfort. Victor, je…

Le jeune homme lui fit signe de se taire et plaça son index devant sa bouche. Quelque chose n'allait pas, et il le savait très bien. Tout en observant furtivement les alentours, le pianiste fourra sa canne dans un étui de cuir spécialement conçu pour celle-ci et qu'il portait en bandoulière. Il lâcha ensuite le crâne et, dans le but de le faire taire, lui plongea le visage dans le sable. On pouvait entendre ses jurons et ses plaintes étouffés. Victor avait apporté son arbalète à barillet et alimentée de poudre à canon, celle qu'il avait prise des mains de Jorba, un métacurseur qu'il avait affronté longtemps auparavant. Elle était retenue dans son dos par une lanière de cuir ; il la saisit et tira sur la gâchette latérale de l'arme pour y insérer un carreau explosif.

Tous deux alertés par le comportement de Victor, Rudolph et Clémentine dégainèrent eux aussi leurs armes. Le hobgobelin était armé d'une imposante masse en bois, qu'il tenait d'une main, ainsi que d'un fusil à mécanisme d'horlogerie à canon scié. « Particulièrement efficace contre le gros gibier », avait-il souvent répété d'un air fier. Clémentine, elle, avait dégainé un pistolet à vapeur muni d'un barillet qui tournait continuellement, après l'activation de son mécanisme, pour rendre les balles perforantes comme des perceuses. Contrairement à Victor, ils donnaient l'impression de ne pas savoir où porter leur attention.

— Attention ! s'écria soudain le jeune homme en bousculant Clémentine sur le côté.

Au même moment, une flèche enflammée fendit l'air et vint se planter dans le sable, là où la gobeline se trouvait un instant plus tôt. Se redressant rapidement en évitant de forcer sur sa jambe gauche, le jeune homme tira sa petite sœur par la main pour la redresser.

– Viens, lui lâcha-t-il.

– Où êtes-vous ? cria Rudolph en tournant sur lui-même, ne sachant pas vraiment à qui s'adresser. Montrez-vous, bande de faiblards !

C'est à ce moment-là que Victor aperçut la tête de ceux qu'il avait redouté de voir apparaître. C'était le groupe de Aziir'Akhem, une bande d'hommes-rats sadiques de la région, qui pillaient les malheureux voyageurs qui avaient la mauvaise idée de se balader dans le désert sans escorte. Les hommes-rats étaient des humanoïdes qui, tout comme leur nom l'indiquait, ressemblaient très fortement à de gros rats bipèdes. Le dos voûté, le museau long et pendant, le cou et les bras musclés, les hommes-rats étaient de formidables adversaires, surtout au corps à corps, car leur morsure et leurs griffes étaient hautement venimeuses. Le rat humanoïde qu'il avait aperçu s'apprêtait à jeter une lance dans la direction de Rudolph, qui criait en sens inverse, les bras en l'air. En guise de bienvenue, Victor porta la visière de son arbalète à son œil et décocha un carreau, qui quitta l'arme dans une explosion de poudre à canon. Une volée de sang indiqua que sa cible avait été atteinte en pleine tête.

Rudolph se retourna d'un vif élan, l'air surpris de s'être fait sauver la vie par Victor. Puis, hurlant comme un barbare, il s'élança, la masse levée, son fusil à la main, vers la bande d'hommes-rats vêtus de robes du désert en lambeaux et qui dévalaient les dunes dans leur direction.

– Ne les laisse pas s'approcher de toi ! lâcha Victor à Clémentine.

Tandis que Rudolph écrasait les visages et les membres à grands coups de masse imprécis, mais dévastateurs, Victor et Clémentine faisaient feu sur les adversaires qui se ruaient sur eux avec une mortelle précision. Un à un, les hommes-rats tombèrent dans leur élan, s'écrasant dans des bourrasques de sable au pied des dunes. Par trois fois, Victor tira des carreaux sur des rats humanoïdes d'Aziir'Akhem qui s'apprêtaient à attaquer le hobgobelin dans le dos. Et les trois fois, les assaillants s'étaient écroulés, morts.

C'est alors qu'une explosion de sable survint à une dizaine de mètres de Victor. Quelque chose de gros venait de faire irruption du sol. À travers les nuées de sables, le jeune homme vit la silhouette monstrueuse d'un scarabée-rhinocéros géant, muni d'une énorme défense frontale et chevauchée d'une figure tout aussi menaçante. C'était Aziir'Akhem, lui-même.

– Mon Dieu ! s'exclama Clémentine.

Le chef de la fameuse bande de pillards du désert était là. Ce qui était une terrible nouvelle. Le patron des bandits était, comme eux, un rat bipède relativement grand. Seulement, ce dernier était vêtu d'une robe du désert couverte de runes et surmontée d'une armure d'os de créatures en tout genre. Le pianiste remarqua même que ses épaulettes étaient constituées de crânes de graboglins.

Cependant, ce n'était pas son armure qui sortait de l'ordinaire, mais bien son casque. Celui-ci, aussi fait d'ossements, était muni d'une corne frontale dont l'extrémité avait été enflammée pour effrayer ses ennemis. Caché derrière son heaume, le regard meurtrier du chef dévisageait Victor tandis qu'il hurlait, dans un dialecte inconnu, des ordres à ses compatriotes qui s'étaient, jusqu'à maintenant, concentrés presque uniquement sur Rudolph. Brandissant une grosse épée rouillée et rafistolée de crânes en tout genre, Aziir'Akhem fendit l'air et pointa son arme vers Victor tout en hurlant.

Tout à coup, les hommes-rats, au nombre de huit, délaissèrent leur combat contre le hobgobelin, qui était parvenu à les repousser à grands coups de masse, avant de se diriger vers Victor. Leurs pieds tapaient férocement le sol, faisant virevolter le sable, alors que les hommes-rats s'élançaient vers le jeune homme. D'une main tremblante, Victor rechargea son arbalète en y insérant maladroitement des carreaux rapidement tirés de son sac en bandoulière.

Certains glissèrent évidemment de ses doigts imprécis, ne lui donnant que quelques tirs supplémentaires. Cinq, pour être exact.

— Revenez, bordel ! s'écria Rudolph d'une voix enragée.

Il n'eut pas à attendre une seconde de plus que le cavalier et son scarabée géant s'étaient déjà élancés en sa direction.

— Clémentine, sauve-toi ! lui lança Victor en tirant la gâchette de son arme.

Comme réponse, elle posa un genou à terre et se mit à tirer en direction des hommes-rats. Imitant celle-ci, le pianiste retint sa respiration et porta la visière de son arme à son œil. Le barillet de son arbalète tournoya, décochant les carreaux propulsés par la poudre à canon. Quatre des huit hommes-rats tombèrent sous les coups de feu de Clémentine et de Victor avant d'arriver à un mètre de lui.

— Victor ! lui cria Clémentine en guise d'avertissement.

Mais c'était un peu inutile, car il les avait vus arriver. Il ne lui restait que deux carreaux, mais à cette distance, il était trop tard. L'un des rats humanoïdes sauta en l'air, brandissant d'une main une lance et de l'autre un couteau qu'il tenait à l'envers. Victor savait très bien que, généralement, un humain qui s'adonnait à un combat au corps à corps avec un homme-rat se retrouvait facilement dominé. « Tant pis », se dit-il. À travers le bruit des coups de feu de Clémentine et des grognements rageurs de Rudolph, qu'il ne voyait pas, Victor prit une décision en une fraction de seconde. Le pianiste lâcha son arbalète et se propulsa à la rencontre de l'homme-rat, qu'il plaqua violemment au sol. Ces créatures étaient, de loin, bien plus fortes et agiles. Même s'il tenta de lui assener quelques coups de poing dans son ventre dur et musclé, Victor se retrouva propulsé vers l'arrière, tombant lourdement sur le sable. Il lâcha un cri de douleur, simplement parce qu'il était tombé sur sa jambe gauche, celle qui était plus faible.

— Victor ! s'écria Clémentine, dont la voix était fracassée par l'émotion. Victor, non !

Mais le jeune homme avait plus d'un tour dans son sac. Tournant sur lui-même, il dégaina le glaive qui se trouvait dans un fourreau, accroché à sa taille. Cette arme, modifiée par ses soins, avec une particularité hors du commun : juste à la base de la lame, près du pommeau, le glaive était muni d'un canon. Alimentée par un mécanisme d'horlogerie composé de roues d'engrenage, l'épée pouvait tirer une balle de plomb ou d'onyxide.

Le rat humanoïde leva sa lance et l'abattit dans sa direction. De ses deux mains, l'une sur le plat de la lame et l'autre sur le pommeau, le pianiste contra l'attaque, et des copeaux de bois volèrent dans tous les sens. Il venait de fendre la lance en deux.

— Attention ! hurla Rudolph, qui s'efforçait d'éviter les attaques dévastatrices de Aziir'Akhem et de sa monture.

Puis, il entendit Clémentine lâcher un gémissement. Alerté, Victor réalisa avec effroi qu'un autre homme-rat avait saisi sa petite sœur par la gorge, la soulevant avec la sinistre intention de lui briser la nuque. Le cœur soudain crispé, le jeune homme pointa son glaive vers l'assaillant de sa petite sœur et pressa la détente de l'arme. Le projectile atteignit l'homme-rat en plein bras, et celui-ci lâcha prise tout en tombant sur le sol, rugissant de douleur.

C'est à ce moment-là que le vrombissement d'un moteur se fit entendre, et la scène fut éclairée par une paire de phares. Victor vit un véhicule, qui avait surgi de derrière une dune, atterrir lourdement sur ses quatre roues, les séparant lui et Clémentine des hommes-rats, de leur chef et de Rudolph. L'engin était un carrosse tout-terrain qui avait même la faculté de voler grâce à des réacteurs installés sous sa carrosserie. Le véhicule ressemblait un peu aux carrosses et aux diligences les plus courants, mis à part qu'il n'avait pas de toit. En fait, l'habitacle des passagers était plutôt une plateforme barricadée munie de sièges individuels tandis que celui du conducteur était situé à l'avant, séparé par deux marches.

— Montez, vite ! leur cria une drôle de silhouette qui était au volant de l'engin.

Sous le nez des hommes-rats, confus par l'arrivée soudaine du carrosse des sables, le jeune homme reprit son arbalète et le crâne métallique.

— Espèce d'écrevisse en déshabillé ! lui lança Manuel, la bouche pleine de sable.

Ignorant ces propos, puisque trop concentrés sur leur fuite de cette fâcheuse et dangereuse situation, Victor et Clémentine bondirent aussitôt dans le véhicule sans dire un mot. Victor sauta ensuite de l'autre côté pour aider Rudolph, qui essayait tant bien que mal de se hisser, avec un manque total d'élégance, à bord du carrosse des sables.

– Clémentine ! grogna le jeune homme en lui lançant un regard urgent.

La gobeline comprit aussitôt et vint l'aider à hisser le hobgobelin, dont les jambes battaient dans le vide, jusqu'à ce qu'il tombe à la renverse entre les sièges.

– Ichabod ! cria Victor au chauffeur, sors-nous d'ici !

Portant un chapeau haut de forme, l'étrange personnage tourna sa tête d'épouvantail et lui envoya un clin d'œil de ses grands yeux verdâtres en levant son pouce de paille démesurément long.

– Attention ! gémit le crâne, que Victor avait déposé avec négligence sur un siège. Le scarabée va nous harponner !

Puis, manquant de peu de se faire embrocher par la défense frontale du scarabée-rhinocéros, le carrosse démarra à toute vitesse, dévalant les dunes, laissant derrière lui la bande de pillards qui de toute évidence, ne pourraient jamais les rattraper. Du moins, c'est ce que croyait Victor avant de voir une traînée de sable gratter le sol, comme s'il se faisait fendre, en leur direction.

– Qu'est-ce que c'est que ça ? hurla Manuel, manquant de tomber de son siège, roulant dans tous les sens.

– C'est leur chef, répondit Victor d'un air plutôt sombre en rechargeant son arbalète. Ichabod, appuie sur l'accélérateur et ne fais pas de fausses manœuvres, d'accord ?

– Je vais essayer, lui répondit l'épouvantail, qui, ensuite, se mit à bâiller de plus belle.

Son bâillement alluma quelque chose dans la tête du jeune homme. Il croyait avoir compris pourquoi Ichabod n'était plus là à les attendre lorsque ses amis et lui étaient sortis de la tombe creusée pour Manuel. L'irruption soudaine de l'immense scarabée-rhinocéros ramena bien vite les pensées de Victor sur celui-ci.

– Clémentine, lui dit le jeune homme en lui accordant un bref regard, vise les articulations du scarabée, d'accord ?

La gobeline étira son bras et porta son œil sous la visière de l'arme. À moins de cent mètres d'eux, le scarabée-rhinocéros, surmonté de son furieux cavalier à la corne enflammée, filait tout droit vers eux dans une véritable tempête de sable.

– Tu les vois, les articulations ? lui demanda Victor.

– Oui, confirma-t-elle.

– Merde, grogna le hobgobelin en observant son arme à feu, mon fusil n'est efficace que sur une courte portée…

– S'il se rapproche trop, lui dit le pianiste en montant son arme sous son œil, n'hésite pas à lui faire goûter du plomb.

Puis, hochant la tête à sa petite sœur en guise de signal, Victor ouvrit le feu en même temps qu'elle. Sous le ciel étoilé bleu foncé, qui transmettait au sable du Sahara sa couleur, les éclats de lumière orangée produits par les détonations des armes traçaient des filaments meurtriers en direction de l'énorme insecte. L'un des carreaux du pianiste atteignit finalement sa cible, l'articulation de l'une des pattes du scarabée. À travers un éclaboussement de substance verdâtre, des bouts de carapaces éclatèrent dans tous les sens. Le carreau venait de sectionner la patte.

– Bien visé, Victor ! le félicita Rudolph, qui riait vulgairement, en lui donnant une tape sur l'épaule.

– Qu'est-ce qui se passe ? se plaignit Manuel, qui avait le visage retourné contre le siège. Je ne vois rien ! On a gagné ?

Dans un grand impact, le scarabée tomba à la renverse et fit plusieurs tonneaux à une vitesse effrayante. Sous les yeux de Victor et de ses amis, le monstre retrouva soudain l'équilibre et, malgré sa patte manquante, poursuivit sa route vers le carrosse des sables. Son cavalier était, malheureusement, toujours monté sur son dos, agitant son arme au-dessus de sa tête.

– C'est impossible ! lâcha Clémentine à travers deux jurons sélectionnés parmi les gros mots les plus utilisés par Rauk.

– Surveille ton langage, lui rétorqua Victor en se concentrant à nouveau sur son arbalète.

Le scarabée était presque impossible à viser, tellement il bondissait de gauche à droite tout en dévalant vers eux. Il avait l'air enragé, à juste titre.

— Je ne peux pas le viser ! se lamenta Clémentine avec frustration. Il bouge trop !

À ce moment-là, Victor réalisa qu'un détail venait de changer : la couleur du sable qui dévalait sous les roues du carrosse. Il n'était plus bleuté, reflétant le ciel assombri, mais bien… blanchâtre. Du sable blanc. D'une voix incertaine, le pianiste dit :

— Ichabod… Ichabod ! Prépare-toi à faire des manœuvres dangereuses !

— Hein ? lui répondit le chauffeur.

— Victor, de quoi parles-tu ? lui demanda le hobgobelin, l'air interloqué.

— Creuseurs des sables, leur répondit Victor avec une certaine froideur. Ou creuseurs blancs, comme vous voulez. Quand le sable vire au blanc, c'est qu'ils sont affamés.

Ces insectes redoutables grouillaient dans des mares de sable blanc, chose qu'il avait malheureusement découverte bien des années auparavant, lorsqu'il n'était qu'un jeune adolescent.

— Seigneur ! se plaignit Manuel. Pas ces monstres ! Victor, je te déteste ! C'est toujours pareil avec toi ! Toujours des monstres assoiffés de mon crâne juteux et…

Comme l'avait prédit le jeune homme, des créatures firent irruption du sol. Pâles et de la taille d'un gros chien ou d'un loup, ces gros insectes déployèrent leurs ailes semblables à celles d'une coccinelle, volant dans tous les sens. Elles avaient six pattes, dont les deux qui étaient situées à l'avant servaient uniquement de défense. Une série de huit antennes étaient jonchées le long de leur dos. Soudain, ils entendirent un sinistre bruit de carapace juteuse écrabouillée.

— Je crois que je viens d'en écraser un, fit remarquer Ichabod avec dégoût.

— Les vibrations les attirent, leur dit Victor en observant la scène aux aguets. C'est pour ça qu'ils sont là.

— Regardez ! lâcha Clémentine en pointant vers le scarabée-rhinocéros.

Les creuseurs blancs ne s'étaient même pas intéressés à eux ! Ils s'étaient plutôt tous dirigés vers le plus gros gibier, le scarabée. Telles des mouches voraces, les creuseurs attaquaient le scarabée géant tandis qu'ils volaient dans tous les sens, leurs ailes bourdonnantes. Un instant plus tard, Aziir'Akhem ordonna à sa monture blessée de faire volte-face et, tandis que son cavalier lâchait des cris rageurs, le scarabée titanesque s'envola en sens inverse, poursuivi par une horde déchaînée de creuseurs des sables qui s'étaient, par miracle, complètement désintéressés d'eux.

— On a gagné ? demanda Manuel d'une petite voix.

Tandis que le carrosse s'éloignait, Victor dit à Ichabod :

— Fais bien attention..., ne roule pas sur le sable blanc. D'accord ?

— Pas... pas de problème, répondit l'épouvantail à travers un bâillement.

Le pianiste s'installa sur son siège, retirant la canne de son étui situé dans son dos, dans le but d'être plus à l'aise. Puis, tout en armant son glaive modifié d'une nouvelle munition d'onyxide, Clémentine, d'une voix rageuse, lança à Ichabod :

— Où étais-tu, nom de...

Victor leva un regard désapprobateur vers elle, lui indiquant clairement qu'il ne voulait pas l'entendre utiliser le vocabulaire bien gras de Rauk.

— De... d'un nain danseur de claquettes ! reprit malhabilement la gobeline. Enfin bon ! Pourquoi nous as-tu laissés là ?

Donnant l'impression de chercher ses mots, Ichabod gesticula d'une main en disant :

— Eh bien, hum... Je me suis, comment dire, endormi et... je crois que mon pied a enfoncé la pédale d'accélération...

Ces paroles rappelèrent à Victor ce qu'il avait déduit à propos de la soudaine disparition d'Ichabod. Il se leva et, se retenant aux sièges pour ne pas basculer, s'approcha du conducteur.

— C'est bien ce que je pensais, marmonna le jeune homme. Ta batterie solaire ne fonctionne plus.

— Batterie solaire ? répéta Manuel d'une voix étouffée, ayant toujours le visage contre le siège. Je ne comprends rien, moi ! Hé ! retournez-moi, quelqu'un !

Ignorant les propos de Manuel, Victor s'installa dans une position d'équilibre et releva la manche du manteau de l'épouvantail, dévoilant son bras de paille à travers lequel étaient entremêlées des vignes et des racines. Puisque la nature d'Ichabod était quelque peu unique et qu'il était en fait une bien étrange plante, résultat d'une lointaine erreur causée par les parents de Nika, il avait considérablement besoin de soleil. Le soir et surtout pendant les saisons hivernales, l'épouvantail s'éteignait comme une chandelle.

Pour remédier à ce problème, étant donné que Victor avait réquisitionné l'aide d'Ichabod, il lui avait construit une batterie qui collectait l'énergie solaire durant la journée et revigorait l'épouvantail durant la nuit. Seulement, un problème était survenu et, visiblement, la batterie ne fonctionnait plus.

— Lorsqu'on sera de retour chez moi, lui dit Victor, je la réparerai. Pour l'instant, je ne vois pas le problème. Cela doit être interne.

— Une minute ! protesta Manuel. Hé, sac de viande, que veux-tu dire par « lorsqu'on sera de retour chez moi » ? Et retourne-moi, merde !

Le jeune homme s'approcha de Manuel pour le tourner, et Rudolph lui envoya un regard désapprobateur en lui murmurant :

— Tu es certain que tu veux confier une telle tâche à ce bon à rien ?

Victor lui répondit d'un hochement de tête. Il avait confiance en Manuel. Enfin, d'une certaine façon.

— Voilà, dit le pianiste en retournant le crâne pour qu'il puisse voir. Aïe !

Manuel avait manqué, de très peu, de mordre le doigt de Victor.

— Qu'est-ce qui te prend ? protesta-t-il, irrité.

— Tu ne me réponds pas ! répliqua le métacurseur décapité.

— Qu'est-ce que tu veux ?

— Iavanastre est de l'autre côté ! lui lança Manuel. Pourquoi dis-tu que nous allons chez toi ?

— Parce qu'on retourne chez moi, lui répondit Victor d'un ton presque moqueur, puisque c'était évident.

Manuel resta muet pendant quelques secondes avant de balbutier :

— M-mais a-attend une minute ! Nous n'allons pas à Iavanastre ?

Clémentine, Rudolph et Ichabod écoutaient la conversation avec amusement.

— Non, répondit fermement Victor.

C'était un peu tordu, mais il avait ressenti un certain plaisir à envoyer cette réplique au crâne.

— Je... je croyais que tu étais venu me libérer de ce satané sarcophage pour me ramener à mon corps ? protesta Manuel avec une petite voix.

— Pas cette fois, lui avoua Victor. J'ai d'autres plans pour toi. J'ai besoin de ton aide. Et tu n'as pas besoin de ton corps pour m'aider.

Le pianiste lui envoya un sourire amusé.

— Je refuse ! cracha le crâne. Je ne veux pas t'aider ! Je te déteste !

— Et tu te crois en position de refuser ? lui répliqua Clémentine en ricanant.

— C'est de l'abus de pouvoir envers les infirmes ! se lamenta Manuel.

Alors que le crâne beuglait plaintes et insultes à qui voulait les entendre, Rudolph fit signe à Victor d'approcher son visage du sien.

— Tu es certain de vouloir lui confier un rôle dans la mission de ton grand-père ? lui chuchota-t-il d'un air plus que sérieux, voire inquiet.

— Il fera l'affaire, lui assura Victor. Fais-moi confiance, Rudolph. Tu verras, ajouta-t-il en désignant Manuel du regard, il nous sera d'une grande utilité.

En réalité, le jeune homme n'était pas vraiment certain de ses propres paroles, mais il préférait se dire que Manuel leur donnerait un coup de main… éventuellement.

Chapitre 2

Un crâne s'achète toujours avec une gomme à mâcher

Ichabod manqua, encore une fois, de s'endormir au volant. Par chance, Victor fut assez rapide pour saisir le volant au moment où l'épouvantail, tombé comme une planche contre le klaxon, s'était endormi. Après avoir demandé à Rudolph d'installer Ichabod sur un siège, Victor insista pour conduire. À vrai dire, il voulait être seul. Il ne l'avait pas montré, mais il avait le cœur et l'estomac à l'envers. Victor détestait enlever la vie, peu importe à qui. Ces hommes-rats que ses amis et lui avaient tués lui avaient forcé la main en les attaquant, certes, mais il aurait voulu que les choses tournent autrement.

Même presque huit ans plus tard, il se souvenait toujours du premier homme qu'il avait tué. Isaac Buckingham. Même s'il l'avait tué parce que sa propre vie était en danger, Victor n'avait jamais vraiment digéré qu'étant un simple adolescent, il avait dû prendre une vie pour assurer la sécurité de la sienne. Bien vite, le jeune homme avait réalisé que le monde dans lequel il vivait était cru, froid et dur. Mais, par chance, ce monde sans pitié recelait aussi de petites merveilles, qui méritaient bien d'être vues. Car, malgré tout le gris du monde, Victor avait tout de même rencontré des gens fantastiques, qu'il appréciait par-dessus tout. Au fond de lui, le pianiste était reconnaissant des choses qui lui étaient arrivées... Étrange et parfois cruelle, la vie restait merveilleuse, à sa façon bien particulière. Soudain, Victor sentit une main sur son épaule, le tirant complètement de ses pensées.

– Tu vas bien ? lui demanda Clémentine, qui, de toute évidence, avait remarqué que Victor était resté silencieux.

Le jeune homme lui sourit et lui tapota la main en guise de réponse. La gobeline leva les yeux et observa l'horizon désertique.

– C'est encore loin ? demanda-t-elle ensuite.

– Nous verrons les feux d'ici dix minutes, lui répliqua Victor.

– Les feux ? Quels feux ?

– Tu verras bien.

Surmontant dune après dune durant les minutes qui suivirent, Victor conduisait le carrosse des sables dans une direction bien précise. Il était loin d'avoir terminé son séjour en Égypte. Après avoir bu quelques gorgées d'eau d'une gourde qui avait circulé dans le carrosse, le jeune homme interpella ses amis :

– Hé, à l'arrière ! Regardez devant.

– Wow ! C'est donc ça, les feux dont tu parlais ! s'exclama Clémentine.

Droit devant, au milieu du paysage désertique baigné sous une nuit bleutée éclairée par la lune et les étoiles, de grandes tiges cylindriques étaient visibles, hautes de plusieurs dizaines de mètres et dont l'extrémité propulsait continuellement des jets de flammes. Ces structures envoyaient des vibrations dans le sol pour tenir les creuseurs à l'écart. Il y avait aussi de nombreuses éoliennes qui tournaient lentement au gré du vent, tandis qu'au niveau du sol, un bâtiment qui ne semblait pas tout à fait à sa place dans ce contexte s'élevait. Victor l'avait déjà aperçu, adolescent, et même à un kilomètre de distance, il paraissait bien différent. Juste derrière, il apercevait un puits de pétrole en activité. Décidément, le propriétaire des lieux avait fait fortune depuis la dernière visite de Victor.

– Oh non, lâcha Manuel d'un air exaspéré. Pas lui.

– De qui parle-t-il ? demanda Rudolph en s'adressant au pianiste.

– Lee Burton, lui répondit simplement Victor.

Après s'être faufilé entre les nombreuses éoliennes et les tours enflammées, le carrosse des sables s'arrêta finalement à quelques mètres de la bâtisse, près de cinq autres véhicules du désert et de quelques montures, dont trois chameaux et deux dromadaires.

– Clémentine, tu veux bien rester ici pour surveiller le carrosse et Ichabod ? lui demanda Victor en éteignant le moteur.

— Ah ça, non ! protesta la jeune femme. Pourquoi ne pas laisser Rudolph prendre le rôle de garde, cette fois ?

Levant les yeux par-dessus la gobeline, Victor vit le hobgobelin hausser les épaules pour lui montrer son indifférence.

— Pourvu que tu me ramènes quelque chose à boire, dit-il simplement de sa voix grave.

— Bon, d'accord, dit Victor. Viens, Clémentine.

Ravie, la jeune femme ramassa ses affaires et rejoignit son frère, qui, quant à lui, prit son sac en bandoulière.

— Et moi ? s'écria Manuel. Je ne veux pas rester ici !

— Ne t'inquiète pas, l'avisa le jeune homme en le prenant par le dessus du crâne, je t'emmène.

Une fois au sol, Victor et Clémentine s'arrêtèrent un moment pour contempler l'étrange cabane qui était érigée à plusieurs mètres d'eux.

La grande cabane de bois rond, comme celles construites par les bûcherons, avait, depuis le temps, doublé de volume. Son balcon, finalement débarrassé de ses chaises miteuses, avait été remplacé par un comptoir de bar auquel étaient accoudés de nombreux clients. Le barman, qui essuyait un verre avec un torchon sale tout en discutant avec ses clients, était un graboglin dont le visage était recouvert de crasse et d'huile à moteur. L'établissement entier était éclairé de lumières festives de toutes les couleurs, qui s'allumaient et s'éteignaient à intervalle régulier. Sur le toit de la cabane, une énorme antenne radiophonique pointait vers le ciel et, même après tout ce temps, elle semblait toujours avoir été rafistolée par un amateur. Juste sous celle-ci, un écriteau en néon rose particulièrement tape-à-l'œil affichait le message suivant :

Leeb
Artifices et gadgets !

Le point d'exclamation pendait sur le côté, visiblement brisé, et menaçait de perdre totalement sa luminosité. Sous le néon, on en avait ajouté un autre, bleu clair celui-ci, qui indiquait :

Bar !

Le plus drôle, se dit Victor, ou peut-être le plus triste, était que le mot « bar » avait initialement été écrit « barre ». On avait simplement éteint les deux dernières lettres.

– C'est... miteux, fit remarquer Clémentine en observant l'endroit d'une expression peu impressionnée.

Ayant laissé son arbalète dans le véhicule, Victor ajusta la bandoulière de son sac et avança, la canne à la main gauche et Manuel dans l'autre, vers la porte de la cabane. Les clients du bar se retournèrent pour observer les nouveaux arrivants, tout particulièrement Victor ou, plutôt, le crâne qu'il trimbalait, lequel leur beugla de sa mâchoire squelettique claquant vivement :

– Mêlez-vous de vos oignons, sinon je vous étripe !

Plus étonnés qu'insultés de s'être fait traiter de la sorte par un crâne, les clients continuèrent d'observer Victor et ses amis. Le jeune homme, qui n'y prêta pas attention, ouvrit la porte de la cabane. On entendit aussitôt le tintement trop audible d'une clochette de boutique. L'intérieur de la cabane était un magasin mal entretenu où se vendaient des choses... pour le moins intéressantes. En plus d'être un pirate de stations radiophoniques notoire et loufoque, Leeb était un vendeur particulier.

Sur des étagères situées derrière le comptoir se trouvaient des armes à feu peu communes et des gadgets pour le moins inutiles, comme un élargisseur d'oreilles à pompe manuelle ou encore un fer à plaquer les cheveux, qui, supposément, changeait leur couleur. Lee Burton vendait aussi des bombes et des explosifs en tout genre. Sur le comptoir, Victor vit un bocal rempli de cornichons à l'aneth baignant dans un formol douteux ainsi qu'une boîte de gommes à mâcher moisies, mais gratuites. Collée sur le bocal, une étiquette indiquait « gratuit à l'achat de trois pétards », ce qui fit sourire Victor. Au plafond, un vieux ventilateur grinçant menaçait de tomber à tout moment, tandis qu'un vieux canapé défoncé était positionné dans un coin.

– Bienvenue, bienvenue ! s'écria une voix.

Lee Burton, gobelin au teint marron et propriétaire des lieux, se dirigeait vers Victor d'une main tendue. Ils s'étaient brièvement rencontrés des années auparavant et avaient eu un petit différend. Le gobelin portait son habituel costume violet de style victorien et un énorme chapeau haut de forme de même couleur, c'est-à-dire tout aussi horrible, sur lesquels étaient brodées des étiquettes des pays qu'il avait probablement visités.

— Bonsoir, Leeb, lui répondit Victor en lui serrant la main.

Le gobelin avait une poigne plutôt solide pour sa taille.

— Vous avez vendu vos cheveux ? lui demanda Leeb, qui remarqua alors Clémentine et glissa rapidement vers elle.

— Mademoiselle ! lui dit-il en se la jouant charmeur.

Clémentine avait presque une tête de plus que Lee Burton. Il était vrai que la jeune femme était, pour sa race, plutôt grande. Cherchant ses mots, la gobeline commenta d'un air plus que moqueur :

— Euh… beau… beau costume. Vraiment.

— Vous aimez ? répliqua Lee Burton en faisant jouer ses sourcils. Il vaut cher…

Le pianiste remarqua que Leeb prit un long moment avant de détacher son regard de la charmante jeune femme, qui, visiblement désintéressée, observait maintenant le plafond. Puis, souriant, le propriétaire au costume violet observa le crâne que le jeune homme tenait à la main.

— Bonsoir, Manuel ! lui lança-t-il. Encore décapité ?

— Je vais t'arracher les yeux, mortel, lui rétorqua le crâne d'une voix sombre et presque haineuse.

— Toujours aussi sympathique ! fit remarquer Leeb, ne prenant visiblement pas au sérieux les menaces sordides du crâne.

Puis, le gobelin tourna les yeux vers le pianiste.

— Vos amis vous attendent à l'arrière, lui dit-il en indiquant une porte au fond de la boutique.

— C'est nouveau, cette porte ? demanda Victor. La dernière fois, elle n'y était pas, il me semble.

— Comme vous avez pu le constater, monsieur Pel... Je veux dire *Lupin*, précisa-t-il en se reprenant.

Le jeune homme lui envoya un sourire. Victor utilisait maintenant son pseudonyme Gabriel Lupin, lorsqu'il s'aventurait dans des lieux pour le moins douteux. Il valait mieux ne pas se faire connaître sous son vrai nom, dans ce genre de milieu.

— Les affaires ont été bonnes depuis quelques années, poursuivit Leeb en marchant aux côtés de Victor et de Clémentine. Je suis maintenant dans l'industrie du pétrole et de l'énergie éolienne ! Je fournis de l'énergie à presque tous les villages du Sahara !

— Impressionnant, lui répondit Victor avec plus de politesse que de vérité.

Arrivé à la porte, le jeune homme glissa sa canne sous son bras et posa la main sur la poignée. Avant de la tourner, il demanda :

— Leeb ? Auriez-vous de quoi satisfaire une soif bien lourde en alcool ?

— Absolument ! répondit le gobelin en costume avec énergie. Que voulez-vous exactement ? Nous avons beaucoup de choix au bar ! Liqueur de salamandre ? Eau de glace ? Goudron de miel ? Vous n'aurez qu'à aller jeter un coup d'œil à nos produits et...

— On prend tout, on prend tout ! le coupa le crâne d'une voix suppliante.

Le pianiste avec presque oublié que Manuel était, malgré son étrange composition, un grand buveur d'alcool. Cela dit, les dires du crâne lui firent penser à quelque chose. Peut-être valait-il mieux le fourrer dans son sac...

— Peu importe, avoua Victor à l'intention de Leeb en enfonçant Manuel, malgré ses protestations, dans son sac. Voyez-vous, apportez-moi ce que vous avez dans le plus grand format. Tenez...

Le jeune homme fouilla dans ses poches, prit de quoi payer et le tendit au propriétaire gobelin.

— Voilà bien assez pour payer la boisson, continua le pianiste. Cela m'arrangerait si vous pouviez, disons, passer à votre bar et prendre ma commande. Je suis pressé, voyez-vous...

— Pas de problème ! Pas de problème ! assura le gobelin, qui, d'un large sourire, se délectait de la somme que lui avait donnée Victor. Vous aurez ce que vous voulez avant votre départ ! Ne volez rien, hein ? ajouta-t-il jovialement. Sinon mon système de sécurité vous canardera jusqu'à la mort !

Le jeune homme le remercia et l'observa s'en aller joyeusement.

— Nous aurions pu aller au bar nous-mêmes, fit remarquer Clémentine.

Une fois assuré que Lee Burton avait quitté sa boutique, Victor lui répondit :

— Si je l'ai fait partir, c'est pour une raison bien simple. Leeb n'est pas totalement digne de confiance. Ce n'est pas une mauvaise personne, mais... il parle un peu trop.

— Non, mais ! protesta Manuel d'une voix étouffée. Laisse-moi sortir, sinon je vais...

— Manuel ! lâcha subitement Victor, coupant la voix du crâne. Arrête tes enfantillages ! J'ai besoin de ton aide, reste tranquille, d'accord ?

— Je ne t'aiderai pas, Victor ! Tu veux me priver de mon merveilleux corps, alors tant pis ! Gna !

La gobeline posa la main sur la poignée, mais son grand frère intervint aussitôt :

— Attends. Ne l'ouvre pas.

— Sors-moi de ce sac, Victor ! ragea Manuel. Je ne blague pas !

Il venait d'avoir une idée. Interloquée, Clémentine pivota sur elle-même, un sourcil levé. Victor retourna vers le comptoir de Leeb et y prit une gomme à mâcher.

— Rauk et Marcus nous attendent ! lui rappela la gobeline d'un air pressé. Et je ne mangerais pas ça, si j'étais toi. Elles ont l'air vieilles, ces gommes.

— Ce n'est pas pour moi, lui répondit Victor en tirant Manuel de son sac avec une certaine précaution, pour ne pas se faire mordre.

— Enfin ! lâcha le crâne tandis que le jeune homme lui présentait une gomme. Hein ? De la gomme ? Pour moi ? Chouette, j'adore la gomme…

— Tu veux la gomme ? Alors, tu vas faire ce que je te dis.

Il s'approcha du crâne et lui murmura quelque chose à l'oreille.

— Mouais, d'accord. Ma gomme, maintenant.

Souriant, Victor lui lança le morceau de gomme dans la bouche. Le métacurseur se mit à mastiquer en silence. Il était si absorbé par cette activité que Victor n'eut aucun problème à le remettre dans son sac.

— Pourquoi voulais-tu absolument l'emmener, au fait ? lui chuchota Clémentine en désignant Manuel dans le sac. Il est un paquet de problèmes !

— Manuel est un élément clé du but de notre présence, lui dit le jeune homme à voix basse. C'est grâce à lui que nous allons pouvoir partir à la recherche du monstre qui parcourt ce désert.

— Honnêtement, je ne vois pas quel rôle jouera Manuel ce soir, chuchota la gobeline. Nous aurions dû le laisser dans le carrosse avec… Pourquoi tu souris ?

— Tu verras, Clémentine. Fais-moi confiance. On y va ?

Résignée, la jeune femme fit un geste nonchalant du bras et désigna la porte. Le jeune homme l'ouvrit. C'était l'arrière-boutique de Leeb. La pièce était poussiéreuse et en désordre. Des étagères remplies de bric-à-brac, d'objets brisés ou encore de caisses contenant toutes sortes de choses inutiles. Au fond de la pièce, trois individus étaient rassemblés autour d'une table. Une lanterne, entourée d'une nuée d'insectes, était accrochée au-dessus d'eux.

— Pas trop tôt, hein ! protesta la voix bourrue de Rauk.

Il était installé à la table au travers du bric-à-brac, et ses gros bras musclés étaient croisés sur son ventre grassouillet. Son crâne était chauve, son nez, bien rond et sa barbe, maintenant toute grise, était tressée de billes et d'ossements. Une pipe fumante pendait sur sa lèvre inférieure. Marcus, un mercenaire bien bâti du Consortium, était assis à ses côtés, l'air grognon. Sa peau noire et sa tête rasée luisaient de sueur à la lumière de la lanterne. La dernière personne présente était un vieillard vêtu d'une robe du désert, visiblement un Égyptien, qui avait l'air anxieux et qui jetait des regards autour de lui.

— Content de vous voir, leur dit Victor. Le chemin a été difficile ?

— Pas vraiment, admit Rauk en toussant virilement. Mon sous-marin, c'est le meilleur.

— Cela fera bientôt une heure que nous vous attendons, dit Marcus d'un air sombre.

— Toujours aussi boudeur, le taquina Clémentine.

Victor offrit un hochement de tête et un sourire au vieillard, qui, quant à lui, se contenta de l'observer avec crainte. Détachant son regard du vieillard, le pianiste demanda à Rauk et à Marcus :

— Il ne parle pas notre langue, n'est-ce pas ?

— Euh… c'est exact, répondit le capitaine du sous-marin en grattant son menton couvert de son énorme barbe. Ça ne devrait pas trop être un problème. Marcus connaît quelques mots. Il pourra traduire. Pas vrai, Marcus ?

Le jeune homme au teint noir répondit d'un grognement irrité.

— J'espère que tu as trouvé un moyen de le convaincre, continua-t-il en désignant le vieillard du menton. Il ne veut pas nous aider.

Puisque Clémentine s'était d'elle-même assise sur une caisse, Victor tira la quatrième et dernière chaise et s'installa à la table. Le jeune homme envoya un regard à Marcus avant de désigner le vieillard d'un faible hochement de tête.

— Dis-lui que j'ai quelque chose qui pourrait le convaincre.

Dans une langue inconnue, probablement l'égyptien, Marcus s'adressa au vieillard. Une fois leur échange terminé, ce dernier observa Victor avec une lueur d'intérêt et répondit, tout en le fixant, dans cette même langue que Victor ne comprenait pas.

— Il dit qu'il veut bien écouter ton offre, traduisit Marcus d'un air sombre, mais que dans tous les cas, il gardera tout de même la moitié de l'argent que nous lui avons versé.

Le vieillard ajouta quelques paroles, cette fois d'un visage défiant.

— Il dit aussi qu'il doute de tes capacités, puisque tu es… infirme.

— Infirme, répéta Victor d'un murmure, un sourire énigmatique sur le visage.

Sans quitter le vieillard des yeux, le pianiste ouvrit doucement le sac qu'il portait en bandoulière et en tira le crâne, qu'il fit ensuite rouler jusqu'au vieil homme. Ce dernier lâcha un cri de terreur et faillit renverser sa chaise, mais Rauk et Marcus le retinrent de leurs grosses mains. Le vieil homme se mit à parler rapidement dans son langage, le visage couvert d'une expression de peur. Quant à Victor, il garda un visage neutre, ne clignant pratiquement pas des yeux.

— Il veut savoir comment tu as décapité le plus grand brigand du désert, lui demanda Marcus, qui tentait de masquer son sourire de surprise.

— Dis-lui que j'ai plus d'un tour dans mon sac et que je ferai vivre le même sort à la menace qui rôde dans le désert, lui dit Victor avec une certaine satisfaction.

Marcus traduisit les dires du pianiste et le vieillard lui répondit aussitôt.

— Il veut bien te montrer comment t'y rendre, expliqua Marcus, mais il dit qu'il est hors de question qu'il s'y rende avec nous.

Victor sourit, satisfait.

— Pas de problème, dit-il en reprenant le crâne.

Le vieil homme lui demanda quelque chose que Marcus traduisit à nouveau :

— Il veut savoir pourquoi le crâne a une gomme dans la bouche.

Le pianiste se contenta de répondre d'un simple sourire et fouilla dans son sac, duquel il tira un carnet de voyage. Ce petit cahier lui servait surtout à écrire les pièces qui lui venaient en tête, mais Maeva, son amoureuse, y avait souvent glissé des mots affectueux qui pouvaient prendre des pages entières. Il l'ouvrit et en retira la lettre qui s'y trouvait, avant de la glisser dans sa poche. Puis, il tira un encrier et une plume de son sac, qu'il déposa sur la table. Après avoir tourné quelques pages vierges, Victor tourna le carnet vers le vieillard et le lui désigna d'un signe de main, pour lui indiquer de tracer les indications qu'il désirait avoir. Le vieil homme sembla comprendre, puisqu'il se mit aussitôt à griffonner quelque chose.

Une fois que ce fut fait, Victor observa la page du cahier, satisfait. Il avait les indications qu'il désirait avoir. Son travail accompli, le vieil homme fut payé par Rauk, mais, en fait, cet argent était celui du pianiste. Le vieillard fila ensuite d'un pas rapide, manquant de trébucher dans le bric-à-brac de l'arrière-boutique, avant de franchir la porte d'une volée.

— Faut croire qu'il lui reste de la vie dans les os ! lâcha Rauk en riant.

Rangeant son carnet et l'encrier, Victor se leva et Clémentine l'imita.

— Nous devons y aller, déclara-t-il.

Rauk acquiesça d'un hochement de tête.

— Nous nous rejoindrons au port. Soyez prêts à partir dans environ trois heures.

L'air incertain, Marcus dit :

— Victor, écoute..., Liam et Nathan me tueraient s'il t'arrivait quelque chose, alors... tu es certain que tu... que tu n'as pas besoin d'aide ?

Le jeune homme sourit, puis répondit simplement :

— Rendez-vous au port. Trois heures.

En quittant la boutique de Lee Burton, Victor salua le propriétaire, qui discutait avec un client, et au passage, il prit sa bouteille d'alcool ainsi qu'une poignée de gommes gratuites. La bouteille était d'une bonne taille et contenait un liquide foncé. Ne connaissant pas très bien les boissons alcoolisées, le jeune homme ne put deviner son contenu.

— Comment savais-tu que ce vieil homme accepterait de nous aider en voyant Manuel ? lui demanda sournoisement Clémentine.

En ouvrant la porte, le jeune homme lui répondit :

— Parce que Manuel est un criminel notoire et la plupart des gens en ont peur.

Une fois dehors, Victor continua :

— Nous sommes tout de même chanceux que Manuel ait à nouveau subi une mutinerie au sein de son équipage et qu'ils l'aient décapité pour nous avant de l'enterrer, hier soir.

La surprise sur le visage de Clémentine fit sourire Victor. Elle s'arrêta un moment avant de reprendre sa route, visiblement impressionnée.

Manuel, toujours dans le sac en bandoulière, demanda d'une petite voix :

— Je peux sortir, maintenant ?

Une fois Victor et Clémentine montés à bord du véhicule, le jeune homme accéda à la requête du crâne, qu'il déposa sur un siège, près de Rudolph. Ce dernier, de toute évidence, était en pleine concentration, les yeux rivés sur son livret de sudoku. En déposant sa bouteille d'alcool près de lui, Victor remarqua qu'il était coincé à la même grille que la veille.

— Ne lâche surtout pas, hein ? le taquina le pianiste d'une tape sur l'épaule.

Observant sombrement Victor du coin de l'œil, le hobgobelin lui gronda d'un air irrité :

— Tu as les indications, petit sac à blagues ?

— Oui, répondit Victor en s'installant sur le siège du conducteur.

— Obtenues grâce à qui ? lâcha innocemment Manuel.

— Et ma bouteille ? demanda Rudolph, ignorant les propos du crâne.

— Regarde à ta droite, lui répondit le jeune homme, le sourire en coin, en s'installant au volant.

De ses dents crochues, le hobgobelin tira le bouchon de la bouteille, le cracha par-dessus bord et avala quelques grandes gorgées.

— Démarre, Victor, lui dit Rudolph. Cet endroit me tape sur les nerfs.

Le jeune homme partageait pratiquement l'opinion du hobgobelin ; les néons et les lumières festives de la cabane devenaient particulièrement énervants, après un moment.

— À boire ! se plaignit Manuel.

Une fois son moteur démarré, le carrosse fila à toute allure, surmontant plusieurs dunes jusqu'à ce qu'ils ne puissent plus voir la cabane. Suivant les indications de la carte tracée par le vieillard, Victor devait atteindre une espèce de grotte, du moins, c'est ce qu'il croyait. Il interpella Clémentine et lui demanda son avis.

— Je crois que c'est… un étang, conclut-elle.

— Un étang si près du Nil ? s'étonna le jeune homme.

La gobeline haussa les épaules.

— Nous verrons bien, répondit-elle.

Ils conduisirent ainsi pendant près d'une demi-heure. Le vent frisquet de la nuit désertique frappait le visage de Victor, tandis qu'il se dirigeait vers le but précis de sa présence en Égypte. Derrière le jeune homme, Rudolph dormait depuis un bon moment, la bouteille vide entre ses cuisses. À en voir le silence de Manuel, il avait dû, lui aussi, succomber aux effets soporifiques de l'alcool. Clémentine, quant à elle, était assise à l'arrière, le regard attentif, l'arme à la main.

La carte tracée par le vieillard les avait menés près du Nil, et, d'ailleurs, la végétation commençait à se faire plus dense. De nombreux bateaux, certains à voiles et d'autres à vapeur, sillonnaient doucement le fleuve, qui reflétait la lune, bien ronde et rapprochée. Ils arrivèrent finalement à destination. Ce n'était pas un étang que le vieil homme avait dessiné, mais bel et bien une grotte. Illuminée par les phares du véhicule, celle-ci s'était dévoilée. Située au flanc d'une énorme structure rocheuse surmontée de quelques palmiers, l'ouverture avait l'air d'une bouche menaçante et pleine de crocs.

C'était décidément un endroit idéal pour servir d'antre à une créature monstrueuse, se dit Victor avec sarcasme. Il hésita à éteindre le moteur. Le jeune homme mit plutôt l'engin sur le frein à main et réveilla ses trois amis.

— Oh, misère ! se plaignit Ichabod en plaquant la main sur son visage d'épouvantail. Quelle soif...

— Ne me parle pas de boire, lui rétorqua le hobgobelin, je commence à regretter cette bouteille que j'ai bue...

Quant à Manuel, il sembla trop endormi pour être réveillé. L'alcool lui avait décidément embrouillé les sens. Le pianiste n'y accorda pas plus d'attention, car, pour le moment, il était plutôt inutile, mieux valait donc le laisser dormir.

— Clémentine, demanda le jeune homme en observant la grotte d'un air sérieux. Tu veux bien t'installer au volant ?

Interloquée, elle répondit :

— Mais pourquoi ? Je croyais que nous venions chasser ce monstre ?

— C'est le cas. Mais je ne crois pas que nous l'abattrons dans son terrier. Il faudra le faire sortir et le faire courir un peu. Peux-tu remplir la lanterne ? J'en aurai besoin.

La gobeline acquiesça d'un signe de tête et alla s'installer au volant, tout en s'occupant de dévisser le couvercle de la lanterne.

— Tu comptes y aller seul ? demanda Rudolph à Victor.

— J'avais espéré que tu m'accompagnes, lui avoua le jeune homme, tirant la lettre qu'il avait mise dans sa poche.

— Bien sûr que je t'accompagne, lui rétorqua le hobgobelin en ajustant les lanières de cuir qui retenaient son plastron.

Le pianiste observa la lettre pendant un moment. Elle était incroyablement froissée et commençait à jaunir prématurément à force d'être dépliée. En fait, il l'avait lue et relue des dizaines de fois depuis une année. Il se décida à la remettre dans son carnet, sous la page de couverture, avant de fourrer celui-ci dans son sac.

Retirant ensuite son manteau de voyage, le jeune homme roula les manches de sa chemise blanche et ajusta son débardeur.

— Depuis quand es-tu tatoué ? fit remarquer Rudolph.

Victor leva son bras gauche et y jeta un bref coup d'œil. Son avant-bras laissait paraître la fin d'un tatouage qu'il s'était fait faire un an plus tôt. Celui-ci, situé autour de son biceps, représentait un dessin plutôt artistique d'une wyverne entourée de quelques nuages stylisés. La constellation d'Orion avait été tatouée juste un peu plus haut, sur son épaule, se joignant avec succès au reste du dessin.

— Un an, lui répondit le jeune homme en s'assurant ensuite que son glaive modifié était bien armé d'une munition avant de le ranger solidement dans l'étui qui pendait à sa jambe gauche.

— Tu n'avais jamais remarqué, après tout le temps que tu as passé chez Victor ? s'étonna Ichabod d'une voix pâteuse. Ben, ça alors…

— Je n'ai jamais vu Victor sans chemise, dit le hobgobelin en guise de réplique.

— Moi aussi, je voulais me faire tatouer, précisa Clémentine.

— Lorsque tu seras adulte, tu feras ce que tu veux, lui répliqua Victor d'un air amusé, même s'il lui avait dit des centaines de fois. Tu vis chez moi, et c'est moi qui paie tes cours, alors d'ici là, pas de tatouages. À ton âge, tu risquerais de le regretter.

— Tu n'apportes pas ton arbalète ? demanda ensuite Rudolph.

— Je ne crois pas en avoir besoin, lui répondit franchement le jeune homme. Il serait stupide de m'encombrer sachant très bien que nous allons probablement fuir.

— Je voulais en venir à ce point, dit le hobgobelin.

Le pianiste se doutait très bien de ce dont Rudolph voulait parler.

— Tu es certain de vouloir te mettre dans cette situation ? Tu ne… Ta jambe, Victor. Tu ne peux pas courir convenablement.

Le jeune homme aurait préféré, de loin, pouvoir rester dans le carrosse, mais il savait que c'était uniquement lui qui pourrait abattre le monstre. Affichant un sourire, il répondit :

— Ça ira. Tu dois cependant m'écouter au doigt et à l'œil. N'entre surtout pas en contact avec la Liche, c'est d'accord ? Sinon…

— Je sais, je sais, grogna Rudolph. Sinon, j'y laisserai probablement ma peau parce que je ne suis pas mystérieusement immunisé comme toi.

Le jeune homme hocha la tête et prit une bonne inspiration. Puis, il prit la lanterne que Clémentine avait remplie plus tôt ainsi que sa canne.

— Bien. Allons-y. Clémentine, n'oublie pas. Dès que tu nous verras arriver, prépare-toi à démarrer et à foncer.

Elle lui répondit d'un hochement de tête et d'un pouce en l'air.

— Fais attention, lui dit-elle ensuite.

Victor lui envoya un clin d'œil avant de descendre du véhicule avec Rudolph. Il avait la désagréable impression de quitter la bulle de sécurité que le carrosse lui avait procurée jusqu'à maintenant. Côte à côte et en silence, les deux hommes marchèrent jusqu'à l'entrée de la caverne, suivant leur ombre projetée par les phares du véhicule, dont le moteur vrombissait toujours derrière eux.

Le cœur de Victor se mit à battre plus fort, et sa respiration se fit plus rapide. Il avait peur, mais il tentait par-dessus tout de se contrôler. Arrivés au pied de la grotte, le pianiste et le hobgobelin échangèrent un regard.

— Tu as un sacré courage de vouloir t'aventurer dans ce trou, lui dit Rudolph. Surtout considérant ta jambe.

Victor lui répondit d'un grognement qui n'engageait à rien et alluma sa lanterne. En fait, il savait très bien qu'il ne pourrait pas fuir à toutes jambes, c'est d'ailleurs pourquoi il s'efforçait de contrôler le faible tremblement de ses mains. Il leva la lanterne devant lui et vit qu'un sombre tunnel s'enfonçait dans la terre sablonneuse.

— Si jamais ça tourne mal, me permets-tu d'ébranler ton ego et de te porter sur mon épaule comme une fillette ? lui demanda Rudolph d'un air sérieux, malgré son sourire.

— Ha ! ha ! ha ! très drôle, lui répliqua Victor en riant jaune. Allez.

Poussé par son courage et sa motivation d'en finir, peut-être même par orgueil, le pianiste s'aventura dans la caverne, suivi par Rudolph. Bientôt, ils ne virent plus la lumière apaisante des phares du carrosse. Ils étaient seuls, l'un derrière l'autre, ayant pour unique source de lumière la lanterne qui transperçait faiblement l'obscurité totale. Au fond de lui, Victor avait l'impression de s'enfoncer lui-même dans un cercueil. L'air devenait de plus en plus humide et malodorant. Au bout d'une minute, Rudolph et lui mirent les pieds sur un sol rocheux, lisse et plutôt droit. Ils avaient atteint le fond de la caverne. Il faisait tellement sombre qu'ils n'en voyaient même pas les parois.

Soudain, une ligne de lumière apparut de nulle part, illuminant des ossements au sol et figeant le cœur du jeune homme pendant un instant.

– J'avais oublié que j'avais apporté ma lampe torche, lui dit Rudolph à voix basse, l'air amusé, en balayant l'endroit avec celle-ci.

C'est alors que le faisceau lumineux de la lampe éclaira deux points scintillants. Deux horribles yeux veineux, sortis de leur orbite, les observaient avec malice. De son bec similaire à celui d'un aigle, la créature lâcha un rugissement effroyablement amplifié par l'écho de la caverne. Comme des serpents, de longues tresses de poils se hérissèrent tout autour de son visage monstrueux. Après avoir échangé un regard plutôt bête avec Rudolph, Victor fut plaqué au ventre par celui-ci, qui le mit ensuite sur son épaule comme un sac de patates avant de s'enfuir à toutes jambes par le couloir sablonneux qu'ils venaient d'emprunter.

Chapitre 3

Le regard au scintillement verdâtre

Le faisceau lumineux de la lampe torche de Rudolph s'agitait dans tous les sens alors que ce dernier s'efforçait de remonter le corridor de la caverne. Il pouvait entendre les pas de la créature enragée qui les poursuivait. Courant à toutes jambes et trimbalant Victor sur son épaule, Rudolph manqua à plusieurs occasions de perdre l'équilibre ; ses grosses bottes glissaient continuellement sur le sol instable. Victor, quant à lui, essayait tant bien que mal de s'agripper au hobgobelin tout en gardant dans ses mains sa canne et sa lanterne. Pire encore, le souffle du pianiste était constamment coupé, car sa poitrine et, surtout, ses côtes douloureuses s'enfonçaient sans cesse contre l'épaule de Rudolph.

– Tu le vois ? cria Rudolph, à bout de souffle.

– Non, mais continue ! lui rétorqua Victor alors que la bête rugissait de plus belle. Il est tout près !

Le jeune homme aurait bien voulu atteindre son glaive, ou encore le fusil du hobgobelin, mais c'était physiquement impossible. Il ne pouvait qu'espérer ne pas voir apparaître le visage affreux de la créature. Les bottes de Rudolph martelaient le sol comme un bélier furieux, et, au bout d'un moment qui sembla une éternité, ses efforts furent récompensés. Tournant la tête pour s'assurer de ce qu'il venait d'apercevoir du coin de l'œil, Victor vit, tout comme Rudolph, les phares de leur carrosse. Ils avaient réussi à s'en tirer. Enfin, jusqu'à maintenant.

Traversant la courte distance qui séparait la caverne du carrosse, le hobgobelin gesticula d'un bras pour alerter les occupants de leur véhicule. Lorsqu'elle les remarqua, la gobeline sursauta et agrippa le volant.

– Qu'est-ce qui se passe ? leur demanda-t-elle précipitamment.

Victor fut projeté dans le carrosse et tomba lourdement entre deux sièges, se cognant fortement le coude au passage. Rudolph se hissa brusquement à son tour. Lâchant la lanterne et glissant rapidement sa canne dans son étui dorsal, Victor prit son arbalète à répétition et la braqua vers la grotte.

– Démarre ! dit Victor avec urgence.

– Démarre, merde ! cria Rudolph.

Les roues du carrosse se mirent à tournoyer, projetant du sable partout, avant de faire avancer le véhicule à toute allure.

– Vous l'avez vu ? demanda Clémentine d'un air alarmé, jetant des regards vers Victor.

– Concentre-toi sur ta conduite ! lui répondit le jeune homme en tentant de garder son arme devant son œil malgré l'instabilité de la route. Il arrive ! Ralentis, ralentis !

– Mais... bredouilla Clémentine, un peu confuse.

– Nous ne devons pas trop le distancer ! lui rappela le jeune homme. Nous devons l'abattre, souviens-toi !

C'est d'ailleurs à ce moment-là qu'ils le virent. Le monstre fit irruption de la caverne telle une tornade de rage, rattrapant aisément le carrosse. Ils virent d'abord ses tresses serpentines ballotter au vent et, ensuite, son corps semblable à celui d'un lion, se mouvant avec la même grâce féline, mais noir et couvert de muscles et de veines ; la bête n'avait pas d'épiderme. Son bec d'aigle était ouvert, laissant entrevoir une grosse langue verdâtre, qui laissait pendre un filet visqueux. Ses yeux, qui semblaient exorbités, étaient en fait dépourvus de paupières. Au fond de son œil gauche, une étincelle verdâtre, comme une lumière, était visible. De la taille d'un cheval, la Liche se rapprochait dangereusement.

– Qu'est-ce que c'est que cette chose ? s'écria Clémentine.

– Attention ! hurla Victor.

Au même moment, un violent impact manqua de renverser le carrosse ; la bête venait de charger contre le côté droit du véhicule. Ichabod faillit tomber, Manuel roula sur le sol en criant des jurons, tandis que Victor et Rudolph levèrent tous deux leurs armes vers la créature et firent feu.

Les balles du fusil du hobgobelin s'écrasaient contre la peau du monstre, ne laissant aucun dommage visible, et les carreaux de l'arbalète de Victor ne s'y plantaient que timidement avant de tomber un instant plus tard.

— C'est une blague ? s'écria Rudolph.

Pas étonnant que les habitants des villes voisines fussent incapables de se débarrasser de la Liche ; sa peau semblait dure comme la roche. En fait, Victor le savait déjà. Son but n'était pas de blesser la Liche.

— Continue de tirer, fit savoir Victor à Rudolph, qui hésitait maintenant à faire feu.

— À quoi bon ! s'énerva le hobgobelin alors que tous se cramponnaient comme ils le pouvaient au véhicule.

La créature essaya de renverser le carrosse à nouveau.

— Il faut l'épuiser, lui lança Victor avec un brin d'énervement. Il faut l'éloigner de son antre. Si elle perd son intérêt pour nous, elle y retournera avant le lever du jour, ce qui ne doit pas arriver. Alors, continue de lui tirer dessus !

Le pianiste leur avait bien dit tous ces détails, mais il faut croire que l'adrénaline leur vidait temporairement la cervelle. Victor vidait, tout comme Rudolph, munition après munition contre l'épiderme increvable de la Liche, qui, quant à elle, s'éloignait de plus en plus de son repère. La ruse de Victor allait fonctionner.

La poursuite dura ainsi un moment qui parut, à Victor et à ses amis, bien trop long. Ichabod était écrasé contre son siège, muet comme une tombe. Manuel criait comme une fillette, et Clémentine, par chance, restait concentrée, le visage en sueur. Lorsque les premières lueurs du jour eurent percé le ciel assombri, la Liche sembla perdre de la cadence. Ses lourdes pattes perdaient de la vigueur et sa respiration se faisait de plus en plus saccadée ; le monstre s'épuisait.

C'est à ce moment-là que la Liche abandonna la poursuite et voulut faire volte-face. Mais il était trop tard. Le soleil se levait à l'horizon.

— Fais demi-tour ! ordonna Victor à Clémentine.

La gobeline appuya sur les freins et fit tourner le véhicule, envoyant en même temps une vague de sable, avant de retracer son chemin en direction du monstre, qui, maintenant immobile, semblait perdu et effrayé.

— Arrête-toi à une dizaine de mètres de lui, dit le jeune homme à sa petite sœur. Ne venez pas près de moi, les émanations radioactives qui vont suivre pourraient vous tuer. Restez à l'écart.

Même si elle semblait nerveuse, la gobeline obéit à son frère et le carrosse des sables s'immobilisa près de la bête. Victor ordonna à ses amis de rester derrière et, malgré les protestations de Clémentine et de Rudoph, il resta ferme ; il allait y aller seul. Le jeune homme mit pied à terre, laissant son arbalète dans le véhicule. Son glaive dans une main, sa canne dans son étui dorsal, il marcha, doucement pour ne pas forcer sur sa jambe gauche, à la rencontre du monstre.

La Liche, qui se comportait comme un animal pris au piège, se pencha, la gueule ouverte, et grogna avec hostilité. La bête était coincée : trop loin de son repère et à la merci de la lumière du jour. Le monstre était en fait une striga, exactement comme l'avait été Abigail Hainsworth, durant ses derniers jours. Ces monstres étaient en fait des êtres humains infectés par le virus de la *noctemortem*. Cette maladie prenait toutes sortes de formes et pouvait transformer les malheureux infectés en créatures diverses comme des loups-garous, par exemple. La striga en était une autre. Ces bêtes, constamment assoiffées de sang, détestaient la lumière du jour à cause de leurs yeux dépourvus de paupières et qui étaient très sensibles. Habituellement, les strigas étaient beaucoup plus petites en taille. Celle-ci était anormalement grosse, et Victor croyait bien savoir pourquoi.

Le jeune homme n'avait aucunement envie de tuer cette bête dans le simple but de lui enlever la vie. En fait, en d'autres circonstances, il n'aurait jamais fait tout ce chemin pour abattre ce monstre. Victor aimait aider, mais pas au point d'y risquer inutilement sa propre vie. Toujours est-il qu'il était là, marchant droit vers la striga. S'il se trouvait en Égypte, c'était précisément pour cette raison :

abattre la Liche, comme on le lui avait demandé. Et pour ce faire, il allait utiliser quelque chose de bien particulier.

Suspendu à son cou au bout d'une mince chaîne se trouvait le fragment que Victor avait reçu d'Abim-Kezad, trois années auparavant. Ce fragment que son grand-père, par le biais de l'antiquaire dénommé Hansel Hainsworth, lui avait demandé de retrouver. Le jeune homme fit passer la chaîne par-dessus sa tête et serra le fragment dans sa main. Comme alertée par la présence du fragment, la striga se mit à grogner férocement et à reculer maladroitement. Cependant, elle n'arriva pas à distancer le pianiste, qui marchait toujours à sa rencontre, le fragment enfermé dans sa main, la chaîne pendante.

En guise de dernier effort instinctif pour sa défense, la Liche tenta d'assener un coup de patte à Victor. Lente et imprécise, sa patte traça un arc dans le vide à quelques mètres du jeune homme avant que la bête s'effondre au sol, visiblement déstabilisée par les effets du fragment. Lorsque les pieds du jeune homme arrivèrent à hauteur de la tête du monstre étendu sur le sol, ce dernier semblait convulser et, pire encore, agoniser. La lueur verdâtre au fond de l'œil gauche du monstre scintillait toujours.

Victor sentit un pincement dans son cœur. Il détestait voir la souffrance. Même si son cœur battait la chamaille, même si son estomac se renversait et que ses yeux s'humidifiaient, il devait le faire. Et rapidement. D'un geste vif, il fit une entaille dans la gorge de la bête, qui se mit à gémir de douleur. Puis, sans perdre une seconde de plus, il enfonça le fragment dans la plaie du monstre.

En un instant, le silence revint. La bête était morte ; son cœur avait cessé de battre. Victor retira son fragment dégoulinant de sang de la plaie, et, aussitôt, le cadavre de la bête s'enflamma à une vitesse phénoménale. Le jeune homme sentit un étrange engourdissement l'envahir ; il savait qu'il s'agissait d'émanations radioactives dangereuses pour quiconque se trouvait à proximité, sauf lui, bien sûr. Tout à coup, un étrange phénomène se manifesta ; le sable sur lequel reposait la Liche vira au noir, se répandant doucement comme de l'huile épaisse jusqu'aux bottes du jeune homme, qui recula par mégarde. L'infection cessa au bout de quelques mètres de diamètre, avant de virer au gris cendre.

— Bizarre, marmonna le jeune homme, qui avait observé le phénomène avec les sourcils froncés, l'air intrigué. Udelaraï ne m'a jamais mentionné ça…

Un moment plus tard, l'engourdissement ressenti par Victor avait entièrement disparu, indiquant que la radioactivité avait cessé. Au centre de la zone de sable qui venait de virer au gris, il ne restait plus que les cendres de la bête. Un petit objet scintillait parmi celles-ci. Un fragment semblable à celui de Victor. Sa forme était bien différente, il ressemblait plutôt à un triangle.

Victor leva les yeux au ciel et inspira profondément. Il devait prendre quelques secondes pour se calmer et reprendre ses esprits. Il avait tué la bête, certes, mais dans un sens, il avait mis fin à ses souffrances. Après avoir repassé la chaîne autour de son cou et replacé le fragment sous sa chemise, il approcha la main de l'autre morceau métallique, qui se trouvait au milieu des cendres, et le saisit délicatement. À son contact, le jeune homme sentit sa main s'engourdir. L'avertissement qu'il avait eu dans la lettre était donc vrai. Ce bout de métal était tout aussi dangereux que celui qu'il possédait depuis déjà bien longtemps. Il sentit alors une étrange force d'attraction magnétique entre le fragment qui était sous sa chemise et celui qu'il tenait dans sa main… comme si les deux voulaient être réunis. Cependant, fidèle aux instructions de son grand-père, Victor n'eut aucune envie de les joindre. Il entendit alors le carrosse se rapprocher de lui. Une fois à ses côtés, Ichabod, maintenant revigoré par le soleil, lui demanda :

— Hé, Victor ! Tu vas bien, mon vieux ?

Victor ne répondit pas. Juste par curiosité, il garda le fragment dans sa main. Il pouvait sentir que l'engourdissement se répandait, comme un poison, à travers tout son corps. C'était une bien désagréable sensation. Le jeune homme sentait le regard de ses amis sur sa nuque, à bord du carrosse, derrière lui.

— Il s'est… désintégré ? lâcha Rudolph avec confusion. Ben, ça alors…

Une petite pochette d'un cuir étrange était accrochée à la ceinture du pianiste. Il tira son cordon et glissa le fragment de la striga à l'intérieur. Son bras fut aussitôt libéré du soudain engourdissement qu'il avait ressenti. Victor leva la main devant son visage et bougea les doigts pour s'assurer que tout allait bien.

— Tu viens ? lui demanda Clémentine.

— J'arrive, répondit-il, fourrant la pochette dans sa poche.

Laissant derrière lui les cendres, qui, déjà, étaient balayées par le souffle du vent désertique, Victor monta à bord du véhicule, qui s'éloigna ensuite sous le soleil de l'aube. Installé sur son siège et buvant l'eau d'une gourde, Rudolph s'adressa à lui :

— Comment... comment pouvais-tu être certain que ça marcherait ?

Victor avala doucement sa gorgée avant de demander à son tour :

— Tu parles de la striga et du fragment ?

— Évidemment ! Écoute, merde, des centaines de personnes ont essayé de tuer ce satané monstre depuis l'an dernier ! Je ne parle pas de vieux fermiers, mais de mercenaires armés jusqu'aux dents et même de chasseurs de monstres ! Personne n'en est venu à bout ! Personne à part toi ! C'est...

Rudolph leva la main et la laissa retomber dans un geste nonchalant, hochant la tête de gauche à droite, visiblement incapable de trouver les mots.

— Elle a pris feu comme ça, bordel ! lâcha le hobgobelin. Tu trouves ça normal ?

Victor l'observa pendant un moment avant d'afficher un sourire énigmatique. Il lui répondit alors :

— Bien des choses nous semblent anormales, lorsque nous ne pouvons les expliquer, mon ami.

N'ayant rien à ajouter, Rudolph fixa le vide d'un air absent. Manuel, lui, était concentré à mâcher une gomme que lui avait donnée Clémentine, histoire de le garder silencieux pour le reste du voyage. Ichabod était un peu plus à l'avant du véhicule, parlant de divers sujets avec la gobeline, qui conduisait le véhicule.

Victor prit son sac dans son dos et le posa sur ses genoux. Il l'ouvrit et y fourra la pochette spéciale contenant le fragment de la striga. Le jeune homme récupéra ensuite son carnet. En tournant la première page, il tomba sur la lettre, qu'il prit et déplia. Elle était écrite d'une fine écriture. Une fois de plus, il la lut :

Bonjour, Victor.

Voilà bientôt deux années que tu protèges le fragment de l'engrenage, et je dois dire, avec grand succès. Je t'ai fait parvenir cette lettre, car, hélas, je dois encore une fois réquisitionner ton aide avant mon arrivée. Vois-tu, petit-fils, un grand danger est sur le point de prendre forme sur ton monde. Plus précisément, sur le continent africain, en Égypte. Une créature, comme celle que tu as rencontrée dans la tour d'observation d'Hansel Hainsworth, vient tout juste de se réveiller. Contrairement à celle qui t'a offert son fragment, celle de l'Égypte se présentera comme étant hostile. J'étais persuadé d'avoir le temps d'arriver à tes côtés pour l'affronter avec toi, mais ce sera impossible. C'est toi, Victor, qui devra t'en charger. Si tu es dans l'incapacité d'agir à ma place, bien des vies seront prises, et, pire encore, un véritable fléau pourrait envenimer ton monde et le changer à jamais.

Tu devras donc mettre fin à l'existence de ce monstre. Pour te faciliter la tâche, tu pourras utiliser le fragment que tu possèdes. Une fois le fragment en contact avec sa chair fendue, la bête mourra. Si tu utilises le fragment, ne sois pas surpris de voir la bête prendre feu. Je t'avertis cependant, les émanations de ce feu seront hautement radioactives et assurément mortelles pour toute autre personne que toi. Je te le répète, si tu utilises ton fragment pour la tuer, assure-toi d'être seul et ne laisse personne s'approcher. Comme tu l'as remarqué, j'ai joint à cette lettre une pochette faite d'un cuir très spécial et particulièrement résistant. Tu y placeras le fragment que tu trouveras sur la dépouille du monstre. Il est crucial que tu places le fragment dans la pochette, car la présence, à long terme, de plus d'un fragment sur ta peau aura un effet néfaste sur toi, et quiconque aurait la malchance de les toucher risquerait sa vie. Voilà pourquoi je te demande d'agir personnellement, car personne d'autre ne pourra récupérer le fragment à mains nues mis à part toi, qui possèdes une résistance que je ne saurais expliquer.

Écoute bien, Victor. Même si l'un des fragments se trouve dans sa pochette, il ne serait pas prudent de garder les deux fragments sur toi sur une longue période. Un étrange phénomène magnétique se manifestera entre les fragments s'ils sont trop rapprochés, et si jamais ils étaient réunis, une onde radioactive éclaterait, infectant ainsi tous ceux qui t'entourent sur une dizaine de mètres à la ronde. Assure-toi de bien les séparer tout en les gardant à portée de vue. Je suis plus que désolé de te demander de mettre ta propre vie en danger, surtout lorsque je suis dans l'incapacité de t'assister. J'ai toutefois la conviction que tu réussiras ce que je te demande. J'espère que tu seras parvenu à trouver six individus pour nous accompagner pour ce que nous devrons accomplir dans une année. C'est-à-dire, mettre fin à l'existence des anomalies qui rôdent dans ton monde, tout comme celle que tu as déjà tuée dans la tour d'observation.

Ah, j'oubliais,

Un certain métacurseur que tu connais bien aura bientôt besoin de quelqu'un pour le sortir d'un pétrin dans lequel il se sera lui-même mis. Aide-le et convaincs-le de t'accompagner, car même si sa compagnie t'est désagréable, finalement, il te sera d'une très grande utilité.

Udelaraï

Une fois la lettre lue, il la rangea dans son carnet et celui-ci, dans le sac. Il avait accompli ce que son grand-père lui avait demandé, mais avec un retard qui pourrait s'avérer grave. Certes, il avait été en mesure de sauver Manuel, mais il avait été incapable de localiser la striga avant les toutes dernières semaines. La lettre n'avait jamais directement mentionné que la bête était une Liche, mais Victor l'avait assez rapidement deviné. Selon les légendes locales, le monstre, qui s'avérait être une striga, aurait mystérieusement été réveillé d'un long sommeil au fond d'une catacombe cachée sous les dunes. Les rares individus qui l'avaient vu avaient tous rapporté qu'une lueur verdâtre scintillait au fond du regard du monstre. Il n'en avait pas fallu plus à Victor pour faire le rapprochement. Le monstre possédait donc un fragment de cet engrenage mentionné par deux fois dans les lettres d'Udelaraï. Maintenant, à en croire son propre grand-père, il ne restait plus qu'à retourner à Québec et… à attendre la visite de celui-ci.

— Je n'arrive pas à y croire, lâcha finalement Rudolph.

Victor leva les yeux vers lui.

— Tu disais vrai, hein ? lui demanda sombrement le hobgobelin. Ton grand-père vient vraiment des étoiles ?

— Je n'aurais aucune raison de te mentir, Rudolph.

Laissant le hobgobelin et lui tapotant l'épaule au passage, le jeune homme se leva de son siège pour aller à l'avant du véhicule. Clémentine et Ichabod échangeaient une discussion qui semblait amusante au sujet d'équipes sportives.

— Ça va ? leur demanda-t-il avec un sourire apaisant.

— Bien sûr ! répondit la gobeline. Victor, justement, nous voulions avoir ton avis, qui emportera la victoire régionale entre l'équipe des…

Mais le pianiste n'écoutait plus. Il venait d'apercevoir quelque chose au loin. Plissant les paupières et couvrant ses yeux de sa main pour se protéger du soleil qui devenait de plus en plus brûlant, Victor vit ce qui lui sembla, du moins à cette distance, être une silhouette qui marchait vers eux. La personne leva le bras gauche et, soudain, une volée de balles, poussées par un nuage de feu, fendit l'air dans leur direction. Les balles ricochèrent sur la carcasse métallique du véhicule et plongèrent dans le sable autour d'eux.

Le reste se passa en une fraction de seconde. Victor perdit l'équilibre et, un instant plus tard, s'écrasa violemment sur son épaule et dévala une pente de sable chaud avant de s'arrêter brutalement le visage contre le sol. La bouche pleine de sable, l'épaule durement endolorie, le jeune homme se redressa rapidement, ignorant la douleur de sa jambe gauche, pour tenter de visualiser ce qui venait de se passer. Une fois sur pied, crachant du sable, Victor vit avec horreur le carrosse, au loin, faire des tonneaux avant de disparaître derrière une dune. Instinctivement, il murmura :

– Non... non !

D'un pas rapide, mais boiteux, le pianiste se dirigea vers la zone de l'accident, priant le Ciel pour que ses amis soient sains et saufs. S'aidant de ses mains, le jeune homme escalada une petite dune, et, lorsqu'il fut presque arrivé à son sommet, une silhouette apparut devant le soleil éblouissant. Aussitôt, avant même qu'il puisse discerner qui lui faisait face, Victor sentit un violent coup s'abattre sur son épaule déjà endolorie, l'envoyant dévaler la dune en sens inverse.

Cette fois, le jeune homme parvint à se rétablir de sa chute et à se relever dans son élan au bas de la dune. Le visage grimaçant à cause de la douleur qui avait serpenté à travers sa jambe gauche, Victor vit ce qui se dirigeait vers lui d'un pas décidé. C'était une machine, un robot. Sa tête, recouverte d'un capuchon, était noire, ovale et n'avait qu'un seul œil. Le haut de son corps était recouvert d'une tunique du désert et ses bras métalliques, dont les câbles et les roues d'engrenage étaient visibles, étaient recouverts de longues banderoles de tissu qui tombaient jusqu'au sol. Ses jambes étaient arquées vers l'arrière et se terminaient en deux orteils métalliques.

De ses mains munies de trois doigts seulement, le robot leva son arme et la pointa vers Victor. D'un geste précis et vif, le jeune homme dégaina son glaive et pointa sa lame vers la tête du robot avant d'actionner le mécanisme d'arme à feu situé près du pommeau. Une détonation survint, mais la balle n'atteignit pas la zone voulue ; la main droite du robot éclata en pièces, et son arme tomba sur le sable.

Profitant du moment, Victor s'élança vers la machine, l'arme levée. Avec une agilité surprenante, le robot bondit sur le côté, évitant le coup du jeune homme, qui, quant à lui, manqua de perdre l'équilibre. La machine dégaina alors un large coutelas d'un étui en cuir attaché à son dos avant de s'élancer au pas de course vers le pianiste.

Les deux adversaires échangèrent de violents coups d'épée, qui s'entrechoquaient avec brutalité. Les coups du robot étaient si puissants que leur impact vibrait à travers le bras droit du jeune homme. Cependant, le court entraînement que Victor avait eu avec Caleb quelques années plus tôt durant son séjour à Alexandrie lui avait été utile. Car, malgré son jeu de pieds tout à fait nul, étant donné son handicap, Victor parvint à parer avec succès les spectaculaires attaques de la machine, dont la tunique voltigeait dans le vent.

Évitant un coup horizontal en se jetant sur un genou, Victor pivota sur lui-même, son glaive tenu à l'envers tranchant l'air au passage. L'arme du jeune homme ne trancha cependant pas seulement l'air, mais bien l'abdomen du robot. Même si celui-ci était fait de métal, il tomba au sol sur un genou, comme s'il était blessé, se retenant avec sa main valide. En effet, Victor l'avait bien atteint, puisque des câbles sectionnés crachaient de l'huile sur le sol. Le pianiste devait saisir sa chance.

Il se déplaça rapidement derrière le robot et lui retira vivement son capuchon. Derrière la tête de la machine se trouvait un petit panneau, que le jeune homme ouvrit d'un seul geste. Quelques roues d'engrenage tournaient entre des tuyaux crachant de la vapeur brûlante à travers des fils et des câbles. Victor plongea alors ses doigts dans le petit espace et en tira un fil bien précis. Alors, la machinerie du robot cessa de fonctionner et celui-ci tomba lourdement dans un nuage de sable.

Le cœur lui martelant la poitrine, Victor essuya son visage couvert de sueur et tenta de reprendre sa respiration. Au loin, il vit trois silhouettes courir vers lui. Les silhouettes d'Ichabod, de Clémentine et de Rudolph. La gobeline devança le groupe et courut à la rencontre du jeune homme, l'air plutôt inquiet, l'arbalète de Victor dans les mains.

— Tu vas bien ? lui demanda-t-elle en se blottissant dans ses bras.

— Doucement, se plaignit Victor en lui souriant. Oui…, oui, je vais bien. Et vous ? Personne n'est blessé ?

— On va bien, lui assura Rudolph, tenant d'une main son canon scié pointé vers le robot.

Dans l'autre main, le hobgobelin tenait le crâne, qui grommela :

— Pas moi ! Je n'aime pas me faire traîner comme un vulgaire objet !

— Tiens, Victor, ton sac et l'arbalète ! dit Clémentine en lui tendant ses biens.

Le jeune homme passa la bandoulière de son arbalète autour de sa poitrine avant de prendre son sac, qu'il ouvrit aussitôt pour vérifier son contenu. Il ressentit un grand soulagement en voyant que le fragment y était toujours. Le perdre dans le sable du Sahara aurait été impensable.

— Il est mort, ce robot ? demanda Rudolph en désignant la machine à genoux. Je veux dire…, il ne fonctionne plus ?

— Je l'ai désactivé, lui assura Victor.

— Tes multiples talents te servent bien, lui dit l'épouvantail, impressionné. Il faut dire que tu as eu un bon mentor !

Il voulait parler de Balter, ce qui fit sourire Victor et Clémentine.

Le hobgobelin leva la tête du robot et observa son état d'un air songeur.

— Ben merde, lâcha-t-il en relevant la tête vers le jeune homme. Quelqu'un veut ta mort, Victor. Ce robot est un modèle illégal utilisé pour perpétrer des assassinats. Au cours de ma carrière, j'en ai entendu parler, mais je n'en avais jamais vu en vrai…

— Qui te dit qu'il en voulait spécialement à Victor ? dit Clémentine avec une lueur d'espoir.

— C'est sur lui qu'il s'est jeté en premier, non ? fit remarquer Ichabod.

Clémentine fut incapable de répondre. À la suite de cette remarque, le pianiste préféra rester silencieux. On en avait voulu à sa vie à plusieurs reprises, mais cette fois, c'était plutôt étrange. Pourquoi un robot l'aurait-il attaqué en plein désert, aujourd'hui, alors qu'on aurait très bien pu l'abattre à son domicile ?

— Et ça, c'est quoi ? demanda Rudolph, qui était accroupi près de l'arme qu'avait utilisée le robot.

Victor s'approcha de lui et observa à son tour l'arme au sol. Longue d'un mètre, ce n'était pas une simple carabine, mais bien un canon à répétition muni d'un barillet rotatif actionné par un mécanisme à vapeur.

— Ça alors ! fit le hobgobelin d'un air contrarié. Un modèle d'arme à feu extrêmement rare récemment inventé par une bande d'ingénieurs orientaux. Même la milice des sept lames n'y avait pas accès. Donner ce genre d'arme à un robot..., c'est un mauvais présage.

Rudolph observa Victor d'un air sombre.

— Qu'est-ce que tu veux dire ? s'inquiéta Clémentine.

— Que la personne qui veut sa mort est très fortunée, expliqua le hobgobelin d'un air plutôt désolé. Ce robot et cette arme valent ensemble le prix d'une maison et d'un carrosse.

Le pianiste hocha la tête et observa le robot. On voulait donc sa mort. Le seul problème, c'est qu'on avait envoyé un robot pour le tuer. Et tout robot est forcément identifié à un utilisateur auquel il obéit. Le jeune homme venait d'avoir une idée. Il retourna auprès de la machine qu'il avait abattue et se mit à l'examiner attentivement.

— Nous... devrions retourner au carrosse, fit remarquer Ichabod, brisant l'atmosphère glacée.

— Il est toujours utilisable, le carrosse ? demanda Victor en observant d'un œil expert le cou de la machine.

— Oui, répondit Clémentine. Il est simplement renversé, mais à plusieurs, nous pourrons le remettre sur pied... Victor, que fais-tu ?

À l'aide de son glaive, le jeune homme sectionna les câbles autour de la nuque de la machine avant de retirer manuellement un boulon. Puis, de ses mains, il détacha sans difficulté la tête du robot.

— Espèce de tordu ! s'écria Manuel. On ne fait pas ce genre de choses devant moi, c'est sadique ! Je suis émotionnellement blessé !

N'écoutant pas les protestations du crâne, le jeune homme souleva la boîte crânienne du robot et en tira une pièce bien précise. La carte mère de la machine. Puis, il jeta la tête dans le sable, comme s'il s'agissait d'un vulgaire objet.

— Quelqu'un veut ma mort, annonça Victor à l'intention de ses amis en brandissant la carte mère, eh bien, cette personne a commis une erreur. Cette machine obéit à quelqu'un. Ce que je m'attellerai à découvrir, une fois que je serai de retour chez moi.

— Je dois l'avouer, commenta Rudolph, tu m'épates. Je vais emporter cette arme, ajouta-t-il en brandissant le canon automatique du robot. On ne sait jamais, elle pourrait nous être utile.

Laissant la carcasse décapitée du robot derrière eux, Victor et ses amis retournèrent au carrosse. Celui-ci était renversé sur le côté au pied d'une dune, mais en parfait état. À quatre et surtout grâce aux énormes bras du hobgobelin, ils furent capables de le remettre sur ses roues. Une fois l'exploit accompli, Victor et ses amis soufflèrent un bon coup.

— Si j'avais eu mon corps, dit Manuel d'une petite voix agressive, je l'aurais retourné en une seconde.

— On peut le botter, le crâne ? demanda Rudolph, le front ruisselant de sueur.

Sous un soleil qui devenait de plus en plus ardent, Victor et ses amis se recouvrirent la tête de voiles qu'ils avaient apportés à l'avance, mis à part Ichabod et Manuel. Le pianiste conduisit donc le véhicule en longeant le Nil, pour se rendre à un port uniquement utilisé pour la pêche, là où Rauk et Marcus devaient les attendre. Il était assez étonnant de réaliser combien les rives du Nil pouvaient être riches en végétation, contrairement au désert aride et sec qui s'étendait sur une bonne partie au nord du continent. Au bout d'une trentaine de minutes assez pénibles, à la merci du soleil, ils arrivèrent enfin à destination. Près du port se trouvait un petit village agricole. Ses paysans creusaient de nouveaux canaux d'irrigation.

Pour éviter d'effrayer les habitants, le pianiste avait fourré Manuel dans son sac avec une gomme dans la bouche, histoire de le garder silencieux. C'était d'ailleurs à l'un de ces habitants, une vieille femme terriblement ridée, mais très souriante, que Victor avait emprunté le carrosse pour une modique somme d'argent.

La femme ne sembla pas du tout dérangée par les dommages causés à l'engin par la mésaventure de Victor avec la striga et le robot assassin. En fait, même s'il s'excusa et lui proposa même quelques pièces en plus en guise de dédommagement, l'Égyptienne refusa catégoriquement l'argent. Elle demanda plutôt un autographe au pianiste, qu'elle avait reconnu même s'il s'était présenté sous le nom de Gabriel Lupin.

— J'adore votre musique ! lui dit-elle dans un français difficile, l'air ravie. Lee Burton la fait passer dans nos radios ! Vous êtes très bon ! Et beau, en plus ! Si seulement j'étais plus jeune, je vous aurais bien épousé, jeune homme !

— Il n'est pas si bon que ça, dit Ichabod d'une voix presque éteinte, l'air renfrogné. Certes..., il est doué, mais pas tant.

Ichabod était lui aussi un pianiste et pour des raisons différentes de Victor, il avait également un pseudonyme, celui d'Hajek Drahokoupil. En fait, il se déguisait en personnage tchèque pour ne pas effrayer son public avec son apparence naturelle d'épouvantail.

— Jaloux ! le taquina Clémentine.

— Cela n'a rien à voir avec la jalousie, jeune fille ! rétorqua Ichabod, le menton en l'air, les bras croisés.

Après avoir salué la vieille dame, Victor et ses amis marchèrent jusqu'au quai en bois construit sur des piliers. Rauk et Marcus s'y trouvaient, tous deux assis sur des caisses, ayant l'air bien ennuyés. Derrière les deux hommes, le sous-marin en forme de calmar de Rauk était à moitié englouti dans le fleuve.

— Trois heures, hein ! leur lança Rauk en guise de salutation.

Son front et son nez étaient fortement rougis par le soleil.

— Nous sommes désolés, lui dit Victor. Nous avons eu quelques problèmes.

— Peu importe, dit Marcus de son air bête habituel. Vous l'avez tuée ?

Victor répondit d'un hochement de tête.

— Alors dans ce cas, quittons ce maudit pays ! déclara le capitaine du sous-marin.

– Hé ! protesta Manuel, camouflé dans le sac de Victor. Je n'ai jamais accepté de faire ce voyage, moi !

– Ignore-le, indiqua Victor à l'intention de l'homme barbu. Nous te suivons.

Rauk sauta à terre et se dirigea jusqu'au sous-marin à demi englouti, sa jambe de bois claquant contre le quai humide. Quelques années auparavant, Rauk avait vendu son sous-marin pour se concentrer sur ses affaires. La milice des sept lames l'avait ensuite récupéré. Cependant, Victor s'était arrangé avec Rudolph pour le leur racheter. C'était l'avantage d'être en bons termes avec le hobgobelin. Ne sachant pas comment piloter l'engin, Victor avait offert à Rauk de lui rendre son sous-marin, s'il voulait bien le conduire à ses destinations. Chose que le bonhomme barbu n'avait pu refuser.

Cela dit, le véhicule marin de Rauk surprenait toujours Victor, même après tant d'années. C'était la réplique quasi parfaite d'un calmar mécanique, dont les yeux servaient de cockpit. Ses tentacules donnaient au sous-marin une agilité phénoménale, et, depuis que Rauk avait fait installer un moteur nucléaire sur les conseils de Victor, sa vitesse était inégalée. En effet, se rendre jusqu'au port de Québec ne devrait pas leur prendre plus d'une journée.

C'était un changement assez drastique, surtout lorsqu'on comparait cette durée avec celle dont ils avaient eu besoin pour faire à peu près le même trajet, huit ans auparavant. Après avoir désactivé la dernière Fleur mécanique alors qu'il était encore adolescent, Victor avait fait le chemin du retour avec Rauk dans son sous-marin. Un voyage qui avait duré cinq pénibles semaines, durant lesquelles Victor avait dû récupérer de blessures par balle.

À l'aide d'une manivelle, Rauk ouvrit une grosse porte en fer bourrée de rivets, qui était située sur le côté du sous-marin. Le gros bonhomme barbu dut se mettre de côté pour se faufiler dans l'ouverture.

– On dirait que ces portes rétrécissent sans cesse, grommela-t-il. J'devrais me mettre au régime…

L'intérieur du calmar mécanique était assez petit. On y trouvait quatre minuscules chambres séparées par un seul corridor peu éclairé, et dont les murs et le plafond étaient bourrés de valves et de tuyaux. Victor jeta un coup d'œil vers la deuxième chambre à droite ; c'était celle qu'il avait occupée durant son long séjour à bord du sous-marin, étant plus jeune. La chambre était petite, mais douillette et au sec.

Le corridor débouchait assez rapidement sur une pièce ronde, une cabine de pilotage peu orthodoxe, et de chaque côté se trouvaient deux grandes vitres bombées, qui faisaient office d'yeux au calmar mécanique. On avait l'impression d'être dans la tête d'un céphalopode. Le sous-marin pouvait être conduit depuis deux sièges postés devant les vitres latérales. Ces dernières étaient résistantes à la pression jusqu'à environ mille mètres de profondeur.

Puisque le cockpit était grand, on trouvait en son centre quelques sièges supplémentaires et une table ancrée au sol. De nombreuses cartes en tout genre ainsi que quelques gobelets vides étaient éparpillés dessus.

— Qui a eu l'idée de construire un sous-marin en forme de calmar ? demanda Ichabod, qui suivait Victor dans le corridor, incliné et retenant son grand chapeau haut de forme pour ne pas se heurter la tête. Je dois admettre que c'est original.

— Aucune idée, rétorqua Rauk en se glissant aux commandes du véhicule devant la vitre bombée de l'œil gauche du calmar. J'ai acheté cet engin voilà bien des années à un vieil explorateur japonais.

Il fronça les sourcils et ajouta :

— Je ne comprenais pas un mot de ce qu'il racontait, ce vieux fou. Enfin bref, une chose est sûre, c'est que la personne qui a inventé cet engin était vraiment astucieuse. Vous voyez, avec une apparence pareille, les prédateurs marins nous laissent tranquilles !

Une fois arrivés dans le cockpit, Victor, Ichabod, Clémentine et Rudolph se glissèrent autour de la table. Marcus arriva en dernier, après s'être assuré d'avoir bien verrouillé la porte. Il s'installa dans l'autre siège de pilotage et vérifia les différentes jauges affichées sur les écrans de bord.

— Il va y avoir quelques secousses, lança Rauk en activant quelques commandes de l'engin. Restez assis et accrochez-vous, on plonge !

Quelques secondes plus tard, le sous-marin en forme de calmar géant disparut sous le Nil en direction de l'océan.

— Pourquoi n'allons-nous pas plus vite ? demanda Clémentine.

— Il y a des pêcheurs sur le fleuve, répondit Marcus en observant le paysage aquatique depuis l'une des grandes vitres. Activer le moteur nucléaire les ferait chavirer. Il faudra attendre d'avoir atteint la mer Méditerranée avant de prendre de la vitesse.

— Regarde, dit Rauk en indiquant la vitre devant lui, on peut voir quelques bateaux ! Ces pêcheurs auraient une de ces frousses de voir un calmar d'une telle taille passer sous eux !

Victor y jeta un coup d'œil. En effet, on pouvait voir le dessous des bateaux qui flottaient allègrement sur l'eau. Quelques poissons passèrent rapidement devant l'une des vitres bombées tandis qu'au fond du fleuve, on pouvait voir des algues onduler doucement. Ils entendirent alors la voix étouffée de Manuel, qui s'écria :

— Sors-moi de là, merde !

Clémentine, Ichabod et Rudolph envoyèrent un regard au jeune homme. Lui aussi partageait leur opinion, mais il était un peu cruel de laisser Manuel au fond de son sac. Et puis, il ne voulait pas qu'il gruge son contenu pour se venger. Le pianiste tira donc le crâne de son sac et le posa au centre de la table. Manuel lâcha alors un cri effroyable, comme s'il venait de voir un mort.

— Bon Dieu ! rétorqua Marcus, qui s'était retourné, l'air furieux.

— Qu'est-ce qui te prend ? demanda Clémentine à l'intention du crâne.

— Rien, répondit simplement Manuel. J'avais envie de vous casser les oreilles. Spécialement celles de Victor, le tueur d'espoirs, le sans-cœur, le monstre qui m'empêche de retrouver mon corps.

Manuel n'avait décidément pas changé, se dit mentalement le pianiste en soupirant. Il était toujours aussi immature et ingérable.

Rudolph, qui observait le crâne, plissa les yeux d'un air mauvais. Puis, il détourna son attention vers Victor, qui retirait maintenant son manteau.

— Tu peux nous faire voir ? demanda-t-il.

Le jeune homme leva un sourcil.

— De quoi parles-tu ?

— Le fragment de la striga que nous avons abattue, précisa Rudolph, ses doigts tapotant la table.

Chapitre 4

Un livre contre les hommes

Victor avait accepté de montrer le fragment à ses amis, à condition de le laisser dans sa pochette et qu'aucun d'entre eux ne puisse y toucher ; le jeune homme se montra ferme quant à ces conditions. Tout le monde avait accepté sans problème. Après avoir vu le fragment, Rudolph afficha une expression plutôt déçue et se désintéressa rapidement du morceau de métal, comme s'il s'attendait à ce que ce soit une perle en or. Il fallut près d'une heure pour parcourir le Nil avant d'atteindre la mer Méditerranée. C'était près du double du temps qu'il avait fallu, la veille, pour faire le chemin inverse. La nuit dernière, il n'y avait eu aucune embarcation sur cette partie du Nil, le calmar avait donc pu arriver à grande vitesse sans risque de faire chavirer qui que ce soit.

Une fois qu'ils étaient arrivés en haute mer, Rauk avait fait ralentir la cadence du sous-marin jusqu'à l'arrêter complètement. Pour faciliter la manœuvre, le bonhomme à la jambe de bois avait déplié les tentacules du calmar, qui étaient longs d'une cinquantaine de mètres. Ces derniers étaient restés tendus et collés les uns contre les autres durant la traversée du Nil pour éviter de désastreuses collisions avec le fond du fleuve, inégal. Tel un terrifiant prédateur, le calmar était maintenant immobile dans l'océan, ses tentacules dépliés dans tous les sens.

– J'active le sonar, annonça Rauk à l'intention de Victor en appuyant sur un bouton. Ça va prendre un moment.

Une faible détonation étouffée se fit entendre. Debout derrière Rauk, Victor tentait d'apercevoir quelque chose à travers la vitre bombée, mais il ne voyait rien d'autre que l'eau de mer opaque.

– On va attendre d'avoir une idée des alentours avant d'activer les moteurs, continua le bonhomme barbu en activant les phares du sous-marin, qui perçaient l'eau trouble en deux longues traînées de lumière à travers lesquelles passaient de petites particules blanches.

— Quelqu'un a faim ? demanda Rudolph. Je vais à ma chambre chercher de quoi grignoter.

— Moi, j'ai soif, lui dit Clémentine, qui jouait aux cartes avec Ichabod et Manuel, lequel faisait jouer ses cartes par un autre.

— Je boirais bien un peu d'eau, dit Ichabod en levant le doigt.

— Si seulement j'avais mon corps, grommela Manuel pour la centième fois.

— Ramène un peu d'eau à boire pour tout le monde, lança Victor à l'intention de Rudolph.

Le hobgobelin confirma d'un hochement de tête et disparut dans le corridor. Un bruit se fit soudain entendre en provenance d'un écran du tableau de bord, en face de Rauk.

— Voyons voir, lâcha le chauve à la jambe de bois en examinant l'écran du sonar.

Ce dernier affichait une représentation du fond océanique ainsi que de ses habitants marins. La voie était plus que libre : à quarante kilomètres à la ronde, il n'y avait rien à signaler. Le hobgobelin revint au même moment, traînant une grosse bouteille d'eau ainsi que des sandwichs préparés la veille.

— On démarre, dit Victor en allant rejoindre les autres à la table avec Rudolph. Accrochez-vous.

— Marcus, tu es prêt? lui demanda Rauk en jetant un coup d'œil derrière lui.

L'homme au teint noir répondit d'un simple pouce en l'air. Un lent bruit de métal provint de l'extérieur du sous-marin; c'étaient les tentacules qui se repliaient. Tandis que les moteurs du sous-marin émettaient de puissants vrombissements, tout l'intérieur du calmar mécanique se mit à vibrer. Ils durent tenir les gobelets sur la table pour éviter qu'ils tombent.

Puis, dans une détonation étouffée par l'eau, le calmar mécanique s'élança à toute vitesse, fendant l'océan, ses longs tentacules suivants derrière, entraînés par de gros propulseurs projetant une lueur bleutée. Émettant constamment des ondes dans l'eau, le sonar était continuellement mis à jour, permettant ainsi au calmar mécanique de poursuivre sa trajectoire ultra-rapide à travers les océans. Rauk avait dû ralentir à un moment, car ils avaient traversé un banc de tortues marines géantes. Durant ce moment, tout le monde s'était approché des vitres bombées pour observer le spectacle.

— Et moi, hein ! se plaignit Manuel, qu'on avait laissé sur la table. Je veux voir !

— Ça t'intéresse ? s'était étonnée Clémentine.

— Plus que vous servir de centre de table ! avait rétorqué le crâne.

Le calmar mécanique avait atteint les côtes québécoises en fin de soirée. Une fois le sous-marin amarré au port, Victor et ses amis étaient plus qu'enjoués à l'idée de se dégourdir un peu les jambes. Il était 23 h, lorsque le groupe se retrouva sur les quais du port de la ville fortifiée, décorée pour la fête de l'Halloween, qui approchait à grands pas. En effet, les habitants de Québec avaient placé des citrouilles illuminées de chandelles sur le bord de leurs fenêtres et sur le seuil de leur porte. Si l'on y ajoutait les feuilles mortes qui virevoltaient sur la rue dallée de pierres et les réverbères fantomatiques, le tout rendait l'atmosphère de la cité fortifiée pour le moins sinistre. Son ciel sans étoiles était recouvert d'épais nuages, qui laissaient seulement entrevoir une lune bien ronde et lumineuse.

— Vous devriez venir passer quelques heures à la maison, proposa Victor à Rauk et à Marcus. Histoire de prendre un café.

— Sans façon, refusa poliment l'homme à la jambe de bois. Je travaille tôt demain matin et je dois défaire quelques cargaisons pour ma boutique.

— Il se fait tard, grogna Marcus. Je vais rentrer à l'auberge. Demain matin, je dois prendre le train jusque dans le nord de la région pour aller régler un cas d'araignées géantes qui ont infesté une forêt, près d'un petit village.

Souhaitant une bonne nuit aux deux hommes, qui partirent dans des directions différentes, Victor et ses quatre amis marchèrent en direction de sa maison. Le pianiste avait rangé Manuel dans son sac avec deux gommes à mâcher pour garantir un peu de tranquillité. Le vent automnal s'était levé, faisant danser les cheveux de Clémentine, qui grelottait un peu trop.

— Je t'avais dit d'apporter un manteau, lui fit remarquer Victor. Nous sommes à la mi-octobre, tu oublies que l'été est terminé.

— Nous sommes presque arrivés, répondit la jeune fille en se frottant les bras avec ses mains.

La maison de Victor était facile à trouver : c'était la seule dont les lumières étaient restées allumées à travers les pâtés de maisons endormies, dont les citrouilles illuminées étaient le seul signe de vie. Arrivé sur le seuil de la porte, Victor ouvrit et pénétra chez lui. Une jeune femme vint alors à sa rencontre et se blottit dans ses bras. C'était Maeva, son amoureuse. La douce odeur de ses cheveux bruns et ondulés avait cette étrange faculté de détendre Victor, qui se perdait aussitôt dans ses pensées. Après avoir échangé un baiser avec lui, Maeva accueillit individuellement les invités. Elle serra l'énorme main de Rudolph, colla Clémentine contre elle et posa deux baisers sur les joues d'Ichabod.

Victor et ses amis allèrent ensuite se détendre dans la cuisine, où ils racontèrent leurs aventures à Maeva. Elle lâcha un petit rire moqueur en rencontrant finalement Manuel, personnage dont Victor lui avait souvent parlé, sous sa simple forme de crâne bien inoffensif. Quelques minutes plus tard, l'épouvantail s'était poliment retiré à l'étage dans la chambre d'amis, l'ancienne chambre de Nika, afin de récupérer un peu.

Autrefois, Nika vivait avec eux, mais celle-ci s'était mariée deux années auparavant et avait déménagé en Suisse avec son amoureux et bon ami de Victor, Liam. Maintenant, la maison de Victor n'abritait plus que Clémentine, qui allait toujours à l'école, ainsi que Maeva, qui avait emménagé l'an dernier. Une fois sa tasse de thé bue, Rudolph leur souhaita lui aussi une bonne nuit avant de se diriger vers l'atelier, où il avait une chambre depuis maintenant trois semaines.

— J'ai peine à croire qu'il soit à son aise, dit Maeva en observant, de ses yeux bruns, Rudolph, qui refermait derrière lui la porte menant à l'atelier.

— Il ne veut pas partager la chambre d'amis avec Ichabod, lui rappela Clémentine. Et puis…, je ne veux pas être impolie, ajouta-t-elle à voix basse, mais lorsqu'il marche à l'étage, le bruit de ses pas est infernal. Mieux vaut qu'il occupe l'atelier.

— Mais c'est froid et mal isolé, continua Maeva en soupirant. Le fait est qu'il dort sur un vieux lit dans un atelier.

— C'est un hobgobelin, non ? intervint Manuel, installé sur la table devant une chaise. Ces gros monstres nordiques résistent bien au froid.

— Je te conseille de surveiller la façon dont tu parles de mes amis devant moi, l'avisa sévèrement Victor après avoir bu la dernière gorgée de sa tasse de café.

— Et tu comptes faire quoi, protesta le crâne sur un air de défi, me battre furieusement à coups de canne ?

Le pianiste fit, d'un geste nonchalant, rouler un petit objet en direction de Manuel. C'était un drone à champ électromagnétique.

— Te désactiver avec ce drone, annonça le jeune homme d'un air satisfait.

— Mais tu as besoin de moi ! répondit Manuel d'une petite voix, sous les yeux amusés de Clémentine et de Maeva.

— Pas pour l'instant. Alors, tu te comportes bien, sinon je t'envoie faire un petit somme.

— Espèce de tyran.

Clémentine lâcha alors un bâillement. Maeva le remarqua aussitôt et lui dit :

— Tu devrais aller dormir, Clémentine. Tu as des cours, demain, non ?

La gobeline acquiesça d'un grognement plutôt déçu avant de monter, à son tour, vers sa chambre. Maeva se leva pour débarrasser la table des tasses et, une fois cette tâche accomplie, elle enlaça ses bras autour de son amoureux, qui, quant à lui, était toujours assis.

— Je crois que je vais aller dormir, moi aussi, lui dit-elle à l'oreille. Il se fait tard et je dors debout.

— Je te rejoindrai plus tard, lui répondit Victor en lui caressant la main. Va dormir, mon amour.

— Bonne nuit, lança-t-elle à l'intention de Victor et de Manuel avant de quitter la cuisine.

Le jeune homme et le crâne restèrent silencieux pendant un moment, jusqu'à ce que Manuel prenne finalement la parole :

— Bon, maintenant que nous sommes seuls, toi et moi, tu veux bien m'expliquer pourquoi tu m'as ramené chez toi ? Entre être emprisonné ici et dans mon sarcophage, je ne vois pas la différence.

— Ah, parce que tu te sens emprisonné ? poursuivit Victor, un sourire en coin, qui s'était levé pour se resservir une tasse de café.

— Je n'ai pas de corps ! On me trimbale comme un vulgaire objet ! Tu me menaces de m'endormir de force avec ce… ce… bidule !

Manuel avait eu bien du mal à trouver un mot pour désigner le drone à champ électromagnétique. Une fois sa tasse remplie, le jeune homme alla se rasseoir d'un pas précautionneux.

— Pas si fort, lui dit-il d'une voix calme, mais presque amusée. Les gens dorment, ici.

— Je t'ai sauvé la vie plusieurs fois, reprit Manuel d'un ton lugubre. Je me suis même jeté à l'eau pour te libérer de cette tortue bizarre, en Amérique centrale ! Et toi, *toi*, ajouta-t-il d'une voix presque furieuse, tu sais comment tu me remercies ? En laissant ce raton laveur de Pakarel me voler mon diamant ! Et en m'empêchant de retrouver mon corps !

Victor l'observa pendant un moment avant de répondre, après avoir bu une gorgée de café :

— Tu as fini de te plaindre ?

Le crâne n'ajouta rien.

— Écoute, je n'ai rien à voir avec la perte de ton corps, alors ne me mets pas cela sur le dos. Je t'avais dit de ne pas balancer ton équipage en pleine mer, il y a quatre ans. Tu devais bien savoir qu'ils chercheraient éventuellement à se venger. Eh ben, mon vieux, tu l'as cherché.

Manuel grommela quelques jurons.

— Tu ne m'as toujours pas répondu, ajouta-t-il ensuite d'un ton bourru. Pourquoi suis-je ici ?

— Parce que tu aurais préféré que je te laisse en Égypte, peut-être ?

— Peut-être bien ! rétorqua Manuel d'un air de défi. Laisse-moi tranquille. Je veux dormir.

Le jeune homme resta là à observer le crâne. Il ne savait même pas pourquoi il avait ramené Manuel avec lui. Il savait bien que son grand-père lui avait fortement suggéré de le retrouver, mais en vérité, il ne voyait pas en quoi un crâne désagréable pouvait lui être utile. Peut-être son utilité s'arrêtait-elle simplement à avoir convaincu le vieillard de lui montrer l'antre de la striga ? De plus, Victor n'était pas particulièrement heureux d'être en présence de Manuel, car ce dernier était un criminel recherché. Pourtant, il l'avait libéré de son sarcophage et l'avait même amené chez lui… Au fond, Victor savait que s'il avait agi ainsi, c'était pour remercier Manuel à sa manière de l'aide qu'il lui avait apportée précédemment. Même s'il était un criminel immature et sans scrupules, Victor s'était tout de même lié d'amitié avec lui, car au fond de son crâne cupide, Manuel était quelqu'un de bien.

— Tu es encore là ? rugit-il un moment plus tard. Va-t'en !

Le pianiste lâcha un soupir et se leva sans dire un mot, se dirigeant jusqu'au salon. Lorsqu'il était chez lui, Victor s'entraînait, depuis plusieurs mois, à marcher sans sa canne. En effet, il laissait son accessoire près de la porte d'entrée et préférait se mouvoir par lui-même. Certes, ce n'était pas toujours facile, surtout lorsqu'il s'agissait de monter ou de descendre un escalier, mais il avait fait beaucoup de progrès ; sa démarche était bien moins saccadée qu'avant.

Seul dans son confortable salon, le jeune homme s'installa alors devant son piano, terriblement vieux et usé, mais en parfait état. Victor passa les doigts sur le clavier, mais sans presser les touches pour autant; il ne voulait réveiller personne, étant donné l'heure tardive. Fermant les yeux, il s'imagina les sons émis alors que ses doigts se baladaient sur les touches du piano. Quel drôle de métier il avait choisi. Un professeur de piano qui possédait un important établissement, c'est-à-dire un orphelinat, à Londres. Cet immeuble ne lui rapportait pas d'argent; en réalité, il lui en faisait même perdre, même si le gouvernement londonien lui remettait annuellement une petite somme d'argent pour son aide aux enfants du peuple. Il n'en était pas moins que subvenir aux besoins d'une cinquantaine d'enfants et payer les gens qui y travaillaient était une activité très coûteuse.

C'était d'ailleurs pour cette raison qu'il allait encore, de temps à autre, jouer du piano dans les différents cabarets du monde, utilisant son pseudonyme pour pouvoir avoir un certain niveau de quiétude, sans se faire constamment harceler. Même si le jeune homme n'aimait pas réellement voyager, car il ne dormait jamais bien dans un autre lit que le sien, il le faisait quand même. Tout cela dans l'unique but de payer les besoins de l'orphelinat. Mais Victor s'en moquait, car, pour lui, l'argent n'avait aucune valeur. Et puis, ça valait bien le coup de faire cet effort, puisqu'en fin de compte, il aidait des enfants qui, tout comme lui, n'avaient pas eu le luxe d'avoir des parents.

Ne trouvant pas le sommeil, Victor se leva et examina sa petite bibliothèque. Il passa un doigt sur les différentes reliures jusqu'à ce qu'il tombe sur un livre de contes pour enfants. C'est en plongeant dans l'imaginaire de preux chevaliers, qui tuaient des dragons et sauvaient de belles princesses, que le jeune homme finit par trouver le sommeil. Il monta donc dans sa chambre et rejoignit sa douce, qui dormait déjà depuis quelques heures.

Le matin, le pianiste fut réveillé par une agaçante sensation. Une désagréable petite langue lui léchait la joue. Lorsqu'il ouvrit finalement les yeux, grognon, Victor réalisa que c'était nul autre que son chat, Harry, un gros matou au poil hérissé. Celui-ci l'observait maintenant d'un air curieux. Le félin aimait tout particulièrement lécher les joues piquantes de barbe naissante de son maître.

– Bon matin à toi aussi, Harry, lui dit Victor d'une voix pâteuse.

Se redressant, Victor réalisa qu'il était seul dans son lit. Les rideaux étaient tirés et éclairaient la chambre d'un vif rectangle de lumière aveuglante. Il devait être près de dix heures du matin.

Descendant à la cuisine, Victor retrouva Ichabod et Maeva en pleine discussion assez rigolote au sujet d'un célèbre gnome centenaire et manchot qui s'était voué, voilà bien des années, à l'alpinisme. Selon les nouvelles rapportées dans le journal quotidien, le vieux gnome était décédé la veille au matin alors qu'il était sur le siège de ses toilettes.

– On dit qu'il a fait une crise cardiaque en même temps ! lui dit Maeva, qui, la main sur la bouche, s'efforçait de ne pas éclater de rire. Ç'a dû être vraiment pénible !

– C'est tordu, de rire de ce genre de choses, leur dit Victor, qui, lui-même, avait le sourire aux lèvres. Vous n'avez pas honte ?

– En tout cas, ajouta Ichabod en ricanant, pour partir dans une mort glorieuse, c'est raté !

– Et dire qu'on aurait imaginé qu'il serait mort de vieillesse au sommet d'une montagne, dit Victor en cassant des œufs dans un poêlon.

– Ça me rappelle mon vieil oncle Boris, dit Rudolph en entrant dans la cuisine, vêtu d'une vieille chemise retroussée sur ses gros avant-bras musclés. Il était en train de soulever une caisse, lorsqu'il a reçu une flèche en plein dans le derrière !

– Et il est mort ? s'étonna Ichabod, sur le point d'éclater de rire.

– Non, je ne te crois pas ! lui lança Maeva.

– Oh que oui ! reprit Rudolph en s'installant à table. Il était reconnu pour son amour-propre un peu trop élevé. Il est mort sur le coup, son ego mortellement atteint. Si vous aviez vu sa position ! Ha ! ha ! Même en creusant sa tombe, on riait comme des fous ! Paix à son âme !

Des jours passèrent, durant lesquels Victor s'efforça de ne pas se casser la tête à tenter d'en découvrir davantage au sujet de son tout nouveau fragment recueilli sur la striga. Le pianiste avait, dans ce but, dissimulé les deux fragments, l'un dans sa pochette protectrice et l'autre au bout d'une chaîne, dans un compartiment de la carapace de D-rxt, le scorpion mécanique, qui était situé dans une petite pièce cachée sous l'atelier, uniquement accessible par une trappe maintenant recouverte par le lit de Rudolph. Victor parvint donc à se concentrer sur ses tâches quotidiennes à tel point qu'il oublia presque les mystères de l'engrenage mentionné par son grand-père. Cette attitude était bien différente de celle qu'il avait adoptée pendant trop longtemps.

Le jeune homme avait effectivement passé, au cours des dernières années, des centaines d'heures isolé dans son bureau, perdu dans ses pensées à tenter d'élucider les mystères autour de la fameuse tâche que lui, son grand-père et six personnes allaient devoir accomplir. C'était devenu si grave que pendant une période, il ne dormait presque plus et se surprenait à parler tout seul. Maeva avait fini par se fâcher sérieusement et avait exhorté Victor à décrocher et à lâcher prise. Chose qu'il avait faite.

Mis à part quelques arrière-pensées dirigées vers le robot assassin qui avait tout récemment tenté de lui enlever la vie, Victor avait continué son quotidien l'esprit libre. En plus d'avoir donné des concerts au cabaret qu'il fréquentait depuis bien longtemps, il était allé donner des cours particuliers à plusieurs clients, tout particulièrement Laura, la fille de l'enquêteur Thomas Dujardin. Le pianiste lui rendait maintenant visite depuis plusieurs années, presque toutes les semaines. Celle-ci, clouée dans un fauteuil roulant et terriblement fragile, était devenue une jeune musicienne aux talents multiples. En plus de constamment impressionner Victor, qui lui apprenait maintenant des pièces très ardues, Laura accompagnait ses pièces au chant. Elle avait une voix mélodieuse et puissante, ce qui était finalement tout le contraire de sa stature physique.

Au fil du temps, les visites de Victor avaient créé une solide amitié non seulement entre Laura et lui, mais aussi avec son père, Thomas. Même si c'était un homme froid, droit et de carrure intimidante, Dujardin était un loyal serviteur du bien, qui se donnait entièrement à son métier et, surtout, à sa fille. Thomas avait aidé Victor à plusieurs reprises dans le passé, et le pianiste lui en serait toujours reconnaissant. Jamais le pianiste n'aurait cru, bien des années plus tôt, qu'il serait invité à déguster un repas avec Laura et son père lors de chacune de ses visites.

Un soir, alors qu'il était près de 19 h et que le ciel commençait à montrer ses étoiles, Victor rentrait chez lui d'une longue journée de leçons avec Gustave, un riche graboglin. Tournant au coin de sa rue, sa canne cognant contre le sol, il vit que la double porte de son atelier était grande ouverte. N'ayant pas l'intention de déranger Rudolph, Victor se dirigea vers la porte de sa maison. Il entendit alors des grognements répétés, comme si quelqu'un forçait ardemment. Au lieu d'entrer directement chez lui, le pianiste décida finalement d'aller jeter un coup d'œil aux activités du hobgobelin.

Il se glissa à travers la double porte et découvrit Rudolph au sol, en train de faire des redressements assis avec une enclume sur le ventre. Celle que Victor utilisait pour ses inventions.

— Hé ! lui lança le hobgobelin en réalisant sa présence. Passé une belle journée ?

Son visage était ruisselant de sueur, des veines bombées sur ses tempes.

— Ça va ? insista Rudolph.

— Bien sûr, lui dit le jeune homme en souriant, avant d'aller s'asseoir sur le vieux lit du hobgobelin.

Sous son poids, le lit protesta dans un craquement pénible. L'atelier de Victor avait été transformé en chambre personnelle de Rudolph. Un feu brûlait avec ardeur dans un fourneau, éclairant l'endroit d'une lumière dansante. Ses armes et armures étaient judicieusement placées sur les murs et brillaient de propreté. Il était vrai que le hobgobelin passait le plus clair de son temps à les polir et à les nettoyer de leur moindre tache de poussière.

Mis à part ses outils de guerre, le reste de la pièce était en piètre état. À travers le bric-à-brac et les outils qu'utilisait Victor à ses fins de bricoleur, le hobgobelin y avait fait son petit espace personnel. Les draps et couvertures de Rudolph étaient constamment froissés, de vieilles chaussettes étaient éparpillées un peu partout, et près de son lit étaient empilés des tas de livres, d'encyclopédies et de bestiaires tenus en équilibre en une tour impressionnante. Des pages de sudoku, probablement trop difficiles pour Rudolph, étaient chiffonnées, reposant près de la poubelle. C'était sans doute le résultat de tirs manqués après que les pauvres pages eurent suffisamment défié la patience du hobgobelin.

Combattant mentalement pour éviter de penser aux pochettes mystérieuses qui se trouvaient si près de lui, plus exactement à quelques mètres sous ses fesses, Victor balaya l'endroit du regard et demanda à Rudolph :

— Tu te plais toujours, ici ?

— C'est confortable.

Un coup de vent siffla à travers la double porte, faisant vaciller le feu du fourneau et rougir ses braises.

— Tu devrais fermer les portes, suggéra Victor en regardant des feuilles mortes s'introduire dans l'atelier par une bourrasque de vent.

Rudolph poussa l'enclume sur le sol avant de se lever.

— J'aime bien avoir un peu d'air frais qui circule dans la pièce, expliqua-t-il en massant son ventre.

— Tu sais que Maeva n'aime pas que le froid s'introduise dans la maison par ta faute, lui rappela le jeune homme. Elle te le dit tous les soirs, mon vieux. Elle est peut-être norvégienne, mais cela ne change pas le fait qu'elle est frileuse.

Rudolph essuya sa sueur avec une serviette avant de s'installer sur un tabouret, dos à la table qu'utilisait Victor pour bricoler.

— Tu as réparé la batterie solaire d'Ichabod ?

— En fait, répondit le pianiste, je comptais le faire ce soir. Si tu me laisses venir te déranger dans tes humbles quartiers, bien sûr.

— Tu es chez toi, grommela le hobgobelin en étirant son bras pour prendre une gourde pleine d'eau. Tu peux venir dans ton atelier quand tu veux.

Tandis que Rudolph s'abreuvait et que l'eau dégoulinait abondamment sur ses joues piquantes d'une barbe naissante assez drue, Victor lui dit :

— Je voulais te remercier d'avoir accepté de m'aider.

— Tu m'as payé, lui dit le hobgobelin en fronçant les sourcils. Je ne l'aurais pas fait gratuitement.

Victor observa Rudolph pendant un moment. Ce dernier avait quitté la milice des sept lames pour aider Victor. Étant donné que les mercenaires de ce groupe étaient en constant mouvement, ils n'avaient pas d'endroit où vivre. En plus de lui fournir un toit et sa nourriture, Victor avait dû payer une bonne somme à Rudolph pour qu'il accepte de l'accompagner lorsque le moment serait venu. C'était l'un des six individus que le jeune homme avait choisis. Mais pourquoi lui ? C'était simple. Chacune des personnes choisies par Victor allait pouvoir jouer un rôle important. Selon les deux lettres de son grand-père, ils allaient chasser des anomalies. Ou encore, comme l'avait deviné Victor, des Liches. Rudolph était un choix bien naturel, puisqu'il était un redoutable guerrier et, selon les dires, il ne refusait jamais l'occasion de briser un crâne ou deux.

Même s'il résidait chez lui depuis un moment déjà, Rudolph n'était pas très bavard au sujet de son passé. En fait, Victor ne savait rien de lui, même s'il avait déjà tenté de lui poser quelques questions, qui étaient restées sans réponse. Il savait cependant que la milice des sept lames manquait au hobgobelin. Plus d'une fois, le jeune homme avait surpris Rudolph assis sur son lit, passant la main d'un air nostalgique sur la marque maintenant effacée qui se trouvait sur son plastron en fer.

Un coup de vent particulièrement frisquet sortit Victor de ses pensées, et il réalisa ensuite que Rudolph lui avait tourné le dos depuis un moment, lisant un livre ouvert sur la table.

— Bon, dit le pianiste en se levant. Je vais y aller. On va souper dans une heure, tout au plus.

— À tout à l'heure, lui dit Rudolph d'un air absent.

Victor entra chez lui par la porte de l'atelier qui menait directement dans la maison. Il fut aussitôt accueilli par une Maeva qui avait l'air furieuse et qui s'apprêtait à aller voir Rudolph.

— Qu'est-ce qu'il y a ? lui demanda le jeune homme d'un air apaisant, sachant très bien la réponse.

— Ce n'est pas normal de laisser les portes ouvertes à cette période de l'année ! Les courants d'air sont incroyables ! La porte qui mène à l'atelier n'est pas bien isolée ! Regarde-moi, ajouta-t-elle en ouvrant les bras comme pour se montrer, j'ai deux paires de bas, deux chandails en laine et je grelotte !

De sa position, Victor pouvait voir la lumière orangée et instable du feu de foyer dans le salon. S'il faisait aussi froid alors même qu'un bon feu craquait dans le foyer… c'était parce qu'en effet, il y avait un problème. Même s'il aimait bien la fraîcheur d'un vent plus froid, Victor dut admettre que sa compagne avait raison et que Rudolph dépassait peut-être les bornes.

— Tu as raison. Je vais aller lui en glisser un mot, lui assura-t-il ensuite après l'avoir embrassée sur le front. Ça ne vaut pas la peine de se mettre en rogne, non ?

Son amoureuse lui répondit par un baiser et tourna les talons pour retourner dans le salon. Victor la vit soulever une couverture et l'étendre sur elle tandis qu'elle s'installait avec un livre. Le jeune homme se déplaça vers le hall d'entrée, retira son veston, qu'il plaça sur le porte-manteau, et déposa sa canne contre le mur, près de la porte d'entrée principale.

— Qu'est-ce que tu lis ? lui demanda-t-il depuis la cuisine en se servant une tasse de café.

— Un livre, répondit Maeva d'un air indifférent.

Le jeune homme avait discerné une touche de moquerie dans la voix de sa bien-aimée.

— Lequel ? précisa-t-il patiemment avant de prendre une gorgée de café.

— C'est le dernier livre de Mafalda Littletoodle, lui répondit-elle dans un soupir.

Victor apparut sur le seuil de la porte entre le salon et la cuisine, les yeux plissés.

— Tu ne lis quand même pas les livres de cette folle ? lui demanda-t-il d'un air moqueur.

Sans lever le regard de son livre, Maeva dit d'une expression amusée :

— Je le savais bien…

— Tu savais quoi ? ajouta Victor tout en s'avançant vers son amoureuse.

— Que tu réagirais ainsi, précisa Maeva, son livre couché contre sa poitrine.

Un sourcil levé, le pianiste lui vola son livre d'une main rapide. Les deux amoureux s'observèrent d'un regard de défi tout en souriant. Le jeune homme lut alors la couverture à voix haute :

— *Les hommes, la misère du monde féminin,* par Mafalda Littletoodle.

Sous le regard tout aussi défiant de Maeva, il ouvrit la page retenue par son signet et lut à voix haute quelques lignes au hasard :

— *Les hommes, mes chères consœurs, doivent être défaits et reconstruits comme on le fait aux machines défectueuses. Ils doivent être bien dressés et éduqués convenablement. Si votre homme, et soyez honnêtes, car il est inutile de le cacher, est constamment assoiffé d'alcool, souffre d'un sévère manque d'hygiène et laisse sortir de ses sphincters toutes sortes de bruits grossiers qui le font rire, c'est parce qu'il doit être élevé d'une tout autre façon…*

Victor lâcha un reniflement de moquerie.

— Elle a vendu des millions d'exemplaires ! protesta Maeva.

— C'est complètement débile, ricana le jeune homme.

— Et elle fait une chronique toutes les semaines dans le journal, ajouta-t-elle comme pour soutenir son point. Ses anecdotes sont très populaires auprès de toutes les femmes, peu importe leur race !

Victor afficha un visage ricaneur. Maeva lui arracha le livre des mains.

— Ce n'est qu'un divertissement comme un autre, lui dit-elle sur la défensive. Ce n'est pas parce que je lis ses écrits que je pense forcément comme elle.

Victor lâcha un grognement d'ogre théâtral en envoyant une grimace à Maeva.

— Tu sais que tu es laid, lorsque tu t'y efforces ? lui renvoya-t-elle en souriant.

Le pianiste approcha son visage de celui de sa bien-aimée et lui murmura tendrement :

— Moi, laid ? Ah, vraiment ?

Tombant sur son amoureuse, Victor la chatouilla vigoureusement, et celle-ci explosa de rire en essayant de protester.

Plus tard dans la soirée, tout le monde se regroupa autour de la table de la cuisine pour déguster le bœuf braisé cuisiné par Victor. Manuel, refusant d'adresser la parole au jeune homme, s'était quand même joint à eux pour manger. Incapable de bouger, le crâne se faisait nourrir à la fourchette par Clémentine, qui semblait trouver cette activité particulièrement rigolote.

Le pianiste échangea un regard amusé avec Maeva avant de jeter un coup d'œil à Ichabod, qui buvait son simple verre d'eau à l'aide d'une paille, d'un air plutôt absent, la tête appuyée sur sa paume, le coude sur la table.

L'épouvantail vivait chez Victor pour une simple raison : ce dernier lui avait demandé son aide. Ichabod représentait la deuxième personne que Victor avait convaincue pour l'accompagner. Deux ans plus tôt, le pianiste était allé rendre visite à Ichabod à son domicile, dans une forêt à l'extérieur de Londres, où il vivait avec ses parents d'adoption, Edward Leafburrow et madame Alice.

Victor leur avait fait part de la demande de son grand-père en leur faisait lire les deux lettres qu'ils avaient reçues. Il n'en avait pas fallu plus pour qu'Ichabod accepte, et Edward, qui prenait la tâche d'Udelaraï avec une extrême importance, l'avait aisément convaincu d'aller vivre avec Victor lorsque le temps serait venu, soit dans les derniers mois précédant la troisième année, lors de laquelle son grand-père devait arriver, juste au cas où celui-ci se présenterait plus tôt. Cela allait bientôt faire un mois qu'Ichabod avait emménagé dans la chambre d'amis, où il passait ses journées à écrire des pièces de piano pour rivaliser avec celles de Victor.

— Tout va bien, Ichabod ? lui demanda le jeune homme en coupant une patate chaude pour en faire sortir la chaleur.

L'épouvantail lui répondit d'un sourire et d'un hochement de tête, puis il dit :

— Je m'endors, voilà tout.

Ichabod aspira une bruyante gorgée d'eau et ajouta :

— Ne vous en faites pas, je vais bien.

— J'avais prévu de jeter un coup d'œil à ta batterie solaire après le souper, lui fit savoir le pianiste.

— C'est une excellente idée, fit remarquer Maeva en mastiquant une bouchée de viande.

— Oh, c'est gentil, répondit l'épouvantail.

Quelques minutes plus tard, ils entendirent un lourd impact sur la table ainsi qu'un tintement d'ustensiles ; Ichabod venait de s'effondrer, la tête contre la table, complètement endormi. Vers 23 h, Clémentine et Maeva se retrouvèrent au salon avec Manuel, posé sur l'accoudoir du canapé, qui leur racontait ses mésaventures ridicules et hilarantes, largement exagérées. Quant à Victor, il avait rejoint Rudolph à l'atelier dans le but de travailler sur la batterie solaire de l'épouvantail.

Bien sûr, avant de se mettre au travail, Victor profita du moment pour faire savoir au hobgobelin qu'il allait devoir se passer de ses petits courants d'air et garder les portes de l'atelier bien fermées. Installé à la table de son atelier éclairé par le fourneau à bois, le pianiste était en train de remplacer une minuscule pièce dans la batterie à l'aide de petites pinces, quand Rudolph vint le voir.

— Il faudra que tu me donnes ta recette, lui dit-il en observant ce que Victor faisait par-dessus son épaule. Et puis, cette batterie ?

Victor acquiesça d'un grognement absent, il était bien trop concentré. La pièce maintenant remplacée, il la referma avant de la brandir devant son visage du bout des doigts.

— Voilà, dit-il d'un air satisfait avant de s'apercevoir que Rudolph était présent. Oh, excuse-moi. Que disais-tu ?

Il désigna la batterie solaire d'un geste nonchalant.

— Ça va fonctionner, ton bidule ?

Avant que Victor puisse répondre, on cogna à la porte. Rudolph et lui échangèrent un regard.

— J'arrive, fit Maeva depuis le salon.

Curieux, Victor se leva et se dirigea vers le salon, laissant la batterie sur la table. Il avait un étrange pressentiment.

Chapitre 5

Un visiteur très attendu

Lorsque Victor s'avança sans sa canne, d'une démarche prudente, jusqu'au hall d'entrée, il vit Maeva, dos à lui, en train d'accueillir en silence quelqu'un à l'intérieur. À moitié dans l'ombre, la silhouette était revêtue d'une très vieille cape de voyage, son capuchon rabaissé sur sa tête, un long bâton à la main. Une fois la porte refermée, Maeva se tourna vers Victor et le regarda d'un air estomaqué. Victor comprit qu'elle avait deviné l'identité du visiteur. Le pianiste s'avança vers lui, les sourcils froncés d'incrédulité, son cœur pompant à pleine force dans sa poitrine.

L'étranger tira son capuchon en arrière, dévoilant ses longs cheveux argentés. Son visage, recouvert d'une fine barbe, était d'une ressemblance frappante avec celui de Victor, malgré la nette différence d'âge. Encore une fois, Victor fut frappé de réaliser à quel point ils avaient exactement les mêmes yeux.

— Bonsoir, Victor, dit-il de sa voix chaleureuse.

Se tenant devant son grand-père, cherchant ses mots, le pianiste fut incapable de dire quoi que ce soit. Lentement, Udelaraï ouvrit son bras gauche et afficha un sourire.

— Viens, dit-il en agitant les doigts pour inviter son petit-fils à s'approcher.

Devant Maeva, qui affichait un visage tendre, Victor se blottit dans les bras de son grand-père, les yeux humides. C'était la première fois qu'il touchait quelqu'un qui était comme lui, quelqu'un de son propre sang, quelqu'un qui représentait sa parenté. Certes, il avait déjà rencontré son grand-père précédemment, lors des événements en Amérique centrale, mais c'était bien différent, car Victor n'avait pas vraiment été là, seule une partie de lui s'y trouvait. Cette fois-ci, cependant, c'était vrai. Son propre grand-père était bel et bien là, en chair et en os.

Même s'il ressentait un profond bonheur à l'idée de rencontrer son grand-père, Victor savait que cette émotion était une arme à double tranchant. Il savait très bien que, comme tous les Mayas qui étaient revenus sur Terre, sa santé se détériorerait rapidement et qu'il y laisserait la vie. Ce n'était qu'une question de temps.

Les deux hommes restèrent ainsi pendant un moment avant que son grand-père lui tapote la nuque.

— Qu'est-il arrivé à tes cheveux ? lui demanda-t-il d'un air plutôt sérieux, avant de sourire tout simplement.

Encore une fois, Victor resta sans voix. Il émit un petit rire en séchant les larmes de ses yeux. Puis, il fit un geste de la main, comme pour indiquer qu'il n'en savait rien. Son grand-père paraissait épuisé, mais sa stature montrait l'inverse : il était droit et respirait calmement. Victor remarqua alors que le front de son grand-père n'arborait aucune marque blanche. Il avait l'air d'un simple vieil homme comme les autres.

— Et qui sont ces charmantes jeunes demoiselles ? demanda Udelaraï en jetant un coup d'œil par-dessus l'épaule de Victor.

Le pianiste se retourna alors et vit Maeva et Clémentine, qui se tenaient juste derrière eux. La première semblait émue et la gobeline, intimidée, mais curieuse.

— Je m'appelle Clémentine, se présenta-t-elle en souriant. Je suis la sœur de Victor.

— Enchanté, Clémentine ! lui répondit le vieil homme d'un air amical et énergique. Moi, je m'appelle Udelaraï.

Le grand-père observait maintenant Maeva avec intérêt.

— Maeva, dit-elle simplement.

— Ravi de finalement vous rencontrer, lui dit Udelaraï.

Il y eut un court silence avant que Maeva propose, un peu mal à l'aise :

— Peut-être devrions-nous passer au salon ?

— Avec joie, répondit Udelaraï. Mes vieux os ont bien besoin d'un peu de chaleur et, surtout, de repos.

Maeva envoya un regard pesant à son amoureux, qui était resté muet comme une tombe. Sursautant et l'air un peu perdu, Victor bredouilla à son grand-père :

— Oh ! euh... où ai-je la tête... Je... Puis-je prendre votre manteau ?

Udelaraï retira sa cape de voyage et la tendit poliment ainsi que son bâton à Victor, qui s'occupa de les ranger. Même s'il ne s'attendait pas nécessairement à le voir habillé dans une tenue maya, le pianiste fut surpris de constater que son grand-père était vêtu d'une vieille chemise et d'un pantalon usé.

Ils passèrent alors au salon. Manuel s'y trouvait, encore installé sur le bras du sofa. Lorsqu'il vit Udelaraï, il dit :

— C'est ma place, ici, l'ancêtre ! Hé ! je ne suis pas un objet !

Clémentine s'était, par chance, dépêchée de le saisir, morte de honte, avant de filer à l'étage. Udelaraï se retourna vers Victor et Maeva, qui, tous deux, affichaient un sourire vide, car ils avaient plutôt envie de disparaître dans le plancher.

— Drôle de personnage, ce métacurseur, commenta simplement le grand-père. N'est-ce pas ?

Le pianiste ne trouva rien de mieux que de lâcher un petit rire forcé. Par politesse, Victor s'assit sur son banc de piano, en face du sofa, qu'il laissa à son grand-père.

— Voudriez-vous quelque chose à boire ? leur demanda Maeva. Du café, peut-être ?

Udelaraï acquiesça d'un sourire. Victor fut incapable de dire s'il avait répondu ainsi par simple politesse ou parce qu'il savait ce qu'était du café. Après tout, songea Victor, buvait-on du café sur les trois royaumes d'Orion ?

— Du café, alors, dit Maeva d'un air enjoué avant de disparaître à la cuisine.

Victor la connaissait assez bien pour savoir qu'elle voulait simplement les laisser seuls, car la préparation du café nécessitait un certain temps. Le jeune homme et son grand-père étaient maintenant seuls. Victor regardait un peu partout autour de lui, n'osant pas croiser le regard d'Udelaraï, simplement parce qu'il ne savait vraiment pas quoi dire. Le pianiste avait attendu ce moment pendant si longtemps qu'ironiquement, il était incapable de construire une phrase ou même d'entreprendre la conversation.

Sentant le regard de son grand-père peser sur lui, Victor décida finalement de lever les yeux.

— Comment vas-tu ? lui demanda son grand-père, confortablement installé sur le sofa, une jambe croisée sur l'autre.

Victor prit une grande respiration, soulagé que la conversation soit enfin enclenchée.

— Je vais bien, répondit-il d'un ton qui était loin d'être naturel.

— J'ai remarqué que tu marches sans canne, lui fit savoir son grand-père.

— Oh ! s'exclama Victor, un peu gêné. Je m'exerce un peu chez moi..., je la laisse près de la porte d'entrée et j'essaie de... Enfin, de marcher par moi-même.

Udelaraï hocha la tête en guise d'acquiescement. Puis, d'un air plus sérieux, il demanda :

— Tiens-tu toujours à m'aider à accomplir la tâche qui nous attend ?

Victor fut surpris par le changement de sujet.

— Je tiens à ce que tu saches que rien ne t'y oblige, continua le vieillard.

— Je croyais que notre tâche était de la plus haute importance ? demanda Victor, les sourcils froncés.

— Elle l'est, lui assura très calmement le vieil homme, mais tu as tout de même le choix de refuser.

Victor secoua la tête en souriant avant de répondre d'un air presque froid :

— Croyez-vous réellement que je vous laisserais tomber, grand-père ?

Udelaraï sembla touché de se faire appeler ainsi et, pendant un moment, ses yeux se perdirent dans le vide, et un faible sourire se figea sur ses lèvres. Puis, il reprit la parole :

— J'ai remarqué que tu as sauvé le métacurseur, ce qui s'avérera très utile pour nous, mais je dois quand même te demander : as-tu accompli la mission que je t'avais confiée ?

— La striga est décédée. Je suis revenu de ce périple hier, justement. Mes amis et moi l'avons chassée et, comme vous me l'aviez demandé, j'ai récupéré son fragment en le tenant bien loin du mien.

Udelaraï haussa légèrement les sourcils, puis se redressa avant de dire :

— Alors, toi et les tiens avez sauvé bien des gens de l'Afrique d'un horrible désastre.

— Mais..., j'ai une question à vous poser. Savez-vous pourquoi le sable entourant le corps brûlant de la Liche a viré au noir..., comme une étrange infection ?

— Il s'agit là d'une réaction chimique hautement radioactive et nuisible pour tous sauf toi. Heureusement, les sables du désert auront vite balayé ces particules dangereuses, et le risque d'infection est si minime que nous pouvons le négliger. Mais, dis-moi, Victor, es-tu parvenu à convaincre six personnes, comme je te l'avais demandé ?

— Oui, lui répondit le pianiste. J'y suis parvenu.

— Très bien, très bien, dit son grand-père d'un air satisfait. Sera-t-il possible de les réunir ici même d'ici deux jours ?

— Je crois, oui.

— Il nous faudra aussi un moyen de transport durable. Rien qui vole, cependant, nous devons garder un profil bas... Mieux vaut être prudents. Crois-tu pouvoir en dénicher un ?

— Je saurai me débrouiller, répondit le pianiste avec un sourire en coin.

— Parfait, se réjouit Udelaraï. Et... saurais-tu comment nous procurer un bateau, si jamais nous avions besoin de prendre la mer ?

Victor hocha la tête en guise de confirmation, puisque le sous-marin de Rauk allait très probablement faire l'affaire. Puis, le jeune homme demanda, intrigué :

— Mais que vouliez-vous me dire au sujet du désastre ? De quoi s'agit-il ?

— Chaque chose en son temps, lui dit Udelaraï en levant délicatement la paume. Contente-toi de savoir que tu as sauvé bien des vies. Nous avons assez parlé de ces choses pour ce soir.

Victor, qui avait la bouche entrouverte, la referma. Il était un peu frustré de se faire fermer la porte ainsi, surtout après avoir attendu presque trois années, mais il pouvait bien prendre son mal en patience. Au même moment, Maeva apparut avec un cabaret et des tasses de café. Elle affichait un petit sourire timide.

— Merci, lui dit Victor alors que son amoureuse leur servait leur tasse.

— Très aimable à vous, dit le vieil homme à Maeva, qui lui répondit par un sourire avant de retourner à la cuisine avec le cabaret.

Udelaraï porta la tasse à ses lèvres et, levant les yeux en l'air, goûta la boisson chaude. Puis, il afficha une expression satisfaite.

— Quelle étrange mixture, dit-il.

— Vous ne buvez pas de café, sur Orion ? s'étonna Victor avec amusement.

Le vieillard émit un faible rire.

— Non, et c'est un scandale ! déclara-t-il avant de reprendre une gorgée. Cette boisson ferait fureur !

Le pianiste ne put s'empêcher d'afficher un large sourire. Une multitude de questions hantaient son esprit, mais voulant respecter le choix de son grand-père de ne plus aborder ces sujets pour l'instant, il s'abstint.

— Alors ! lança le vieil homme avec énergie, comme pour commencer un nouveau sujet. Pourquoi ne me parlerais-tu pas de toi ?

Baissant les yeux vers sa tasse, Victor but une gorgée de café, histoire de se donner un court moment pour penser. Son grand-père lui avait souvent démontré qu'il savait bien plus de choses à son sujet que Victor le croyait. À vrai dire, Udelaraï lui avait même avoué prendre de ses nouvelles de temps à autre. Il était donc très probable qu'il lui pose des questions dont il connaissait déjà la réponse, dans le simple but de faire la conversation. Malgré tout, pouvait-il lui en vouloir ? Pas du tout.

– Que pourrais-je bien dire à mon sujet, débuta Victor en regardant autour de lui. Je suis un garçon assez simple, avoua-t-il finalement. Ce qui entoure mon quotidien est plutôt ennuyant. Je joue et j'enseigne le piano. Sinon, je possède aussi un orphelinat. Mais vous savez déjà tout ça, non ?

– Les personnes simples ne sont pas nécessairement ennuyantes, lui rétorqua son grand-père d'un air amusé. Tiens, pourquoi ne me dirais-tu pas ce que tu aimes bien faire ?

– J'aime bien bricoler, lui répondit Victor après une courte réflexion. Créer des choses de mes mains, comme ma canne, par exemple. J'aime aussi faire la cuisine. Et vous, Udelaraï ? Qu'est-ce que vous aimez faire ?

– Oh, je suis un vieil homme assez ordinaire, dit-il d'un air modeste. J'aime bien m'occuper de mon petit jardin. J'aime manger des sucreries et j'aime lire des livres. Surtout les comédies !

– Des livres ? répéta Victor, un peu étonné.

– Notre monde n'est pas si différent du vôtre, lui fit savoir Udelaraï.

L'expression du vieillard s'était adoucie.

– Certes, notre technologie est différente, mais, au fond, nous restons tous des hommes et des femmes…

Le regard d'Udelaraï se perdit dans le vide pendant un moment, avant que son sourire et sa bonne humeur reviennent. Puis, il se mit à observer le salon et dit :

– Je dois te dire, Victor, que tu as une belle demeure. C'est très chaleureux, chez toi.

– Merci beaucoup, lui répondit-il, flatté.

Ils entendirent alors la porte de l'atelier s'ouvrir et se fermer, ainsi que le bruit des lourds pas du hobgobelin. Celui-ci entra alors dans le salon.

– Hé ! Victor, dit-il, j'ai vu qu'il restait un peu de café, ça t'ennuierait si je… Oh. Bonsoir.

Rudolph venait de réaliser la présence d'Udelaraï, qui le salua d'un signe de tête.

— Rudolph, dit Victor en désignant son grand-père, je te présente mon grand-père.

Le hobgobelin s'avança, sa grosse main tendue pour serrer celle d'Udelaraï, qui était trois fois plus petite.

— Enchanté, monsieur. C'est un plaisir de vous voir. Vous êtes un peu en avance, hein ?

Victor sentit ses pommettes s'embraser. Udelaraï lui avait fait savoir qu'il ne voulait plus aborder ce sujet pour ce soir.

— Un peu, dit le vieillard en envoyant un clin d'œil à Victor.

Le hobgobelin avait marqué un point; pourquoi son grand-père était-il arrivé en avance ?

— Bon, eh bien, je vais monter prendre une douche, dit Rudolph en regardant Victor, comme pour avoir son autorisation.

— Pas de problème, lui répondit le jeune homme.

Sous le regard curieux d'Udelaraï, Rudolph gravit l'escalier, qui grinça de souffrance sous son considérable poids.

— Il est l'un de ceux qui nous accompagneront, pas vrai ?

— C'est exact.

Son grand-père afficha un sourire. Maeva entra de nouveau dans la pièce, cette fois pour leur offrir quelques biscuits qu'Udelaraï se fit une joie de goûter. Avant que Maeva puisse s'en aller, le vieil homme l'invita à rester et à discuter. Elle alla donc s'asseoir à côté de Victor, qui lui avait fait une place sur le siège du piano.

Ils discutèrent de tout et de rien. À la surprise de Victor, et même de Maeva, il s'avéra qu'Udelaraï était un grand comique. Il faisait continuellement de petites blagues et riait facilement. Les rires attirèrent d'ailleurs Clémentine, qui apparut dans l'escalier. Victor et Udelaraï la remarquèrent aussitôt.

— Viens donc te joindre à nous ! lui lança Udelaraï avec entrain. Plus on est de fous, plus on rit !

Avec une certaine gêne, mais le sourire au visage, la gobeline vint s'asseoir sur le tapis, entre le sofa et le banc de piano, juste devant le feu, qui virevoltait dans le foyer. Une fois sorti de la douche, Rudolph vint les rejoindre à son tour.

Très tard en soirée, il ne restait plus qu'Udelaraï, Victor et Maeva dans le salon, car les autres étaient partis se coucher. Le feu qui dansait dans le foyer s'était endormi depuis un bon moment, laissant place à quelques braises rougeoyantes.

— Je vais monter changer les draps, dit Maeva à son amoureux.

— Oh! non, intervint Udelaraï. Gardez votre lit, je vais me contenter de votre sofa, si cela ne vous dérange pas, bien évidemment.

— Vous ne dormirez certainement pas sur le sofa! protesta Maeva, presque insultée. Nous vous laissons notre lit, point à la ligne.

Sur ces mots, la jeune femme monta à l'étage sans laisser le temps à Udelaraï de pouvoir dire quoi que ce soit. Victor et lui se retrouvèrent de nouveau seuls. D'un air complice, Udelaraï s'adressa à son petit-fils :

— C'est une demoiselle de caractère, cette Maeva.

— Si j'avais su que vous arriveriez ce soir, dit Victor, j'aurais fait le lit d'avance.

Udelaraï attendit un court moment avant de répondre sur un ton plus sérieux :

— Je suis navré d'être arrivé plus tôt que prévu. Comme tu le sais, je suis arrivé quelques mois en avance.

— Ce n'est pas grave, voyons! le rassura Victor.

Udelaraï répondit par un sourire et, aussitôt, il se mit à toussoter. Il tenta d'étouffer ses toussotements en s'efforçant de sourire, mais fut alors pris d'une violente toux. Alarmé, le pianiste se leva rapidement et se rua vers son grand-père. Ne sachant pas quoi faire, impuissant, Victor posa un genou sur le sol tout en observant le vieil homme combattre sa grave toux. Au bout d'un court moment, celle-ci s'éteignit. Une main sur la gorge, Udelaraï fit signe à Victor que tout allait bien.

— Est-ce que ça va ? lui demanda Victor en l'observant d'un air plus qu'inquiet.

Udelaraï s'efforça de sourire pour essayer, en vain, d'atténuer l'inquiétude de son petit-fils. Victor savait très bien que la présence de son grand-père signifiait qu'il en paierait de sa vie. Ces toussotements étaient-ils un présage de sa mort ? Voyant bien l'expression dévastée sur le visage de son petit-fils, Udelaraï lui dit, tout en lui tapotant l'épaule :

— Je vais bien, Victor. Ne t'inquiète pas.

Le pianiste était loin d'être rassuré ; en fait, il était mort d'inquiétude. Il devait mettre quelque chose au clair. Il se redressa afin de s'asseoir sur le sofa près de son grand-père. Sans l'observer, gardant plutôt son regard perdu devant lui, il lui demanda calmement :

— Combien de temps avez-vous ?

— De quoi parles-tu ? lui renvoya son grand-père, l'air confus.

— Combien de temps ? répéta Victor d'un ton un peu froid. Je sais que vous êtes mourant.

Il posa finalement son regard sur son grand-père, qui ne disait rien.

— Ne jouez pas à ce jeu avec moi, grand-père.

L'expression confuse d'Udelaraï fut alors remplacée par un visage calme et plutôt triste. Au même moment, Maeva descendit l'escalier. L'arrivée de la jeune femme brisa la conversation, et Victor en ressentit une certaine frustration, qu'il contrôla aussitôt. Les deux hommes levèrent la tête vers la jeune femme et lui sourirent, comme si de rien n'était.

— Voilà, le lit est prêt ! déclara-t-elle à voix basse.

— C'est très aimable à vous deux de m'accueillir ainsi.

— Ce n'est rien, lui assura Maeva d'un geste nonchalant. Victor, je vais chercher des couvertures à l'étage, tu veux bien préparer le salon, pendant ce temps ?

Elle voulait dire reculer le sofa et pousser le banc sous le piano.

— Pas de problème, lui répondit-il avec un clin d'œil.

— Udelaraï, pourquoi ne viendriez-vous pas avec moi ? Je vais vous montrer la chambre, lui proposa Maeva.

— Avec joie, répondit-il en se levant péniblement. Oh là là ! mes vieux os ont bel et bien besoin d'un peu de repos ! Eh bien, Victor, bonne nuit.

— Bonne nuit, lui répondit Victor.

Son grand-père lui envoya un regard bienveillant avant de monter l'escalier sur les talons de Maeva. Victor se sentit aussitôt apaisé. Étrangement, c'était comme si Udelaraï venait de lui transmettre un message qui disait simplement « ne t'inquiète pas ».

Le matin suivant, Victor fut réveillé au son d'un crépitement discret. Quelqu'un faisait cuire quelque chose dans la cuisine. Ouvrant les yeux, il vit les vifs rayons du soleil à travers les vitres du salon. Il pouvait aussi entendre le grincement des roues des diligences, le clapotement des sabots des chevaux et le vrombissement des moteurs des carrosses. Les gens partaient travailler. Il devait être environ sept heures. À ses côtés, Maeva dormait, sa respiration profonde et lente. Étrangement, Victor se sentait en forme. Pour une nuit passée à dormir sur plusieurs épaisseurs de couvertures sur le plancher du salon, c'était surprenant. Le pianiste se leva discrètement et enfila son pantalon et sa chemise.

Marchant d'un pas boiteux jusqu'à la cuisine, il y découvrit son grand-père en train de cuisiner, avec une grande habileté, des œufs et du bacon. N'en croyant pas ses yeux, le pianiste resta planté sur le seuil de la porte, bouche bée.

— J'avais une petite faim, lui dit son grand-père à voix basse. J'espère que je ne t'ai pas réveillé.

— Non, non, lui répondit Victor en allant s'installer à table de manière presque mécanique, le visage affichant une expression stupéfaite. Ça va.

— On dirait que tu viens de voir un fantôme, déclara Udelaraï en ricanant.

Le fait de voir Udelaraï cuisiner avec une telle facilité était insolite, songea le jeune homme. Sans nécessairement savoir si c'était différent sur son monde, Victor s'était initialement attendu à ce que son grand-père trouve leurs méthodes de cuisine un peu... primitives.

— Cela t'ennuie que je cuisine ? lui demanda son grand-père, qui lui tournait maintenant le dos pour continuer son activité.

— Pas du tout. En fait..., je ne savais pas que, sur votre monde, vous cuisiniez comme nous. Je veux dire...

Udelaraï lâcha un petit rire et tourna ses œufs dans son poêlon.

— Je comprends ce que tu veux dire, lui dit-il d'un air complice, tout en retirant ses tranches de bacon du feu. Mais, comme je te l'ai fait savoir pas plus tard qu'hier soir, nos mondes ne sont pas si différents.

— Je vois ça, répondit Victor, presque amusé.

— J'ai pris la liberté de fouiller un peu dans la cuisine pour trouver les assiettes et les ustensiles. Tu as faim ?

Par politesse, Victor aurait bien voulu dire non, mais son ventre lâcha un gargouillis assez fort pour que son grand-père l'entende. Le vieil homme servit deux tranches de bacon et deux œufs dans une assiette qu'il déposa devant Victor.

— Tiens, mange, lui ordonna-t-il, je vais me préparer une autre assiette.

Le pianiste prit ses ustensiles et se mit à manger. Contre toute attente, les œufs étaient parfaitement réussis et le bacon, à point.

— Pas mal, le complimenta Victor d'un air complice.

— Tu t'attendais à l'inverse, peut-être ? lui répliqua son grand-père avec un clin d'œil.

Le temps que le vieil homme finisse de préparer ses œufs et ses tranches de bacon, Victor essuyait déjà son assiette avec une tranche de pain. Lorsqu'Udelaraï vint finalement s'asseoir, il prit une bouchée de ses œufs, faisant bien attention de ne pas tacher sa longue barbe, avant de lâcher un grognement de satisfaction.

— Ce sont des œufs de poule, pas vrai ?

— Euh... oui, répondit Victor, levant un sourcil.

— Différent, continua Udelaraï d'un air songeur, mais quand même très bon.

— Vos œufs viennent de quel animal ? lui demanda Victor, intrigué.

— Même si je te disais leur nom, lui répondit simplement Udelaraï en souriant, cela t'éclairerait-il vraiment ?

Victor sourit et haussa les épaules.

— Je suppose que non, admit-il. Voulez-vous un café ?

— La boisson que j'ai bue hier ? lui demanda son grand-père avec énergie. Mais certainement !

Incapable de décoller le sourire de son visage, Victor se leva et alla préparer le café. Udelaraï dégustait son déjeuner en tenant ses ustensiles du bout des doigts, le dos bien droit et les avant-bras contre le rebord de la table, comme le font les gens d'un certain niveau social. Il fallait croire que les bonnes manières à table s'étaient même rendues jusque sur Orion.

Lorsque le café fut prêt, Udelaraï venait tout juste de terminer son repas. Après avoir débarrassé la table des assiettes et des ustensiles, le pianiste revint avec deux tasses de café fumant.

— Merci, lui dit son grand-père en prenant sa tasse, avant d'y tremper le bout des lèvres.

Il prit une petite gorgée et se lécha le bout des lèvres avec satisfaction. Puis, il dit :

— Je suppose que tu veux savoir pourquoi je t'ai demandé de regrouper tes six amis avant demain soir ?

Victor fut pris au dépourvu. Il ne s'attendait pas du tout à cette demande. Quelques secondes s'écoulèrent avant que l'information se rende convenablement à son cerveau.

— Euh... oui, dit-il finalement. Oui, j'aimerais bien savoir.

— Parce que nous allons devoir partir en chasse dès demain soir.

— À la chasse ? demanda Victor, les sourcils froncés.

— Tout juste, confirma Udelaraï d'un hochement de tête. Avec celle que tu as tuée en Égypte, il n'en reste que trois.

Une lumière s'alluma dans la tête du pianiste. L'air absent, il dit :

— Cinq anomalies, trois encore vivantes, six camarades... cinq pièces au total.

Udelaraï afficha un profond sourire, visiblement satisfait de son petit-fils. Cependant, il subsistait un point que Victor ne comprenait pas et qui n'avait pas beaucoup de sens.

— Mais..., s'il ne nous reste que trois fragments à récupérer, pourquoi avoir besoin de six personnes supplémentaires ? demanda-t-il d'un air intrigué. Et puis, ne serons-nous pas huit, au total ?

— Contrairement à ce que tu pourrais croire, je ne pourrai porter de fragment, expliqua Udelaraï avec une certaine déception. Je ne te l'ai jamais dit jusqu'à maintenant, mais comme tu t'en doutes, les fragments sont hautement radioactifs. Voilà pourquoi ils transforment ou tuent ceux qui ont la malchance de s'écorcher un doigt dessus. Il est inutile de te rappeler qu'à cause de mon origine, je suis extrêmement sensible aux radiations. Survivre à celles qui sont considérées comme naturelles sur Terre est déjà un exploit, alors le port d'un fragment me serait fatal.

Victor se remémora alors qu'Abim-Kezad l'avait autrefois appelé « l'enfant des étoiles », et lui avait dit qu'il était capable de porter le fragment à mains nues. Depuis ce jour, Victor avait cru que les gens venus d'Orion étaient immunisés contre les fragments. Selon les dires de son grand-père, il semble que ce n'était pas le cas. Lui seul, Victor Pelham, un descendant du peuple d'Orion, se retrouvait inexplicablement protégé, et pas seulement contre les légères radiations terrestres, mais aussi contre les fortes radiations des fragments. Pourquoi ? Pourquoi était-il immunisé ainsi contre toutes les maladies, les infections et même les hauts niveaux de radiation ? C'était insensé, surtout considérant le fait que ses descendants étaient extrêmement vulnérables...

— Quel rôle joueront les deux autres personnes qui ne seront pas des porteurs ? demanda ensuite le pianiste, essayant d'oublier ces pensées.

— C'est assez simple, répondit Udelaraï après avoir pris une bonne inspiration. Vois-tu, Victor, notre voyage sera très probablement dangereux. Il sera donc plus prudent pour nous d'être nombreux… et bien armés. Qui sait ce que nous allons devoir affronter en cours de route ? Et puis, nous devons prendre en compte la possibilité que l'un ou plusieurs d'entre nous aient un problème et ne soient plus en état de porter un fragment…

La réponse du vieil homme était très claire et logique. Victor répondit d'un grand hochement de tête.

– Et Manuel, qui ne peut pas porter de fragment, sera pourtant bien du voyage, devina le jeune homme sans difficulté. Pourquoi tenez-vous tant à l'emmener, au fait ? Il est… relativement inutile, et sa présence nous sera très… très lourde, croyez-moi.

Udelaraï lâcha un petit rire.

– Ne sous-estime pas ton ami métacurseur. Il pourrait t'être d'une utilité inimaginable. Quant aux deux autres personnes, c'est simplement pour une question de sécurité. Au cas où… l'un ou plusieurs d'entre nous périraient.

À la suite de cette réponse, le pianiste resta silencieux, les yeux plissés, peu convaincu par les dires d'Udelaraï. Il n'aimait pas vraiment le fait que son grand-père lui eut demandé de regrouper autant de compagnons au cas où il y aurait un mort, car cela voulait clairement dire que leur quête était hautement dangereuse. Certes, Victor savait que leur périple comporterait des risques, mais il n'aimait pas pour autant se le faire rappeler ainsi. Ne voyant pas l'intérêt de questionner son grand-père davantage sur ce sujet, car il avait la nette impression qu'il n'aurait pas de réponses, Victor se redressa sur sa chaise et prit une bonne inspiration.

– Très bien, continua-t-il. J'ai maintenant une seconde question pour vous.

– Je sais, je sais. Tu vas me demander pourquoi. Pourquoi nous partons à la chasse de ces anomalies. Pourquoi nous devons récupérer les trois pièces restantes.

– Et quel est cet engrenage que vous avez mentionné dans vos lettres ?

– Je préférerais répondre à toutes ces questions lorsque tes compagnons nous auront rejoints, lui fit savoir Udelaraï. De cette façon, je n'aurai à m'expliquer qu'une seule fois. Seras-tu capable de patienter ?

Une vague de déception traversa le pianiste. Mais Victor était un homme patient, il allait attendre.

— Bien sûr. J'attendrai.

— Je dois te dire que je suis touché de voir que tu prends ma cause à cœur.

Victor l'observa d'un regard interloqué.

— Deux invités sont ici à ta demande, continua Udelaraï. Celui qui dort dans ton atelier, que j'entends d'ailleurs ronfler en ce moment même, et un autre, qui marmonne des notes de musique dans son sommeil, un épouvantail, je crois. Ils vivent chez toi parce que vous attendiez mon arrivée, n'est-ce pas ?

Victor n'eut d'autre choix que d'avouer, un peu mal à l'aise :

— C'est bien cela. Ils sont ici parce que nous vous attendions.

Udelaraï l'observait maintenant d'un air plutôt curieux.

— Regarde-toi, Victor, reprit-il d'un air scrutateur, mais dégageant une certaine fierté. Tu es devenu un homme d'une très grande force de caractère. Malgré ta jambe, tu n'as jamais cessé d'aller de l'avant. Tu fais des choses que bien des gens n'oseraient jamais entreprendre. Tu représentes l'ambition. Tu as des amis qui t'aiment, quelqu'un avec qui partager ton cœur et, malgré toutes les aventures que tu as traversées, tu as su garder la tête haute.

Le vieil homme prit une courte pause avant de dire, d'un ton plus doux :

— Et encore aujourd'hui…, tu es prêt à mettre ta vie en danger pour aider les autres.

Victor ne sut quoi répondre ; il était mal à l'aise. Par chance, la situation fut sauvée par Maeva, qui entra dans la cuisine, un peu endormie, mais souriante.

Elle se servit une tasse de café et s'installa à table avec eux. La jeune femme n'en crut pas ses oreilles, lorsque son amoureux lui confia que c'était Udelaraï qui avait cuisiné leur déjeuner. Ils discutèrent de tout et de rien, et, une dizaine de minutes plus tard, le vieil homme déclara :

— Serait-ce trop vous demander de me montrer le fonctionnement de votre salle de bain ? Je me suis déjà débrouillé pour faire fonctionner votre poêle et j'ai failli mettre le feu à votre maison !

Laissant Maeva dans la cuisine, Victor monta dans la salle de bain avec son grand-père, dans le but de lui montrer le fonctionnement de la douche, du bain, du lavabo et des toilettes.

— Et quand vous avez terminé, lui expliqua Victor, vous tirez la chasse. Comme ça.

Au même moment, Ichabod et Clémentine, qui venaient tout juste de se réveiller, traversèrent le corridor en face de la salle de bain.

— Comme c'est ingénieux, lâcha Udelaraï en observant, avec intérêt, l'eau disparaître au fond des toilettes.

L'épouvantail marcha à reculons et envoya un regard vers Victor et son grand-père, qui, quant à lui, avait le visage incliné au-dessus des toilettes. La scène devait être hilarante du côté d'Ichabod, qui resta muet par simple politesse.

— Oh, bonjour, Ichabod ! lui lança Victor, s'efforçant de paraître aussi normal que possible. Je te présente mon grand-père, Udelaraï. Grand-père, voici Ichabod.

— Enchanté ! déclara Udelaraï en tendant la main vers l'épouvantail. Victor me montrait le fonctionnement des toilettes, ajouta-t-il. C'est une technologie fort intéressante !

Ichabod serra la main du vieil homme et répondit d'un air incertain :

— Tout le plaisir est... pour moi.

Laissant son grand-père dans la salle de bain, Victor descendit l'escalier en compagnie d'Ichabod. Dès qu'ils eurent mis les pieds dans la cuisine, l'épouvantail éclata d'un fou rire.

— Qu'est-ce qu'il y a ? s'interrogea Clémentine, qui déjeunait avec Maeva.

Mais le dur regard de Victor incita l'épouvantail à tenir sa grande bouche fermée. Quelques minutes plus tard, Rudolph apparut sur le seuil de la porte de l'atelier en sifflotant.

— Je peux te parler un instant ? demanda furtivement Maeva à son amoureux.

Celui-ci acquiesça et tous deux quittèrent la cuisine pour aller dans le salon. Maeva invita Victor à s'asseoir sur le sofa avec elle.

— Oui ? lui demanda Victor.

Maeva affichait maintenant un air sérieux et même inquiétant. Elle prit une bonne inspiration et dit à voix basse :

— Ce matin, lorsque tu étais dans la cuisine avec ton grand-père, je vous ai surpris en train de parler.

Elle marqua une pause. Victor leva un sourcil, ne comprenant pas à quoi elle voulait faire allusion. Pour l'encourager à continuer, il lui dit :

— Oui, et alors ?

D'un air inquiet, Maeva lui révéla en chuchotant :

— Tu ne parlais pas français, Victor.

— Hein ? Maeva, voyons, c'est insensé, je ne connais pas d'autres langues que…

Le regard plus que sérieux de son amoureuse lui coupa la parole. Elle ne mentait visiblement pas.

— Ton grand-père et toi discutiez dans un dialecte que je n'ai jamais entendu avant, précisa-t-elle.

Victor resta silencieux, l'air confus. Longtemps auparavant, il avait déjà demandé à son grand-père comment il était possible qu'il parlât son langage. Celui-ci lui avait répondu qu'il ne parlait pas français et que c'était Victor qui le comprenait dans sa langue.

— Mais... je ne comprends pas, dit lentement Victor. Il vous a parlé en français, non ?

— Oui, il parle très bien français, lui confirma Maeva, et contrairement à moi, il n'a pas d'accent. Il sait l'écrire, aussi, puisqu'il t'a envoyé ces lettres. De toute manière, cela ne change rien au fait que tu as conversé avec lui dans une autre langue, Victor.

La jeune femme avait relevé un point très intrigant.

Chapitre 6

L'arrivée des autres

Plus tard cet après-midi-là, alors que Clémentine était retournée en classe et que Maeva était partie faire une promenade avec Udelaraï, qui avait insisté pour visiter la ville, Victor se rendit à son atelier. Ayant pris congé de ses activités de pianiste au cabaret et de tuteur, le jeune homme espérait pouvoir profiter du moment pour faire fonctionner la carte mère du robot qui avait tenté de l'assassiner. Rudolph, assis sur le bord de son lit, à quelques mètres derrière Victor, aiguisait ses nombreuses armes avec une grande délicatesse.

— Que fais-tu ? lui demanda finalement le hobgobelin au bout de quelques minutes.

Dos à lui, utilisant des pinces pour détacher une puce de la carte mère à la lumière d'une lanterne même en plein jour, Victor lui répondit d'un air concentré :

— J'essaie de voir si je pourrais dénicher de l'information sur cette carte mère.

Victor entendit le lit de Rudolph craquer. Le hobgobelin s'était levé et marchait vers lui. Plissant ses petits yeux noirs à la pupille rouge, il observa ce que le jeune homme faisait par-dessus son épaule. Légèrement dérangé par la respiration de son gros compagnon, Victor tenta de ne pas y prêter attention et de redoubler d'efforts pour garder sa concentration sur son travail.

Il parvint, avec ses pinces, à détacher quelques puces nuisibles qui se trouvaient sur la carte mère, dans le but de la rendre lisible dans n'importe quel ordinateur. Une fois sa tâche accomplie, il observa la carte mère d'un air satisfait.

— Parfait, dit-il en se levant.

— Que fais-tu ? lui demanda Rudolph, suivant du regard Victor, qui fouillait sur une tablette remplie de bric-à-brac.

— Je cherche un module capable de lire cette carte mère, dit-il en s'exécutant. Ah ! voilà.

Il venait de mettre la main sur une vieille radio qui avait servi de cobaye à de nombreuses expériences effectuées par Balter, des années auparavant. Revenant à sa table de travail, il se glissa sur son tabouret et observa la radio ainsi que la carte mère. Il était impossible d'insérer directement cette dernière dans la radio.

— Il me faudrait un câble de liaison générale, marmonna-t-il avant de se relever pour aller fouiller, cette fois, dans le tiroir d'une étagère débordant de pièces de toutes sortes.

Rudolph, lui, observait Victor en se grattant la tête.

— Bon, dit le pianiste en s'installant de nouveau à sa table, son câble dans les mains.

À l'aide d'un tournevis, il ouvrit la radio en deux et retira quelques pièces qu'il jugeait inutiles, comme la carte mère originale de la radio. Habilement, il inséra la carte mère du robot assassin dans la radio avant d'y connecter le câble directement.

— Pourquoi connectes-tu le câble sur la carte mère ? lui demanda Rudolph.

Rapidement, Victor lui répondit :

— Parce que c'est la seule façon de l'alimenter correctement sans qu'elle s'autodétruise. Regarde, dit-il en pointant une surface sur la carte mère qui était recouverte de petits cubes noirs. Tu vois ces cubes ? Ce sont des unités de sécurité bourrées de poudre à canon. Si, par exemple, je tentais directement d'ouvrir la radio, la carte mère exploserait en morceaux. C'est un dispositif de sécurité assez rudimentaire, qui peut aisément être contourné. Regarde bien...

Ses gestes suivis de près par les petits yeux du hobgobelin, Victor s'exécuta tout en parlant :

— Si je connecte... le câble directement... sur cette batterie universelle, le dispositif de sécurité est détourné.

– Comme ça ? s'étonna Rudolph, dont Victor, à en juger par son expression, était persuadé qu'il n'avait rien compris.

– Comme ça ! rétorqua le jeune homme avec un sourire satisfait.

Sans même prendre la peine de revisser la radio, il appuya sur son interrupteur. Soudain, des données apparurent sur son écran. Une simple série de chiffres suivis, à la fin, de deux lettres : *L* et *D*. Victor soupira de déception.

– Quoi ? demanda Rudolph. Qu'est-ce qu'il y a ?

– La personne qui a programmé le robot a effacé ses traces.

La grosse main de Rudolph s'abattit sur son épaule et l'ébranla.

– Ne t'en fais pas, on trouvera bien ce vieux scientifique mou qui a programmé cette machine et on lui fera sa fête.

Victor ne put s'empêcher de ricaner.

– Dis, tu as jeté un coup d'œil à ta chambre ? l'interrogea ensuite Rudolph.

– Hein ?

D'un air mystérieux, le hobgobelin précisa :

– Pour vérifier si ton grand-père y a laissé quelques indices...

Comme pour les six personnes qui devaient l'accompagner dans sa quête, Victor avait raconté, à ceux qui n'étaient pas encore au courant, sa réelle origine ainsi que celle de son grand-père. Victor devait établir un lien de confiance avec eux. Et la confiance débute toujours avec la vérité. Par chance, tous avaient fini par le croire, mais certains, seulement après un bon nombre de questions et quelques preuves.

Un moment plus tard, Victor était en chemin pour jeter un coup d'œil à sa propre chambre. Profitant ainsi de l'absence de son grand-père, le jeune homme s'était laissé convaincre par Rudolph qu'il pourrait peut-être dénicher quelque chose à son sujet. Même s'il n'aimait guère l'idée de faire le curieux, Victor était beaucoup trop curieux pour laisser une telle occasion passer devant lui…

En montant à l'étage, le pianiste sentit son cœur battre la chamade dans sa poitrine. Il tourna la poignée de la porte de sa chambre, fébrile à l'idée de tomber sur quelque chose d'extraordinaire. C'est avec une amère déception qu'il découvrit sa chambre dans un état des plus normal. Le soleil pénétrait par la fenêtre, éclairant la pièce. Son grand lit était fait et dessus était confortablement installé Harry, le gros chat de Victor, qui se tortilla en ronronnant à la vue de son maître, espérant sans doute qu'il le flatte.

Il ouvrit les tiroirs de sa table de chevet et, parmi ses affaires personnelles, trouva la dent du poisson-lanterne qui avait tenté de le dévorer lorsqu'il était plus jeune. Il y retrouva aussi les anneaux de la femme maya qui avait tenté de le tuer, ainsi que son régulateur, qui lui avait été offert par Zackarias, deux ans plus tôt. Victor passa ensuite à la table de chevet de Maeva. Rien. Puis, le jeune homme passa à l'attaque de sa commode. Toujours rien.

Balayant la pièce du regard, Victor sentit son moral dégonfler comme un ballon percé. Pendant un moment, le jeune homme s'était fait à l'idée qu'il allait inévitablement tomber sur quelque chose d'extraordinaire, qui allait révéler tous les secrets de son grand-père.

Déçu, le pianiste se laissa tomber en position assise, au pied de son lit. Son chat vint aussitôt rejoindre sa main avec hâte et se glissa en dessous. Tout en grattant la tête de son petit animal de compagnie, Victor resta là, l'air morne, à fixer le plancher. Le jeune homme se fit une raison : Udelaraï était vraiment venu sans aucune possession autre que ses vêtements, sa cape de voyage et son long bâton de bois.

Une dizaine de minutes plus tard, remis de sa déception, Victor se retrouva seul dans son bureau. C'était une pièce chaleureuse, munie de quelques bibliothèques et, en soirée, elle était éclairée de belles lampes à huile. Derrière le grand bureau en chêne de Victor se trouvaient de larges vitres, qui, à ce moment-là de la journée, filtraient les rayons dorés du soleil.

Assis devant son bureau, Victor relisait les lettres qu'il avait reçues des mois auparavant. Ces lettres étaient des réponses à la demande qu'il avait envoyée à quatre individus. Il leur avait demandé leur aide, par lettre écrite, afin qu'ils l'accompagnent dans cette mystérieuse quête mentionnée par Udelaraï. Et bien sûr, tous avaient accepté, lui faisant savoir dans ces quatre lettres qu'ils seraient prêts lorsque Victor aurait besoin d'eux.

Une fois les lettres relues, il les rangea dans leur enveloppe et les glissa dans un tiroir de son bureau, avant de prendre un moment pour réfléchir. Bien enfoncé dans son siège, qu'il balançait doucement de gauche à droite, Victor songea aux risques qu'il allait faire courir à ses amis. Il aurait pu embaucher de simples mercenaires, mais Udelaraï lui avait fait savoir, dans ses lettres, qu'il allait devoir trouver des individus qui accepteraient de lier leur vie à la sienne.

En d'autres mots, il s'agissait donc de trouver des gens dignes de confiance, ses propres amis. Même si ces derniers avaient été prévenus du danger qu'ils allaient prendre, aucun d'eux n'avait refusé. D'ailleurs, Victor avait beaucoup de mal à digérer le fait qu'il allait mettre la vie des êtres qui lui étaient chers en péril.

Une chasse à la Liche allait s'ouvrir, et si les créatures à venir ressemblaient moindrement à celle qu'il venait d'anéantir en Égypte, leur tâche allait être très dangereuse. Cependant, les gens qu'il allait regrouper étaient doués et généralement expérimentés dans ce domaine.

Même s'il restait là à tenter de se convaincre qu'il pouvait peut-être faire autrement, chose qui était impossible, Victor savait qu'il ne lui restait plus qu'à prendre contact avec ses amis. Il lui fallut encore quelques minutes avant de finalement se décider à étendre le bras pour allumer la radio, qui se trouvait au coin de son bureau. Il allait joindre ses amis.

Plus tard en soirée, s'excusant de ne pas pouvoir participer au souper, Udelaraï s'était retiré à l'étage pour prendre un peu de repos, sous prétexte que ses vieux os lui faisaient mal. Victor était resté à table avec Maeva, Manuel, Clémentine, Rudolph et Ichabod, qui était resplendissant d'énergie depuis qu'il avait récupéré la batterie solaire. Pendant le souper, ils parlèrent jovialement, sauf Maeva, qui ne prenait pas part à la conversation et qui jouait avec sa nourriture. Elle ne clignait presque pas des yeux, l'air absente, donnant la forte impression d'être préoccupée par quelque chose, et Victor croyait bien savoir ce dont il s'agissait.

— Victor, tu voudrais bien me donner un morceau de fromage ? lui demanda Manuel.

— Tiens, fit remarquer le jeune homme avec surprise, tu t'es décidé à me reparler ?

— Oh ! tu sais, commença Manuel avec modestie, je ne suis pas du genre rancunier.

— Tu es rancunier envers Pakarel, lui précisa Victor, qui aimait particulièrement contredire le métacurseur.

— Ce n'est pas pareil ! déclara Manuel d'un air dégagé. Enfin, bref, j'en suis venu à la conclusion que ce n'est pas si mal, vivre chez toi.

— Ah ? lâcha Victor. Pourquoi, parce que Clémentine prend soin de toi et qu'elle t'emmène à l'école pour terroriser les autres élèves ?

Le jeune homme envoya un clin d'œil à sa petite sœur, qui lui rendit un sourire gêné. Elle croyait que Victor ne s'était pas rendu compte de l'absence de Manuel durant la journée.

— Bon, d'accord, admit Manuel. On s'est bien amusés. Mais il n'en reste pas moins que j'ai décidé de tourner la page ; je te pardonne.

— Tu me pardonnes ? répéta Victor en affichant une expression de moquerie. Voyez-vous ça…

Rudolph et Ichabod ricanèrent.

— Alors, ce morceau de fromage ? demanda angéliquement Manuel.

Le pianiste lui coupa un morceau et lui lança dans la bouche.

— Je t'apprécie davantage quand tu ne dis rien, lui fit remarquer Victor d'un air complice.

— Pas de problème, capitaine ! répondit le crâne, la bouche pleine de morceaux de fromage qui tombaient sur la table.

— Alors, c'est ce soir que cette aventure démarre ! lâcha Rudolph en buvant une chope remplie de bière. Moi qui croyais que nous allions devoir attendre quelques mois supplémentaires ! Ça me va, ce n'est pas très bon pour moi, l'inactivité.

– À quelle heure vont-ils arriver ? demanda Ichabod.

– Les autres ? demanda Victor. Dans une heure ou deux.

Soudain, tout le monde sursauta ; un bruit d'ustensile tombant dans une assiette venait de retentir. C'était Maeva, au bord des larmes, qui se leva de table et se dirigea vers le salon. Victor fut aussitôt debout et la rejoignit rapidement. Arrivé dans le salon, il la prit par le dos et elle se retourna vers lui, afin de se blottir dans ses bras. Il était inutile de lui demander pourquoi elle agissait ainsi, c'était très évident. Ce soir, ils seraient séparés.

Les deux amoureux restèrent blottis l'un contre l'autre pendant un certain temps avant que Victor lui confie doucement à l'oreille :

– Je suis désolé.

– Ne le sois pas, lui répondit-elle en sanglotant. Nous en avons souvent discuté.

Victor avait le cœur lourd. Il détestait le fait que bientôt, il serait éloigné de sa douce, mais tout comme elle venait de le faire remarquer, ils en avaient souvent parlé et tous deux savaient que lorsqu'Udelaraï se présenterait à eux, Victor le suivrait pour l'aider à accomplir sa quête. Puis, la tête contre l'épaule de son amoureux, la jeune femme poursuivit :

– C'est juste que… tout ça arrive en avance. Ce sera ton anniversaire dans une semaine et… nous nous étions faits à l'idée que ton grand-père arriverait durant la troisième année, mais… pas quelques mois en avance…

En lui caressant les cheveux, le jeune homme, qui ne trouva pas d'autre chose à dire, lui répondit :

– Je sais, je sais…, tout ça arrive si vite. J'aurais préféré que…

En fait, il n'en savait rien. Il ne savait même pas de quelle manière il aurait préféré que les choses se déroulent. Aurait-il vraiment voulu repousser cette date ? Victor préféra ne pas finir sa phrase et plutôt profiter de ce simple moment, là, dans le salon, avec Maeva, qu'il tenait contre lui. C'est alors qu'ils entendirent la voix de Clémentine proposer :

— Pourquoi n'allons-nous pas avec lui ?

Les deux amoureux se séparèrent, se tenant maintenant la main simplement par le bout des doigts, et lui accordèrent leur attention. La jeune gobeline était adossée contre le cadre de porte, les bras croisés.

— Que dis-tu ? lui demanda Victor, les sourcils froncés.

— Pourquoi ne pourrions-nous pas t'accompagner ? répéta Clémentine d'une expression sévère.

Le jeune homme soupira. Combien de fois avait-il eu cette conversation avec sa petite sœur ?

— Parce que je ne voudrais pas qu'il vous arrive malheur, lui répondit-il calmement.

— À ce que je sache, rétorqua froidement la gobeline, lorsque tu étais plus jeune que moi, tu faisais déjà le tour du monde ! Tu faisais ce que tu voulais !

— Clémentine, dit Maeva sur un ton doux, tu sais comme nous que ce n'est pas du tout la même situation…

La gobeline ne lui laissa pas le temps de finir sa phrase et lança :

— Oui, justement, c'est pareil ! Pourquoi risquerait-il sa vie alors que nous restons derrière ?

Maeva voulut répondre quelque chose, mais le jeune homme l'interrompit en posant sa main contre son avant-bras. Puis, de son pas boiteux, il s'avança vers sa petite sœur et posa sa main sur son épaule. Clémentine le défiait d'un regard lourd.

— Si je veux que vous restiez derrière, lui dit doucement Victor, c'est pour une simple raison : je ne veux pas m'inquiéter pour vous. Je veux vous savoir en sécurité, saines et sauves.

— Et que crois-tu que tu m'as fait subir depuis des années ? lui renvoya Clémentine. Et à Nika, et à Maeva, aussi ? Comment crois-tu que nous nous sentions à te savoir parti aux quatre coins du monde ? Tu nous rendais constamment mortes d'inquiétude !

Cette fois, Victor ne sut quoi répondre. Clémentine avait raison.

— J'aurai bientôt 18 ans, reprit la gobeline sur un ton glacial. Cesse de me percevoir comme une enfant, Victor.

Puis, à la suite de ces mots, Clémentine monta à l'étage. Avec Maeva, Victor alla s'installer sur le sofa avant de se passer la main sur le visage, l'air découragé.

— Ne t'en fais pas, lui dit Maeva en lui entourant les épaules.

— Je ne sais pas quoi dire, débuta le jeune homme. Le problème, c'est qu'elle a en partie raison. Je n'en ai toujours fait qu'à ma tête et je n'ai jamais… pris en considération le mal que je vous faisais, à partir et à vous laisser seules ainsi… J'ai été égoïste.

— Égoïste ? répéta Maeva en grimaçant. Tu divagues ! Tout ce que tu as accompli jusqu'à maintenant était uniquement axé sur les autres ! Sur ceux que tu voulais protéger par-dessus tout ! C'est être égoïste que de vouloir aider son prochain ?

— Mais à quel prix ? soupira Victor, le visage dans les mains. Ce que je vous fais subir est…

— Arrête, l'interrompit Maeva. Arrête ! En choisissant de vivre avec toi, crois-tu que je n'étais pas prête pour ce genre de choses ? Bon, d'accord, j'ai eu une montée d'émotions tout à l'heure, au souper, mais pour le reste, crois-tu que je m'attendais à vivre un petit quotidien banal jusqu'à la fin de mes jours ? Bien sûr que non !

— Que veux-tu dire ?

— Que tu es quelqu'un d'extraordinaire ! lui répondit Maeva, qui gesticula ensuite des mains comme pour chercher ses mots. Et les gens extraordinaires font des choses… extraordinaires !

La phrase que la jeune femme venait de prononcer était, à première vue, amusante, mais Victor voyait bien par son expression que Maeva était plus que sérieuse. Le jeune homme savait aussi que si son amoureuse avait répété le mot « extraordinaire », c'était simplement parce que sur le moment, Maeva n'avait pas dû trouver d'autres synonymes, étant donné que sa connaissance du français n'était pas parfaite. En fait, ce que son amoureuse venait tout juste de dire était très réconfortant et même apaisant.

Sous le regard ému de Maeva, Victor sentit son moral remonter. Incapable de s'empêcher de sourire, il l'embrassa.

— Je sais ce que tu ressens, là-dedans, lui dit ensuite son amoureuse en tapotant du doigt sur sa poitrine. Je sais que tu veux tout arranger en même temps. Et je serai là pour t'aider. Je resterai ici et je t'attendrai. Promets-moi simplement d'emporter une radio portative et de me tenir au courant de tous tes déplacements.

— Je ne serais jamais parti d'ici sans radio ! lui assura Victor comme si c'était l'évidence.

Il observa Maeva d'un tendre regard et lui caressa ensuite la joue.

— Une journée sans te parler serait bien trop pénible, ajouta-t-il doucement.

Au même moment, on cogna fermement à la porte. Après avoir embrassé son amoureuse sur le front, le jeune homme se leva. Avant qu'il arrive à la porte, on avait cogné encore quatre ou cinq fois avec une certaine impatience. Ouvrant la porte, Victor découvrit une silhouette de très grande taille, qui aurait fait frémir n'importe qui d'autre. C'était Baroque, et il avait l'air bien contrarié.

— Pelham, déclara-t-il de sa voix remarquablement grave, on doit parler.

Baroque était un lozrok, un lézard humanoïde de deux mètres de haut. Il était fortement musclé et large de cou, tandis que sa peau était constituée d'écailles vert foncé, jaunes et noires. Ses pattes de reptile, simplement enveloppées de banderoles, étaient arquées vers l'arrière et se terminaient par de grosses griffes noires. Le blanc de ses yeux était jaune, et ses pupilles, bien rondes, étaient d'un bleu éclatant. Des dents jaunâtres ressortaient de sa large gueule, même refermée. Sa tête de reptile était couverte d'une crête divisée en petites pointes jaunes, rappelant un mohawk, qui descendait le long de sa colonne vertébrale jusqu'au bout de sa queue. Baroque portait un plastron en fer sur lequel était gravé un insigne représentant une tête de lézard sectionnée. Le lozrok était, comme Rudolph l'avait été, un capitaine de la milice des sept lames. Comme toujours, Baroque était armé d'une grande et large épée rangée dans un fourreau, fait de fourrure et de peau animale, ainsi que d'une carabine à mécanisme d'horlogerie, qui avait deux canons superposés.

Les sourcils froncés, Victor s'écarta et lui fit signe d'entrer. Le lozrok inclina la tête et se glissa à l'intérieur. Quelqu'un d'autre se trouvait sur le seuil de la porte, précédemment caché derrière l'imposante stature de Baroque. C'était Caleb. Les yeux du demi-gobelin étaient d'un jaune tout aussi surnaturel qu'auparavant, et ses longs cheveux bleutés tombaient gracieusement sur ses épaules. Il portait un beau manteau gris orné de boutons, qui lui tombait sur les cuisses. Deux dagues étaient discrètement accrochées à ses bottes. Le nombre d'armes que Caleb traînait avec lui variait souvent; cette fois-ci, il portait autour de sa taille trois ceintures, chacune retenant le fourreau d'une épée.

— Ça fait plaisir de te revoir, Victor, déclara Caleb, qui, derrière un faible sourire, avait l'air attristé.

Victor lui répondit d'une expression chaleureuse et les deux amis s'enlacèrent amicalement.

— Qu'est-ce qui se passe? demanda ensuite Victor au demi-gobelin.

Celui-ci désigna l'intérieur de la maison d'un hochement de menton.

— Il vaudrait mieux en discuter à l'intérieur.

Victor acquiesça d'un signe de tête et fit entrer son ami. Caleb retira ses bottes et, sans prendre la peine de retirer son manteau, passa dans le salon, là où Baroque les attendait devant le foyer qui crépitait, les bras croisés, l'air dérangé. Apparemment, Maeva était retournée à la cuisine.

— Qu'est-ce qui ne va pas? s'enquit le jeune homme, les sourcils froncés.

Caleb et Baroque échangèrent un regard. Victor comprit aussitôt que quelque chose n'allait pas.

— Ils ne pourront pas venir, débuta Caleb.

— Qui, exactement? demanda le jeune homme, qui espérait entendre autre chose que ce qu'il redoutait.

— Liam et Nathan, répondit Baroque. Tes amis humains. Ils ne viendront pas.

Victor sentit son estomac chavirer. Il ouvrit la bouche pour parler, mais Caleb enchaîna aussitôt :

— Nika ne va pas bien. Elle s'est fait attaquer cet après-midi. Après que tu es entré en contact avec nous, ajouta le demi-gobelin en voyant que Victor allait rétorquer quelque chose.

— Que dis-tu ? lança Maeva, qui arriva de la cuisine, l'air choquée.

Le cœur du jeune homme se figea un instant, et sa gorge se resserra. Nika était, pour lui, comme sa grande sœur. Elle l'avait hébergé et protégé, lorsqu'il était plus jeune.

— Caleb, qu'est-ce qui lui est arrivé ? demanda Victor d'un air pressé en posant la main sur son bras.

— Des voleurs, répondit-il d'un air navré. Ils ont attaqué Nika alors qu'elle était partie se promener. Elle s'est débattue et en a blessé un, mais c'était peine perdue.

— Quoi ? lâcha Maeva d'une petite voix, la main contre la bouche. Oh non…

Tandis que Baroque restait silencieux, visiblement mal à l'aise, et donnait l'impression de vouloir être ailleurs, le jeune homme vit bien que Caleb retenait quelques renseignements. Respirant difficilement, Victor lui demanda :

— Qu'est-ce qu'ils lui ont fait ?

— Quelques lacérations au couteau, reprit Caleb d'un air démoli. Et ils lui ont perforé un poumon.

Maeva lâcha un cri aigu, et le visage de Victor perdit toutes ses couleurs. Au même moment, Clémentine descendit l'escalier. Ayant visiblement entendu la conversation, elle s'approcha de la scène et se joignit à la conversation :

— Dans quel état se trouve-t-elle ? demanda-t-elle à Caleb.

— Elle ne va pas bien, répondit-il avec tristesse. Les docteurs craignent le pire. Liam lui tient compagnie à l'hôpital.

Ce fut au tour d'Ichabod et de Rudolph de rejoindre le groupe, attirés par la discussion mouvementée. Tous deux restèrent cependant à l'écart. Ichabod paraissait fortement attristé, et Rudolph, qui n'avait pas connu Nika, affichait tout de même une expression de compassion. La voix irritée de Manuel retentit depuis la cuisine, là où il avait été abandonné :

– Hé! qu'est-ce qui se passe? Pourquoi est-ce qu'on me laisse toujours derrière?

Victor prit Maeva et Clémentine dans ses bras, leur frottant les épaules comme pour les rassurer, mais lui-même affichait une expression atterrée. En observant ses amis dévastés, le demi-gobelin baissa la tête et dit :

– Je suis terriblement navré...

– Et pour Nathan? demanda Victor en soupirant.

Caleb afficha une expression à la fois détruite et irritée. Visiblement, il détestait être le porteur de mauvaises nouvelles. Après s'être vigoureusement passé la main sur le visage, il déclara au groupe :

– Sa machine volante a été abattue au-dessus de l'océan. On ne sait ni par qui, ni comment.

Cette fois, presque tout le monde eut la même réaction; Ichabod se cacha le visage avec sa grande main, Victor sentit son cœur se crisper, Clémentine s'éloigna, dos à la scène, incapable de dire quoi que ce soit. Maeva, la bouche entrouverte, les yeux mouillés, lâcha :

– Oh... mon... Dieu. Oh non...

– Ça s'est passé il y a trois heures, ajouta le demi-gobelin.

Rudolph s'approcha et posa sa grosse main sur l'épaule de Victor avant de lui donner quelques petites tapes de compassion. Le jeune homme leva ensuite les yeux vers Caleb, qui observait le sol, les mains sur les hanches, l'air dépassé. D'une faible grimace, comme s'il ne voulait pas entendre la réponse à sa propre question, Victor lui demanda :

– Ont-ils retrouvé son appareil?

Caleb fit signe que non de la tête avant de répondre :

– Non. Mais la garde côtière et les forces du Consortium patrouillent sur les lieux. Ils ont même appelé les horizoniers pour qu'ils leur viennent en aide.

Visiblement, cette journée allait de pire en pire. Pour les retrouvailles joyeuses, c'était raté. Pendant un moment, Victor afficha un air absent, toujours aussi démoli. Le jeune homme alla doucement retrouver sa petite sœur, qu'il serra contre lui. Ses joues étaient sèches, même si ses yeux avaient viré au rouge. Il était évident qu'elle souffrait beaucoup, mais Clémentine restait là, l'air sereine, encaissant le coup avec calme. Elle était forte, comme toujours.

Puis, ce fut Baroque qui brisa le lourd silence :

— Qu'allons-nous faire ? demanda-t-il d'un air calme, les bras croisés.

Tout le monde tourna la tête vers le lozrok.

— Qu'est-ce que tu veux dire ? lui renvoya Rudolph.

— Nous devions être six pour vous accompagner, c'est bien ça, Pelham ? continua Baroque. Nous ne sommes plus que quatre.

En effet, le lozrok avait raison sur ce point. Sans Liam et Nathan, Victor ne répondait pas à la requête de son grand-père de rassembler six individus dignes de confiance et qui voudraient bien mettre leur vie en péril pour lui.

Au même moment, ils entendirent des pas descendre l'escalier ; c'était Udelaraï. Il portait toujours les mêmes vêtements, sa vieille chemise et son pantalon usé. Sous le regard de Victor et de ses amis, le vieil homme marcha jusqu'à son petit-fils avant de poser un regard empli de compassion sur lui.

— Je suis profondément désolé de ce qui s'est produit, lui dit-il tendrement. J'aurais, cependant, quelque chose à te demander, Victor. Quelqu'un t'aurait-il menacé de mort, dernièrement ?

Fixant son grand-père dans les yeux, qui étaient particulièrement identiques aux siens, Victor haussa les sourcils, étonné par la question. Après une brève réflexion, son regard parcourut le visage de ses amis, comme pour avoir leur soutien, et répondit :

— Euh… on ne m'a pas directement menacé, mais… on a essayé de me tuer, oui. Un robot, pour être exact.

Udelaraï ne sembla pas vraiment surpris. Il baissa le regard, l'air songeur, donnant au jeune homme la mauvaise impression qu'il savait quelque chose à ce sujet. Le vieil homme marcha jusqu'à la vitre du salon, juste devant le piano, avant de s'arrêter pour observer à l'extérieur d'un air indéchiffrable.

– Mmmh, une machine, dis-tu ? marmonna Udelaraï.

Tous les yeux étaient rivés sur le dos du vieil homme, qui, les mains dans le dos, semblait réfléchir.

– Grand-père, débuta Victor, je ne comprends pas où vous voulez en venir…

Toujours dos aux autres, devant la fenêtre, son ombre projetée par la lueur du feu qui crépitait dans le foyer, Udelaraï précisa :

– Ne trouves-tu pas étrange que tes amis se fassent attaquer exactement au moment où tu réquisitionnes leur aide ?

– Le vieil homme a un point, fit remarquer Rudolph.

– En effet, confirma Baroque de sa voix grave. Tout cela me semble un peu louche.

– C'est d'ailleurs ce qui me porte à croire que tout cela n'est pas qu'une simple coïncidence, dit Udelaraï en pivotant sur lui-même, faisant maintenant face au groupe. Quelqu'un veut décidément te nuire… ou, devrais-je dire, nous nuire.

– Que voulez-vous dire ? lui demanda Ichabod d'une voix mal assurée.

D'après les expressions que Victor lisait sur les visages autour de lui, il était clair que tout le monde pensait la même chose. Ce fut Caleb qui parla le premier :

– Que quelqu'un d'autre que nous semble bien au courant de la petite escapade que nous nous apprêtions à faire. Et que cette personne, que nous supposons être seule, est bien décidée à nous empêcher de procéder.

– Ce qui veut dire que quelqu'un ici aurait trahi mon grand frère ? envoya froidement Clémentine à l'intention du groupe. Quelqu'un aurait dévoilé la tâche dont il vous a fait part ? Vous saviez pourtant que c'était un secret !

Rudolph et Baroque se mirent alors à s'observer malicieusement du regard, comme s'ils s'accusaient l'un l'autre. Victor savait que ces deux-là avaient eu quelques lourdes frictions dans le passé et qu'ils ne s'appréciaient pas du tout.

— Je parie que c'est le gros lézard, envoya Rudolph à l'égard de Baroque, tout en reniflant bruyamment. Ce n'est pas la première fois qu'il joue dans le dos des gens ! Victor, tu sais très bien ce que Baroque a fait !

— C'est une belle accusation, venant d'un imbécile dégradé de la milice des sept lames, lâcha Baroque entre ses dents serrées.

Rudolph afficha une expression furieuse et voulut s'approcher de Baroque, mais Victor s'interposa entre eux.

— Hé ! intervint le jeune homme d'une voix forte, retenant les deux capitaines du bout des mains. Arrêtez vos conneries ! Ce n'est pas le temps de se sauter à la gorge ! Personne n'a trahi qui que ce soit. Dois-je vous rappeler qu'il est très facile d'espionner les gens, surtout avec la technologie d'aujourd'hui ?

Sur ces mots, l'hostilité entre les deux capitaines s'apaisa assez pour que Victor puisse les laisser, sans craindre qu'ils s'entretuent.

— Victor..., qu'allons-nous faire ? demanda Ichabod.

Le jeune homme resta silencieux, tous les yeux maintenant rivés sur lui. Il savait ce qu'il allait répondre, mais il se détestait aussi pour ce qu'il allait dire.

— Nous ne changerons pas nos plans pour autant. Ce qui est arrivé à Nika et à Nathan est horrible..., mais nous ne pouvons pas nous empêcher d'agir. Si Udelaraï est venu jusqu'ici et a demandé notre aide..., c'est parce que quelque chose de grave va se produire, si nous n'agissons pas.

En parlant, Victor avait détourné le regard vers son grand-père, cherchant son soutien. De son visage de vieux sage serein, Udelaraï répondit :

— La décision est tienne, Victor. Je comprendrais, si tu décidais de partir à la recherche de ton ami qui s'est échoué dans l'océan ou encore de rendre visite à cette Nika.

Victor savait très bien, par les regards pesants de Clémentine et de Maeva, qu'il allait peut-être les décevoir d'une façon ou d'une autre. Même s'il considérait Nika comme sa sœur et Nathan comme son grand ami..., il devait choisir et, surtout, prendre la bonne décision.

— Non, dit-il fermement. Nous ne changerons pas nos plans.

Chapitre 7

Les pendules remises à l'heure

À la suite de la déclaration de Victor, quelques regards inquiets furent échangés à travers le salon.

– Grand-père, je n'ai plus que quatre compagnons. Cela posera-t-il un problème ?

Udelaraï lui sourit tristement.

– Hélas, j'ai bien peur que oui.

Victor hocha la tête de haut en bas, l'air déçu. Tout ce qu'il avait accompli jusqu'à maintenant tombait à l'eau. D'un air poli, mais froid, Clémentine s'avança vers le vieil homme et lui dit :

– Victor a fait de grands efforts pour vous, Udelaraï. Vous n'êtes pas correct avec lui. Ni avec nous.

Toutes les têtes se tournèrent vers Udelaraï et Clémentine. Presque outré de la défiance de Clémentine à l'égard de son grand-père, Victor voulut aussitôt intervenir. Juste avant qu'il ouvre la bouche, Maeva vint lui toucher le bras, lui déconseillant d'un simple regard de dire quoi que ce soit. Udelaraï, quant à lui, restait là, à l'écoute de son interlocutrice avec une expression de sagesse.

– Victor a risqué sa vie plus d'une fois en votre nom, continua la gobeline d'un ton plus calme, mais avec une expression presque implorante. Il continuera de risquer sa vie pour tous les gens qu'il aime, d'ailleurs. Ne croyez-vous donc pas qu'il serait temps de remettre les pendules à l'heure ?

Contre toute attente, le vieillard eut un profond sourire. Puis, d'une voix énergique, il déclara :

– Je crois que tu as raison, Clémentine !

Il y eut un silence durant lequel Victor réalisa qu'il était bien loin d'être le seul à être surpris.

— Peut-être devrions-nous aller nous asseoir dans la cuisine ? suggéra Maeva d'une voix incertaine.

— Excellente idée, lui confirma Udelaraï en ouvrant la marche.

Sous les yeux de Victor et de ses amis, le grand-père se dirigea d'un bon pas jusqu'à la cuisine. Le jeune homme le rejoignit avec un moment de retard, suivi des autres. Évidemment, Manuel bouda les intrus qui venaient ainsi déranger son silence, sous prétexte qu'il avait été laissé derrière, comme d'habitude.

Une fois que les assiettes et ustensiles du souper pris un peu plus tôt furent débarrassés de la table, Udelaraï prit la parole :

— Bon ! Sommes-nous prêts ? demanda-t-il en balayant du regard Victor et ses amis.

Puisqu'il n'y avait actuellement que quatre chaises autour de la table, seuls Maeva, Clémentine, Ichabod et Udelaraï avaient pu s'asseoir. Quant à Victor, Baroque, Rudolph et Caleb, ils s'étaient adossés au comptoir ou au mur. En présence de Rudolph et de Baroque, à la stature imposante, la cuisine, éclairée par la lueur du chandelier qui pendait au-dessus de la table, semblait étrangement beaucoup plus petite.

— Nous le sommes, répondit Victor, qui, les mains dans les poches, était adossé au comptoir, près de Baroque.

Avec hâte, Clémentine voulut aussitôt poser une question :

— Comment se fait-il que…

Mais elle se tut, lorsqu'Udelaraï leva le doigt pour l'arrêter.

— Il vaudrait mieux que vous ne posiez pas de questions, expliqua-t-il. Je vais moi-même vous donner toute l'information nécessaire. De cette façon, nous allons éviter de jongler d'un sujet à l'autre sans cesse. Qu'en dites-vous ?

Tout le monde hocha la tête en guise d'acquiescement, même Clémentine, qui semblait un peu irritée par la mesure choisie par le vieillard. Udelaraï croisa les doigts et, de son allure de vieux sage, débuta :

— Commençons donc par le point que nous n'avons pas finalisé tout à l'heure. Pour être exact, celui des tentatives de meurtre sur tes amis, Victor. Je pourrais avoir tort, mais il est très probable que nous allons faire face à de nouveaux attentats. Si vraiment quelqu'un veut nous mettre des bâtons dans les roues, nous allons devoir nous préparer. Cela signifie…

— Nous sommes en danger, c'est ça ? l'interrompit Clémentine avec une certaine frustration.

Udelaraï ne sembla pas dérangé d'avoir été coupé, au contraire, il lui offrit un petit sourire. Puis, il reprit :

— Cela signifie qu'effectivement, nous sommes tous en danger. Pour être plus précis, tous ceux qui côtoient régulièrement Victor Pelham risquent d'être attaqués.

Le jeune homme sentit ses entrailles se resserrer. Il avait songé à cette éventualité, mais il n'y avait pas accordé plus d'attention, par peur d'être lui-même ébranlé. Puis, son grand-père continua :

— En d'autres mots, mesdemoiselles Clémentine et Maeva devront être mises à l'abri et sous protection.

— Je ne m'en vais pas de cette maison ! protesta Clémentine. Qu'ils viennent, ces imbéciles ! On a Drext, de toute façon !

— Drext… répéta Udelaraï d'un air songeur. La machine que tu caches sous ton atelier, Victor ?

Le jeune homme haussa un sourcil. Comment avait-il pu deviner la présence de D-rxt ?

— C'est bien cela, confirma-t-il.

Udelaraï resta silencieux ; il était visiblement en train de réfléchir.

— Victor, demanda Maeva, tu comptais partir avec Drext ?

À vrai dire, il n'y avait pas vraiment songé. Il s'accorda quelques secondes pour prendre sa décision.

— Non. Non, je n'emporterai pas Drext avec moi. Il restera avec Clémentine et toi.

— Tu sais que Thomas ne veut pas revoir ta sentinelle en ville ? lui fit remarquer Maeva avec une certaine déception.

— C'est vrai, confirma Caleb. Si jamais Dujardin s'en rend compte, il…

Mais Victor l'interrompit aussitôt et dit avec assurance :

— Oh, il va s'en rendre compte, crois-moi. Simplement parce que je vais l'aviser de l'activation de Drext.

— Tu crois que c'est une bonne idée ? lui demanda Clémentine.

— Je n'ai pas envie d'être malhonnête envers Thomas, répondit Victor avec conviction.

Puis, Udelaraï reprit la parole et, d'un air sérieux, demanda à son petit-fils :

— Crois-tu que ta machine pourra garantir la sécurité de ta famille ?

— Oui, je le crois, lui répondit-il avec certitude. Drext est bien plus efficace qu'un bataillon d'hommes.

— Sur ce point, ajouta Caleb en confirmant d'un hochement de tête, Victor a raison.

Puis, le pianiste ajouta, à l'intention de tout le monde :

— Je vais faire part de mes craintes à Thomas. Je suis persuadé qu'il voudra bien positionner quelques patrouilles autour de la maison. Juste au cas où.

Cette fois, ce fut Ichabod qui prit la parole. Celui-ci proposa :

— Nous pourrions aussi envoyer Clémentine et Maeva chez mes parents !

Victor n'avait pas pensé à cette éventualité.

— Cela pourrait être une solution, avoua-t-il.

— Je ne veux pas partir d'ici, leur rappela gentiment la gobeline.

— Mais vous seriez probablement plus en sécurité là-bas ! insista l'épouvantail. Avec la forêt et…

— Je suis du même avis que Clémentine, intervint Maeva avec une certaine douceur. C'est très gentil, Ichabod, mais nous préférons rester ici.

— Bon, d'accord, se résigna l'épouvantail. Mais au moins, sachez que l'option reste valide en cas de problème.

— Donc, Victor, reprit Udelaraï en grattant sa longue barbe argentée, pour conclure, en plus de la présence de ta machine, tu comptes aller voir les forces de l'ordre de ta ville pour qu'ils protègent ta maison ?

– Oui, grand-père.

– Attendez… attendez, intervint Caleb d'un air confus, avant de continuer, je... je ne comprends pas quelque chose. Pourquoi attaquer Nathan et Annika ?

– Je crois en avoir une idée, lui répondit Victor. Nathan était une cible facile, puisqu'il se déplaçait par gyrocoptère au-dessus d'un océan. Quant à Liam, il était probablement plus facile de s'en prendre à sa femme, Nika. Le résultat est le même. Il est resté en Suisse. Dans tous les cas, on veut nous empêcher d'agir. C'est quelque chose que nous devrons tirer au clair, mais pour l'instant, nous n'en savons pas plus.

– Liam et Nathan sont donc hors du jeu pour le moment, marmonna Caleb d'un air songeur. Mmmh, Victor, ajouta-t-il en se tournant vers lui, il va nous falloir être prudents.

Baroque, qui était resté peu bavard jusqu'à maintenant, dit de sa voix grave :

– Ce qui est bizarre, c'est que Caleb et moi n'avons pas eu de problème pour venir jusqu'ici.

En fait, pensa Victor, sans sous-estimer Nathan et Liam, c'était probablement parce que Baroque et Caleb étaient tous deux de féroces adversaires. Le lozrok était reconnu pour sa force et son endurance, et Caleb était un chasseur de monstres aguerri et l'une des rares personnes à oser affronter un loup-garou en combat singulier. Victor avait bien du mal à percevoir quelqu'un de sain d'esprit voulant se mesurer à l'un d'eux.

– Pour l'instant, conclut Udelaraï en balayant la pièce du regard, nous ne pouvons que faire des suppositions. Il est plus qu'évident que nous allons devoir garder l'œil ouvert. Sommes-nous prêts à passer au deuxième point ?

Des regards se croisèrent. Ce fut Victor qui répondit finalement :

– Nous pouvons passer au deuxième point.

Son grand-père hocha la tête en guise d'acquiescement.

— Comme Victor vous l'a expliqué, dit-il ensuite en observant attentivement chacun des visages de la pièce, je lui ai demandé de regrouper six individus. Six personnes qui seraient déterminées à l'accompagner et, inévitablement, à mettre leur vie en danger. Malheureusement, deux de ces six personnes ne pourront remplir le rôle qu'ils avaient accepté de jouer. C'est une perte cruciale, mais… nous y reviendrons.

Udelaraï marqua une petite pause avant de poursuivre, d'un ton plus énergique :

— Sur les cinq anomalies d'origine, seules trois rôdent maintenant sur Terre. Par « anomalie », je veux parler de ce que vous connaissez peut-être sous le nom de « Liche ». Savez-vous exactement ce qu'est une Liche ?

Quelques têtes se tournèrent vers Victor. C'était lui qui leur avait expliqué le peu qu'ils savaient sur la nature des Liches, comme elle lui avait été racontée par Abim-Kezad, dans la tour d'observation de l'antiquaire.

— D'autres créatures comme celle que nous avons chassée en Égypte ? demanda le hobgobelin d'un air plutôt inquiet. C'est ça ?

— Pas tout à fait, Rudolph, lui répondit Udelaraï.

— À vrai dire, intervint humblement Victor, aucun de nous n'est réellement informé au sujet des Liches. Il vaudrait mieux que vous nous expliquiez, grand-père.

Ce dernier répondit d'un sourire.

— Une Liche est le résultat d'une exposition à une immense concentration de radioactivité, expliqua-t-il. L'énergie émise par le nucléaire, précisa-t-il après avoir vu l'expression de confusion sur les visages de Clémentine et de Maeva. Généralement, toute créature terrestre qui entre en contact avec une telle quantité de radioactivité meurt sur-le-champ. Or, il s'est avéré que dans un cas bien particulier, certains êtres vivants ont survécu. Pire encore, ils se sont transformés en des créatures hautement dangereuses. C'est-à-dire, les Liches.

— Donc, les Liches ne sont pas une race de créatures distincte ? demanda la gobeline.

— Non, lui confirma Udelaraï. Une Liche n'est pas automatiquement un homme. L'état de Liche est une maladie, ou plutôt une mutation qui peut différer grandement d'un individu à un autre.

— Comme le virus de la *noctemortem*, fit remarquer Caleb à voix basse.

— Si on veut, lui répondit le vieillard, un sourire en coin.

— Mais comment pouvez-vous connaître le virus de la *noctemortem* ? intervint aussitôt Maeva, en disant, d'après le regard des autres, ce que tout le monde pensait. Je veux dire…, vous n'êtes pas d'ici… Ne le prenez pas mal ! ajouta-t-elle rapidement, l'air sincèrement navrée, par peur de vexer Udelaraï. Je ne voulais surtout pas vous offenser !

— Oh, je ne suis pas du tout offensé, ma chère ! répondit Udelaraï en ricanant. En fait, j'ai mes sources. Il m'a bien fallu faire quelques recherches à gauche et à droite au sujet de votre monde, avant de m'y lancer !

Le vieil homme avait parlé d'un air vague et amusé. Visiblement, il ne voulait pas en dire plus. Un craquement lointain se fit soudain entendre ; c'était le tonnerre. Un orage se préparait. Étrangement, le vieil homme se mit à observer le plafond avec nervosité et inquiétude.

— Ce n'est qu'un orage, commenta Caleb.

Ne se laissant pas distraire plus longtemps par les conditions météorologiques, Udelaraï continua :

— Il est très important de connaître les caractéristiques des Liches, car elles ont toutes les mêmes. Elles sont assoiffées de sang et de chair, elles ne peuvent mourir naturellement et, finalement, elles sont hautement irradiées.

Victor semblait être le seul à avoir compris le terme « irradié », car les visages s'étaient tordus d'une expression confuse.

— En d'autres mots, rectifia Udelaraï, elles émettent constamment de hautes doses de radioactivité.

— Et ce monstre que nous avons chassé en Égypte ? demanda Rudolph d'un air alarmant. Il était irradié ?

— Oui, mais cette Liche était relativement jeune, répondit Udelaraï. Il faut plusieurs années pour qu'une Liche devienne réellement nocive. L'inverse aussi est vrai, comme la Liche qu'Hansel avait emprisonnée dans sa tour d'observation. Vous ne risquiez rien, puisqu'elle était tellement vieille que son corps n'émettait plus aucune radiation. C'est pour cela que je vous ai demandé de vous en occuper avant mon arrivée. Comme vous l'avez déjà probablement réalisé, chacune des Liches contient en elle un fragment..., et ce sont ces fragments qui les ont transformées ainsi.

— C'est exactement ce qu'Abim-Kezad m'avait révélé, intervint Victor. Il racontait que le fragment qu'il avait trouvé était maudit.

— Il ne s'agit pas là de malédiction, rectifia Udelaraï, mais bien du fruit d'une invention de mon peuple. Une invention bien dangereuse qui fonctionnait avec de grandes doses d'énergie nucléaire.

— Mais de quoi parlez-vous ? lui demanda l'épouvantail, qui avait parlé pour tout le monde.

— Je parle du métronome de Maébiel, déclara le vieil homme. Un objet mythique qui avait supposément été détruit depuis fort longtemps.

Il y eut un silence.

— Le métronome de Maébiel ? répéta Baroque, qui fut le premier à oser répéter les dires du vieil homme.

— Vous voulez dire qu'un instrument qui indique le tempo musical est à l'origine des Liches ? lança Caleb d'un air sarcastique. Tout comme celui que Victor possède sur son piano ?

Udelaraï l'observa avec un petit sourire en coin avant de répondre tout simplement :

— On peut dire cela, oui.

Puis, il reprit :

— Le métronome de Maébiel avait une particularité bien spéciale ; il permettait à son utilisateur de manipuler l'effet, je dis bien l'effet, du temps.

— Par exemple, revenir en arrière ? demanda Clémentine, bouche bée. Je veux dire… revenir dans le temps ?

— C'est impossible, lâcha Rudolph. Complètement impossible.

— Pour répondre à ta question, Clémentine, dit le vieil homme, eh bien, non. Comme vient de le dire notre ami Rudolph, revenir dans le temps est, jusqu'à aujourd'hui, quelque chose de scientifiquement impossible. Cependant, avec le métronome de Maébiel, il était tout à fait possible de manipuler l'effet du temps sur les objets. Par exemple, faire faner une fleur ou la rajeunir jusqu'à l'état de graine.

— C'est incroyable ! lâcha Maeva. Victor, ajouta-t-elle en se tournant vers son amoureux, tu as entendu ça ?

— Moi, je trouve que c'est débile de faire rajeunir une fleur, lâcha Manuel, qui était resté muet jusqu'à maintenant.

— Garde tes opinions stupides pour toi, Manuel ! lui rétorqua Clémentine.

Visiblement insulté, Manuel ne répondit rien et se contenta de se remettre à bouder en silence. Ignorant les propos du crâne, Victor déclara alors :

— Quelque chose me dit que le métronome de Maébiel n'a pas été utilisé simplement pour faire faner des fleurs…

Udelaraï lui envoya un sourire satisfait avant de répondre :

— Tu as raison, Victor. Mais avant de poursuivre, je ferais mieux de vous raconter l'histoire du métronome, telle qu'elle a été relatée par nos historiens.

Après s'être éclairci la gorge, le vieil homme entama son récit devant les oreilles attentives de Victor et de ses amis :

— Voilà des milliers d'années, alors que les Mayas venaient tout juste de quitter la Terre pour coloniser les trois royaumes d'Orion, un inventeur et musicien aurait, par erreur, créé un métronome aux capacités bien particulières. Émerveillé par sa propre création, Maébiel, de son nom de famille, se prêta à des démonstrations publiques qui, selon les récits historiques, furent plus qu'impressionnantes. Car, voyez-vous, son simple métronome ne faisait pas que calculer le tempo musical, oh non… Il permettait tout particulièrement de faire vieillir et rajeunir n'importe quel objet qu'on lui offrait. Évidemment, cette pratique attira l'œil mauvais des plus jaloux. L'inventeur fut tué, son laboratoire, incendié, et le métronome, dérobé. Une fois son inventeur mort et ses plans détruits, il devint impossible de penser à dupliquer l'objet, puisque sa création avait été faite avec une ingénierie extraordinaire et incompréhensible pour nous, à l'époque. Mais aujourd'hui, nous utilisons cette technologie constamment, afin de renouveler les ressources naturelles de notre monde.

Udelaraï marqua une pause, pendant laquelle son regard perçant analysa les visages avides de savoir, qui le fixaient avec curiosité.

— Revenons à mon histoire, reprit le vieillard. Il ne fallut pas longtemps avant que le métronome refasse surface. Cette fois manié par des hommes malveillants, le métronome fut utilisé contre d'autres êtres vivants, à des fins macabres. Jusqu'à ce que le métronome tombe entre les mains d'un grand homme, qui, en voyant l'immense pouvoir de l'objet, fut assez sage pour le détruire. Pour une raison inexpliquée, le métronome ne fut finalement jamais détruit, mais plutôt simplement… brisé. Une fois redevenu tout à fait inoffensif, l'objet en question fut remisé dans un musée.

Après avoir pris une bonne inspiration, le vieil homme continua :

— Comme vous vous en doutez, c'est la roue d'engrenage principale du métronome de Maébiel qui s'est retrouvée brisée. Fracassée en cinq pièces distinctes. Selon les archives, afin que le métronome ne soit jamais reconstruit, les fragments auraient été envoyés sur Terre.

— Pourquoi ici ? s'étonna Clémentine, disant ce que pensaient visiblement Victor et les autres.

— Il était impossible pour les Mayas de revenir sur Terre, ma chère, lui dit Udelaraï.

Le jeune homme sentit alors son cœur chuter dans son estomac. Son grand-père allait-il révéler aux autres que l'origine même de la plupart des races était liée au désastre causé par les Mayas, un secret que Victor avait toujours gardé pour lui ?

— Hélas ! soupira Udelaraï, à cette époque, du moins, revenir sur Terre leur était impossible, l'énergie nécessaire pour quitter ce monde n'avait pas encore pu être recréée sur Orion.

Victor ressentit alors un immense soulagement intérieur. Son grand-père n'avait rien révélé de grave.

— Cela dit, continua le vieil homme, envoyer des fragments seuls était une tout autre chose, bien plus simple et réalisable. Les fragments ont donc été propulsés à travers l'espace jusqu'à la Terre. En pénétrant l'atmosphère, les fragments, qui étaient à l'époque tout à fait inoffensifs, étaient censés se désintégrer. Mais pour une raison que nous ignorons tous, les fragments sont restés parfaitement intacts... Évidemment, les Mayas de l'époque étaient persuadés que les fragments avaient bel et bien été détruits, et tournèrent la page sur cet événement. Grave erreur. Ce n'est que tout récemment que j'ai moi-même découvert la présence de ces fragments sur Terre. De plus, avec les années qu'ils ont passées enfouis dans la boue, la roche et les océans de la Terre, les fragments sont restés tout aussi dangereux et hautement radioactifs.

« C'était donc ça », se dit Victor au fond de lui. Ce qu'il avait tenté de comprendre depuis si longtemps lui était finalement révélé. Même s'il avait déjà deviné que les fragments étaient probablement ceux de l'engrenage mentionné par les lettres de son grand-père, jamais il ne se serait douté que les bouts de cet étrange métal étaient liés à un métronome venu du peuple maya.

— Voilà qui explique bien des choses, marmonna Ichabod.

— Et comme l'a fait remarquer notre ami ici présent tout à l'heure, dit-il en désignant Caleb, le métronome, du moins ses fragments, est à l'origine des Liches.

— Quand cela s'est-il produit ? demanda Maeva. Je veux dire..., l'arrivée des fragments sur Terre ?

— Voilà quelques milliers d'années, répondit Udelaraï. Comme je l'ai dit tout à l'heure, cet événement s'est déroulé peu de temps après le départ des Mayas.

— Oh ! désolée, dit Maeva, dont les joues se mirent à rougir. Vous l'aviez dit plus tôt..., je m'en souviens. Pardon.

Le vieil homme lui répondit d'un paisible sourire, avant d'annoncer à tous, d'un ton calme :

— Maintenant, j'ai quelque chose à vous montrer.

Le vieil homme cessa de parler et ferma ses yeux verts avant de froncer les sourcils, ce qui traça de nombreuses rides sur son front. Pendant un moment, Victor crut que quelque chose n'allait pas, mais son grand-père ouvrit alors les yeux. Ce dernier, qui était resté dans la même position jusqu'à maintenant, c'est-à-dire les doigts croisés sur la table et l'air sage, écarta finalement ses mains. Comme s'il manipulait quelque chose d'invisible, il traça les contours de ce qui semblait être un rectangle. Tout à coup, un compartiment bleuté se matérialisa sous les yeux de Victor et de ses amis. Manuel lâcha un cri de terreur plutôt aigu et efféminé, avant que sa mâchoire se mette à claquer bruyamment.

— Seigneur ! lâcha Ichabod, qui sursauta tellement que son chapeau haut de forme démesuré fit vaciller le chandelier.

— C'est... c'est de la magie ! gémit Rudolph, qui eut un mouvement de recul, même s'il était déjà adossé au mur.

— Oh ! non, nia Udelaraï avec un petit ricanement d'amusement. Il n'y a rien de magique à cela.

Caleb observait la scène avec les yeux froncés ; il était visiblement dérangé par ce qu'il voyait. Le jeune homme se souvint alors de la réaction que le demi-gobelin avait eue, presque trois ans auparavant, lorsque ce dernier avait découvert les bagues au fond du tiroir de Victor, durant son séjour de rétablissement chez lui. Ce n'était pas très difficile pour le jeune pianiste de deviner que son ami méprisait la technologie maya.

Udelaraï prit le coffret qui flottait devant lui et le posa sur la table avant de l'ouvrir. Évidemment, ceux qui étaient assis autour de la table étirèrent le cou pour apercevoir ce qu'il contenait. Alors que le vieil homme plongeait une main dans le boîtier, Victor remarqua un détail sur l'index de son grand-père : une bague noire identique à celles utilisées par les Mayas pour faire apparaître d'étranges armes holographiques.

Le vieillard sortit du compartiment un étrange objet qu'il plaça sur la table, à la vue de tous. Il n'était pas très difficile de deviner ce que c'était : le métronome, pas plus gros qu'un étui à lunettes et taillé dans ce qui semblait, à première vue, être du bois. Son côté était ouvert, comme s'il manquait un couvercle. On pouvait voir très facilement une partie de son intérieur, où manquaient visiblement quelques pièces, en particulier une roue qui aurait dû se trouver au centre d'un engrenage composé de deux autres roues. Derrière le mécanisme, on pouvait voir plusieurs petits câbles d'un bleu luminescent.

Jugeant probablement qu'il n'avait plus besoin du compartiment, Udelaraï posa sa main munie d'une bague sur celui-ci et, aussitôt, le coffret se dématérialisa progressivement, jusqu'à disparaître complètement. Les yeux grands ouverts, Rudolph, qui observait l'objet par-dessus l'épaule d'Ichabod, balbutia :

— C'est… c'est…

— Le métronome de Maébiel, termina pour lui Ichabod, qui avait l'air tout aussi impressionné par l'objet.

Le crépitement de la pluie, qui commençait à tomber sur le toit de la maison, se fit entendre.

— Comme vous pouvez le remarquer, dit Udelaraï, il manque quelques pièces au métronome. La pièce principale est, évidemment, sa roue d'engrenage centrale.

— Donc, si je comprends bien, avança Clémentine, qui observait attentivement l'objet, les deux fragments de Victor vont se joindre à trois autres pour reformer la roue d'engrenage principale ?

Udelaraï confirma d'un hochement de tête.

Cette question en fit naître une autre dans la tête de Victor : pourquoi… pourquoi devaient-ils restaurer le métronome ?

— Pourquoi devons-nous tuer ces Liches et, au passage, reconstituer le métronome ? demanda-t-il, fixant d'un air absent le calculateur de tempo musical qui gisait sur la table. Cet objet a été brisé pour une raison, non ?

Victor leva alors les yeux vers son grand-père, qui lui répondit calmement :

– Il nous faut éliminer les Liches parce qu'elles représentent un danger énorme pour votre écosystème, adressa-t-il à l'intention de son petit-fils. Voilà la réponse à ta question au sujet du désastre que je t'avais mentionné, jeune homme. La présence des Liches pourrait s'avérer désastreuse parce que leur nature radioactive ne fera qu'augmenter jusqu'à ce que régions, pays et même continents soient infectés. Leurs radiations ont déjà commencé à faire des ravages, et nous devons réparer les dégâts.

– Et le métronome ? insista Maeva. Pourquoi devons-nous le reconstruire ?

– Afin de restaurer l'écosystème dans son état normal, expliqua Udelaraï. Lorsqu'une Liche est tuée, le métronome doit ensuite être placé sur ses cendres, avant d'y être activé.

Le vieil homme s'apprêtait à continuer son explication, mais Baroque l'interrompit :

– Attendez un instant, dit le grand lézard de sa voix grave. N'avez-vous pas dit que le métronome était brisé ?

Udelaraï confirma d'un grognement tout en hochant la tête, laissant Baroque dans une confusion encore plus prononcée.

– Le métronome est bel et bien brisé, continua le vieil homme. Seulement, l'un de ses atouts fonctionne toujours. Voyez-vous, ajouta-t-il en observant tout le monde, le métronome de Maébiel fonctionne en deux étapes bien distinctes. La première est ce que nous appelons « l'effet de stase ». Il s'agit d'un champ d'énergie hyper concentrée qui permet à une zone délimitée à l'aide du métronome de cesser son progrès naturel. Un peu comme si on arrêtait le temps.

– C'est incroyable ! lâcha Ichabod de ses grands yeux encore plus ouverts qu'à l'habitude.

– La seconde fonction du métronome est celle que nous appelons « la fracture moléculaire », continua le vieillard. Cette étape doit être accomplie une fois qu'une masse est sous l'effet de stase, sinon ses particules élémentaires ne réagiraient pas. Cela dit, lorsque la fracture moléculaire est enclenchée, toutes les particules moléculaires d'une masse physique sont fracturées avant d'être détachées l'une de l'autre. Une fois séparées, les particules moléculaires s'éroderont jusqu'à ce qu'elles retrouvent leur forme originelle.

La mâchoire de Rudolph pendait légèrement, et son visage était crispé dans un effort de concentration qui paraissait douloureux.

— Autrement dit, reprit Victor dans le but d'aider le hobgobelin à comprendre, c'est ce qui donne l'effet de rajeunissement à la chose affectée par le métronome, n'est-ce pas ? Un peu comme si on retirait la pelure d'un oignon ?

— Exact ! confirma Udelaraï avec un grand sourire. Néanmoins, puisque le métronome de Maébiel est brisé, nous ne pourrons enclencher la fracture moléculaire. Nous allons donc nous contenter de mettre en stase les zones infectées par les Liches et, lorsque le métronome sera réparé, nous n'aurons qu'à appuyer sur un bouton tout en bas du métronome, et tous les endroits que nous aurons délimités se retrouveront automatiquement restaurés dans leur état naturel initial. Une fois ce travail accompli, nous devrons détruire le métronome, et cette fois, pour de bon.

— Et pour Abim-Kezad et la striga ? s'enquit Maeva. Comment vous y prendrez-vous ?

— J'ai déjà fait mettre leurs cendres en stase, expliqua Udelaraï. Ainsi que les lieux qui les entourent.

— Vous êtes allé en Égypte ? s'étonna Victor en fronçant les sourcils. Et… ainsi qu'en France ?

— Oh non, répondit Udelaraï. J'ai utilisé l'équivalent de vos robots. Un petit être à qui j'avais confié le métronome pendant un court moment et qui s'est occupé de cette tâche pour moi.

Le pianiste se mordit la lèvre, embêté par les énigmes et les mystères de son grand-père. Pourquoi était-il incapable de dire les choses avec simplicité ? Il y eut alors une longue pause, comme si l'information prenait un certain temps avant d'être assimilée par chacun des compagnons du jeune homme, qui s'envoyaient des regards songeurs.

— Bon, alors…, ce que nous avons à faire est relativement simple, dit Caleb. Enfin…, si on veut.

— Oh, c'est plus simple que vous le croyez, ricana Udelaraï. Vous verrez. Moi et mes explications scientifiques ! J'ai le don de tout rendre plus compliqué que ça l'est réellement ! Je m'en excuse !

Victor aurait dû être rassuré de ce qu'il venait d'entendre, mais avant même qu'il en jouisse, une nouvelle question se faufila dans son cerveau. Une question très évidente, et qu'il aurait dû se poser depuis un moment déjà.

— Depuis… depuis quand les Liches sont-elles présentes sur Terre ? demanda-t-il d'un air interloqué.

— Tu veux parler d'Abim-Kezad, n'est-ce pas ? lui lança son grand-père.

C'était exactement là où Victor voulait en venir. Il ne put s'empêcher d'afficher un air surpris.

— Alors que votre civilisation était dans son berceau, lors de l'Antiquité, la plupart des fragments sont tombés dans l'oubli et dans la poussière du monde, mis à part celui d'Abim-Kezad. Les autres fragments ont progressivement été retrouvés au cours des deux cents dernières années. Les créatures qui les ont trouvés se sont alors transformées en Liches et, par conséquent, sont devenues incapables de mourir naturellement.

— Et pourquoi s'occuper de cette tâche maintenant ? demanda Maeva, déconcertée. Pourquoi pas plus tôt ? C'est vous, le peuple d'Orion, qui êtes la cause de cette erreur. Pas nous. Alors, pourquoi ne pas avoir envoyé des gens ici pour remédier à ce problème ?

Udelaraï soupira en laissant transparaître qu'il n'aimait pas l'idée de dévoiler ce qu'il allait dire.

— Ce n'est que depuis quelques années — depuis que les Fleurs sont désactivées — qu'à ma demande, une branche gouvernementale de mon monde a mis la Terre sous surveillance écologique. C'est ainsi que nous avons découvert plusieurs graves anomalies. C'est-à-dire, les fragments du métronome, que nous croyons détruits depuis longtemps. Quant aux gens de mon peuple, ils ne peuvent plus revenir ici, vous avez vous-même détruit leur dernier accès, qui était le tombeau d'Ixzaluoh. Et même s'ils le voulaient..., ils ne le feraient pas. La Terre n'est plus de leur intérêt.

— C'est gentil, lâcha Maeva avec froideur, assise bien droite sur sa chaise. Et maintenant, c'est à votre petit-fils et à ses amis que vous imposez cette tâche ?

Afin de calmer le jeu, Victor interpella son amoureuse d'un ton calme :

— Maeva..., tout ça... ça ne change rien. C'est notre monde, maintenant. Quelqu'un doit le faire.

— Mais, vous, envoya Clémentine à l'intention d'Udelaraï, comment faites-vous pour être là ? Vous venez de dire que les Mayas ne pouvaient pas venir ici !

— Certes, répondit-il, mais à un prix bien élevé. Je ne pourrai plus jamais remettre les pieds sur mon monde. Mon voyage aura été un aller simple...

Victor aurait bien voulu questionner son grand-père à ce sujet, mais il savait que ce dernier éviterait la question. Il allait devoir attendre plus tard. Personne n'ajouta quoi que ce soit. Tout comme Victor, ses amis avaient l'air perdus dans leurs pensées, méditant sur la longue liste de révélations qu'ils venaient d'avoir.

— Je ne veux pas faire le rabat-joie, intervint Caleb, mais comment comptez-vous recoller ces pièces ?

Tous les regards se tournèrent vers le demi-gobelin, qui poursuivit :

— Peut-être ces bouts de métal ont-ils été érodés davantage, les rendant donc impossibles à recoller les uns aux autres ?

Tous les regards se tournèrent vers Udelaraï en même temps. Un petit sourire s'étira au coin de ses lèvres. Après une bonne inspiration, il répondit simplement, d'un air jovial :

— C'est le cas, les fragments possèdent des imperfections qui les rendront très difficiles à joindre. Cependant, il s'avère que je connais quelqu'un qui pourra très probablement nous donner un coup de main.

— Et qui est ce mystérieux individu ? demanda Caleb en soupirant.

— Vous le rencontrerez en temps et lieu, jeune homme, lui répondit Udelaraï.

Caleb hocha la tête de gauche à droite, renonçant à percer les mystères du vieil homme.

— Vous... vous parlez de joindre les fragments, fit savoir Victor avec délicatesse. Vous m'avez pourtant bien averti, dans votre lettre, de ne pas trop les approcher les uns des autres.

— En effet, confirma Udelaraï, seules des mains expertes pourront accomplir une telle tâche sans risque. Cependant...

Il ouvrit la bouche pour parler, mais il y eut un moment de silence avant qu'il continue :

— ... il se trouve que nous avons deux compagnons en moins... Nous pourrions parvenir à nos fins sans leur aide, mais je crois qu'il serait plus prudent de les remplacer, au cas où...

— Attendez, attendez, intervint Caleb en hochant la tête d'un air confus. Pourquoi devons-nous être huit, s'il n'y a que cinq fragments ? Qui seront les trois autres qui ne porteront pas de fragment ?

À la suite de cette question, tous les regards se rivèrent sur le vieillard.

— Je serai l'un d'eux, répondit-il à la surprise générale.

Certains froncèrent les sourcils tandis que d'autres échangèrent des regards surpris à travers la cuisine. Victor comprenait bien la surprise désagréable et le sentiment d'injustice que cette affirmation venait de causer. Mais il savait aussi que son grand-père avait une très bonne raison d'agir ainsi, et si jamais quelqu'un s'y opposait, il interviendrait aussitôt.

— Comme vous vous en doutez, reprit Udelaraï d'un air navré, je ne possède pas la résistance physique de mon petit-fils, ni même le tiers de la vôtre. En plus de venir des trois royaumes d'Orion, je suis... vieux et affaibli. Vous savez tous ce qui est arrivé aux derniers Mayas qui sont venus vous déranger, il est donc inutile d'expliquer le sort qui m'attend au bout du compte. Porter un fragment, même avec une pochette, écourterait gravement mon séjour sur Terre.

— Et qui seront les deux autres ? demanda Clémentine.

— Manuel ne portera pas de fragment non plus, répondit alors Udelaraï. Ce qui n'est pas très étonnant, je dois dire.

— Ah ! ah ! rugit le crâne avec triomphe. Je vous emmerde !

Udelaraï ajouta alors, avec un sourire narquois :

— Cependant..., il voyagera tout de même avec nous, car je lui réserve une tâche tout aussi importante..., voire encore plus grandiose.

— Vous avez entendu ça ? rétorqua le crâne en gloussant comme une petite fille. Une tâche grandiose ! Pour moi ! Ce vieil humain est bien mieux que Victor Pelham ! Lui, c'est un menteur ! Un vil personnage ! Il abuse de moi ! Il me détient contre mon gré ! Je me plaindrai au Conseil international des infirmes abusés !

Le jeune homme leva un sourcil, légèrement amusé, comme tout le monde d'ailleurs. Décidément, après l'avoir vu faire apparaître des objets, Manuel était acquis à la cause d'Udelaraï. Le pianiste était bien curieux de savoir quel sort ce dernier réservait au désagréable crâne.

— Pour ce qui est des deux autres personnes, reprit Udelaraï, il ne s'agit là que d'une question de sécurité, au cas où...

— ... certains d'entre nous venaient à mourir, termina Baroque à la place du vieillard. Mmmh, astucieux.

Une question bourdonnait au fond du cerveau de Victor et, à voir l'expression sur le visage des autres, il pensa qu'eux aussi se demandaient la même chose. Puisque personne ne prenait la parole, le jeune homme se lança :

— Pourquoi ne pourrais-je simplement pas porter plusieurs pochettes, chacune contenant un fragment ? C'est bien ce que j'ai fait en Égypte, non ?

— Ce serait possible dans la mesure où tu voudrais faire ce voyage seul, expliqua Udelaraï. Mais pourras-tu réellement faire face à d'innombrables dangers en étant seul ? Oserais-tu braver des Liches à toi seul ? Je ne te laisserai jamais faire, et je doute que tes amis ne partagent pas mon avis.

— Il a raison, avoua Caleb.

Le pianiste parcourut la cuisine du regard, et c'est avec un brin de chaleur dans le cœur qu'il réalisa que tous lui confirmèrent leur soutien d'un hochement de tête ou d'un pouce en l'air.

— Admettons que l'un de nous, les gens normaux, porte plus d'une pochette, dit Caleb en se désignant, lui, ainsi que les autres. Qu'adviendra-t-il ?

— Je n'oserais pas essayer, à votre place, répondit simplement Udelaraï. Vous mourriez en moins d'une minute. Seul Victor, qui possède une incroyable et inexplicable résistance physique, pourrait manipuler un fragment à mains nues. Je te déconseille cependant d'étirer les limites de ta résistance, Victor, ajouta-t-il à l'intention du jeune homme. C'est pourquoi je t'ai bien avisé de ne pas manipuler deux fragments en même temps pendant une longue période.

— Et vous voulez que nous portions ces fragments ? vociféra le hobgobelin en cognant du poing sur le comptoir avec colère. J'appelle ça du suicide, moi !

La peur pouvait se lire sur son visage. Puis, s'adressant au pianiste, Rudolph lui beugla tout en le pointant du doigt :

— Je n'ai pas signé pour ça, Victor ! Oh non !

La poitrine du hobgobelin gonflait et dégonflait rapidement, sa respiration était saccadée. Il était décidément très énervé.

— Calmez-vous, Rudolph, lui suggéra doucement Udelaraï. Je ne vous ferais jamais porter ces fragments sans être assuré que vous soyez convenablement protégés.

Le vieil homme passa alors sa main au-dessus de la table, comme s'il balayait une mouche invisible ou s'il tentait simplement de faire du vent. Cependant, quelque chose d'incroyable se produisit : quatre pochettes translucides d'un bleu luminescent se matérialisèrent avant de tomber et de s'étaler sur la table. Manuel, qui siégeait toujours sur celle-ci, lâcha encore une fois un petit hurlement de fillette.

— Avec ces pochettes, expliqua le vieil homme en balayant les visages du regard, vous serez complètement immunisés contre les effets des radiations des fragments ainsi que de celles émises par les Liches.

— Ce vieil homme est un sorcier vaudou ! lâcha le crâne. Vous êtes un dieu ! Apprenez-moi votre magie ! Je serai votre… votre…

— Mon presse-papiers ? lui suggéra Udelaraï, qui observait le crâne d'un air très amusé.

Peu à peu, les pochettes perdirent de leur éclat bleuté et translucide, et ne furent bientôt plus que des pochettes de cuir comme toutes les autres. Seuls Victor et Caleb ne semblaient pas si impressionnés par le tour assez particulier d'Udelaraï.

— Les pochettes sont devenues... normales ? fit remarquer Maeva d'un air confus, oscillant entre l'étonnement et l'effroi. Je n'y comprends vraiment rien…

— Tu n'es pas la seule à ne rien y comprendre, marmonna Ichabod, qui observait la scène sans cligner de ses yeux grands ouverts.

— Simple effet dû à l'utilisation des voies du néant, expliqua Udelaraï. Avant que vous le demandiez, dit-il au moment où plusieurs bouches s'étaient ouvertes pour l'interroger, sachez que nous avons plus urgent à faire qu'analyser le fonctionnement de mes bagues.

Le vieil homme balaya la cuisine de son regard émeraude, avant de continuer :

— Quant à toi, Victor, tu possèdes une cinquième et dernière pochette, que je t'ai fournie avec la lettre. Tu l'as bien gardée, n'est-ce pas ?

— Bien sûr, répondit le jeune homme. Elle est rangée dans la coquille de Drext, et elle contient toujours le fragment de la striga.

Clémentine approcha alors lentement sa main d'une pochette, mais la retira aussitôt, comme si elle avait eu peur de se faire mordre le bout des doigts. Ayant remarqué la gobeline, Udelaraï lui dit d'un ton encourageant :

— Oh, tu peux les toucher. Elles sont faites d'un cuir bien spécial. Elles peuvent contenir les radiations nucléaires sans aucun problème.

Clémentine étira son bras de nouveau et, après une seconde d'hésitation, saisit une pochette par son cordon. Puis, ce fut au tour d'Ichabod et de Maeva de prendre les pochettes de cuir.

— Vraiment ? s'étonna Ichabod. Il est possible de contenir les radiations des fragments dans ces pochettes ?

Udelaraï confirma d'un hochement de tête avant d'ajouter d'un ton énergique :

— Elles ont été confectionnées à partir de la peau d'un petit animal marin des trois royaumes d'Orion, dont l'épiderme a l'étrange particularité d'absorber et d'éliminer les radiations. Le simple port d'une pochette à votre ceinture vous immunisera contre les radiations moyennes. Il faudra cependant faire bien attention de ne pas étirer notre chance dans les lieux à plus forte radioactivité. Je n'ai malheureusement pas pu en confectionner plus, ajouta-t-il avec un brin de déception, car ces animaux sont en voie de disparition.

Victor, qui s'était approché de la table et avait saisi une pochette, l'examina attentivement. Elle était identique à celle qu'il avait reçue pour recueillir le fragment.

— Et comment vous survivrez, vous, sans pochette ? demanda Clémentine.

Tous les regards se tournèrent vers le vieillard. En effet, la question de la jeune gobeline était plus que pertinente et semblait avoir piqué la curiosité de tout le monde.

— Je possède déjà une protection comme la vôtre, dit Udelaraï en dévoilant un bracelet de cuir autour de son poignet, qui m'a été offerte par un vieil ami. En revanche, ma protection me permettra seulement de résister aux émanations des Liches. Jamais je ne pourrai manipuler et porter les fragments. Cela dit, ajouta-t-il d'un tout autre ton, nous allons devoir trouver deux autres personnes, si nous voulons parvenir à nos fins et assembler l'engrenage du métronome.

Le jeune homme laissa tomber la bourse protectrice sur la table, avant de poser sa main contre sa hanche. Il était relativement déçu et il n'était pas le seul. Une vague de déception se fit sentir dans les moments silencieux qui suivirent. Certes, Victor pouvait toujours demander à Maeva ou à Clémentine, mais cette option le rendait malade. Il préférait aller acheter les services d'un mercenaire... et c'est probablement ce qu'ils feraient. Le silence fut soudain brisé par Udelaraï.

— Étant donné que le temps nous manque, dit-il d'un air songeur tout en se grattant la barbe, nous pourrions partir avec cinq porteurs et espérer que tout aille pour le mieux. Car, si jamais l'un des porteurs tombe durant notre périple, je ne vois pas comment nous récupérerions son fragment...

— On pourrait toujours appeler Rauk, suggéra Ichabod, il nous rejoindrait sans problème !

— C'est... une possibilité, confirma Victor, qui laissait l'idée mijoter dans sa tête. Quelqu'un veut essayer de le joindre ?

Évidemment, ce fut au jeune homme de monter à l'étage, jusqu'à son bureau, et de tenter d'entrer en communication radiophonique avec Rauk. Malheureusement, même après d'innombrables essais, personne ne répondit. Victor redescendit donc dans la cuisine, un peu déçu, avant d'expliquer aux autres qu'il n'avait pas été en mesure d'entrer en contact avec le vieux bonhomme.

Pendant un instant, seul le clapotement de la pluie qui tombait contre le toit de la maison brisait le silence... jusqu'à ce que Clémentine déclare, tout simplement :

— Je peux vous accompagner, moi !

— Non, intervint aussitôt Victor d'un ton résolu. C'est hors de question. Nous avions convenu que tu viendrais en Égypte, et ça s'arrête là. Je ne me pardonnerais jamais de te mêler à ça et je ne reviendrai pas sur ma décision.

Clémentine savait très bien qu'il était inutile d'argumenter, et c'est probablement pour cette raison qu'elle décida de ne rien ajouter. Elle se contenta de faire un geste de la main qui indiquait qu'elle abandonnait.

Ayant soudain une idée en tête, Victor pivota sur lui-même et observa Caleb, qui plissa les yeux, l'air interloqué. Le demi-gobelin savait que son ami pianiste venait d'avoir une idée.

— À quoi penses-tu ?

— Pakarel, lâcha Victor. Pakarel pourra nous aider.

À la base, le jeune homme avait évité d'offrir cette tâche à Pakarel simplement parce qu'il croyait que des hommes tels que Liam et Nathan seraient plus expérimentés que lui pour une telle aventure, mais ce soir, c'était différent...

— C'est... c'est une bonne idée ! ajouta Maeva. Je suis persuadée que Pakarel voudra bien t'aider, mon amour.

— Pas lui ! rugit Manuel avec fureur. Je hais cette satanée boule de poils maléfique !

— Pardonnez ma curiosité, dit Udelaraï d'un air intéressé, mais qui est ce Pakarel ?

— Un ami, lui répondit Victor, qui avait l'impression de voir une lueur d'espoir. Un très bon ami, je dois dire. Il est digne de confiance et je suis certain qu'il acceptera de nous accompagner.

— Mais il vit à Ludénome, non ? dit Caleb d'un air presque désolé. Ça prendra un moment avant qu'il arrive jusqu'ici...

— Tu n'es pas au courant ? s'étonna Victor, qui retrouva grandement le moral au fur et à mesure qu'il s'expliquait. Pakarel a déménagé à l'extérieur de l'enceinte de Québec pas plus tard que l'an dernier ! Il exploite à lui seul un moulin à grain et fait son propre pain ! Aux dernières nouvelles, ses affaires vont très bien !

— Sans blague ? s'étonna Caleb, qui semblait alors convaincu. Bon..., alors... je ne vois pas pourquoi nous ne devrions pas essayer.

De son air sage, le vieillard demanda à Victor :

— Pourrait-il jouer le rôle de porteur de fragment, si l'un de nous devait avoir un problème ?

— Absolument, répondit Victor avec une certaine assurance.

— Très bien, acquiesça Udelaraï d'un signe de tête.

– Si nous sommes incapables de joindre Rauk, ce n'est pas grave, dit Caleb avec énergie. Marcus nous enverra bien quelqu'un du Consortium, s'il ne vient pas lui-même ! Vous nous aviez fait savoir que nous étions pressés, Udelaraï ? Alors, partons, nous trouverons bien quelqu'un pour nous rejoindre sur notre route ! Et puis, je doute que nous trouvions les trois fragments restants en deux jours...

– Si vous pensez être en mesure de recruter un dernier porteur de fragment sur notre route, dit le vieil homme d'un air concluant, alors qu'il en soit ainsi.

– Sinon, proposa Victor, à moitié sérieux, Manuel portera le cinquième fragment. Nous n'aurons qu'à lui mettre la pochette dans la bouche, tenir sa mâchoire bien fermée avec de la corde, et le tenir au bout d'un bâton...

– Non ! rugit Manuel, insulté. Vous n'oseriez pas !

– Encore mieux, ajouta Udelaraï. Manuel n'aura même pas besoin de pochette. Les métacurseurs sont naturellement immunisés contre les radiations. Nous en aurons une en surplus !

Cette nouvelle illumina les visages de tout le monde autour de la table. En cas de problème, ils avaient leur dernier porteur.

Chapitre 8

Six compagnons, un crâne et une pluie froide

Depuis que Victor avait exposé son idée, l'atmosphère dans la cuisine avait été grandement allégée, et tous semblaient d'accord, à l'exception de Manuel, évidemment, et de Clémentine, qui avait l'air renfrogné. Il n'était pas très difficile de deviner pourquoi. Manuel, qui n'aimait pas du tout l'idée de devenir un porteur, s'était mis à hurler des protestations et des menaces qui devenaient de plus en plus vulgaires. Il avait fallu que Victor menace Manuel avec le drone à champ électromagnétique pour qu'il se taise enfin.

– J'ai une question, dit Baroque, une fois que le calme fut revenu. Disons que ce Pakarel veuille bien nous accompagner, que ferons-nous ensuite ?

Les têtes se tournèrent vers l'humanoïde reptilien dont la grosse queue écailleuse battait de gauche à droite.

– Eh bien, lui répondit Udelaraï après un certain délai, nous allons partir à la chasse aux Liches.

– Et vous savez où elles se trouvent ? rétorqua Baroque avec un certain scepticisme. Le monde est grand, vous savez. Écoute, Pelham, dit-il en s'adressant au jeune homme, je me suis engagé auprès de toi, mais tu sais très bien que je ne fonce jamais tête baissée sans avoir un plan bien défini.

Victor avait toujours eu, jusqu'à maintenant, une confiance presque aveugle en son grand-père. Jamais il n'avait remis en doute ses actions, ni les demandes qu'il lui avait faites. Seulement, Baroque avait mis le doigt sur quelque chose. Comment diable allaient-ils être en mesure de trouver les Liches ?

– J'ai passé ces dernières années à l'étude de l'écosystème de la Terre, expliqua Udelaraï. De ce fait, j'ai pu déterminer la position exacte des Liches. Il n'en reste maintenant que trois, puisque mon petit-fils en a déjà tué deux. Avant de poursuivre, ajouta-t-il en balayant la pièce du regard, je veux m'assurer que chacun d'entre vous est bel et bien prêt à entreprendre l'aventure qui nous attend. Si l'un d'entre vous ne veut pas y prendre part, qu'il le dise maintenant.

Évidemment, Manuel fut le seul à protester :

— Je ne sais pas vraiment si j'ai envie de faire ce voyage, finalement, fit-il savoir d'un air mal assuré. Je pourrais rester ici et tenir le fort pour vous, les gars ! Hé, Clémentine ! ajouta le crâne avec un air de flatterie, si tu parviens à me garder ici, je te rendrai riche ! Je t'emmènerai piller des navires ! Je te montrerai comment tuer un homme avec ton pouce ! Je serai ton…

— Hum, hum.

Udelaraï s'était éclairci la gorge. Puis, d'un air amusé, il dit :

— Tu m'as donné ta parole, drôle de petit personnage. Tu nous accompagneras, que tu le veuilles ou non.

Au même moment, ils entendirent un bruit fracassant dans le hall d'entrée; on venait de défoncer la porte. Victor et Caleb échangèrent un regard alarmé avant de s'élancer hors de la cuisine, suivis par Rudolph et Baroque, tandis qu'Udelaraï se redressa rapidement, renversant sa chaise.

Arrivés sur le seuil de la porte, Victor et Caleb s'arrêtèrent brusquement. Ils étaient tous deux choqués : il n'y avait rien ! Une bourrasque d'air frais leur siffla alors au visage tandis qu'ils observaient la pluie tomber à l'extérieur à travers l'entrée. Sur le sol se trouvaient les nombreux morceaux de bois de la porte, et les gonds étaient à moitié arrachés.

Puis, sous la pluie tombant dans l'obscurité, deux yeux orangés apparurent, tournant sur eux-mêmes. Deux silhouettes élancées apparurent alors sur le seuil de la porte et pénétrèrent dans la maison d'une démarche saccadée. Il s'agissait de robots. Ne possédant qu'un seul œil, tous deux étaient longilignes et d'allure plutôt frêle, construits à partir de ferraille. Un moteur bruyant était accroché sur leur dos, vrombissant et crachant de la vapeur noire.

L'un d'eux leva le bras, pointant un long pistolet vers Victor, qui fut aussitôt plaqué par Caleb. Le jeune homme s'écrasa au sol avec son ami. Des coups de feu furent tirés en leur direction, mais manquèrent largement leurs cibles ; les balles venaient d'éclater contre le mur de la maison. Victor entendit alors un martèlement de pas et quelques cris. Quelqu'un cria son nom, puis celui de Caleb, ainsi que quelques insultes qui ne leur étaient pas destinées. En se relevant, Victor vit le demi-gobelin dégainer l'une de ses lames de son fourreau de cuir dans un bruit tranchant, mais c'était inutile.

Baroque et Rudolph se trouvaient à présent devant l'entrée et, comme de gros gardes du corps enragés, chacun d'eux avait saisi un robot. Comme s'ils n'étaient que de vulgaires pantins, les robots eurent la tête violemment arrachée de leur corps, avant que ceux-ci tombent sur le sol, se désactivant au moment où la vapeur sous pression s'échappait une dernière fois de leur moteur dorsal.

— Qu'est-ce qui se passe ? s'écria Manuel depuis la cuisine. Hé, j'existe ! Je déteste être immobile !

Une fois debout, Victor sentit la main de Caleb sur son épaule.

— Tu vas bien ? lui demanda-t-il, une épée dans l'autre main.

Victor lui fit signe que oui de la tête. Caleb bondit par-dessus la carcasse du robot et se rua à l'extérieur de la maison, le jeune homme sur ses talons. Une fois dehors, sous la pluie d'octobre, Victor vit le demi-gobelin tourner au coin de la rue au pas de course, sous la lumière d'un réverbère. Quelques passants s'arrêtèrent, jetant des regards dans sa direction. Monsieur Gilbert, un voisin qui vivait dans un appartement situé à l'étage, ouvrit la fenêtre et interpella aussitôt Victor de sa vieille voix flûtée :

— Monsieur Pelham ! Tout va bien en bas ? Mes vieilles oreilles ont cru entendre un coup de feu !

— C'est bien le cas, monsieur Gilbert ! lui cria Victor à travers la pluie. Pourriez-vous joindre les forces de l'ordre ?

Le vieux voisin leva la main en guise de réponse et referma la fenêtre. Une fois de retour à l'intérieur, Victor vit que Rudolph et Baroque observaient tous deux leurs victimes robotisées. Maeva rejoignit aussitôt Victor et lui demanda :

— Tu es blessé ?

— Non, ils m'ont manqué, lui répondit-il en observant les robots.

— Ce sont des assassins, lâcha le grand lézard à la crête jaune, qui avait levé le bras d'un robot pour l'analyser brièvement avant de le laisser retomber sur le sol. Tout porte à croire qu'ils ont été construits sur le coin d'une table.

— Comme celui du désert, fit remarquer Rudolph.

S'approchant des robots, Victor posa un genou à terre afin de les observer. Baroque disait vrai ; leurs articulations n'étaient pas très bien ajustées, et leur moteur était beaucoup trop lourd pour le poids que les robots pouvaient soutenir. Ces êtres mécaniques avaient été créés tout récemment, et un peu n'importe comment. Victor entendit des pas s'approcher de lui, ceux d'Udelaraï, qui s'inclina pour observer le corps des robots.

— La personne qui a envoyé ces machines manquait probablement d'argent, dit Rudolph en analysant les pistolets des robots. Regarde leurs armes. Quel travail d'amateur !

Portant son attention vers les armes, Victor vit bien vite qu'elles étaient rudimentaires et avaient été créées à base de vieux tuyaux et de quelques mécanismes grossièrement construits. En jetant un coup d'œil à la chambre de munitions de l'arme, le jeune homme réalisa qu'il n'y avait que trois balles. Tournant le robot sur le côté, le pianiste observa son moteur et plus précisément son réservoir à essence. Après en avoir reniflé l'intérieur, Victor réalisa que le réservoir, maintenant vide, avait contenu un mélange particulier d'huile et d'onyxide, particulièrement reconnaissable à son odeur sucrée et couramment utilisé par les véhicules aériens pour traverser des distances considérables.

Le jeune homme se redressa et se passa la main sur le visage, l'air songeur, avant de croiser le regard de son grand-père.

— Que penses-tu de cette attaque ? lui demanda Udelaraï.

— Contrairement à ce que Rudolph croit, répondit Victor, nous ne faisons pas face à un amateur. Au contraire, leur créateur est très doué. Ces machines ont été assemblées en quelques minutes chacune et, à en juger par la faible quantité de munitions que ces robots possédaient, leur créateur savait très bien qu'ils ne reviendraient pas à lui. Par ailleurs, le mélange d'huile et d'onyxide dans leur réservoir me porte à croire qu'ils viennent de loin et que leur créateur n'avait pas l'intention de les faire revenir à lui.

— Tu veux dire que ces machines ont fait une attaque suicide ? demanda Baroque.

— Je ne vois pas comment il pourrait en être autrement, lui avoua Victor.

Caleb revint alors à l'intérieur, les cheveux trempés et la respiration haletante.

— Personne, dit-il en reprenant son souffle et en rangeant ses armes. Je n'ai vu personne aux alentours.

Victor hocha la tête en guise de réponse. Il était plus qu'évident pour le jeune homme que Caleb ne trouverait personne d'autre sur les lieux que quelques citoyens curieux, mais il préféra garder cette réflexion pour lui-même.

— Et maintenant, que faisons-nous ? demanda Ichabod, qui fixait les cadavres robotisés avec une certaine inquiétude.

À cause des courants d'air, la température avait grandement baissé. D'ailleurs, Maeva s'occupait déjà d'alimenter le foyer avec quelques bûches.

— Monsieur Gilbert, un voisin, annonça Victor à l'intention de ses amis, a joint les forces de l'ordre. Elles seront là d'ici quelques minutes. Il faudra leur expliquer ce qui s'est passé et leur fournir le corps des robots.

Victor s'approcha des robots et fit signe à Rudolph de s'éloigner pour lui laisser la place.

— Mais avant de leur donner les machines, continua-t-il en posant un genou à terre, je vais m'assurer de récupérer leur carte mère. Ce qui ne devrait pas être très difficile, considérant leur état plutôt rudimentaire. Caleb, passe-moi le couteau accroché à ta ceinture.

Avec la lame du demi-gobelin en main, le jeune homme força facilement l'ouverture du couvercle situé derrière leur tête. En une minute, il avait extrait les deux cartes mères, qu'il fourra dans la poche de son pantalon.

— Je vais garder ces cartes pour les analyser plus tard, dit-il en rendant sa lame à Caleb. Lorsque j'aurai le temps d'y jeter un coup d'œil. Peut-être nous dévoileront-elles des renseignements importants. Grand-père, reprit-il en observant celui-ci, quand vouliez-vous que nous partions ?

— Au plus vite, déclara-t-il, les mains jointes dans le bas de son dos.

Il y eut une légère réaction de surprise parmi ses amis, mais Victor s'attendait à cette réponse.

— Déjà ? s'étonna Ichabod. Mais...

— Une Liche se trouve à quelques kilomètres au nord, continua Udelaraï d'un air sérieux. Elle risque de se sauver, si nous ne l'atteignons pas avant l'aube. C'est notre unique chance. Il serait donc dans notre intérêt que nous partions très bientôt, surtout considérant le fait que nous devons d'abord convaincre ce Pakarel de se joindre à nous.

Le jeune homme eut besoin d'un court moment pour penser à la suite des événements. Certes, ils pourraient retarder leur départ, mais ce serait peut-être imprudent, considérant les dires de son grand-père.

— Très bien, déclara Victor au grand étonnement de certains. Faites vos bagages, amenez le strict nécessaire. Rudolph et Ichabod, une fois vos affaires regroupées, videz la cuisine de toute la nourriture que nous pourrons emporter pour le voyage.

Une demi-heure plus tard, près d'une douzaine d'hommes des forces de l'ordre avait envahi la demeure de Victor. Baroque, étant donné son grade de capitaine au sein de la milice des sept lames, raconta ce qui s'était passé à plusieurs officiers, qui prirent en note son histoire.

Thomas Dujardin, qui était arrivé sur les lieux en dernier, rejoignit Victor et Maeva à l'étage, dans leur chambre, pour une discussion en privé. De forte carrure, Dujardin était un homme intimidant. Son crâne rasé et sa musculature développée lui donnaient des airs de brute, mais c'était loin d'être le cas. Il était un enquêteur de renom et, malgré son attitude peu sympathique et ses formalités, Dujardin était un ami de Victor. Assis au bord de son lit avec Maeva, Victor exposa les faits à l'inspecteur, qui l'écouta avec une remarquable attention. Une fois le récit du jeune homme terminé, Thomas, qui était assis sur une chaise, dans le coin de la pièce, se prononça finalement de sa voix grave et caverneuse :

— Il serait préférable que Maeva et Clémentine ne restent pas ici durant les jours à venir.

— Je sais, répondit la jeune femme. Nous pourrions peut-être aller chez Béatrice pendant quelques jours ?

— C'est une bonne idée, admit Victor. Je ne vois pas pourquoi elle vous refuserait le logis, à toi et à Clémentine.

— Quant à votre sentinelle, monsieur Pelham, reprit Dujardin, il serait préférable que les hommes qui fouillent votre maison actuellement ne la trouvent pas, si vous voyez ce que je veux dire. Cette trappe, dans votre atelier, devra rester bien couverte. Je ne pourrai pas vous protéger contre cette infraction. C'est une machine de guerre formellement interdite dans l'enceinte de notre ville.

Victor hocha la tête en guise de compréhension.

— Cependant, reprit Dujardin, lorsque vos amies décideront de revenir vivre ici, j'assurerai leur protection en postant plusieurs hommes à l'extérieur du domicile. Est-ce que cela vous va ?

Victor sentit la main de Maeva sur la sienne. Elle lui souriait. À travers l'expression de son visage, le jeune homme put lire qu'elle lui disait de ne pas s'inquiéter.

— Très bien, dit Victor.

Thomas bougea un peu sur sa chaise, dans le but d'avoir une posture plus confortable, avant de continuer :

— Vous m'avez informé que vous désiriez partir avec un groupe d'individus..., en laissant derrière vous une scène tout comme vous l'avez fait, il y a quelques années.

Victor soutint le regard plutôt froid de l'inspecteur avant qu'il ajoute :

— C'est en lien avec cet attentat contre votre vie, je suppose ?

— Oui, lui avoua Victor, qui n'avait aucune intention de cacher quoi que ce soit. C'est le cas.

Dujardin hocha la tête et se leva avant de se diriger vers la porte de chambre, qu'il ouvrit. Puis, il jeta un coup d'œil par-dessus son épaule et ajouta :

— Vous êtes un homme libre, Pelham, et personne ne vous en voudra de vous éloigner de votre domicile pendant quelque temps, considérant la situation. Mais ne vous faites pas tuer durant vos étranges aventures. Ma fille compte sur vous pour ses leçons.

Le jeune homme lui sourit. Une demi-heure plus tard, les forces de l'ordre en étaient venues à la conclusion qu'elles ne pouvaient rien faire d'autre que débarrasser le hall d'entrée des robots et assurer à Victor que sa porte serait remplacée dès le lendemain. D'ici là, dans le but de protéger la maison d'une éventuelle tentative de vol, celle-ci fut mise sous protection par un groupe de quatre officiers armés, qui furent postés tout autour. Le plan était simple : Victor et ses compagnons allaient partir d'un côté, dans le but d'atteindre la partie nord de la ville, tandis que Maeva et Clémentine allaient se rendre chez Béatrice.

Victor rejoignit alors ses amis et leur expliqua que l'un d'eux allait devoir l'accompagner sous l'atelier, afin de récupérer le fragment de la striga qu'il avait caché, la veille, dans la coquille de D-rxt. Caleb se proposa aussitôt, devançant même le jeune homme jusqu'à l'atelier. L'idée de laisser son meilleur ami devenir le premier porteur ne l'enchantait guère, mais il n'avait pourtant rien dit, lorsque ce dernier s'était porté volontaire pour aller récupérer les fragments en sa compagnie.

Alors que le pianiste passait son propre fragment autour de son cou, le demi-gobelin saisit la pochette contenant le fragment de la striga et l'attacha à sa ceinture.

— Caleb, dit Victor d'un air précipité, tu ne devrais peut-être…

— Ne commence pas, l'interrompit-il. Nous devrons tous en porter un. Que ce soit moi, Baroque ou encore Ichabod, nous devons bien commencer quelque part. Et puis, ton grand-père a dit que c'était sécuritaire, non?

Incapable d'argumenter, Victor garda simplement le silence. Lorsque Caleb et lui furent remontés dans l'atelier par la trappe, Udelaraï se tenait sur le seuil de la porte menant à la maison.

— Tu possèdes toujours les bagues de Mila, n'est-ce pas? demanda le vieil homme.

Pris de surprise, le jeune homme eut un mouvement de recul. Même Caleb, à en juger par son expression intriguée, semblait trouver la demande bizarre. Comment Udelaraï pouvait-il être au courant de ce détail? Victor ne l'avait jamais informé qu'il avait récupéré les bagues de Mila, la tueuse maya!

— Euh... oui, c'est exact, avoua le jeune homme.

— Je te suggère fortement de les amener, lui conseilla le vieil homme avec un sourire en coin. Elles pourraient t'être utiles.

Victor remonta alors dans sa chambre et récupéra dans son tiroir les deux bagues qui s'y trouvaient. Aux alentours de 23 h, une fois que les manteaux furent finalement enfilés, et les bourses, fourreaux d'armes et sacs en bandoulière, bien ajustés, Victor et les siens étaient finalement prêts.

Après avoir salué Maeva et Clémentine, Ichabod, Caleb, Rudolph, Udelaraï et Baroque s'entassèrent dans le hall d'entrée, attendant Victor, qui restait planté devant son amoureuse et sa petite sœur, ne sachant pas quoi dire. Manuel, paralysé par le drone électromagnétique, avait été fourré au fond du sac de Caleb, car il s'était mis à lancer de furieuses insultes un peu trop vulgaires à l'égard de qui voulait bien l'entendre.

— On va attendre dehors, proposa alors Caleb, qui s'exécuta et mena le groupe à l'extérieur de la maison.

Le jeune homme remercia l'initiative de ses amis d'un hochement de tête souriant. Une fois qu'ils furent seuls, les choses devinrent plus naturelles. Clémentine s'élança dans les bras de celui qu'elle considérait comme son grand frère, affichant un sourire amer qui en disait long sur sa déception de ne pas pouvoir les accompagner.

Victor embrassa ensuite son amoureuse, tout en lui assurant que tout allait bien se passer et qu'il l'appellerait dès qu'il le pourrait. Elle hocha la tête à répétition, le regard lourd, retenant visiblement ses larmes. La séparation se passa rapidement, car Maeva et Victor savaient tous deux que l'éterniser l'aurait rendue beaucoup plus douloureuse. Après s'être enlacés, Maeva et Victor se séparèrent lentement, leurs bras restant en contact jusqu'au bout des doigts, avant qu'elle quitte la maison d'un pas rapide avec Clémentine, qui portait Harry dans ses bras, par la porte défoncée.

Victor observait son foyer la canne à la main, vêtu de petits gants de cuir, d'un long foulard et d'un beau et long manteau gris foncé en laine recouvert de gros boutons noirs.

La demeure s'était bien refroidie, sans son habituelle luminosité égayante et son feu de foyer chaleureux ; elle en était presque sinistre. L'état actuel de la maison représentait ironiquement bien le moral du jeune homme. Jetant un tout dernier coup d'œil à son piano ainsi qu'au vieux métronome qui se trouvait posé dessus, le jeune homme tourna sur ses talons et se rendit à l'extérieur, sous une pluie qui tombait maintenant avec douceur.

Une fois dehors, Victor salua les deux hommes des forces de l'ordre fidèlement postés devant la porte défoncée avant de rejoindre son groupe, qui l'attendait à quelques pas. En marchant vers eux, le pianiste jeta un coup d'œil par-dessus son épaule et vit les deux silhouettes des personnes qu'il aimait le plus au monde s'éloigner en sens inverse. Son cœur était lourd.

— Ça va, Victor ? demanda la voix soucieuse d'Ichabod.

Le jeune homme ramena son attention vers le groupe, puis vers l'épouvantail, avant de lui répondre d'un simple grognement. Udelaraï, son long bâton à la main et le capuchon de sa cape de voyage rabattu sur sa tête, se détacha du groupe et s'avança vers son petit-fils, avant de poser la main sur son épaule. À son contact, Victor se sentit revigoré d'une nouvelle énergie. Son grand-père lui sourit, l'eau de la pluie dégoulinant sur sa longue barbe, avant de lui demander :

— Victor, es-tu prêt à mener les tiens en ma compagnie pour sauver l'écosystème de ton monde ?

Le jeune homme hocha la tête.

— Oui, grand-père, je le suis.

Victor observa ses amis. Sous la fine pluie, Caleb, Ichabod, Rudolph et Baroque attendaient patiemment la suite des événements. Udelaraï lui tapota l'épaule et émit un grognement de satisfaction. Puis, il s'adressa au groupe :

— Il nous faudra un moyen de transport terrestre plutôt rapide, simple et efficace. Je pourrais toujours m'en procurer un à ma façon, mais je préférerais utiliser vos moyens, afin d'éviter de traumatiser la moitié de la ville. Notre destination est à une quarantaine de kilomètres au nord. Alors, quelqu'un aurait-il une idée ?

— Nous pourrions louer un carrosse ou une diligence, proposa Ichabod, qui n'avait pas l'air de croire à sa propre suggestion. Ou... des chevaux, peut-être ?

— À cette heure-ci ? répliqua Rudolph. Impossible. Il faudra attendre demain.

— Je ne veux pas paraître offensant, fit remarquer Caleb, mais je doute que nous rentrions tous dans une diligence ou un carrosse ordinaire. Vous êtes...

Il désigna Baroque et Rudolph du doigt.

— Plutôt... costauds, termina-t-il sur une note un peu amusée. Je ne crois pas que des chevaux pourraient vous... soutenir convenablement.

Avant que Rudolph puisse répliquer à ce commentaire sur sa largeur et celle de Baroque, Victor prit la parole :

— J'ai prévu le coup.

Toutes les têtes se tournèrent vers lui.

— Tu as prévu quoi, au juste ? demanda Rudolph.

— Quand je vous ai sélectionnés pour la tâche que nous allons accomplir, expliqua le jeune homme, j'ai prévu que nous aurions besoin d'un moyen de transport... disons...

Victor chercha le bon mot pendant une seconde ou deux.

— … adapté, dit-il finalement. Donc, il y a plusieurs mois, j'ai demandé à trois personnes que vous connaissez bien de me bricoler un véhicule, en échange d'une modeste somme d'argent.

Baroque plissa ses yeux au fond jaune et aux pupilles bleutées. Il venait de comprendre de qui Victor voulait parler.

— Po, Luboo et Ribère ? demanda-t-il d'une voix presque outrée. Les déserteurs ?

— Pas les trois déserteurs de la milice, quand même ? râla Rudolph.

Victor hocha la tête en guise de confirmation. Le lozrok se plaqua la main sur le visage en signe de désespoir tandis que Rudolph lâcha un profond soupir. Pour couronner le tout, la pluie sembla soudain augmenter en intensité.

— Ne faites pas cette tête ! leur grogna Victor en les pointant de sa canne. Ces Kobolds ne sont pas aussi désagréables que vous le croyez !

Malgré son expression de désapprobation, Baroque répondit :

— Par respect pour notre engagement, Pelham, je n'ajouterai rien d'autre.

— Pourrions-nous arrêter ces chamailleries et revenir à l'essentiel ? s'impatienta Ichabod, tapant du pied, les poings sur les hanches, son grand chapeau haut de forme pendant vers l'avant.

Baroque fit un signe à Victor, comme pour l'inciter à continuer. Sous le regard patient d'Udelaraï dont la barbe et les cheveux dégoulinaient d'eau, le jeune homme reprit :

— Bon. Les Kobolds travaillaient à la construction d'un véhicule que nous pourrions utiliser sur tous les types de terrains.

Victor marqua une pause et regarda chacun de ses compagnons.

— Et… ? ajouta le demi-gobelin avec un brin d'insistance.

Victor se passa la main dans les cheveux et afficha une expression hésitante. Caleb lâcha un petit grognement et dit :

— Je sens un « mais » venir…

Le pianiste continua donc :

— Mais je ne sais pas s'ils en ont terminé la construction.

Rudolph lâcha un juron.

— Où vivent ces trois amis? demanda Udelaraï d'un air curieux.

— Pas très loin, justement, dans un grand bâtiment, dit Victor en désignant la direction du doigt. Ils possèdent un très grand atelier.

— Alors, continua le vieil homme avec bonne humeur, allons leur rendre visite.

— Il... il y a un autre problème, dit Victor avec une certaine honte.

Il détestait avoir à reconnaître que son plan n'était pas totalement fiable. Cette fois, personne ne l'interrompit; tous se contentèrent de l'observer avec une certaine déprime apparente. La pluie et le froid n'aidaient certainement pas à l'humeur.

— Les Kobolds sont partis dans le Nord depuis une semaine, expliqua le pianiste. Ils ont été embauchés par un vieil alchimiste pour lui servir de guides dans de grandes galeries souterraines.

— Tu les as payés pour qu'ils te construisent cet engin? lui demanda Udelaraï. C'est bien cela?

Victor lui confirma d'un hochement de tête.

— Alors, peu importe qu'ils soient présents ou non, allons voir où ils en sont avec ce véhicule! lança le vieil homme avec enthousiasme, cognant le pied de son bâton sur le sol. Ce sont tes amis, après tout, je suis persuadé qu'ils comprendront!

Victor balaya ses amis du regard; ils avaient tous l'air d'être d'accord avec la proposition d'Udelaraï, bien que l'idée d'entrer par effraction chez ses amis ne plût pas vraiment au jeune homme.

— Conduis-nous à l'atelier de tes amis, Victor, lui dit Caleb. Je suis d'avis que nous essayions, au moins. Ce sera mieux que de rester plantés à 20 mètres de ta maison à se faire doucher par la pluie.

Ne voyant pas d'autre solution, Victor accepta et se mit en marche, en tête du groupe. Ils étaient maintenant six — sept, si l'on comptait Manuel —, marchant en pleine nuit sous la pluie froide d'octobre. Le fait d'être en mouvement, de ne plus rester statiques à boire l'eau de la pluie, donnait à Victor l'impression qu'ils avaient finalement entamé leur aventure, et... c'était plutôt motivant.

Sous la pluie déferlante et un ciel obstrué de sombres nuages, le sol pavé des rues de la ville fortifiée reflétait la lumière des réverbères. Les quelques maisons dont les occupants étaient toujours éveillés projetaient une lueur jaunâtre depuis leurs fenêtres. En plus des citrouilles festives qui étaient allumées et des feuilles mortes collées sur le sol, on pouvait dire que l'atmosphère sinistre de la très proche fête d'Halloween était naturellement, encore une fois, plutôt réussie.

Par cette température et à cette heure-ci, ils ne furent pas très surpris de constater que les rues étaient désertes, mis à part quelques malheureuses patrouilles des forces de l'ordre et une diligence noire, qui venait de passer à pleine vitesse devant Victor et son groupe, ses lanternes vacillant selon les dénivellations de la route pavée. Le pauvre cocher qui conduisait le véhicule, un vieux bonhomme fumant une pipe presque éteinte, était trempé jusqu'aux os et fouettait ses chevaux pour les inciter à aller plus vite. On ne pouvait pas vraiment lui en vouloir.

Au cours de leur traversée de la vieille citée, Rudolph demanda au jeune homme :

— Cet alchimiste qui a engagé les Kobolds, c'est le vieux Moriarty Blinkledwight, pas vrai ? Le pépé sénile qui ressemble à Merlin l'Enchanteur avec sa robe de nuit, sa longue barbe attachée par une boucle rose et son chapeau pointu ?

— Euh... oui, c'est bien monsieur Blinkledwight, lui répondit Victor en ricanant.

Udelaraï s'éclaircit la gorge et lança un regard narquois au hobgobelin. Il y eut quelques rires.

— Et qu'avez-vous contre les aînés ? lui demanda-t-il d'un air de taquinerie, son long bâton claquant sur le sol pavé au rythme de ses pas.

— Euh... à ce que je sache, dit Rudolph en guise de maigre défense, vous ne portez pas de robe de nuit violette qui vous arrive aux genoux et qui est recouverte d'étoiles, avec des chaussettes remontées jusqu'aux mollets en guise de tenue vestimentaire...

– J'aime bien les robes de nuit, moi! lâcha Udelaraï. Elles sont très confortables, vous devriez essayer, Rudolph, lui proposa-t-il avec un sérieux inquiétant.

Caleb rejoignit Victor à l'avant en trottant. La main appuyée sur le pommeau de l'une de ses épées, il lui dit :

– Sympathique, ton grand-père. Je ne l'imaginais pas aussi jovial.

Victor lâcha un petit rire et confirma d'un hochement de tête. Puis, Caleb lui demanda, d'un air plus concerné :

– Ça ira, la séparation?

Victor l'observa, momentanément interloqué, avant de comprendre où son ami voulait en venir : Maeva.

– Oh! oui, ça va, mentit-il en forçant un sourire.

En fait, son cœur était toujours aussi lourd, mais Victor savait que ce n'était pas vraiment ce que Caleb aurait voulu entendre. Même s'il considérait le demi-gobelin comme son meilleur ami, le jeune homme ne voyait pas l'intérêt de l'importuner avec ses états émotionnels. Par la suite, les deux amis restèrent étrangement silencieux, marchant côte à côte, observant machinalement les lieux.

– C'est là-bas, dit Victor au bout de quelques minutes en désignant un haut bâtiment. C'est l'atelier des Kobolds.

Le jeune homme s'arrêta de l'autre côté de la rue, juste en face d'une sombre bâtisse qui était érigée entre plusieurs autres, plus petites, ses amis s'arrêtant à ses côtés. Les six silhouettes étaient côte à côte, sous une pluie bien drue qui clapotait bruyamment contre le sol.

– Qu'attendons-nous? demanda Ichabod, qui se frottait les avant-bras, l'air frigorifié. Allons voir!

Baroque traversa la rue déserte, suivi de l'épouvantail et du hobgobelin, puis finalement d'Udelaraï. Maintenant seul avec Caleb, Victor profita du moment pour lui dire :

— Merci d'être venu, Caleb. Je sais que ce périple démarre un peu prématurément, mais… j'apprécie le fait que tu te sois déplacé quand même. C'est très gentil.

Le demi-gobelin lâcha un grognement, puis il tapota l'épaule de Victor.

— Ça me fait plaisir, mon vieux, ce n'est pas comme si j'étais mortellement occupé. Au pub, c'est relativement tranquille, de toute façon. Il n'y a pas beaucoup de voyageurs, en cette saison.

Le jeune homme lui sourit. C'était vrai, Caleb n'était plus employé par le Consortium. Vivant seul avec son père, Dweedle, qui avait pris sa retraite depuis un bon moment, le demi-gobelin s'était acheté une auberge dans un petit village, non loin de la ville de Québec. Avec quelques employés à sa charge et une faible clientèle, le demi-gobelin avait de la peine à joindre les deux bouts. Mais bien que ce ne fût pas très payant, Caleb n'avait jamais été aussi heureux.

À la suite de cet échange, Caleb laissa Victor sur le trottoir, traversant la rue pour rejoindre les autres, qui tentaient d'ouvrir la porte verrouillée du bâtiment. Victor observa Caleb, persuadé que celui-ci était bien heureux de remettre les pieds dans une autre aventure.

— Qu'est-ce que tu attends ? lui lança le demi-gobelin de l'autre côté de la rue.

— J'arrive, j'arrive ! lui cria-t-il avant de s'exécuter.

Chapitre 9

La ruée hors de l'atelier

Victor avait rejoint ses amis, qui, se tenant devant la porte de l'atelier des Kobolds, tentaient de trouver un moyen d'entrer. Udelaraï était un peu à l'écart, l'air songeur.

— C'est verrouillé, expliqua Baroque au jeune homme, de l'eau ruisselant sur sa forte mâchoire brunâtre.

— Nous n'avons qu'à enfoncer la porte, suggéra Rudolph, qui analysait la serrure de la porte, incliné vers celle-ci.

— Nous ne sommes pas des brutes criminelles, dit Baroque. Je ne tolérerai pas ce genre de comportement, Rudolph.

Le hobgobelin se redressa alors lentement avant de pivoter vers l'autre capitaine de la milice des sept lames. Les deux costauds s'observaient avec hostilité et, brusquement, l'atmosphère se fit glaciale.

— Pour qui te prends-tu, Baroque ? lui dit Rudolph, les dents serrées.

Le lozrok fit ballotter sa queue de lézard de gauche à droite, tandis qu'il défiait Rudolph d'un regard mauvais. Heureusement, Udelaraï glissa son bâton entre les deux capitaines avant de déclarer :

— Allons, allons, messieurs. Soyez tolérants l'un envers l'autre.

Le vieillard se glissa alors entre Rudolph et Baroque et fit face à la porte, qu'il observait maintenant avec attention. Sans détourner son regard de la porte, il demanda :

— Baroque, serait-ce un problème si je parvenais à déverrouiller cette porte ?

— Sans l'enfoncer, je n'y vois aucun problème, lui répondit-il en détachant lentement son regard de Rudolph.

D'un geste du bras, Udelaraï vit voltiger sa cape de voyage et, aussitôt, une petite clé bleutée et luminescente jaillit de sa main, comme par magie. Il la glissa dans la porte, et ils entendirent le déclic du mécanisme de la serrure. Puis, la clé disparut, comme volatilisée dans l'air. Sous le regard étonné de Victor et de ses amis, Udelaraï ouvrit la porte et pénétra dans la grande bâtisse.

En y entrant à son tour, suivi par ses amis, Victor découvrit l'atelier des Kobolds plongé dans une obscurité totale. Mis à part des formes sombres, on ne pouvait absolument rien voir. Si le ciel avait été plus dégagé, les rayons lunaires auraient forcément transpercé les grandes vitres de la bâtisse, mais ce n'était pas le cas. Sentant ses amis se bousculer dans le noir, n'osant pas trop avancer, Ichabod murmura :

— On n'y voit rien, ici !

— Quelqu'un aurait-il de la lumière ? chuchota Baroque.

Soudain, une vive lumière orangée jaillit de nulle part. Caleb venait d'allumer une lanterne, qu'il avait prise dans son sac.

— Pourquoi parlez-vous à voix basse ? leur demanda-t-il. Nous ne sommes pas des voleurs. Victor, tu es déjà venu ici, n'est-ce pas ?

— Oui, lui confirma-t-il.

— Te souviens-tu où sont situés les interrupteurs pour la lumière ?

— Je n'y ai jamais prêté attention auparavant, lui répondit le jeune homme pendant qu'il tâtait le mur de la main droite. Mais... Caleb, donne-moi ta lanterne.

Le demi-gobelin s'exécuta.

— Merci, lui dit Victor en suivant le câble à la lueur de la lanterne. Alors..., si nous suivons ce câble..., nous devrions... éventuellement... tomber sur l'interrupteur.

Il appuya dessus. Aussitôt, de nombreuses lampes s'allumèrent successivement, éclairant totalement l'endroit depuis le très haut plafond de l'atelier, qui faisait toute la hauteur de l'édifice. Son toit en chapeau était entièrement fait de grandes vitres, sur lesquelles martelait la pluie incessante de la fin d'octobre.

— Voilà qui est mieux ! lâcha Udelaraï avec bonne humeur.

En observant autour de lui, à travers le désordre total — tout comme la dernière fois qu'il s'y était aventuré —, le jeune homme ressentit une soudaine incompréhension, frôlant presque la frustration. Il s'était attendu à voir un véhicule en construction au milieu du bric-à-brac habituel des Kobolds, mais... non. Il n'y avait absolument rien de ce genre.

— Hé, Victor ! lui lança Rudolph.

Le hobgobelin était un peu plus loin, l'air irrité, se frayant un chemin dans l'atelier en donnant des coups de pied nonchalants sur les carcasses métalliques qui se trouvaient sur son chemin.

— Tu es certain qu'ils travaillaient activement à la construction de cet engin ? demanda-t-il.

— Tu ne devais pas vraiment être un rayon de soleil, lorsque tu étais à l'école, hein, Rudolph ? lui lança Caleb.

Victor ignora les propos du hobgobelin bougonneur et resta plutôt là, les yeux plissés, observant les lieux avec attention, tandis que ses amis s'étaient éparpillés dans l'atelier, fouillant à gauche et à droite.

— Cette carafe sent bizarre, fit remarquer Ichabod, qui humait, même s'il n'avait pas de nez, l'objet qu'il venait de prendre d'une table recouverte de paperasse. On dirait... on dirait de l'huile.

— C'est tout à fait normal, lui assura Victor. Ne cherche pas à comprendre..., je t'assure, c'est mieux ainsi.

Il allait s'abstenir de lui révéler que Luboo, l'un des Kobolds, avait la bien étrange habitude de boire de l'huile. Ichabod haussa les épaules avant de remettre l'objet là où il l'avait pris.

— Je vais aller jeter un coup d'œil là-haut, leur fit savoir Caleb, qui escaladait à présent un échafaudage montant vers les divers étages de l'atelier.

En observant en l'air, Victor remarqua le gyrocoptère ailé des Kobolds, celui qu'ils avaient autrefois utilisé pour se rendre en France. La machine était retenue par de longs câbles.

— Hé ! lança Baroque, qui observait le sol. Il y a quelque chose, ici. Le sol est bien différent. On dirait une plaque de fer.

Victor et Udelaraï rejoignirent le gros reptile et observèrent le sol. À travers des montagnes de débris inutiles comme de vieux souliers, des parchemins sur lesquels étaient tracés des plans illisibles et des boîtes de bonbons vides, ils virent une plaque de fer. En y mettant son poids avec sa canne, Victor sentit qu'elle était creuse.

– C'est une trappe, déclara-t-il avec hâte. Débarrassons le plancher pour la dégager. Rudolph, lâche ça et viens nous aider !

Le hobgobelin, qui observait avec grand intérêt une longue lance qu'il venait de décrocher du mur, la remit à sa place avant de rejoindre Victor d'un air renfrogné. Ichabod et Caleb vinrent se mettre à la tâche, eux aussi. La trappe, qui leur avait semblé à première vue plutôt petite, s'avéra immense. Ils durent pousser plusieurs tables ainsi que quelques vieux moteurs pour la déloger complètement. Lorsqu'ils eurent fini, Victor et les siens se rendirent compte qu'il ne s'agissait pas d'une trappe, mais bien d'une porte de hangar.

– En tout cas, pour des voleurs, lâcha Ichabod d'un air amusé, nous aurions passé pour une bande de vrais amateurs, avec tout ce vacarme !

– Bien dit, lui confirma Caleb.

– Essayons de l'ouvrir, proposa Rudolph, qui, accroupi sur le sol, venait de glisser ses doigts dans la fente de la porte de fer.

Après plusieurs essais, le hobgobelin abandonna, l'air furieux.

– Vous auriez pu m'aider, grommela-t-il.

– C'est bien trop lourd, de toute façon, lui répondit Caleb. Victor, que fais-tu ?

Le jeune homme se trouvait à présent devant l'un des murs. Il tendit sa canne et, à l'aide de son pommeau, appuya sur un gros bouton bien visible. Ils entendirent aussitôt un bruit ; le moteur de la porte venait de se mettre en marche, et celle-ci se mit à vibrer, avant de s'ouvrir doucement en glissant sous le plancher. Une fois le hangar ouvert, Udelaraï le félicita d'un air ravi :

– Très bien, Victor, très bien…

— Croyais-tu vraiment que trois petits êtres comme Po, Luboo et Ribère auraient pu ouvrir ce hangar à mains nues ? envoya Victor à l'intention de Rudoph, tout en lui faisant un clin d'œil.

Caleb s'accroupit près de l'espace qui s'était ouvert au sol, les bras sur les genoux.

— Eh bien, déclara-t-il. On dirait que tu avais raison, mon vieux.

Rejoignant ses amis, qui s'étaient placés côte à côte, et observant l'espace tracé au sol, Victor vit la silhouette d'une grosse machine apparaître progressivement au fur et à mesure qu'il approchait du trou. Tout au centre de l'atelier se trouvait à présent un large espace d'une profondeur de quatre ou cinq mètres tout au plus, qui semblait être un petit garage. En son centre se trouvait un énorme véhicule, qui prenait presque la totalité de l'espace, recouvert par une longue toile en patchwork. On n'en voyait que l'avant, qui ressemblait à celui d'un train, et ses larges roues. Le sol qui se trouvait sous l'engin était plutôt une plateforme de fer qui donnait l'impression de pouvoir être déplacée. De l'autre côté, il y avait un petit escalier qui descendait jusqu'au niveau du garage.

— Allons y jeter un coup d'œil, suggéra le pianiste, contournant le hangar pour se rendre à l'escalier.

Victor, son grand-père et Ichabod descendirent l'escalier tandis que Rudolph, Caleb et Baroque se laissèrent tomber sur l'étage inférieur. Si Caleb atterrit avec une certaine grâce, Rudolph, lui, s'écrasa plutôt sur le derrière, tandis que Baroque retomba lourdement sur ses jambes, l'impact faisant renverser un coffre plein d'outils.

— Il y a l'escalier, vous savez ? leur fit savoir l'épouvantail avec un certain sarcasme.

Grommelant quelques jurons, le hobgobelin se remit vite sur pied, le visage rouge. Victor et son grand-père, ne s'arrêtant pas à la maladresse de Rudolph, saisirent la toile en patchwork.

— Grand-père, tirez, lui demanda Victor.

— Et hop ! lâcha Udelaraï alors que son petit-fils et lui tirèrent la toile.

Sous les yeux du jeune homme et de ses compagnons, le véhicule se dévoila. Marchant tout autour de l'engin pour mieux l'observer, Victor était si agréablement surpris qu'il fut incapable de s'empêcher de sourire, la bouche grande ouverte. À voir leur expression, il fut convaincu que ses amis partageaient son avis.

Haut de près de trois mètres et entièrement peint en noir métallisé, l'engin ressemblait à l'union improbable entre une locomotive et un carrosse. L'avant était identique à celui d'une locomotive, muni de quatre gros phares circulaires et d'une plaque en métal très épaisse, qui devait servir de protection ou de bélier, selon la façon de voir. Son habitacle pour passagers était énorme; composé de quatre portières, il comportait tout de même huit sièges, deux à l'avant plus deux autres rangées de trois. Les roues arrière du véhicule, revêtues d'énormes pneus — chose qui n'était pas courante —, étaient beaucoup plus grosses que celles de l'avant et, d'ailleurs, les sièges arrière étaient nettement surélevés; le nez du véhicule s'inclinait vers le sol. Un moteur d'une taille impressionnante était installé à l'arrière de l'engin, et quatre énormes tuyaux en jaillissaient, deux vers le haut et deux autres vers l'arrière. Il n'y avait pas de doute : les Kobolds leur avaient construit un bolide hors du commun.

— Ce n'est pas croyable, lâcha Rudolph, la mâchoire pendante, les yeux exorbités, passant amoureusement sa main sur le véhicule, comme s'il caressait une montagne d'or.

Se croisant du regard, Caleb, Victor et Ichabod ne purent s'empêcher d'éclater d'un rire triomphant en se donnant des tapes amicales sur les bras et dans le dos.

— Vous avez vu ça? lâcha le jeune homme à l'intention de ses amis.

— Tes amis sont géniaux, Victor! lui répliqua joyeusement Ichabod.

— Cette machine me semble parfaite pour notre petit périple! confirma Udelaraï avec un large sourire. Certes, c'est assez... différent des moyens de transport que je connais, mais cela fera entièrement l'affaire!

Pendant un instant, il sembla que le poids d'avoir quitté sa compagne s'envola du cœur de Victor. Même s'ils étaient toujours trempés par la pluie et gelés par les vents d'octobre, ses amis et lui étaient maintenant souriants, d'une excellente humeur. Jamais le pianiste ne se serait attendu à avoir une telle surprise venant de la part de ses trois amis kobolds, surtout pour la très modique somme qu'il leur avait donnée.

— Je dois admettre que ces trois-là me surprennent, dit Baroque, visiblement impressionné, en se grattant la tête. Et dire que je les percevais comme des incapables…

— Jetons un coup d'œil à l'intérieur, proposa Victor.

Pour ouvrir la portière du conducteur, qui était relativement haute, il fallait monter quelques marches. Certes, ce n'était pas aisé pour Victor de se hisser, étant donné sa jambe gauche, mais il y parvint relativement facilement. Une fois la portière ouverte, quelque chose se trouvant sur le siège du conducteur attira l'attention du jeune homme.

— Tiens, qu'est-ce que c'est que ça ?

C'était une petite enveloppe. Intrigué, il la saisit, un sourcil levé. Sentant le regard des autres par-dessus ses épaules, Victor leva l'enveloppe devant lui, de sorte que tout le monde puisse bien la voir. Dessus, on pouvait lire, dans une écriture bourrée de fautes d'orthographe :

À toi, notre grant ami, le meyeur pianisse que nous connèssons et grant sauveur d'orfelins.

Po, Luboo et Ribère

Sentant déjà une vague d'émotion lui monter de la poitrine jusqu'au visage, Victor ouvrit tout de même l'enveloppe. À l'intérieur se trouvait la somme d'argent qu'il avait offerte aux Kobolds. Même si la lettre avait été écrite avec si peu d'égard pour l'orthographe, son message et son contenu renversèrent le jeune homme, mais positivement.

D'un air de taquinerie, Ichabod lâcha en ricanant :

— Je ne dirais quand même pas « meilleur pianiste »...

Victor lui envoya un de ses regards sérieux, mais amusé.

— Oh, tu sais bien que je ne fais que rigoler ! lui assura quand même l'épouvantail en lui donnant un petit coup de poing sur l'épaule.

Victor sentit les mains de Caleb et d'Udelaraï se poser contre ses épaules, chacun d'eux lui offrant un sourire encourageant.

— Allez, dit Caleb avec bonne humeur, cherchons un moyen de faire monter cette plateforme.

Cela ne s'avéra pas très difficile, puisque Baroque trouva presque aussitôt la commande, un bouton sur un panneau, qui activa la plateforme. Ils entendirent le mécanisme s'actionner et, dans un long bruit de grincement métallique, la plateforme s'éleva lentement jusqu'à s'immobiliser, finalement, une bonne minute plus tard, dans une légère secousse.

Seulement, quelque chose n'allait pas, et Victor n'était pas le seul à avoir remarqué un petit problème.

— Par où allons-nous faire sortir cet engin d'ici ? demanda-t-il en se grattant la tête.

— Ben, voyons ! lâcha Rudolph d'un air léger, comme s'il était persuadé que c'était évident. Il y a forcément un moyen de sortir !

Le hobgobelin observa les alentours, comme tout le monde, d'ailleurs. Il n'y avait aucune porte assez grande pour faire sortir le véhicule. Il était physiquement impossible de rejoindre la rue sans défoncer un mur. Ichabod dit alors avec une logique irréfutable :

— Les Kobolds n'auraient quand même pas construit une machine aussi grande en sachant qu'ils seraient incapables de la faire sortir...

Ichabod croisa le regard des autres, dans l'espoir de trouver un appui à sa façon de voir, mais il flottait dans l'air une atmosphère plutôt déprimante. Incapable de trouver un soutien moral, l'épouvantail commença à sombrer dans l'inquiétude. D'une voix qui manquait fortement d'assurance, il demanda en grimaçant :

— Dis-moi que j'ai raison, Victor ?

Le jeune homme ne répondit rien. Les sourcils froncés dans la concentration, il observait les lieux d'un regard d'enquêteur. Rudolph reprit alors la parole :

— Attendez..., ces crétins ont vraiment construit cet engin sans même prévoir une porte de sortie convenable ?

— Allons, intervint Udelaraï de son habituel air de sage, ne sautons pas aux conclusions si hâtivement.

Caleb s'approcha du jeune homme et lui dit à voix basse, l'air déçu :

— Victor..., je dois admettre que je ne vois aucune façon de sortir d'ici avec cet engin...

Mais Victor n'avait pas abandonné. Il connaissait ses amis kobolds et il ne croyait pas une seconde qu'ils auraient été trop bêtes pour ignorer un détail aussi flagrant... C'est à ce moment-là que son visage s'illumina, fixant le plafond.

— Qu'est-ce que tu regardes ? lui demanda Caleb en fronçant les sourcils, interloqué.

Le jeune homme venait de se rappeler comment il avait quitté la maison des Kobolds, auparavant : par le toit. Quelque chose en son for intérieur lui disait que les Kobolds avaient prévu le coup et que la plateforme sur laquelle reposait le véhicule allait pouvoir s'élever jusqu'au toit...

— Là-haut, dit-il simplement en souriant, ravi par sa propre idée.

Le demi-gobelin détacha son regard du pianiste avant d'observer le haut plafond.

— Quoi, là-haut ? répéta-t-il d'un air confus. Que veux-tu dire ? Cette machine est volante ?

Visiblement, Caleb ne voyait pas du tout ce que son ami venait d'apercevoir.

— Je croyais que nous avions besoin d'un engin terrestre ? demanda Baroque en observant la machine volante qui pendait au plafond.

— Ce n'est pas ce dont je veux parler, le corrigea Victor, qui tentait de faire preuve de patience envers ses compagnons. Nous n'utiliserons pas la machine volante des trois Kobolds. Je voulais parler du toit. Il s'ouvre.

— Le... toit? répéta Ichabod d'un air incrédule. Pardonne-moi, Victor, mais je suis incapable de suivre ton raisonnement. Et je ne suis visiblement pas le seul!

Encore une fois, Victor ne prêta pas attention aux inquiétudes de ses amis; les engrenages de son cerveau fonctionnaient à pleine vitesse.

— Premièrement, se dit-il en marmonnant, il faudra trouver un moyen de faire descendre ce gyrocoptère... Mmmh... Par la manivelle qui contrôle le système de poulies qui maintient la machine en l'air...

Autrefois, il fallait activer deux manivelles pour faire fonctionner le système de poulies. Seulement, les Kobolds l'avaient modifié l'an dernier et, grâce à leur toute nouvelle acquisition d'un générateur électrique, ils avaient pu bricoler un panneau de contrôle assez impressionnant et beaucoup plus moderne. Suivant du regard les nombreuses cordes du système de poulies qui retenait l'appareil volant, Victor trouva rapidement le panneau de contrôle du mécanisme, qui se trouvait près d'une grande étagère remplie d'objets tout aussi inutiles les uns que les autres.

D'un pas décidé, il traversa la pièce sous les regards interrogateurs de ses amis. Seul Udelaraï semblait observer Victor avec une certaine confiance. Une fois arrivé au panneau de contrôle, le jeune homme activa quelques manivelles et leviers et, dans un grincement alarmant, qui fit s'éloigner ses quelques compagnons qui se trouvaient en dessous, il parvint à déplacer le gyrocoptère et à le faire descendre jusqu'au sol.

— La voie est libre, dit le pianiste en observant le résultat d'un air satisfait. Il ne reste que deux petits détails à régler...

La canne à la main, Victor retraça ses pas jusqu'à la plateforme qui maintenait le véhicule hybride, mi-carrosse, mi-train. Puis, il demanda à Caleb :

— Peux-tu grimper sur cet échafaudage, juste là?

Le demi-gobelin posa un bref regard vers l'échafaudage que lui désignait Victor avant de ramener son regard incertain vers lui.

— Et… dans quel but ? lui demanda-t-il d'un air peu assuré.

— Tu devrais y trouver une manivelle qui ouvrira le toit.

Caleb s'inclina et observa momentanément le toit avant de ramener son regard incrédule vers son ami.

— Et comment espères-tu que nous allons atteindre le toit ?

Victor pointa la plateforme sous ses pieds en guise de réponse.

— Je crois qu'elle peut s'élever jusqu'au toit. Maintenant que j'y pense, j'en suis persuadé. Baroque, appuie sur le bouton de la commande de la plateforme, juste pour voir.

Même si son expression affichait un certain manque de confiance dans les plans étranges de Victor, le lozrok s'exécuta. Une fois le bouton enclenché, la plateforme s'ébranla et, dans le même grincement infernal que plus tôt, elle s'éleva, faisant monter Victor, qui était tout seul dessus avec le véhicule. Baroque arrêta la plateforme aussitôt, à la demande du jeune homme, qui lui faisait signe d'arrêter. Maintenant à un mètre de hauteur par rapport au sol de l'atelier des Kobolds, Victor s'approcha de Caleb. Par-dessus la balustrade sur laquelle il était appuyé, l'air souriant, il lui envoya :

— Alors, cette manivelle ?

— Très bien, très bien, soupira Caleb en faisant volte-face. Faisons comme tu le veux.

Le demi-gobelin se mit à escalader les échelles de l'échafaudage avec une facilité assez remarquable, sautillant presque d'un barreau à l'autre des échelles. Après avoir suivi du regard son ami, Victor s'adressa ensuite au lozrok :

— Baroque, fait redescendre la plateforme. Non, l'autre bouton, celui-là va me faire monter… Voilà. Très bien.

Une fois la plateforme au sol, Victor invita ses amis à le rejoindre :

— Venez, leur dit-il d'un geste du bras. Montez tous sur la plateforme. Rudolph, n'oublie pas ton sac à dos, mon vieux.

Évidemment, Udelaraï fut le premier à le rejoindre, l'air de bonne humeur, en sifflotant, suivi par Baroque, Rudolph et Ichabod.

— Peux-tu nous expliquer ton plan, Victor ? lui envoya l'épouvantail avec un regard inquiet.

— Caleb va ouvrir le toit à mon signal, précisa le jeune homme à l'intention d'Ichabod et des trois autres qui se trouvaient sur la plateforme. Une fois le toit ouvert, nous allons faire monter cette plateforme jusqu'en haut. De cette façon, le véhicule aura accès au toit.

Une grimace encore plus inquiète se traça sur le visage drôlement expressif de l'épouvantail. Il observait Victor comme s'il le trouvait dément.

— C'est bon ! cria la voix de Caleb. J'y suis ! Je vois ton levier, tu veux que je le tire ?

Le demi-gobelin se trouvait en effet tout en haut de l'échafaudage, à quelques mètres du plafond de la bâtisse.

— Attends un peu ! lui répondit Victor en projetant sa voix avec sa main droite. Baroque, fais-nous monter jusqu'au plafond.

— Jusqu'au plafond ? s'étonna Baroque de sa voix grave.

Victor l'encouragea d'un hochement de tête vigoureux.

— Très bien, très bien, se résigna le grand reptile en actionnant les commandes de la plateforme.

Celle-ci s'ébranla de nouveau et, cette fois, elle s'éleva continuellement sur une trentaine de mètres. Ichabod et Rudolph montrèrent rapidement des signes de vertiges et s'agrippèrent à la balustrade de la plateforme. Le demi-gobelin, appuyé à celle de l'échafaudage avec nonchalance, assista à leur montée.

— Tiens, tiens, lâcha-t-il d'un air amusé. Comme on se retrouve.

En effet, le demi-gobelin n'était plus qu'à deux mètres de distance de la plateforme, qui se trouvait maintenant à sa hauteur. Étrangement, la plateforme subissait toujours un léger ébranlement.

— Hé, Rudolph ! l'interpella Caleb depuis l'échafaudage juste en face. Tu vas bien ? On dirait que tu vas tomber dans les pommes.

Se tournant vers le hobgobelin, Victor découvrit la nature de l'ébranlement constant de la plateforme. Contrairement à Ichabod, Rudolph n'avait pas surmonté sa peur ; les genoux tremblants, le hobgobelin agrippait férocement le barreau de la balustrade, faisant ainsi branler toute la plateforme.

— Oh mon Dieu ! gémit-il en ravalant bruyamment sa salive.

Avec un certain manque de douceur, Baroque tira Rudolph vers l'arrière et l'adossa au véhicule.

— Ressaisis-toi, Rudolph ! Tu étais un capitaine de la milice des sept lames, pas un trouillard !

Le hobgobelin hocha nerveusement la tête.

— Entre dans le véhicule, lui dit Baroque d'un air méprisant. Ce sera mieux pour toi.

Contrairement à ce qu'aurait cru Victor, Rudolph ne tenta pas de jouer les durs devant son rival de la milice des sept lames et obéit.

— Je crois que je vais le rejoindre, dit Ichabod d'une petite voix.

Lui non plus n'était pas très à l'aise à une telle hauteur.

— À vrai dire, ajouta Victor, vous devriez tous vous installer dans l'engin.

Sans se faire prier davantage, l'épouvantail se réfugia rapidement à l'intérieur du carrosse hybride, suivi par Baroque, qui soupira en voyant le comportement d'Ichabod.

Udelaraï, qui était appuyé contre son long bâton, demanda alors à Victor :

— Tu sais ce que tu fais, n'est-ce pas ?

Son petit-fils lui répondit d'un sourire ainsi que d'un hochement de tête.

— Oh ! émit le vieillard. Alors, dans ce cas, je n'ai pas à m'en faire.

Puis, il ouvrit l'une des portières avant d'aller s'installer dans le véhicule, comme si de rien n'était. Une fois qu'il eut entendu la portière du carrosse se refermer, Victor lança à Caleb :

— Bon, tu crois que tu vas être en mesure de sauter jusqu'ici ?

Le demi-gobelin passa la tête par-dessus la balustrade et envoya un regard banal vers le sol. Il leva ensuite les épaules et, d'un air dégagé, déclara :

— Devrait pas y avoir de problème.

— Vantard ! lui envoya le jeune homme en ricanant. Bon, active la manivelle de ton côté, le toit devrait s'ouvrir. Ensuite, passe de notre côté.

— Et après, nous nous envolerons en carrosse comme dans les contes de fées ? ajouta Caleb avec un sourire moqueur.

— Fais ce que je te dis, le pria simplement Victor en lui renvoyant son sourire.

Le demi-gobelin activa un levier et, aussitôt, le toit se sépara en deux avant de s'ouvrir lentement au son d'un lourd mécanisme grinçant. La pluie incessante déferla dans l'atelier et sur la tête de Victor, qui réalisa au même moment qu'il allait devoir s'excuser auprès de ses amis kobolds d'avoir mouillé leur atelier.

— Caleb, viens ! lui cria le jeune homme à travers le bruit infernal de l'ouverture du toit et la pluie de l'orage qui craquait au-dessus de leur tête.

Le demi-gobelin prit un court élan avant d'enjamber la balustrade. Seulement, contre toute attente, son pied glissa à cause de la surface maintenant mouillée de la balustrade. Caleb allait chuter d'une hauteur vertigineuse. En une fraction de seconde, Victor vit son regard s'emplir de détresse. S'élançant à toute vitesse contre le barreau de la balustrade de la plateforme, le jeune homme rattrapa son ami par le bras.

— Je te tiens ! grogna-t-il, s'efforçant de remonter son ami.

Après bien des efforts, son cœur martelant dans sa poitrine, Victor parvint à remonter Caleb sur la plateforme. Baroque avait voulu intervenir, mais il était trop tard. Reprenant maintenant son souffle près du demi-gobelin, qui était assis sur la plateforme, Victor lui envoya d'un air de taquinerie :

— Devrait pas y avoir de problème, hein ?

— Plus de beignes pour moi, lâcha Caleb en soufflant un bon coup.

Victor lui tapota l'épaule avant de lui tendre la main.

— Nous avons du travail à faire. Allez.

Le demi-gobelin accepta la main de son ami, qui l'aida aussitôt à se redresser. Au même moment, un bruit indiqua que le toit était complètement ouvert.

— Installe-toi dans le carrosse et démarre-le ! lança Victor à Caleb. Nous n'avons pas beaucoup de temps, le toit va se refermer d'un instant à l'autre, c'est ainsi que les Kobolds l'ont programmé !

Sans mettre en doute les paroles du pianiste, le demi-gobelin confirma d'un hochement de tête avant d'aller s'installer dans le carrosse. Au moment où le moteur du véhicule se fit entendre et où ses quatre phares avant s'allumèrent, Victor, lui, retourna près du panneau de commande de la plateforme. Il appuya sur un bouton qui avait pour but d'élever la plateforme à son maximum possible. C'est-à-dire, simplement quelques mètres de plus. La plateforme s'ébranla alors, avant de se mettre à prendre de l'altitude de nouveau. Cette fois, Victor se rua vers le carrosse hybride, ouvrit la portière avant du côté passager et se hissa à bord.

— Qu'est-ce qu'on fait, maintenant ? lui lança Rudolph, alors que le jeune homme sentait sur sa nuque que tous les yeux étaient rivés vers lui.

Le carrosse hybride était à la hauteur parfaite pour s'élancer sur les toits de la cité de Québec.

— Droit devant, dit Victor en jetant un bref regard à l'arrière, vous voyez ce toit ? Celui qui est incliné en une sorte de rampe ? Allez, on fonce !

— Que... Quoi ? marmonna Ichabod avec frayeur. Oh non, misère...

Ils entendirent alors un mécanisme bruyant se réactiver ; le toit allait se refermer progressivement.

— Caleb, fonce ! rugit Victor. Nous n'avons plus de temps !

Seulement, leur véhicule ne bougea pas. Le demi-gobelin, dont les cheveux bleus étaient trempés et collés sur son visage, observait devant lui d'un air incertain ; il hésitait.

— C'est de la folie ! beugla Rudolph, qui s'agitait sur son siège, juste derrière Victor. Merde, je ne veux pas mourir dans un accident aussi stupide !

— Caleb ! insista Victor avec plus de férocité.

Aussitôt, le demi-gobelin enfonça la pédale d'accélération, le moteur du carrosse hybride émit un énorme rugissement, et ses roues, tournant à toute allure, propulsèrent le véhicule dans le vide. Le cœur de Victor se figea un instant tandis que le carrosse hybride fonçait dangereusement vite vers un toit un peu plus bas. Pendant une fraction de seconde, il sembla au pianiste qu'il vivait la scène au ralenti, voyant le toit se rapprocher dangereusement, la pluie s'écrasant contre la vitre du véhicule.

Puis, dans un terrible impact, qui fit cogner plusieurs têtes contre son plafond, le carrosse hybride s'écrasa lourdement sur le toit, avant de continuer sa course à pleine vitesse en bondissant de toiture en toiture, détruisant toutes leurs tuiles sur son passage dévastateur. Alors que le véhicule s'inclinait souvent dangereusement d'un côté et de l'autre sous le bruit des tuiles se pulvérisant, Victor et ses amis s'accrochaient tant bien que mal à tout ce qu'ils pouvaient atteindre sous les jurons proférés par Rudolph.

Ce n'est qu'au bout de trente longues secondes passées à détruire les toitures de bien des maisons que le carrosse hybride, qui, jusqu'à maintenant, avait filé en ligne droite, finit par tomber une fois pour toutes dans l'une des rues de la cité de Québec. Victor ne savait pas si les Kobolds avaient prévu le coup ou s'il s'agissait là d'une simple coïncidence, mais ils étaient arrivés, au grand soulagement de tous, dans la rue principale qui menait aux portes de la ville.

— Continue tout droit ! lança Victor à Caleb. Ne t'arrête surtout pas !

En effet, s'arrêter était peu envisageable, puisque le vacarme infernal que Victor et ses amis avaient causé avait dû réveiller la moitié de la ville, laquelle serait probablement bientôt à leurs trousses pour leur arracher la tête, s'ils faisaient l'erreur de traîner. Mais l'avertissement du jeune homme fut inutile ; son ami avait redoublé de vitesse, enfonçant la pédale d'accélération au maximum. L'immense carrosse hybride fila tout droit vers les portes de la ville tandis que, sur ses traces, une traînée de feuilles mortes virevoltait sous la pluie déferlante.

Chapitre 10

Le chemin vers le petit village rural

C'est seulement une fois que la ville de Québec fut loin derrière, n'étant plus que quelques points lumineux par-dessus les fortifications de la cité, que Victor et ses amis purent souffler un peu. Le jeune homme, qui avait eu l'esprit occupé jusque-là, commença à prêter attention à l'intérieur du carrosse hybride.

Ce dernier était très vaste, et son toit était plutôt haut. Juste au-dessus de leur tête, il y avait un filet fait d'un cordage assez épais sur lequel on pouvait glisser les bagages et de l'équipement. D'ailleurs, Ichabod était en train d'y entreposer les sacs de tout le monde, histoire d'avoir un peu plus de place sur les banquettes, qui, quant à elles, étaient très larges et confortables. En observant l'intérieur de l'engin, Victor dut admettre que ses amis kobolds avaient fait un travail remarquable.

Le carrosse hybride se conduisait comme n'importe quel autre carrosse, avec un volant et des pédales pour l'accélération et le freinage. Il y avait un important tableau de bord, sur lequel se trouvaient quelques écrans qui donnaient des renseignements sur la température extérieure, la chaleur du moteur et la quantité de carburant du réservoir.

– Caleb, c'est bien cela? lui dit Udelaraï depuis l'arrière du véhicule. Continue sur cette route, elle devrait nous mener à notre destination.

– Pas de problème, monsieur, lui répondit le demi-gobelin.

Assis à l'arrière avec le vieil homme, Baroque soupira, la tête baissée, l'air découragé.

– Ce n'était pas l'idée la plus brillante, dit-il de sa voix grave.

Le lozrok n'avait pas prononcé ces mots sur un ton de reproche, mais plutôt de déception.

— Sans dire que c'était la meilleure idée du monde, intervint Caleb, qui n'avait pas quitté la route des yeux, je dois avouer que l'idée de Victor était probablement la seule à notre disposition.

— Mais à quel prix ? soupira Baroque.

— Et pourquoi est-ce que ça t'importe ? lui lança Rudolph, qui était assis près d'Udelaraï. À ce que je sache, tu n'es pas le maire de la ville de Québec !

Victor craignit qu'encore une fois, cette réplique mette le feu aux poudres, mais le lozrok se contenta de soupirer et de garder le silence.

— Baroque, lui dit le jeune homme, qui s'était retourné pour lui parler, occupons-nous d'un problème à la fois. Inutile de nous surcharger, car pour l'instant, nous avons une tâche importante à accomplir.

— Et quelques tuiles brisées en échange de la santé de l'écosystème, ce n'est pas très cher payé ! lança Udelaraï avec son habituelle bonne humeur.

Le lozrok répondit d'un simple grognement.

— Victor, s'intéressa l'épouvantail, comment avais-tu prévu cette sortie de l'atelier pour le moins... spéciale ?

— Je n'avais rien prévu, répondit-il avec honnêteté. Je savais cependant que le toit s'ouvrait. Pour le reste, j'ai improvisé.

— Si j'avais un chapeau, lui dit Udelaraï, je te le lèverais volontiers, jeune homme ! Grâce à tes efforts, nous allons très probablement pouvoir abattre la Liche à temps !

Les paroles du vieil homme eurent pour effet de couper les conversations et d'instaurer un certain silence, mis à part quelques toussotements timides. Victor et ses amis venaient de se souvenir qu'ils se dirigeaient en direction d'une Liche et que leur vie serait très probablement mise en danger.

Sous le tonnerre qui craquait dans le ciel, l'illuminant à plusieurs occasions, l'énorme carrosse hybride filait sur une route de campagne éclairée par quelques rares réverbères à huile que l'on percevait difficilement, à travers la pluie et la brume. Ce fut Ichabod qui brisa le silence.

– Allons-nous voir Pakarel avant d'affronter la Liche? demanda-t-il à l'assemblée.

Ne sachant pas quoi répondre, Victor se retourna pour croiser le regard de son grand-père, qui, le bâton entre les genoux, prit un moment pour réfléchir. Celui-ci répondit alors par une question adressée à son petit-fils :

– La demeure de notre futur compagnon serait-elle sur notre chemin?

– Je ne sais pas réellement où nous allons, grand-père, lui avoua le jeune homme.

– Mmmh, en effet, admit le vieillard en se grattant le menton. Je n'ai pas été très clair et je compte y remédier immédiatement. La Liche que nous voulons abattre se trouve près du petit village rural nommé L'Ancienne-Lorette.

– Pour répondre à votre question, intervint Victor, c'est plus ou moins sur notre chemin. Il nous faudra faire un petit détour, car Pakarel vit un peu plus à l'est.

– Et nous parlons d'un détour de quelle envergure, exactement? s'inquiéta son grand-père, un sourcil levé.

– D'une demi-heure, tout au plus.

– Alors, dans ce cas, conclut Udelaraï d'un air décidé, nous irons chercher votre ami avant d'affronter la Liche qui rôde près du village de L'Ancienne-Lorette.

– Il va falloir que tu m'indiques le chemin, fit savoir Caleb à Victor, qui acquiesça d'un hochement de tête.

Le carrosse hybride tourna donc à droite à l'intersection suivante, s'éloignant ainsi d'une vaste forêt et empruntant plutôt une route de campagne qui traversait de nombreuses terres agricoles et fermières. La pluie avait fini par se calmer, laissant place à une brume plutôt sinistre. Victor remarqua soudain quelque chose à travers la fenêtre du véhicule.

– Vous voyez ce gros moulin? dit-il en tapotant la fenêtre du carrosse du bout de son index. C'est là que Pakarel vit depuis quelque temps.

— Pakarel vit dans le moulin ? s'étonna Caleb. Il n'a pas de maison ou… d'appartement quelconque ?

— Dois-je te rappeler que Pakarel n'est pas très grand ? lui renvoya Victor, comme si c'était évident. Il n'a pas besoin de tant d'espace, et puis son moulin lui suffit amplement.

— Où est le moulin, exactement ? demanda rapidement Ichabod, qui tentait encore de l'apercevoir à travers la vitre. Victor, je ne vois pas ce dont… Ah ! oui, je le vois !

La silhouette d'un moulin à grain, situé juste devant un boisé, tout près d'une rivière, se détachait dans l'obscurité. Ils pouvaient voir le mécanisme de la grosse roue de bois du moulin qui tournait allégrement, poussée par le courant du cours d'eau. Quelques lumières jaunâtres étaient allumées par-ci par-là sur la demeure, indiquant que Pakarel était éveillé. Une longue clôture en bois entourait la propriété verdoyante du moulin et devait bien s'étendre sur un kilomètre de distance.

— C'est plutôt impressionnant, fit remarquer Caleb, qui, la tête inclinée, observait le moulin à travers la vitre de Victor. Il gère vraiment ça tout seul ?

— Son moulin marche avec quelques machines, lui fit savoir Victor.

Suivant la clôture à basse vitesse, le carrosse hybride roulait en direction du portail, qui était éclairé par deux lanternes, menant à la propriété de Pakarel. Sous le bruit des cailloux lentement écrasés par les roues du carrosse, ce dernier s'immobilisa finalement devant le portail. Après avoir éteint le moteur, Udelaraï demanda à son petit-fils :

— Victor, qui ira à la rencontre de ton ami ? Ne crois-tu pas que notre groupe entier pourrait l'effrayer ou l'intimider ?

Victor ne sut quoi répondre. Il lança un regard à ses amis, comme pour avoir leur aide, en marmonnant :

— Euh…

Soudain, Baroque lâcha d'une voix intriguée :

— Qui est-ce ? Là, dehors !

À travers la vitre de sa portière, Victor vit une petite silhouette marcher le long du chemin menant au moulin. Le jeune homme dut s'écraser le nez contre la vitre afin de mieux voir pour réaliser qu'il s'agissait bien de…

— Pakarel ! s'exclama-t-il.

Il se dépêcha d'ouvrir sa portière avant d'aller rejoindre son petit camarade, qui marchait vers lui à l'aide de ses bottes démesurées, son énorme chapeau pendant vers l'arrière. Le raton laveur portait un grand manteau — enfin, pour sa taille —, ainsi qu'un gros sac à dos.

— Bonsoir, Victor ! lui envoya le petit personnage.

Le pakamu alla se blottir amicalement dans les bras du jeune homme, qui s'abaissa à sa hauteur.

— Comment vas-tu ? demanda Victor avec un grand sourire, tapotant les épaules de son petit camarade. Je ne t'ai pas vu depuis cette soirée bien arrosée, il y a un mois !

Le raton laveur lâcha un petit rire enfantin.

— Je vais très bien, merci ! Et, Victor, ta nouvelle coupe de cheveux te va à merveille ! Il faudra refaire des soirées comme celle-là plus souvent !

Se redressant, Victor passa la main dans ses cheveux coupés inhabituellement courts avant de répondre :

— Avec joie, mais sans alcool, cette fois.

Puis, d'un tout autre ton, Victor continua :

— Dis-moi, Pakarel, où allais-tu, comme ça ?

Le raton laveur afficha un air interloqué. Les silhouettes de Victor et de Pakarel restèrent là, immobiles, sur le long chemin qui menait jusqu'au moulin du pakamu. Juste derrière le jeune homme se trouvait le portail de la clôture en bois et, à quelques mètres, le carrosse hybride plein de silhouettes qui les épiaient à travers les vitres.

— J'allais vous rejoindre, dit-il avec une voix plutôt incertaine. Où crois-tu que j'irais en cette heure tardive ? Pourquoi, vous avez changé les plans ? Nous n'allons plus chasser ces Liches ?

Devant le savoir de Pakarel au sujet de leur quête, Victor resta bouche bée. Il bredouilla :

— Euh... comment... comment sais-tu tout ça ?

Une étincelle apparut dans les yeux du pakamu, et ce dernier lâcha un petit ricanement enfantin.

— Oh ! Je comprends ta confusion ! Tu croyais devoir venir me demander mon aide et tout m'expliquer ? Eh bien, Victor, ne t'inquiète pas ! C'est déjà fait. Maeva m'a joint par radio il y a 20 minutes et m'a tout raconté.

— Ah, lâcha le jeune homme avec une certaine surprise. Voilà qui explique bien des choses.

— Elle a dit que vous étiez très pressés et que de tout me raconter à ta place vous ferait... gagner du temps, continua Pakarel.

En effet, son amoureuse venait de leur faire gagner un temps précieux.

— Alors..., tu es au courant de tout ? s'assura Victor d'une voix hésitante.

Levant les yeux au ciel comme s'il cherchait profondément dans sa mémoire et comptant sur ses doigts, Pakarel répondit :

— Il y a un métronome dont la roue d'engrenage doit être reconstituée avec les fragments, qui seraient au nombre de cinq. Ces fragments, comme celui que tu as récupéré lors de notre voyage en France, se trouvent dans le corps de gros monstres que nous devons abattre en les mettant en contact avec un autre fragment. Ensuite, ces créatures prennent feu et meurent, laissant derrière elles un nouveau fragment. Finalement, il te faut six personnes pour t'aider à emporter les fragments je ne sais où.

Victor plissa les yeux, laissant le temps à son cerveau d'assimiler le nombre de « fragments » qu'il venait d'entendre.

— Et tu es au courant pour... Nathan et Nika ? lui demanda Victor d'un ton précautionneux.

Pakarel lâcha un soupir et baissa la tête, avant de répondre tristement :

— Oui..., Maeva m'a tout expliqué. Je suis vraiment désolé, Victor.

Le pakamu releva alors la tête et, d'un air assez confiant, déclara en levant son petit poing recouvert d'un gant démesuré :

— Mais je sais qu'ils vont s'en sortir ! Nika est forte, et Nathan l'est tout autant !

C'était exactement Pakarel, songea Victor en observant son ami raton laveur avec un léger sourire. Toujours naïvement positif, mais… ce n'était pas nécessairement une mauvaise chose.

— Très bien, conclut Victor. Tu as tes affaires ?

— J'ai tout, lui confirma Pakarel. J'ai même la dague bleutée qui émet du froid.

C'était l'arme qui avait été utilisée par un assassin maya pour enlever la vie de Balter. Malgré tout, Victor l'avait laissée à Pakarel, qui, depuis, l'avait toujours gardée.

— Et ton moulin, tu es prêt à le laisser sans fonctionner pendant un bon moment ? Ce sera mauvais pour tes affaires.

— J'ai des employés qui exploitent le moulin à ma place ! fit savoir Pakarel d'un air fier. Je suis une grande personne, maintenant ! Alors, je peux partir avec vous sans problème !

Ne voyant pas d'autres choses à régler, Victor observa les lieux d'un bref coup d'œil avant de conclure qu'ils pouvaient reprendre leur route.

— D'accord, dit-il. Tu es prêt, Pakarel ?

— Bien sûr, Victor ! lui répondit le pakamu avec énergie.

Ce dernier changea ensuite assez radicalement de ton avant de chuchoter avec impatience :

— Je vais rencontrer ton grand-papa ?

— Bien sûr, lui dit Victor, qui avait levé un sourcil. Il attend dans le carrosse, ajouta-t-il en le désignant du menton.

Impressionné par les faits mentionnés par le pianiste, Pakarel continua :

— Wouah… tu crois qu'il fait de bonnes tartes ?

Victor éclata d'un petit rire.

— Tu ne changeras jamais, hein, petit glouton ?

— Jamais ! lui répondit le pakamu d'un air jovial et amusé. Bon, allons-y ! Une autre aventure démarre ! C'est excitant, non ?

Le pianiste lâcha un petit rire et dit d'une voix détachée :

— Si tu le dis, Pakarel, si tu le dis... Allez, on doit y aller.

Les deux amis se mirent alors en marche en direction du carrosse hybride, laissant derrière eux la terre de Pakarel, avant de refermer le portail de la clôture en bois. Tandis que le pianiste et son petit camarade avançaient, le pakamu lâcha un commentaire :

— C'est un drôle de véhicule ! C'est gros, non ?

— Euh... oui, en effet.

— Et les autres porteurs que tu as choisis, ils sont gentils ? demanda le pakamu avec hâte en s'arrêtant devant la marche qui menait à la portière, beaucoup trop haute pour lui.

— Tu verras dans quelques secondes. Tu connais la plupart d'entre eux. Attends, je vais t'aider à embarquer...

En effet, il était plutôt difficile pour Pakarel de monter convenablement dans le très haut carrosse hybride. Avec un grognement d'effort, Victor hissa Pakarel par les aisselles, comme un enfant, afin que celui-ci puisse ouvrir l'une des portières. Suivant le pakamu, Victor se hissa à son tour dans le véhicule, sur le siège passager avant, et, lorsqu'il referma la portière, il vit que Pakarel serrait jovialement la main de tout le monde, s'étirant par-dessus les banquettes pour atteindre les mains plus difficiles d'accès.

— Enchanté, monsieur Baroque ! Enchanté de vous rencontrer aussi, monsieur Rudolph ! leur déclara Pakarel d'un ton très énergique. Heureux de vous rencontrer ! Bonsoir, Ichabod ! Joli chapeau, comme toujours ! Oh, Caleb ! Je ne t'avais pas vu !

Le demi-gobelin lui accorda un clin d'œil ainsi qu'un petit sourire discret. Lorsque Pakarel salua le grand-père de Victor, qui était assis juste à côté de lui, en lui serrant vigoureusement la main, il lui dit, à la grande surprise de certains :

— Enfin quelqu'un d'aussi âgé que moi !

— Ah, vraiment ? répondit Udelaraï avec amusement. Et je suppose que ce n'est pas un compliment, considérant que vous, les pakamus, vivez bien longtemps !

S'il avait pu rougir, Pakarel aurait littéralement changé de couleur, il n'était en effet pas très difficile de voir la gêne du raton laveur à la suite du commentaire du grand-père de Victor. Pakarel enfonça son grand chapeau encore plus bas sur sa tête, cachant ainsi son visage poilu et masqué comme un voleur.

– Nous faisons demi-tour, maintenant ? demanda Caleb.

– Je ne suis pas certain, lui avoua Victor. Attends.

Il se retourna et observa le lozrok, qui, observant l'extérieur par la vitre, détourna son attention vers Victor, comme s'il avait senti son regard peser sur lui.

– Baroque, lui demanda le pianiste, tu connais les environs, n'est-ce pas ?

– Je saurais m'y retrouver, oui, avoua le lozrok avec modestie.

– Pour nous rendre au village de L'Ancienne-Lorette, devrions-nous revenir sur nos pas ou…

Victor fit une pause au milieu de sa phrase, laissant Baroque lui répondre.

– Mmmh, grogna le lozrok en tapotant d'un doigt écailleux et griffu sur sa large mâchoire. Nous pourrions prendre un petit raccourci et couper par un boisé qui se trouve à quelques kilomètres par là, indiqua-t-il en tapotant de la jointure de son index sur la vitre du carrosse hybride. Si ce véhicule en est capable, bien sûr.

Victor hocha la tête et lui sourit en guise de remerciement. Il jeta un coup d'œil vers l'extérieur, observant d'un air songeur les nuages assombris. Le jour allait se lever dans une heure ou deux, tout au plus. Puis, le jeune homme retourna son regard vers ses amis, plus précisément sur Pakarel, qui venait tout juste de sortir son petit visage de son chapeau.

– Tu vas survivre, mangeur de tartes ? lui demanda-t-il avec un sourire amical.

Udelaraï donna quelques tapes dans le dos de Pakarel et lui dit tout simplement :

– Allons, allons, mon ami. Ne soyez pas intimidé par ma remarque, je ne faisais que rigoler un peu ! Aimez-vous la cuisine ? Puisque Victor vient de vous traiter de mangeur de tartes ?

– Euh… oui, j'aime bien cuisiner ! répondit Pakarel en esquissant un sourire timide.

Rassuré, Victor se retourna donc vers l'avant avant de dire à Caleb :

— Essayons ce raccourci mentionné par Baroque.

Caleb afficha un air presque désapprobateur.

— Tu es certain ? Tu veux vraiment que nous fassions rouler ce truc énorme à travers un boisé ?

— Honnêtement, lui dit Victor en jetant un autre coup d'œil au ciel, nous n'avons pas beaucoup le choix.

Regardant ensuite vers l'arrière, le jeune homme demanda à son grand-père :

— Nous devons arriver avant le lever du jour, n'est-ce pas ?

— Certes, répondit Udelaraï d'un hochement de tête. Sinon, nous allons perdre la trace de la Liche.

Le jeune homme acquiesça en grognant.

— Va pour le raccourci, confirma-t-il alors à Caleb. Je ne veux pas risquer d'arriver à l'aube.

Sans protester, Caleb démarra le moteur, alluma les quatre phares avant du véhicule, éclairant la route de campagne, avant de suivre le chemin indiqué par Baroque. Durant le trajet, Pakarel entreprit une vive conversation, principalement avec Udelaraï et Ichabod, au sujet de la cuisine. Victor, comme plusieurs autres, fut surpris de constater que le vieillard s'y connaissait en cuisine locale, ou du moins, qu'il faisait semblant de s'y connaître. À un moment, lorsque le sujet s'épuisa, le raton laveur demanda à Udelaraï, les yeux grands ouverts d'admiration :

— Est-il vrai que vous venez d'un autre monde ?

De son air habituel de vieux sage, Udelaraï lui répondit d'un clin d'œil mystérieux et d'un petit sourire amusé. Une dizaine de minutes plus tard, le carrosse hybride quitta la route pour emprunter un sentier qui traversait une longue plaine, en direction d'une vaste et obscure étendue d'arbres, qui se trouvait un peu plus loin. Caleb arrêta le véhicule devant la lisière, les phares du carrosse projetant les ombres de dizaines d'arbres sans feuilles et tordus dans tous les sens. Le sol de la forêt semblait regorger d'eau, probablement en raison de la pluie qui était tombée durant une bonne partie de la soirée.

— C'est vraiment par là, le raccourci ? demanda Caleb, hésitant, à Baroque.

— Oui, confirma le lozrok. Continuons droit devant et nous devrions déboucher près du village de L'Ancienne-Lorette. Pourquoi as-tu arrêté le véhicule ?

Caleb se retourna vers l'avant et, fixant l'extérieur, répondit :

— Parce que je n'ai jamais été un grand conducteur de carrosse, et que je ne veux pas risquer de faire une fausse manœuvre et de nous retarder à cause de mon manque d'aptitude au volant.

Le demi-gobelin ouvrit alors la portière du carrosse et se laissa tomber au sol, avant de contourner l'engin. Arrivé devant la portière de Victor, il lui dit :

— Bouge.

— Tu veux vraiment que je conduise ? lui demanda Victor.

— Mieux vaut toi que moi, lui répondit le demi-gobelin d'un air sérieux.

Victor leva les mains d'un geste nonchalant, comme pour indiquer qu'il se résignait à la demande de son ami, avant de se hisser sur le siège du conducteur. Caleb remonta alors dans le véhicule, s'installant à la place du pianiste.

— Qu'est-ce qui te fait croire que je saurai mieux me débrouiller que toi ? lui demanda Victor en observant le boisé à travers la vitre avant, d'un visage incertain.

Caleb haussa les épaules et afficha un sourire.

— Tu chevauches un oiseau géant à des hauteurs vertigineuses et tu ne peux pas conduire un carrosse ? lui renvoya Victor.

— Pas à travers un boisé, en tout cas, fit remarquer Caleb d'un air satisfait.

— D'ailleurs, où se trouve Hol ? lui demanda Pakarel.

— Sur le toit de mon auberge, dit Caleb, probablement en train de dormir comme un gros lâche. Le manque d'activité et la bonne nourriture l'ont rendu bien trop gras pour voler sur de longues distances.

— Accrochez-vous, à l'arrière, envoya Victor à l'intention de ses camarades, on risque de prendre quelques bosses.

Le jeune homme appuya doucement sur la pédale d'accélération, et ils s'enfoncèrent doucement à travers l'enchevêtrement d'arbres nus, de brindilles et de branches du boisé. Les branches mortes et les arbustes craquaient sans cesse sous les énormes pneus du carrosse, qui avançait tranquillement sur le terrain inégal et vierge du boisé, meurtrissant les fesses de ses passagers. Malgré tous les efforts de Victor pour ne pas trop ruiner la végétation, le carrosse se frayait un chemin en déboisant littéralement tout sur son passage. Au quinzième petit arbre tristement anéanti par l'énorme carrosse hybride, le jeune homme lâcha un grognement d'irritation.

— Je trouve que tu t'en sors très bien, moi ! lui fit remarquer Pakarel, qui semblait s'amuser comme un petit fou, sautant de son siège à chaque bosse. Ouais ! Wouh !

— Notre ami Pakarel a bien raison, ajouta Udelaraï. Tu fais un excellent travail ! Un peu brutal, certes, mais très efficace. Ne sois pas trop exigeant avec toi-même, Victor.

— En fait, avoua le pianiste, qui venait de déraciner un arbre particulièrement imposant, qui rendit l'âme dans un long craquement renversant, l'idée de traverser un boisé avec un véhicule comme celui-ci me semble bien moins intéressante, maintenant que nous y sommes. Oh là là… je n'imagine pas ce dont tout ça aura l'air dès l'aube…

— Et puis, dit Ichabod, on ne peut pas faire d'omelette sans briser quelques œufs…

— Oh oui, des omelettes ! lâcha le raton laveur avec envie.

À travers les bosses causées par le terrain inégal et les arbres piétinés, Caleb se retourna et, en plissant ses yeux jaunes, envoya au pakamu :

— Comment fais-tu pour penser à des omelettes dans un moment pareil ?

— Parce que c'est bon de manger ! répondit Pakarel d'un air parfaitement naïf et enfantin.

Baroque donna l'impression de s'efforcer de ne pas faire de commentaires, tandis que Rudolph ne se gêna pas pour lâcher un petit rire.

– En tout cas, il faut avouer que nous formons un groupe bien intéressant, déclara-t-il.

– En parlant de groupe, dit Pakarel sur un tout autre ton, cette fois complètement sérieux. N'étions-nous pas censés être… huit? Nous ne sommes que sept.

Le jeune homme avait complètement oublié de mentionner à Pakarel la présence de Manuel. Ces deux-là avaient un passé assez mouvementé au sujet d'un gros diamant que le raton laveur avait soi-disant volé au métacurseur à plusieurs reprises, sans jamais le lui rendre. Connaissant la maturité de Manuel, Victor savait très bien que cette histoire ne se terminerait pas par un simple pardon amical.

Avant même que l'information se rende au cerveau de Victor, qui s'efforçait toujours d'éviter le plus d'arbres possible, Rudolph avait déjà répondu :

– L'autre est dans le sac du demi-gobelin.

– Mon nom, c'est Caleb, lui dit le demi-gobelin d'un air sombre, sans même se retourner. Ne commets pas l'erreur de me désigner par ma race. Je déteste ça.

– Oh! désolé, mon vieux, répondit aussitôt Rudolph. Je ne voulais pas t'offenser!

Le demi-gobelin hocha lentement la tête, sans regarder derrière lui.

– Attendez! intervint Pakarel, qui affichait un air interloqué. Dans le sac de Caleb? Qui se trouve dans le sac de Caleb?

– Pakarel, intervint rapidement Victor tout en essayant de rester concentré sur sa conduite, je suis vraiment désolé, mais j'ai oublié de te mentionner la présence de…

– Le crâne, dit Rudolph en coupant la parole du pianiste. Comment s'appelle-t-il, déjà...? Ah, oui. Manuel.

Concentré vers l'avant, Victor ne pouvait pas regarder derrière, mais par le silence soudain, il put presque sentir le regard déçu du raton laveur peser contre sa nuque. Soudain, Victor ressentit l'urgence de se justifier :

– Écoute, Pakarel, je n'avais pas vraiment le choix de l'introduire avec nous dans cette aventure…

Le jeune homme marqua une pause, pour voir si le pakamu allait répondre quoi que ce soit, mais ce ne fut pas le cas. N'osant tout de même pas jeter un coup d'œil derrière, Victor continua :

– Lorsque j'ai su que Liam et Nathan ne pourraient pas nous accompagner, j'ai dû prendre une décision hâtive et…

– En fait, l'interrompit Udelaraï d'un ton jovial, c'est entièrement mon idée.

Cette fois, après avoir évité deux ou trois arbres, Victor jeta un bref regard derrière lui et vit Pakarel observer son grand-père d'un air sévère et interrogateur.

– Notre cher ami Manuel m'a donné sa parole qu'il serait mon fidèle assistant, continua Udelaraï, comme si de rien n'était. Donc, il nous accompagnera. Et puis, en fin de route, je lui réserve une bonne surprise.

– Et comment croyez-vous qu'il va jouer son rôle de porteur de fragment ? demanda Pakarel d'un air assez sombre. S'il se trouve dans le sac de Caleb, c'est bien parce qu'il n'a plus son corps.

– Comment sais-tu tout ça ? lui envoya Rudolph. J'ai manqué un épisode ou quoi ?

Victor se dépêcha alors de répondre :

– Maeva lui a tout raconté par radio…, c'est aussi pour cela qu'il marchait vers nous, tout à l'heure.

– Pour répondre à votre question, mon cher Pakarel, dit Udelaraï, sachez que j'ai une idée bien précise pour faire en sorte que Manuel remplisse son rôle sans le moindre souci.

Pakarel ne répondit rien. Victor risqua un nouveau coup d'œil vers son camarade poilu. Il avait la tête baissée, comme s'il réfléchissait. Le jeune homme sentit alors une tape sur son épaule, donnée par le demi-gobelin. Par instinct, il ramena rapidement son regard vers l'avant et évita de justesse un énorme rocher.

– Fais attention, lui dit Caleb.

Puis, le demi-gobelin tourna la tête vers l'arrière pour ajouter :

— Au fait, Pakarel, si tu ne l'entends pas vomir ses âneries, c'est parce qu'il est désactivé par un petit drone qui a pour utilité de le tenir tranquille.

Pendant les cinq minutes qui suivirent, Victor ne trouva rien d'autre à ajouter, même s'il aurait voulu rassurer Pakarel. Seulement, étant le conducteur d'un énorme véhicule qui traversait un boisé à une certaine vitesse, il était impossible pour le jeune homme de s'adonner aux deux tâches correctement. Même s'il n'aimait pas attendre pour régler des problèmes, le jeune homme se dit qu'il lui en reparlerait lorsqu'ils seraient arrivés à destination.

Entre-temps, Udelaraï fit apparaître les pochettes de tout le monde, afin de les leur distribuer.

— Comment faites-vous cela, monsieur Udelaraï ? lui demanda le pakamu, lorsqu'il reçut sa propre pochette. Avec votre bague, hein ?

Le véhicule conduit par Victor déboucha soudain dans une clairière de hautes herbes, qu'ils traversèrent sans aucune difficulté, l'herbe fouettant doucement la carrosserie extérieure.

— Et comment en êtes-vous venu à cette conclusion, cher Pakarel ? lui renvoya Udelaraï en tendant la dernière pochette à Ichabod.

Cette fois, Victor put jeter un coup d'œil derrière sans risquer de provoquer un accident. Pakarel, qui donnait l'impression de répondre à une question scolaire, rétorqua :

— Parce que je ne vois pas d'autre façon logique que vous puissiez faire apparaître des choses, à moins que vous soyez un vieux magicien ou un sorcier quelconque. Et la sorcellerie, ça n'existe pas.

— Bien vu, bien vu ! répondit Udelaraï en ricanant. Vous êtes perspicace, mon cher Pakarel. Vous et moi allons décidément bien nous entendre !

Cette remarque fit apparaître un sourire sur le petit museau du raton laveur.

— Qu'est-ce que c'est que ces lumières ? fit alors remarquer Ichabod. Regardez, en avant et vers la gauche.

Victor vit tout de suite ce dont l'épouvantail voulait parler ; à travers les arbres de l'autre partie du boisé qui s'étendait devant et qu'ils allaient bientôt traverser, des points lumineux jaunâtres étaient visibles.

— Ce sont les lumières des maisons d'un village, constata Victor.

— Du village de L'Ancienne-Lorette, pour être exact, ajouta Baroque. Nous arrivons bientôt.

— Victor, lança son grand-père depuis l'arrière du véhicule, tu devrais laisser le véhicule à une bonne distance du village. Il est inutile d'éveiller les habitants.

— Pas de problème, répondit le pianiste, qui était assis au bout de son siège, les yeux concentrés sur son trajet.

— Lorsque nous nous serons arrêtés, continua Udelaraï à l'intention du groupe, vous devrez bien évidemment tous emporter vos armes avec vous. N'emportez pas vos sacs de provisions ni tout autre bagage encombrant, car nous reviendrons au carrosse dès notre première tâche accomplie.

— Serait-il possible de savoir quel genre de créature nous allons chasser ? demanda Ichabod d'une voix plutôt inquiète. Mis à part le fait que c'est une Liche ?

Victor, qui s'était attendu à ce que son grand-père ne réponde pas directement à la question, fut bien surpris de l'entendre dire :

— Un épouvantail. Un peu comme vous, Ichabod.

Chapitre 11

Un adversaire très particulier

– Un épouvantail ? répéta Caleb, se retournant vivement vers l'arrière. Vous voulez dire, un autre pantin animé par une plante intelligente, comme Ichabod ?

– Un peu de respect s'impose, monsieur Fislek ! protesta l'épouvantail d'un air insulté, dont les grands yeux verdâtres se froncèrent avec sévérité.

– Oui, un épouvantail, confirma Udelaraï. Toutefois, je dois vous avouer que cette créature n'a rien à voir avec notre ami Ichabod, qui, lui, est le produit d'une expérience du vecteur du lâche, si je ne m'abuse.

Les têtes, y compris celle de Victor, se tournèrent vers le vieillard.

– Et comment savez-vous cela ? s'étonna l'épouvantail d'un air presque offusqué.

– Oh, j'ai mes sources, répondit le vieil homme avec détachement. Pour revenir à ce que je vous disais, la créature que nous allons affronter est relativement différente d'Ichabod.

– De quelle façon, exactement ? demanda Baroque.

– Je ne sais pas, répondit Udelaraï, à la grande surprise de tous. Je sais seulement que la créature en question, la Liche, change occasionnellement de corps. Cette fois, elle s'est réfugiée dans un simple épouvantail.

À ce moment-là, le carrosse venait finalement de parvenir à la lisière de la forêt. Droit devant, à quelques centaines de mètres, on voyait un petit village campagnard, composé d'une vingtaine de maisons tout au plus, et entouré de terres agricoles. Suivant les directives de son grand-père, il stationna le véhicule et éteignit le moteur.

— Puisque nous parlons de cette Liche, dit Rudolph, pourriez-vous nous dire pourquoi nous devons la trouver avant l'aube, vieil homme ?

— Parce que le piège que je lui ai tendu pour la tenir en place ne restera pas fonctionnel encore très longtemps, lui expliqua Udelaraï.

— Piège ? s'étonna Pakarel. Vous lui avez posé un piège ?

— Nous aurons l'occasion d'en reparler très bientôt, répondit Udelaraï, qui entreprit d'ouvrir la portière du carrosse. Mais pour l'instant, concentrons-nous sur nos préparatifs. N'emportez que le strict nécessaire.

Puis, le vieil homme laissa tout le monde en suspens, alors qu'il refermait derrière lui la portière du carrosse hybride.

— Il vaut mieux ne pas chercher à lui tirer les vers du nez, conseilla Victor. S'il se garde une distance dans ses propos, c'est sûrement parce qu'il a une raison de le faire…

Le jeune homme n'était pas prêt à dire qu'il croyait entièrement en ses propres paroles, mais une chose était sûre : il voulait y croire. Victor ouvrit sa portière et descendit du carrosse hybride, prenant bien soin d'atteindre le sol sans forcer inutilement sur sa jambe gauche.

— Il a raison, approuva Caleb. Allons-y.

Quelques instants plus tard, Victor et ses compagnons se retrouvèrent devant le village de L'Ancienne-Lorette, qui se trouvait à quelques centaines de mètres d'eux. Comme leur avait demandé Udelaraï, le jeune homme et ses compagnons n'avaient emporté que leurs armes.

En plus de sa canne, Victor s'était muni de son glaive modifié avec un mécanisme d'arme à feu et de son arbalète à poudre à canon, alors que Caleb était équipé de trois épées qui pendaient à sa ceinture. Baroque avait sa carabine à canon double, et sa grande épée était rangée dans un long fourreau sur son dos, tandis que Pakarel avait simplement apporté la dague maya qui émettait une lueur bleutée et bien froide. Ichabod, lui, était armé du pistolet à barillet rotatif de Clémentine. Quant à Rudolph, il avait avec lui sa fidèle masse et son fusil à canon scié. Finalement, Udelaraï était armé de son long bâton, qu'il utilisait plutôt comme bâton de marche. En tête du groupe, sa cape de voyage voltigeant dans le vent, le vieillard se retourna vers son petit-fils et ses amis.

— Vous avez tous amené votre pochette en cuir ?

— Je l'ai, répondit Caleb après avoir confirmé d'un bref coup d'œil.

— Moi aussi, dit Pakarel en la désignant du doigt, accrochée à sa ceinture.

Ichabod, Baroque et Rudolph se contentèrent de hocher la tête ou de marmonner un grognement en guise d'acquiescement. À quelques centimètres de distance d'Udelaraï, Pakarel donnait l'impression de vouloir lui poser une autre question.

— Qu'y a-t-il ? lui demanda directement le vieillard, un peu amusé, qui avait bien remarqué que le petit bonhomme l'observait avidement.

— Lorsque nous aurons vaincu la Liche-épouvantail-qui-change-de-corps, demanda Pakarel comme l'aurait fait un enfant insistant à Udelaraï, je pourrai voir le métronome ? Hein, vous croyez que ce serait possible ? J'aimerais vraiment le voir, le métronome...

— Mais bien sûr, bien sûr ! répondit Udelaraï. Une fois la troisième anomalie abattue, vous aurez tout le loisir de l'observer. Caleb, avez-vous toujours en votre possession la lanterne que vous avez utilisée dans l'atelier des Kobolds ?

Le demi-gobelin passa une main dans son sac en bandoulière et en tira sa lanterne avant de l'allumer et de la tendre au vieillard.

— Merci à vous, jeune homme.

Caleb lui répondit d'un hochement de tête et d'un sourire poli. Udelaraï se mit alors en tête du groupe, marchant sur l'herbe mouillée en direction du village de L'Ancienne-Lorette, muni de son bâton de marche et de la lanterne qui éclairait faiblement les alentours de sa lueur orangée. Victor fit un signe de tête à ses amis, leur indiquant de se mettre en marche sur les talons du vieillard. Le jeune homme marcha donc à quelques pas de son grand-père, suivi de près par Ichabod, Pakarel et Caleb. Baroque et Rudolph fermaient la marche à quelques mètres de distance l'un de l'autre, observant les alentours comme des gardiens alertes.

Pakarel, qui trouvait manifestement difficile de rester silencieux plus de quelques secondes, rejoignit Victor en trottant.

— Comment c'était ? lui envoya le pakamu, avide de connaître les moindres détails. C'était dangereux ? La Liche, je veux dire, la striga, elle était grosse ?

Caleb envoya un regard découragé en direction de Victor, qui lui retourna un sourire.

— La Liche que nous avons tuée en Égypte était aussi grande qu'un carrosse motorisé traditionnel, expliqua le jeune homme à son camarade raton laveur. Elle avait un bec d'aigle, ajouta-t-il en mimant la forme du bec avec ses doigts, et des yeux exorbités.

— Waouh ! lâcha Pakarel en sautillant. Ç'a dû être terriblement dangereux !

Le pakamu avait dit cette phrase avec une excitation inquiétante, mais il était vrai que Pakarel aimait particulièrement les aventures. Sous le regard de Caleb et de Victor, le pakamu alla rejoindre Udelaraï au pas de course, son sac à dos et son gros chapeau bondissant au rythme de ses pas.

Tandis qu'il jetait un coup d'œil autour d'eux, Caleb dit à Victor :

— Nous voilà encore dans une situation bien délicate.

— Il semblerait bien, lui répondit le jeune homme.

— Ça t'arrive de vouloir vivre une vie normale, de temps à autre ? continua Caleb, qui regardait maintenant derrière son épaule, comme s'il se sentait observé.

Victor envoya un regard hésitant vers le demi-gobelin. Le pianiste n'arrivait pas à discerner au ton de sa voix s'il tentait de lui envoyer un message subtil, ou s'il s'agissait d'une simple et légitime question. Caleb releva le temps d'arrêt que son ami marqua et ramena son attention vers lui pour l'inciter à répondre. Victor décida de lui répondre comme s'il s'agissait d'une question ordinaire.

— Tout le temps, lui répondit-il avec honnêteté.

— On dirait que les problèmes te tombent facilement dessus, ajouta Caleb, tu ne trouves pas?

Victor avait ouvert la bouche pour répondre, mais il décida de ne rien dire. Quelque chose dans les dires de son ami l'avait choqué. Le pianiste sentit alors la main de Caleb le saisir par l'épaule et l'inciter à s'arrêter. En le fixant profondément de ses yeux jaunes, qui avaient toujours cet air presque surnaturel, Caleb lui souffla :

— Je ne disais pas ça pour t'irriter, Victor. Loin de là. Je disais cela par simple curiosité.

Baroque et Rudolph les avaient rattrapés et ils ralentirent pour les attendre. Même si, initialement, Victor avait été quelque peu dérangé par la remarque de son ami, il lui assura quand même :

— Ça ira. Tu ne m'as pas offensé.

Les deux amis reprirent leur route en compagnie de Rudolph et de Baroque, alors qu'Ichabod, Pakarel et Udelaraï étaient un peu plus loin.

— Pelham, puis-je te poser une question? lui demanda le lozrok en maintenant son énorme carabine appuyée sur son épaule.

Victor l'interrogea du regard.

— Pourquoi avons-nous laissé le véhicule aussi loin? continua Baroque en jetant un coup d'œil derrière lui. En cas d'urgence, cela pourra s'avérer… une dangereuse erreur.

— Je ne sais pas vraiment, Baroque, lui répondit le jeune homme en haussant les épaules. Je suppose que mon grand-père ne veut pas réveiller les villageois des alentours.

Baroque grogna en guise d'acquiescement.

Victor et ses compagnons continuèrent leur marche en direction du village de L'Ancienne-Lorette, qu'ils atteignirent environ cinq minutes plus tard. Le jeune homme remarqua que le ciel, dégagé de ses nuages étouffants, s'était éclairci, annonçant l'arrivée imminente de l'aube. Approchant d'une grande étable, Udelaraï mena le groupe jusque derrière le bâtiment, où il éteignit la lanterne qu'il rendit à Caleb. Entre deux planches de bois situées à hauteur de ses yeux, Victor put voir à l'intérieur de l'étable assombrie les silhouettes de gros animaux de ferme. Probablement des vaches et des chevaux. Le hennissement d'un cheval vint confirmer ce qu'il pensait.

— Nous avons bien fait de couper par les boisés, dit Udelaraï en observant le ciel. Nous allons devoir nous dépêcher.

— Je crois que nous avons une bonne heure devant nous, ajouta Rudolph.

— Bien moins, le contredit le vieillard. Les honnêtes paysans de ce village vont se réveiller au cri des coqs, qui est bien plus tôt que vous le croyez, mon cher Rudolph. Il ne faudrait pas qu'ils viennent se mêler de nos affaires…, ils ne sont pas protégés, eux.

— Alors, Udelaraï, de quoi s'agit-il ? lui demanda le grand lézard à la crête jaune d'un air presque impatient, voire irrité. Vous avez mentionné un épouvantail habité par une créature. D'accord. Vous avez mentionné que vous lui avez tendu un piège. Très bien. Alors si cela ne vous ennuie pas, pourquoi ne commenceriez-vous pas à nous expliquer exactement ce à quoi nous allons faire face ?

Udelaraï lui envoya un regard intéressé, comme s'il observait un phénomène intrigant.

— J'ai pu voir que vous êtes quelqu'un de droit et qui aime faire les choses dans un sens bien défini, lui répondit le vieil homme. Remarquez, ce n'est pas une mauvaise chose. Je suppose que c'est ce qui a fait de vous un excellent capitaine de la milice des sept lames, avec une longue liste de succès récoltés tout au long de vos 40 années de carrière.

Sur ces mots, Rudolph grinça des dents. Quant à Victor, il ne fut pas le seul à lever les sourcils, laissant paraître son étonnement. Encore une fois, Udelaraï démontrait qu'il en savait bien plus qu'il ne l'avait laissé entendre. Devant une description aussi exacte de sa personne, Baroque lâcha un petit grognement avant d'ajouter :

— Il n'est pas secret que j'aime les plans ordonnés et, surtout, expliqués à l'avance.

Udelaraï lui envoya un grand sourire et lui accorda un clin d'œil avant de dire :

— Voilà donc comment nous allons agir.

D'un geste du bras qui fit voltiger sa cape de voyage, Udelaraï traça dans l'air, à quelques centimètres de la paroi de l'étable, un rectangle bleuté, comme s'il maniait une craie invisible. Même si Victor et ses amis étaient maintenant habitués aux pratiques assez particulières du vieil homme, il n'en resta pas moins que tout le monde fut surpris de voir cette manifestation d'un bleu translucide se tenir dans l'air.

— Voici la représentation d'une terre agricole avoisinante dans laquelle j'ai attiré la Liche à venir se nourrir.

Le vieil homme se mit à tracer des cercles tout en disant :

— Et voici les appâts que j'ai installés plus tôt cette nuit, avant mon arrivée chez mon petit-fils.

— Quel genre d'appâts ? demanda Caleb, qui observait le tout d'un air désapprobateur.

Les pratiques mayas lui avaient décidément laissé un mauvais souvenir.

— Des rats égorgés qui lui servent de nourriture, dit Udelaraï en terminant de tracer son dernier cercle.

L'idée qu'Udelaraï ait égorgé des rongeurs écœurait Victor, qui fut incapable de s'empêcher de lui en faire part :

— Vous avez égorgé des rats ? le questionna-t-il d'un air dégoûté.

— Moi ? Bien sûr que non, répondit Udelaraï, comme si c'était l'évidence même. Les chiens des fermiers s'en sont occupés pour moi, ils le font tous les jours. J'ai simplement eu à leur enlever leurs trophées avant qu'ils les abîment un peu trop. Ne vous inquiétez pas, j'ai mis des gants ! ajouta-t-il avec un sourire presque loufoque.

Pakarel fut le seul à lâcher un petit rire. Udelaraï compléta finalement son plan avec une croix en plein centre de la terre agricole.

— C'est là que notre amie la Liche s'est tenue pendant toute la journée d'hier, cachée dans la terre.

Quelques regards se croisèrent parmi Victor et ses amis.

— Et qu'est-ce qui vous fait croire qu'elle n'y sera plus au lever du jour ? demanda le pianiste, qui espérait ne pas blesser son grand-père avec une telle remarque.

— De ce que j'ai pu apprendre, expliqua Udelaraï, la créature qui habite l'épouvantail ne reste pas au même endroit plus de trois jours d'affilée. Avant chacun de ses départs, elle s'abreuve d'une grande quantité de sang avant de disparaître dans la terre, bien protégée de la lumière du soleil, avant de refaire surface ailleurs, des semaines plus tard.

— Quelque chose me dit que c'est ce soir qu'elle fait son petit festin avant de partir vers un autre endroit, leur fit savoir Caleb d'un air sarcastique.

Udelaraï lui envoya un sourire avant de pointer l'un des cercles qu'il venait de tracer sur son plan bleuté.

— Voyez-vous que la couleur du cercle, représentant un cadavre de rat, vire au blanc ?

Victor plissa les yeux et analysa rapidement le plan. En effet, près de la moitié des cercles bleutés avaient viré au blanc, l'un après l'autre.

— Ce sont… les rats qui sont vidés de leur sang, c'est bien ça ? demanda-t-il.

Udelaraï lui confirma d'un hochement de tête et expliqua :

— J'ai injecté une petite substance colorante dans le corps de ces rats décédés, qui nous permet de déterminer dans quel ordre la Liche les dévorera. Et si on observe le plan…, elle terminera son festin avec… celui-ci.

Le vieil homme toucha du doigt l'un des cercles bleutés, et celui-ci se mit à onduler, créant de petites vagues à travers le plan flottant, comme lorsqu'on touche à de l'eau calme. Victor remarqua bien vite que le cercle désigné par son grand-père était situé à l'écart de la terre agricole. La position des rats, qui lui avait en premier lieu semblé aléatoire, avait en fait été choisie avec une intention particulière. Udelaraï avait fait en sorte d'attirer la Liche dans un endroit bien précis.

Victor avait entrouvert la bouche sans s'en rendre compte, témoignant ainsi qu'il venait de comprendre le plan de son grand-père. D'ailleurs, ce dernier remarqua l'expression de son petit-fils. D'un air satisfait, le vieillard fit un geste du bras et son plan se dématérialisa aussitôt.

D'une voix mêlant la confusion et la surprise, Victor dit à son grand-père :

— Vous… vous avez tout prévu…

Udelaraï lui envoya un simple clin d'œil en guise de réponse.

— À quoi ressemble cette créature ? demanda Rudolph. Je veux dire, sous sa forme normale ?

— Nous ne tarderons pas à le découvrir, lui répondit le vieillard, qui s'était tourné vers lui.

— Comment tuer cette chose ? demanda Baroque d'un air plutôt direct.

— J'y venais, lui fit savoir Udelaraï avec patience. Il faudra premièrement la faire fuir de son hôte.

— Et comment sommes-nous censés l'inciter à quitter son corps ? demanda Ichabod.

Puis, comme si c'était l'évidence, il ajouta :

— Je veux dire…, si cette créature a pour hôte un corps constitué de paille…, je ne crois pas que nous pourrons la blesser facilement. Surtout pas avec des armes classiques.

— Bien vu, Ichabod, lui dit Udelaraï. En effet, reprit le vieillard, cette Liche sera très difficile à blesser par des moyens traditionnels. Voire impossible. Il faudra un autre moyen.

— Avec du feu, devina Victor d'un air absent. Il nous faudra l'enflammer.

Udelaraï hocha la tête lentement, avec un sourire de satisfaction.

— Le feu, répéta-t-il. C'est exact. Quelqu'un a quelque chose qui produit du feu ?

Rudolph se tâta le corps pour chercher un briquet avant de hausser les épaules.

— Nous pourrions enduire notre ami l'épouvantail de l'huile de ma lanterne, proposa Caleb. Non, pas toi, Ichabod, précisa-t-il en voyant la réaction pour le moins offensée de ce dernier.

— Et pour la faire s'enflammer, continua Victor, nous n'aurons qu'à lui tirer dessus avec nos armes à feu.

Le jeune homme sentit alors qu'on tirait sur le bas de son manteau.

— Victor ? demanda Pakarel d'un air inquiet. Regarde au loin, le ciel.

Avant même d'avoir levé les yeux pour contempler le ciel, le pianiste savait ce dont le pakamu voulait parler. L'horizon s'étirait sur une ligne orangée ; le jour allait se lever d'un instant à l'autre. S'ils ne se dépêchaient pas, ils risquaient de manquer la Liche.

— Nous n'avons plus le temps de discuter, déclara Victor d'une voix à la fois pressée et inquiète. Allons tuer cette chose, maintenant ! leur lança-t-il.

— Mais… mais, balbutia Ichabod, nous ne savons même pas comment… Victor, attends !

Victor et Udelaraï se mirent en marche, longeant l'étable, avant de s'enfoncer vers le centre du village. Le jeune homme entendit le martèlement des pas de ses amis les rattraper, tandis qu'ils passaient devant une grande bâtisse qui ressemblait à un hôtel de ville. Étant à l'avant du groupe avec son grand-père, le pianiste lui glissa un mot à voix basse :

— Vous savez ce que vous faites, n'est-ce pas ?

— Espérons-le ! lui répondit simplement Udelaraï avec un petit sourire.

À la suite de la réponse de son grand-père, Victor ne sut pas vraiment s'il devait se sentir rassuré ou encore plus inquiet. Udelaraï avait l'habitude d'être étrangement enjoué, et le jeune homme espérait profondément que son grand-père savait ce qu'il faisait. D'un côté, il ne connaissait pas vraiment son grand-père, mais de l'autre, ce dernier n'avait jamais donné à Victor une raison de douter de lui.

Avec un faible soupir, Victor hocha lentement la tête de gauche à droite, avant de jeter un regard derrière lui.

— Soyez prêts, dit-il à ses amis. Nous ne savons pas vraiment à quoi nous faisons face.

Il n'eut pour toute réponse que des hochements de tête et des grognements, sauf pour l'humanoïde reptilien, qui s'abstint de toute réponse. Il était facile de voir que Baroque, qui affichait un air dur et silencieux, était mécontent devant leur manque évident de planification. Et Victor ne le blâmait pas. Le lozrok était un combattant brillant, qui avait la réputation d'être un grand stratège qui ne fonçait jamais la tête baissée. Or, c'était un peu ce que ses amis et lui allaient faire, songea Victor.

Un instant plus tard, la terre agricole qui devait abriter la Liche apparut devant le jeune homme et ses amis, et celle-ci était en réalité bien plus grande que Victor ne se l'était imaginé. Balayant la terre du regard avec hâte, le jeune homme sentit une certaine confusion monter en lui. Il n'y avait absolument rien d'anormal. Il s'était un peu attendu à voir un épouvantail en train de dévorer des rats, mais à part les centaines de citrouilles, de potirons et de courgettes, il n'y avait rien à signaler. À cette distance et en raison de l'obscurité matinale, il était impossible de discerner le corps des rats… s'il en restait.

Udelaraï pressa le pas, il se déplaçait maintenant entre les légumes automnaux à grandes enjambées. Victor, qui marchait le plus vite possible sans blesser sa jambe, fut quand même bien distancé par son grand-père. Alors que ce dernier avait atteint le milieu de la terre, à une dizaine de mètres de son petit-fils et des autres, le vieillard leva subitement la main vers eux, leur faisant signe de s'arrêter.

Victor, qui avait arrêté la marche de Pakarel en le retenant par l'épaule du bout des doigts, observa son grand-père avec attention, tous ses sens à l'affût. Retirant doucement la main de la petite épaule du pakamu, le jeune homme se concentra à l'écoute du moindre son, tandis que ses yeux analysaient machinalement chaque détail du décor. On pouvait entendre le souffle du vent froisser les feuilles mortes qui gisaient sur le sol aux alentours, tandis qu'au loin, le hululement d'un hibou se fit entendre. Mis à part la respiration de ses camarades, Victor fut incapable de discerner quoi que ce soit d'anormal.

Tout à coup, Udelaraï sembla entendre quelque chose, car il dirigea brusquement son attention vers la droite, avant de ramener son regard ailleurs. Le jeune homme entendit les lames glisser des fourreaux ; Caleb avait dégainé l'une de ses trois épées et Baroque avait saisi son énorme épée à deux mains.

La posture d'Udelaraï, qui avait été tendue, se décontracta aussitôt. Il pivota sur lui-même et fit face au groupe. Son visage affichant un air d'incompréhension, Pakarel, laissa échapper :

— Qu'est-ce que... ?

Aussitôt, dans une explosion de terre et de poussière, quelque chose émergea du sol, à une vitesse fulgurante, entre Victor et son grand-père. En une fraction de seconde, la créature avait saisi Udelaraï d'une manière qui était impossible à voir à travers le nuage de poussière, avant de projeter le vieil homme à plusieurs mètres de là. Udelaraï s'écrasa sur le sol dans un bruit lourd et douloureux aux oreilles de son petit-fils, qui, avec horreur, cria de toutes ses forces :

— Non !

Puis, de façon presque surnaturelle, le nuage de poussière serpenta dans l'air, avant de tourbillonner en sens inverse du vent et de disparaître, dévoilant la Liche, qui avançait maintenant vers le jeune homme. Sentant ses poumons se crisper, Victor observa la créature qui se dirigeait vers lui. Lourde et costaude, large d'épaules et dotée de membres démesurément longs, la créature se déplaçait de manière saccadée, donnant presque l'impression d'être malhabile ou mal à l'aise.

Le corps de la créature — celui d'un épouvantail — était revêtu d'un vieux pantalon et d'une chemise déchirée. Les traits de son visage, qui avaient assurément été taillés par un fermier du coin ou par sa femme, étaient disproportionnés et lui donnaient un air malicieux. Au fond de ses orbites creusées à travers son revêtement d'épouvantail, une lueur rougeâtre était visible. C'est sur son sourire tordu que Victor put voir d'épaisses coulures de sang coagulé et bien noir. Le jeune homme remarqua finalement les mains de la Liche ; faits d'ossements en tout genre liés par une substance qui semblait être de la glaise, ses longs doigts pointus et crochus dégoulinaient de sang.

C'est alors que la Liche se rua sur le jeune homme en abattant vers lui son bras droit dans une volée tranchante, qu'il évita de justesse en reculant rapidement et en trébuchant sur une courgette, se blessant la jambe gauche au passage. Les doigts pointus de la Liche se plantèrent dans le sol terreux, tandis qu'elle observait Victor de son visage tordu de méchanceté.

— Udelaraï ! cria le jeune homme avec une certaine détresse, espérant de tout cœur entendre la voix de son grand-père. Êtes-vous…

Avant même qu'il puisse finir sa phrase, Victor vit le bâton de marche manié par le vieillard s'abattre de plein fouet dans le flanc de la Liche. Avec une agilité et une forme étonnante, Udelaraï esquiva la riposte de la créature, qui venait de trancher l'air en sa direction à l'aide de ses griffes en os.

— Viens ! lui lança Udelaraï en défiant le monstre, brandissant son bâton par-dessus sa tête. Viens par ici !

La Liche lâcha un intense rugissement à la fois étrange et effroyable. Le cri du monstre avait été si puissant qu'une bourrasque de vent effleura le visage du jeune homme et de ses compagnons. Comme si elle avait oublié la présence de Victor et de ses amis, la créature s'avançait maintenant d'une démarche maladroite vers Udelaraï, qui, quant à lui, s'éloignait à reculons de la terre cultivée. Victor comprit alors ce que son grand-père tentait de faire. Puisque son plan initial d'attirer la Liche en dehors du champ avec les rats s'était visiblement montré moins efficace que prévu, Udelaraï voulait leurrer la créature lui-même en dehors du champ de légumes… mais pourquoi ?

À cet instant, Rudolph s'élança à pleine course tout en criant comme un barbare, son canon scié pointé vers le dos de la Liche, et en brandissant sa masse bien haut. Il fit feu en direction de la Liche, et les multitudes de projectiles du hobgobelin pénétrèrent dans le dos du monstre, faisant ainsi voler des éclats de paille et de tissu.

La Liche lâcha un rugissement de douleur avant de se retourner vers Rudolph, qu'elle fixa de son visage mauvais. Udelaraï baissa son bâton, et son visage prit un air sérieux qui indiquait très visiblement que le hobgobelin avait fait une erreur cruciale.

— Non ! lança Victor. Rudolph, ne…

Il était trop tard. Le hobgobelin n'entendait rien. Le large guerrier faisait détonner son canon scié à bout portant, tout en livrant de grands coups de masse sur la Liche. Victor était incapable de dire qui, entre la créature et Rudolph, semblait le plus enragé. Le jeune homme entendit alors une autre détonation, cette fois en provenance de sa gauche. Portant un vif coup d'œil dans cette direction, il vit Ichabod, son long bras tendu devant lui, le pistolet de Clémentine pointé vers la créature.

— Ne l'attaquez pas ! lança Udelaraï d'une voix étonnement froide et autoritaire, de l'autre côté du combat entre le hobgobelin et de l'épouvantail possédé.

Ichabod se figea sur place et cessa alors le feu, tout en se tenant près de Caleb, Victor, Pakarel et Baroque, qui ne s'étaient pas lancés à l'assaut. Cependant, le hobgobelin ignora les propos du vieillard et continua son attaque frénétique contre la créature. À ce moment-là, ils entendirent un bruit d'ossements se faisant broyer ainsi qu'un rugissement effroyable ; Rudolph venait de briser les doigts osseux de la main droite de la créature à l'aide de sa masse.

— Ah ! ah ! ricana le hobgobelin d'un air triomphant, savourant visiblement le combat. Pas très habile, sale créature !

La Liche tenta de griffer Rudolph, mais son geste imprécis fut facilement évité par le guerrier, qui ajouta ensuite :

— Maintenant qu'on peut vous approcher sans risque d'être irradiés et de…

Tout à coup, alors que Rudolph continuait de provoquer la créature, un nuage de poussière surnaturel s'éleva, masquant la scène comme de l'encre virevoltant dans l'eau.

— Hé ! s'écria Rudolph. Qu'est-ce que c'est que cette connerie ?

Le sol se mit aussitôt à trembler et, un instant plus tard, le nuage s'était dissipé, laissant Rudolph seul, ses amis derrière lui, devant un trou fraîchement creusé.

— Le monstre vient de disparaître sous terre ! lança Pakarel, qui n'en croyait visiblement pas ses yeux, la bouche grande ouverte.

— Bien joué, Rudolph ! lâcha Baroque d'un grognement de reproche.

Le hobgobelin observait le trou dans le sol, marchant autour de celui-ci d'un air confus. Udelaraï était resté à l'écart, accroupi au sol, le bâton à la main, le front plissé d'un air sévère.

— Qu'est-ce qu'on fait, maintenant ? demanda Ichabod en observant Victor de ses grands yeux angoissés.

Victor était resté silencieux et, tout comme Caleb, il était à l'affût d'un éventuel mouvement de la Liche, qui était très probablement encore dans le coin. L'épouvantail, lui, se mit à tourner en rond, l'air tendu, marmonnant des paroles inaudibles. Victor posa la main sur l'épaule de son collègue pianiste, non pas pour le rassurer, mais pour l'empêcher de bouger.

— Qu'est-ce que vous faisiez ? leur lança alors Rudolph. Vous croyez qu'elle va crever toute seule, cette Liche ?

Soudain, Victor sentit une très faible vibration dans le sol. Caleb et Pakarel aussi l'avaient remarquée, car tous deux observaient le sol d'un air alarmé.

— Grâce à ton intervention, lui rétorqua Baroque en gesticulant, on risque de la perdre pour de bon ! Udelaraï tentait de l'attirer hors de cette satanée terre agricole !

— Ne parlez pas, intervint le jeune homme.

Rudolph, ignorant les propos du jeune homme, continua alors :

— Et ton grade de capitaine, Baroque, comment tu l'as obtenu, hein ? En restant à l'arrière à siffloter comme un…

— Tais-toi ! lui lâcha froidement Victor. Plus un mot !

Cette fois, Rudolph, surpris par l'intervention assez brutale du jeune homme, obéit et resta muet. Ichabod voulut s'éloigner, mais Victor le retint par la manche de son manteau.

— Ne bouge pas, lui ordonna le jeune homme en chuchotant.

Ichabod se figea, bien qu'il tremblât de tout son corps. Rudolph leva la jambe comme pour avancer, mais Victor l'arrêta en lui envoyant un signe de main assez brusque et un regard assez convaincant. Une idée venait tout juste de naître dans la tête du jeune homme.

— Ta lanterne, chuchota-t-il à Caleb en agitant la main vers lui. Vite !

Le demi-gobelin fronça les sourcils, mais s'exécuta et prit la lanterne de son sac avant de la tendre au pianiste. Celui-ci la saisit et dévissa entièrement le couvercle de son récipient, avant de se mettre à marcher en direction de son grand-père. Ce dernier, qui était encore accroupi, se releva brusquement, alarmé par le comportement de son petit-fils.

— Victor ! lui lança-t-il rapidement à voix basse.

Le jeune homme lui envoya un regard avant de se mettre à tapoter brusquement le sol du bout de sa canne.

— Viens ici, mon gros ! lança Victor à pleine voix. Viens ! Tu n'as pas pu boire le sang de tous ces pauvres rats, tu dois avoir soif ! Viens boire le mien !

Aussitôt, la nuée de poussière surnaturelle s'éleva aux pieds de Victor, qui sentit le sol fendre sous lui. Une main osseuse jaillit alors du sol, et le jeune homme put voir le visage d'épouvantail de la Liche couvert de terre et souriant avec démence. À ce moment-là, Victor bondit vers l'arrière, projetant en même temps l'huile de la lanterne en direction de la créature.

Chapitre 12

Une humeur étrangement irritable

Le jeune homme tomba au sol sur son épaule, sa chute un peu amortie par le sol terreux, tandis que la lanterne roula hors de portée. La Liche, qui était maintenant recouverte d'huile, fut momentanément déboussolée avant de repartir à l'assaut vers le pianiste, qui se relevait à l'aide de sa canne.

Une fois debout, Victor vit que certains de ses amis, Baroque, Rudolph et Ichabod, avaient levé leurs armes à feu en direction de la Liche. Tout en évitant un coup de griffe de la créature enduite d'huile, le jeune homme s'adressa à ses amis :

– Non ! leur cria-t-il. Pas maintenant !

Caleb avait fort heureusement saisi le plan de Victor et abaissé de force les armes de ses camarades. Manquant de trébucher sous l'assaut de la Liche-épouvantail, Victor dégaina son glaive dans le simple but de s'en servir pour bloquer et dévier les attaques du mieux qu'il le pouvait. Il devait l'inciter à le suivre en dehors de la terre cultivée, car tout comme l'avait planifié Udelaraï, la Liche ne pouvait probablement pas se cacher sous terre dans un sol plus dur.

– Allez ! lui cria Victor en tentant d'afficher un regard défiant, tout en reculant. Viens !

Sa ruse sembla fonctionner, puisque la créature le pourchassait d'un pas agité, mais très maladroit, ce qui permit à Victor de garder ses distances alors qu'il s'éloignait du plus vite qu'il le pouvait en direction d'une petite plaine de verdure, non loin du village de L'Ancienne-Lorette. À l'horizon, de longs filaments orangés apparaissaient ; l'aube arrivait, et si ce qu'Udelaraï avait dit était vrai, leurs chances d'abattre la Liche allaient bientôt s'éteindre.

Enfin, Victor mit les pieds sur de l'herbe mouillée, quittant ainsi la terre cultivée, la Liche encore à ses trousses. Ne voulait pas trop étirer sa chance, le jeune homme ralentit la cadence jusqu'à s'immobiliser complètement, avant de se retourner vers son adversaire. Derrière la créature, Victor vit que ses amis s'étaient approchés, maintenant positionnés à une vingtaine de mètres de la Liche.

Le pianiste chercha son grand-père du regard, mais celui-ci avait étrangement disparu. Cependant, Victor ne put y accorder davantage d'attention, car le monstre s'approchait dangereusement de lui et, très bientôt, il allait quitter le champ de légumes. En voyant la Liche se diriger vers lui de sa démarche saccadée, Victor réalisa quelque chose. La créature qui vivait dans l'épouvantail était simplement mal à l'aise et malhabile dans ce corps étranger, ce qui laissait supposer qu'elle ne devait avoir pris possession du pauvre pantin que très récemment.

Soudain, Victor entendit la voix de Caleb :

– Non !

Avant même que quelqu'un ait pu réagir, une détonation se fit entendre. Victor vit alors avec stupéfaction la Liche bondir sur le côté, évitant de justesse une volée de plombs tirés dans son dos par le canon scié de Rudolph, qui se plantèrent dans le sol, juste devant le jeune homme. Le cœur de Victor se crispa ; une terrible erreur venait d'être commise.

Soudain, le visage de la Liche fut éclairé par un timide rayon du soleil levant. La créature rugit avec douleur avant de se retourner vers le groupe qui la cernait. Tout en sentant une forte impression d'impuissance l'envahir, Victor vit la nuée de poussière surnaturelle s'élever du sol. La créature allait disparaître sous terre et, cette fois, elle ne reviendrait pas. Au même moment, Udelaraï, que Victor n'avait même pas vu apparaître, abattit son bâton de marche dans le ventre de la créature, qui se vit projetée sur tapis d'herbe, à un mètre du champ de légumes.

Sous les yeux du jeune homme et de ses camarades, la créature se mit à ramper, l'air affolée, grattant furieusement le sol de sa main restante pour atteindre la terre retournée du champ. Mais il était trop tard, Victor planta son glaive dans son dos d'un geste si puissant que la lame s'enfonça dans le sol en dessous. Puis, il appuya sur la gâchette de son glaive.

Le mécanisme situé près du pommeau s'activa, faisant détonner la balle d'onyxide qui y était chargée, avant que celle-ci aille perforer le corps de paille du pantin recouvert d'huile. L'effet fut immédiat. La créature prit feu tandis que Victor retira son glaive d'un geste si vif qu'il en perdit presque l'équilibre, mais son grand-père le retint.

Sous les yeux presque dégoûtés de Victor, qui reprenait son souffle, le cœur battant la chamade, la créature brûlait en lâchant des cris terrifiant, gesticulant de douleur, tandis que les flammes éclairaient la scène baignée par un timide soleil matinal. Les autres arrivèrent près de Victor au pas de course.

— Bien joué ! lui cria Ichabod, visiblement toujours ébranlé par les événements, d'une petite voix.

— Ce n'est pas terminé, dit Udelaraï, qui observait la Liche se débattre en vain contre les flammes.

Victor, qui n'avait pas quitté la créature des yeux, pu quand même deviner dans les soupirs de ses amis que certains d'entre eux avaient oubliés qu'il ne s'agissait là que de la première phase du combat. Lentement, tout en observant le monstre brûler, Victor prit une balle d'onyxide de son sac et rechargea le mécanisme d'arme à feu de son glaive. Juste au cas où.

— Reculons, leur suggéra Udelaraï.

Le groupe de Victor s'exécuta et s'éloigna de quelques pas, à reculons, gardant une distance sécuritaire avec le monstre. Pendant plusieurs longues secondes, le jeune homme et ses camarades observèrent l'horrible spectacle d'une créature qui brûlait vive, et peu importe sa nature ou ses intentions, cela ne changeait rien du tout à la lourdeur de la scène. Jetant un coup d'œil à ses amis, Victor réalisa sans surprise que tout le monde était dégoûté par la scène. Pakarel, qui se tenait à sa droite, semblait particulièrement répugné par le spectacle. Le jeune homme détourna donc le pakamu de la scène et le serra contre sa taille, tout en lui tapotant le dos afin de le réconforter.

— Regardez ! lâcha soudain Baroque.

Pendant le bref instant que Victor avait accordé à Pakarel, quelque chose s'était produit. Levant le regard vers les flammes, le pianiste réalisa que la Liche ne bougeait plus et n'émettait plus aucun cri. Son enveloppe d'épouvantail brûlait, se désintégrant de plus en plus jusqu'à ce qu'on puisse voir, sur sa poitrine calcinée, quelque chose de verdâtre qui se mit à bouger.

Un instant plus tard, une créature se redressait lentement du cadavre de l'épouvantail. Haute d'environ 50 centimètres, recouverte de vigne et constituée de racines, la chose rampait en dehors de la carcasse de l'épouvantail.

— Bonté divine ! murmura Rudolph avant de déglutir bruyamment.

Le monstre s'était enfin dévoilé ; il s'agissait d'un petit être humanoïde, dont la tête était recouverte de verdure et de feuilles. Ses organes, que l'on pouvait voir d'un seul côté, étaient grossièrement retenus dans sa cage thoracique et dans son crâne par des tendons et des nerfs. Deux points jaunâtres se trouvaient sur le visage recouvert de végétation de la créature, fixant la poitrine de Victor, et, à travers ceux-ci, ce dernier perçut un étrange scintillement verdâtre...

— Qu'est-ce que c'est ? demanda Ichabod, l'air effrayé.

— Une mandragore, répondit Baroque, qui semblait avoir de la peine à croire à ses propres paroles. Je ne comprends pas..., ces animaux tropicaux ne se trouvent que dans les jungles de l'Équateur...

— Et qu'est-ce qu'une mandragore fait dans le corps d'un épouvantail ? protesta Rudolph.

— Les mandragores peuvent prendre le contrôle d'un corps étranger à l'aide de leurs membres, expliqua rapidement Baroque sans quitter la créature de son regard féroce. Leurs doigts comportent des terminaisons nerveuses extensibles qui peuvent se connecter à celles de leur proie... comme des parasites. Elles sont apparentées aux squelevignes. Celle-ci a dû prendre le corps d'un épouvantail en pensant qu'il s'agissait d'une créature quelconque.

— Finalement, dit Caleb en se retournant vers Ichabod, je trouve que cette créature te ressemble un peu.

Insulté, l'épouvantail au chapeau haut de forme répondit :

— Est-ce que votre sens de l'humour serait profondément tordu, ou êtes-vous simplement stupide de faire des blagues dans un moment pareil, monsieur Fislek ?

La mandragore lâcha un faible croassement, laissant paraître, de sa gueule particulièrement grande et recouverte de dents acérées, sa longue langue violacée et tachée de sang indiquant qu'elle venait de se nourrir. Une expression d'écœurement mêlé de pitié se plaqua sur le visage de Victor et de la plupart de ses amis, à l'exception de Baroque et d'Udelaraï, qui observaient la chose d'un regard absent. Le monstre restait là, tenant à peine debout sur ses quatre pattes décharnées, ses yeux fixés vers la poitrine du jeune pianiste... Celui-ci comprit bien vite que la Liche fixait son fragment, pendant à son cou, sous son manteau. Tout comme la striga, la créature semblait sentir la présence d'un autre fragment.

La mandragore n'essaya même pas de s'enfuir ou de les attaquer, au contraire, elle resta là, sans même montrer de signes d'agressivité. C'est là que Victor comprit, à travers sa passivité, que la Liche voulait simplement en finir. Machinalement, le jeune homme tourna la tête vers Baroque, qui comprit, par son simple regard, sa demande.

Baroque dégaina sa carabine à deux canons avant de viser la pauvre créature. Victor se retourna et se mit à marcher vers l'horizon, le cœur lourd, dos à la scène, suivi par Ichabod, Rudolph, Pakarel et Caleb, ce dernier posant la main sur l'épaule du jeune homme. Au bout d'une vingtaine de secondes de marche, ils entendirent un coup de feu, avant qu'une masse s'effondre sur le sol. Au loin, le soleil se levait, éclairant le petit village de L'Ancienne-Lorette de ses majestueux rayons orangés. Pour Victor, la beauté du paysage contrastait radicalement avec la situation actuelle.

Le jeune homme se laissa tomber en position assise, s'aidant de sa canne, observant le lever du soleil. Pour Victor, ce qui s'était passé était terriblement difficile à supporter. Il détestait voir des créatures périr par sa faute, et encore plus des êtres innocents punis par la malchance. Comme les Liches, par exemple, qui avaient été transformées en créatures défiant le temps et la vie à cause des pièces d'un objet maya… d'un satané métronome. C'était la troisième fois que le pianiste assistait à la mort de l'une de ces pauvres créatures, et, même s'il devait se sentir comme un sauveur, il se sentait plutôt comme un meurtrier souillé par le sang. Il n'en restait maintenant plus que deux, et quelque chose au fond de Victor lui disait que cette aventure ne faisait que commencer. Caleb vint alors s'asseoir à ses côtés, les yeux rivés au loin, avec Ichabod et Pakarel.

— Je suis désolé, dit la voix de Rudolph.

Victor détourna les yeux vers lui. Le hobgobelin se tenait à ses côtés, debout, observant l'horizon. Son visage brunâtre à la mâchoire carrée et au nez retroussé démontrait un certain remords.

— J'ai failli tout faire rater, continua Rudolph en soupirant fortement. Je suis un bon à rien.

Contrairement aux attentes de ce dernier, le jeune homme lâcha un petit rire en hochant la tête de gauche à droite. Pourquoi avait-il ri ? Simplement parce que le rire était un remède efficace contre les mauvaises émotions, et que le jeune homme ne savait que trop bien qu'un peu de positif lui ferait un bien nécessaire.

— Un bon à rien ? répéta Victor avec énergie. Un bon à rien qui m'a sauvé la vie contre la striga !

Rudolph parut étonné et il ne savait visiblement pas quoi dire.

— Si ton erreur est d'avoir voulu défendre tes amis et abattre une Liche, continua Victor d'un air amusé, alors je suis la pire erreur vivante qui marche sur Terre.

Le jeune homme observait Rudolph en souriant.

— Tu… tu n'es pas… fâché ? lui demanda le hobgobelin.

— Pas du tout, le rassura Victor en détournant les yeux. Tu as fait ce pour quoi je t'ai demandé de joindre ce groupe.

Il y eut une pause. Rudolph balaya les visages de Caleb, Pakarel et Ichabod en quête d'aide avant de finir par demander à Victor :

– C'est-à-dire… ?

– Botter des derrières, lui répondit-il. Solidement.

Pakarel, Caleb et Ichabod lâchèrent un rire contagieux qui entraîna Victor et Rudolph à s'esclaffer eux aussi. Baroque rejoignit le groupe, debout, se tenant à une certaine distance, un objet entre les doigts levé à la hauteur de ses yeux. Les rayons du soleil le firent scintiller, ce qui attira le regard des autres. C'était l'un des fragments de l'engrenage du métronome.

– Tu… tu n'as pas peur de porter cette… chose ? demanda Ichabod avec hésitation et malaise. Je veux dire… à mains nues ?

– Le grand-père de Pelham dit que les pochettes nous protègent contre les fragments, répondit le grand lézard. Et jusqu'à maintenant, il dit vrai.

– Alors…, ne devrions-nous pas… tirer au sort celui qui devra porter ce fragment ? proposa Ichabod d'un air mal assuré.

Baroque émit un reniflement d'indifférence.

– Pelham et Caleb portent les leurs, lui fit-il remarquer, alors il ne sert à rien de tirer quoi que ce soit au sort. Nous nous sommes engagés, autant remplir notre rôle pleinement, ajouta le grand lézard en tournant le fragment entre ses doigts afin de mieux l'observer. Et puis, autant m'y faire au plus vite, car en fin de compte, nous serons probablement tous dans le même bateau.

– Ah… euh… d'accord, répondit Ichabod avec un sourire incertain, n'osant visiblement plus rien ajouter.

En baissant le ton, l'épouvantail continua de marmonner :

– Quant à moi, je ne me sens pas très pressé à l'idée de porter ce truc…

Victor, qui était toujours assis sur l'herbe mouillée, entendit des pas écraser la verdure.

– Tout le monde, regardez ! les avertit Pakarel, qui pointait dans la direction où gisait la mandragore.

Jetant alors un regard derrière lui, le jeune homme vit que son grand-père, agenouillé au sol, venait de déposer le métronome sur les cendres de la mandragore. Après qu'il eut visiblement pressé un bouton, le métronome se mit à scintiller et, aussitôt, un éclair bleuté éclaira toute la scène pendant une demi-seconde.

— Oh mon Dieu ! lâcha Ichabod.

Sous les regards de Victor et de ses camarades, les champs entourant les cendres de la Liche se recouvrirent de particules dorées et lumineuses, flottant à quelques centimètres du sol, comme des lucioles. Les particules finirent par perdre de leur éclat jusqu'à disparaître, avant que d'autres se matérialisent doucement et prennent leur place. On aurait dit qu'il neigeait… seulement à un mètre du sol. Comme si de rien n'était, Udelaraï récupéra le métronome, qu'il fit disparaître d'un geste du bras, comme l'aurait fait un illusionniste, avant de rejoindre le reste du groupe, qui fixait la scène d'un air ébahi.

— Voilà l'effet de stase que je vous avais mentionné plus tôt, leur dit le vieillard d'un air amusé. Attendez de voir la réaction des villageois, au matin ! Mais, par chance, je les ai déjà avertis que leurs champs subiraient une pluie de petites particules semblables à des lucioles. Rien de bien grave.

— Comment se fait-il que cette… stase s'étende d'elle-même ? demanda Rudolph.

— J'ai programmé le métronome avant ma venue, afin qu'il étende sa stase uniquement sur la signature thermique des émanations causées par les Liches. Et comme vous pouvez le voir, ajouta le vieil homme en désignant d'un geste la campagne environnante, presque tous les champs sont recouverts…

— Ça va faire le tour des journaux, crois-moi, dit Caleb à Victor. Nous n'avons pas fini d'entendre parler de l'effet de stase…

Baroque semblait être le seul qui ne portait pas vraiment d'attention aux champs couverts de petits points lumineux flottants. Non, il observait plutôt le fragment qu'il venait de récupérer entre ses doigts griffus et écailleux.

— Ne le gardez pas en dehors de la pochette trop longtemps, l'avisa Udelaraï tout en pointant celle-ci de son index. La pochette vous protège des effets néfastes de ces fragments, mais... il vaudrait mieux rester prudent.

Baroque lâcha un grognement d'acquiescement avant de glisser le fragment dans la pochette de cuir qui pendait à sa ceinture. À cet instant, un étrange phénomène se produisit : la bourse protectrice prit une teinte d'un bleu luminescent, plus foncé au centre, comme le bulbe d'une luciole.

Ichabod leva le doigt, pointant la pochette du lozrok d'un air stupéfait.

— Baroque, dit-il, regarde!

Cette intervention s'avéra inutile, puisque ce dernier l'avait remarqué, comme tout le monde.

— C'est normal, je suppose? demanda le reptile à l'intention d'Udelaraï.

— Tout à fait, lui répondit le vieillard, s'installant au sol, près de Victor. Les pochettes virent au bleu, lorsqu'elles contiennent un élément fortement radioactif. La pochette perdra de sa luminosité avec le temps, diminuant en même temps les effets du fragment.

— Intéressant, répondit Baroque d'un air qui manquait ironiquement de tout intérêt.

La pochette émettait une douce lueur bleutée, faisant presque office de petite lanterne. Une fois qu'il se fut assuré que sa pochette était bien attachée à sa ceinture, le lozrok leva sa tête de lézard et envoya son regard bleu vers Rudolph. Mais, avant même que le hobgobelin se sente observé, le lozrok avait détourné la tête, s'installant lui aussi par terre, un peu à l'écart.

— Attendez une seconde, dit Victor, qui venait de penser à quelque chose. Grand-père, pourquoi est-ce que la pochette de Baroque a viré au bleu et pas celle que vous m'aviez donnée, avec votre lettre?

— C'est vrai, confirma Caleb, observant sa propre pochette, qui était d'une couleur bien banale.

Le vieillard prit un certain temps avant de répondre; il baissa d'abord la tête, avant de la relever. Évitant visiblement le regard de son petit-fils, Udelaraï fixait un corbeau perché sur la branche d'un arbre en évidence, juste devant eux.

— Parce que les pochettes ne peuvent pas toutes assimiler également les radiations, Victor. Cela varie, comme toute autre chose. Celle de Caleb prendra plus de temps à atténuer les radiations du fragment de la striga. Il faut m'excuser, je n'en avais pas d'autres, elles sont très difficiles à faire.

— Mais je suis toujours protégé..., pas vrai ? demanda Caleb avec un brin d'inquiétude dans la voix.

— Absolument, lui assura Udelaraï à mi-voix, mais d'un air honnête.

Le jeune homme n'ajouta rien. Il observa son grand-père d'un regard vide pendant quelques secondes avant de regarder ailleurs. Victor ne savait comment interpréter ses émotions ; était-il déçu de savoir qu'Udelaraï faisait prendre un tel risque à ses amis sans leur donner le moindre détail ou était-il simplement très facile à irriter, étant donné sa fatigue ? Le pianiste avait mis en danger toute sa famille et ses amis en gardant le fragment d'Abim-Kezad pendant presque trois années... Trois années durant lesquelles Maeva, Clémentine, Nika et bien d'autres auraient pu être affectés... et voilà que son grand-père, depuis son arrivée, se gardait de leur révéler les choses telles qu'elles étaient réellement, préférant jouer au vieux mystérieux. C'était donc comme ça que lui et ses proches étaient remerciés ?

À force de laisser ce genre de pensées tordues lui tourner dans la tête, le pianiste se sentit devenir bien amer. C'était étrange, cela ne lui ressemblait pas du tout, songea-t-il. Pourquoi était-il si... négatif ? N'était-il pas celui qui venait tout juste de remonter le moral de Rudolph ? Victor soupira, incapable de se comprendre lui-même. Il valait mieux laisser fuir l'idée de sa tête, car leur calvaire ne faisait que commencer...

Le pianiste se rassit, dos aux champs et face à l'horizon, avant que ses amis l'imitent. Ils restèrent ainsi pendant un bon moment, savourant un moment de tranquillité avant la suite des événements. Baroque alluma une longue pipe, fumant du tabac aromatisé dont l'odeur voltigea jusqu'aux narines de Victor. C'était une odeur de vanille. Des gourdes furent échangées entre les mains des camarades, ainsi que quelques barres de chocolat apportées par Pakarel. Quelques instants plus tard, ils entendirent le cri des coqs, ainsi que les aboiements de quelques chiens agacés. Les paysans de L'Ancienne-Lorette allaient se lever d'un moment à l'autre pour commencer une nouvelle journée de dur labeur.

— Et maintenant ? demanda Pakarel en mangeant, la bouche pleine. Où allons-nous ?

Victor, Caleb, Ichabod et Rudolph cessèrent de mastiquer leur nourriture momentanément avant d'échanger un regard qui en disait long ; ils n'étaient pas très pressés de poursuivre leur quête. Il semblait bien que cette petite pause tirait déjà à sa fin.

— Nous irons vers le sud, déclara Udelaraï après avoir terminé sa dernière bouchée de barre de chocolat, tout en froissant son emballage en papier dans sa main droite, avant de le faire disparaître dans une évaporation bleutée.

— Au sud ? répéta Caleb, fronçant les sourcils. Vous parlez des terres barbares se trouvant au sud de la ville ?

Udelaraï tourna la tête vers lui et hocha la tête en guise de négation.

— Non, Caleb, répondit-il. Bien plus au sud. Dans le vaste archipel des Antilles, pour être exact.

Cette révélation en surprit plus d'un. Quant à Victor, l'archipel des Antilles lui remémorait la détestable image de la tortue-dragon du Belize, qui lui avait fait vivre des émotions qu'il préférait oublier.

— C'est... loin, non ? demanda Rudolph d'un air incertain.

— Certes, c'est relativement loin, confirma le vieillard, mais cela ne change rien au fait que c'est là que nous allons trouver le quatrième fragment que nous devons récupérer.

Udelaraï se redressa à l'aide de son bâton de marche et, tapotant le pied de son bâton sur le sol, déclara :

— Allons, mes amis, nous devons reprendre notre route. Autant éviter de trop traîner, nous avons à faire. Au carrosse !

Sur ces mots, le vieillard s'engagea d'un bon pas en direction du carrosse hybride, laissant son petit-fils et ses camarades.

— Allons, allons ! lança-t-il sans se retourner, tout en continuant de s'éloigner.

— Seigneur ! lâcha Rudolph en soupirant. Moi qui croyais que l'on avait gagné un peu de repos...

— Tu viens de l'avoir, ta séance de repos, lui répondit Ichabod en lui donnant une tape d'encouragement sur l'épaule.

Dans un effort qui sembla pénible pour tout le monde, Victor et ses amis se levèrent et retournèrent sur leurs pas, marchant dos au soleil, sur les traces d'Udelaraï. Alors qu'ils se dirigeaient vers leur véhicule, un vent de mécontentement flottait chez Victor et les siens. Ils étaient tous fatigués — Pakarel traînant d'ailleurs les pieds sur le sol —, et s'étaient attendus à une éventuelle pause, leur permettant ainsi de récupérer un peu, mais personne ne protesta. Même Ichabod, portant au poignet son gadget solaire, bâilla à quelques reprises.

— Un peu d'entrain ne serait pas de refus ! lança alors Udelaraï, qui distançait toujours le groupe, sans même se retourner.

Quelques villageois matinaux accueillirent le groupe alors qu'ils traversaient le centre du village. De solides poignées de main furent échangées avec les hommes du village qui, très heureux d'être débarrassés de ce monstre sanguinaire, offrirent même quelques bouteilles de lait au groupe. Même s'il détestait le lait, Victor accepta les cadeaux avec un sourire honnête, avant de les donner à Rudolph, bien content de les glisser dans son sac.

La reconnaissance des villageois remonta le moral de Victor, qui avait quelque peu flanché depuis ses dernières discussions avec son grand-père, qui, à l'inverse des autres, semblait parfaitement énergique.

Une fois de retour à leur carrosse, ils constatèrent que les vitres du véhicule étaient embuées. Caleb et Ichabod les essuyèrent alors avec les manches de leur manteau. Désigné chauffeur par les autres, Victor s'installa au volant. Le jeune homme déposa sa canne, son arbalète — qu'il n'avait pas utilisée — ainsi que son glaive et son fourreau dans l'espace entre les deux sièges avant. Il entendit alors la portière du passager avant se refermer. Relevant la tête, il fut quelque peu surpris de voir que son grand-père s'était installé à ses côtés.

— Le fragment, lui dit-il à voix basse. Ne le garde pas sur toi en tout temps.

Victor l'interrogea du regard.

— Malgré ton immunité, lui expliqua son grand-père, ces fichus bouts de métal ont la fâcheuse habitude d'engourdir le bon jugement et les émotions. Ils peuvent rendre les gens... plus irritables.

Le jeune homme cligna plusieurs fois des yeux tandis que l'information se rendait à son cerveau.

— Vous... vous voulez dire que ce truc...

Il prit du bout des doigts le fragment accroché à son cou par une corde.

— ... que ce fragment me rend... enfin, peut me rendre irritable ? lui demanda-t-il, voulant éviter de donner raison à son grand-père par un étrange orgueil qu'il ne pouvait pas expliquer.

— Oui, lui confirma Udelaraï, à condition d'être bien épuisé. À condition d'être au contact de ta peau. C'est chimique, ajouta-t-il en désignant tout son corps de son index. Ça déboussole ton for intérieur et joue avec ta façon de voir les choses. Mais après une bonne nuit de sommeil, porter à nouveau le fragment à ton cou ne devrait pas poser de problème. Néanmoins, je te suggère de l'enlever toutes les cinq heures. Juste au cas où. Ton corps combat continuellement la tentative d'intrusion des émanations du fragment, et ça, Victor, c'est fatigant. La fatigue entraîne souvent une humeur plus irritable.

— Mais... pourquoi n'ai-je jamais ressenti cela auparavant ? demanda Victor d'un air confus.

— Avais-tu déjà porté ce fragment à ton cou sur une longue période, ou ne faisais-tu que le traîner dans tes poches ?

En effet, Victor ne se souvenait pas d'avoir porté le fragment à son cou pendant un long moment, surtout pas au contact de sa peau. Il jeta un regard en arrière ; les autres étaient encore en train de s'installer dans le véhicule.

— Et eux ? demanda le jeune homme en voulant parler de ses amis. Baroque, par exemple, il ne sera pas affecté, à long terme ?

— Non, lui répondit Udelaraï. Sa pochette le protège.

Après une brève hésitation, le jeune homme retira le fragment qui pendait à son cou au bout d'une petite chaîne, avant de l'enfoncer dans la poche droite de son manteau. Aussitôt, même s'il était toujours épuisé par la fatigue, il se sentit inexplicablement apaisé, comme si toutes ses mauvaises pensées l'avaient miraculeusement quitté.

Voyant le changement d'attitude de son petit-fils, Udelaraï afficha un visage souriant et apaisé. Victor démarra alors le moteur du carrosse hybride, mais, au lieu d'appuyer sur la pédale d'accélération, il fixa l'extérieur à travers la vitre avant.

— Qu'attendons-nous ? demanda Pakarel.

— Je ne sais pas vraiment où aller, leur avoua Victor.

— Si nous devons aller vers l'océan, suggéra Rudolph, pourquoi ne retournerions-nous pas vers Québec ?

— Inutile, répliqua Udelaraï, avant même que quiconque puisse ajouter quoi que ce soit. Victor, rends-toi directement sur les côtes du fleuve Saint-Laurent, c'est bien comme cela que vous l'appelez ?

— Euh… je ne suis pas certain qu'il y ait une route qui mène directement au fleuve, lui dit son petit-fils, mais je suppose que vous voulez simplement qu'on coupe en ligne droite, à travers les plaines et… tout le reste ?

— Évidemment ! répondit Udelaraï.

En désignant l'intérieur du carrosse, il ajouta jovialement :

— C'est bien à ça que sert ce gros engin, non ?

— Je suppose, lui répondit Victor, qui, après avoir tourné le volant vers la droite, fit avancer le carrosse de sorte qu'ils puissent contourner le village de L'Ancienne-Lorette.

Le véhicule s'éloigna du boisé et du village, empruntant une plaine avoisinante et roulant sur un terrain inégal et bourré de dénivellations que tous les passagers du carrosse purent ressentir contre leurs fesses. Le soleil était doucement monté dans le ciel ; il devait être près de cinq ou six heures du matin. Plusieurs bâillements s'échappèrent à l'arrière tandis que quelques discussions timides s'étaient engagées entre Ichabod, Caleb, Pakarel et Rudolph. Ils parlaient d'une équipe sportive locale, les Barbares beuglants barbus, qui pratiquaient le grombrug. C'était une discipline très virile (à laquelle Victor ne portait absolument aucun intérêt) consistant en deux équipes munies de boucliers et de bâtons qui s'affrontaient sur un terrain avec pour objectif d'amener un ballon dans le but adverse à grands coups de matraque sur la figure. Quelques instants plus tard, Udelaraï demanda à Victor :

– Cette machine aquatique dont tu m'as parlé hier, peu après mon arrivée…

– Le sous-marin de Rauk ? demanda Victor, envoyant un bref coup d'œil à son grand-père.

– Ah, s'exclama Udelaraï. C'est le bonhomme à la jambe de bois, c'est bien cela ?

Victor leva un sourcil et entrouvrit la bouche, encore une fois témoin du savoir de son grand-père, qui frôlait la bizarrerie.

– Comment savez-vous ça ? demanda le jeune homme, dans un mélange d'agacement et d'étonnement.

– Edward Leafburrow, répondit simplement Udelaraï. Nous sommes en contact depuis longtemps.

– Voilà qui explique bien des choses, répondit sombrement le jeune homme tout en ramenant les yeux sur sa trajectoire.

Ils prirent soudain une bosse assez ardue, qui fit grommeler Rudolph.

– Pourrions-nous utiliser ce véhicule afin de nous rendre dans les Antilles ? demanda Udelaraï.

– Euh… oui, répondit Victor après hésitation, mais… le sous-marin ne m'appartient pas vraiment, et puis je ne sais pas comment le piloter. Il faudrait prendre contact avec Rauk et lui demander son aide.

Le regard d'Udelaraï en disait long.

— Hé ! lâcha Rudolph. Pourquoi s'arrête-t-on ?

Le véhicule avait été stationné sur une petite colline verdoyante, tout près de quelques arbres dont les feuilles orangées se faisaient doucement emporter par un vent matinal qui faisait danser la verdure. Ayant ouvert sa portière, Victor s'éloigna du véhicule sans sa canne, marchant tranquillement jusqu'à l'un des arbres.

Sans prêter attention aux portières du carrosse hybride qui claquaient derrière lui et aux paroles indistinctes de ses amis, le jeune homme se mit à fouiller dans son sac dans le but d'y récupérer sa radio portative. Il sélectionna la fréquence de la demeure de Rauk, qui avait été enregistrée dans l'appareil, avant d'activer la communication.

Tout en attendant que Rauk décroche, Victor observa au loin, son visage réchauffé par la douce lueur du soleil qui éclairait ce matin d'octobre. Le ciel était clair, dégagé des nuages de la veille. De longues plaines s'étendaient loin devant, parsemées à quelques endroits d'arbres et de petits boisés encore vierges. À sa gauche, sous la ligne d'horizon, il pouvait discerner la minuscule silhouette de la cité portuaire de Québec. Le paysage était majestueux, faisant vibrer en Victor son amour pour sa ville et ses alentours.

— Gné ? grommela une voix dans la radio.

Ramené au moment présent, Victor dit :

— Rauk ?

À travers plusieurs jurons et bâillements, Victor ne réussit à comprendre qu'une partie des paroles de son grand (et gros) ami :

— ... ce n'est pas une heure pour appeler les gens !

— Rauk, c'est moi, Victor, reprit le jeune homme, qui se sentait bien mal à l'aise d'avoir réveillé son vieil ami.

— Ah ! lui renvoya la voix pâteuse du bonhomme barbu. C'est toi, Hector...

Victor sourit ; la bonne vieille blague de Rauk signifiait qu'il n'était pas de mauvaise humeur.

— Que puis-je faire pour toi, mon bonhomme ? lui demanda Rauk d'un ton beaucoup plus amical.

Ne sachant pas trop comment faire sa requête, Victor avança :

— Euh… dis-moi, Rauk, as-tu une grosse journée de prévue ?

— Bah, ouais ! rétorqua la voix bourrue du vieil amputé. Je m'occupe de la boutique, comme tous les jours de la semaine. En plus, j'ai quelques clients bien fortunés qui devraient passer chercher leurs toutes nouvelles armes. J'ai reçu le nouveau modèle des lances pneumatiques, tu sais, ces lances qui ont un canon intégré ?

La conversation ne débutait vraiment pas comme Victor l'avait espéré. Un peu mal à l'aise, le jeune homme dit :

— Oh… oui, c'est… c'est vraiment bien.

Remarquant que Victor ne plaçait plus un mot, Rauk lui demanda :

— Et pourquoi m'as-tu appelé à une heure pareille, Victor ? Quelque chose ne tourne pas rond ?

D'un air vague, le jeune homme répondit, après s'être éclairci la gorge :

— Tu sais, cette petite aventure en Égypte… ?

— Ouais, qu'est-ce qu'il y a ?

Voyant bien qu'il valait mieux ne pas tourner autour du pot, Victor déclara après une grande expiration :

— Eh bien…, mon grand-père est arrivé avant-hier, dans la soirée. Nous avons besoin de ton aide…, c'est assez urgent.

— Hein ? s'exclama Rauk. C'est une blague ?

— Je ne blague pas, lui avoua Victor. Au fait, ma maison a été attaquée par des robots, hier soir, et…

— Quoi ? l'interrompit Rauk. Et les filles, où sont-elles ?

— J'y venais. Maeva et Clémentine sont parties chez Béatrice. Elles vont bien. Quant à moi, je suis actuellement près du village de L'Ancienne-Lorette avec les autres. Nous venons de tuer une autre Liche.

— Tu veux dire que… que tu… que vous avez déjà entrepris la mission de ton grand-père ? Il faudra que tu m'expliques !

Il était assez évident que Rauk n'en croyait pas ses oreilles.

— Oui, je t'expliquerai plus tard, mais pour l'instant, Rauk, nous avons besoin de ton aide. Et de tes talents de pilote de sous-marin. C'est vraiment important. Tu sais où se trouvent les Antilles, pas vrai… ?

Chapitre 13

Des révélations bien particulières

En revenant au carrosse hybride, Victor remarqua que ses amis l'attendaient en dehors du véhicule, l'observant avec intérêt. Apparemment, sa discussion avec Rauk avait été plus longue que prévu. Une fois qu'il fut arrivé devant ses amis, ce fut son grand-père qui exprima ce que tout le monde voulait lui demander :

— Et puis?

Victor hocha la tête de haut en bas.

— Il va nous rejoindre sur la côte dans une heure maximum, dit-il en pointant au loin en direction du fleuve.

— Splendide! lâcha Udelaraï. Et de combien de temps aurons-nous besoin pour atteindre la côte?

— Vingt minutes, approximativement, lui confirma Victor.

— Alors, je propose une petite pause une fois que nous serons arrivés à destination. Excusez-moi, Baroque!

Le lozrok s'écarta pour laisser Udelaraï ouvrir l'une des portières arrière du carrosse, afin que le vieillard puisse y entrer.

— Il est toujours comme ça, hein? chuchota Rudolph à Victor.

Victor comprit que le hobgobelin parlait du comportement un peu étrange de son grand-père. Rien ne semblait l'affecter, il paraissait doté d'une constante bonne humeur, malgré les tâches qui les attendaient.

— On dirait, avoua Victor en soupirant.

— Je vais conduire, lui proposa Caleb en désignant la portière du conducteur. Profite du moment pour te reposer, d'accord?

— Merci, lui envoya Victor avec un sourire reconnaissant.

Alors que les autres remontaient dans le carrosse, le jeune homme vit bien que Baroque, qui était volontairement resté dehors, voulait lui parler.

— Quelque chose te tracasse, Baroque? lui demanda finalement Victor, lorsqu'ils furent les deux seuls à ne pas être entrés dans le véhicule.

— L'an dernier, débuta le lozrok, lorsque tu es venu me demander mon aide pour participer à la quête de ton grand-père, je sais que tu as clairement expliqué que nous risquions de voyager pendant une période indéterminée...

Sentant venir un «mais», Victor décida d'accélérer la conversation.

— Mais...?

Baroque, qui était nettement plus grand et plus large que Victor, inclina la tête vers l'avant. Les parties métalliques de son plastron grincèrent. D'un ton grave, mais à voix basse, il expliqua :

— Je n'avais pas été informé que tu admettrais parmi nous un idiot comme Rudolph!

— Viens, lui ordonna Victor en lui indiquant de le suivre d'un mouvement de tête.

D'un pas décidé, mais claudicant, le jeune pianiste s'éloigna du carrosse de quelques pas, l'air froid. Les pas de Baroque résonnèrent derrière lui, froissant l'herbe sous ses pattes griffues de reptile. Tout en fixant le capitaine de la milice des sept lames dans ses yeux bleus, il lui envoya d'un ton tranchant :

— Tu veux reculer, c'est ça? Tu veux retourner à tes autres occupations?

Baroque ne réagit pas. Il continua de fixer son jeune ami à la tête pourvue d'une sorte de petit mohawk.

— Te souviens-tu de l'engagement que tu as pris auprès de moi, Baroque? continua Victor, cette fois d'un ton plus doux. Dois-je te rappeler que c'est moi qui ai fait en sorte que tu ne te retrouves pas en prison à attendre ta peine de mort?

Cette fois, le reptile fuit le jeune homme du regard pendant un instant, avant de jeter un coup d'œil derrière lui; signe physique de son inconfort. Victor, qui était cinq fois moins imposant que le lozrok, ne se laissait pas du tout intimider par la carrure du capitaine, qu'il observait d'un regard dur.

— Je n'ai pas oublié ce que tu as fait pour moi, Pelham, lui dit Baroque en ramenant son attention vers le jeune homme. Je suis digne de parole.

— Alors que voulais-tu me dire ?

— De faire attention avec Rudolph, lui dit Baroque d'un air froid, presque menaçant. Il est dangereux. Tuer est presque amusant pour lui. Les hobgobelins sont des barbares assoiffés de sang, ne l'oublie pas. Tu en as eu la preuve, tout à l'heure. Nous aurions pu perdre la Liche par sa frénésie et son manque de respect des ordres.

À la suite de ces paroles, le lozrok retourna au carrosse et s'y glissa par l'une des portières arrière. Victor resta là, seul pendant un moment, songeant aux paroles de son ami. Certes, il détestait entendre des commentaires désobligeants entre races différentes, car pour lui, ils étaient tous égaux. Cependant, il devait admettre que Baroque avait mis le doigt sur quelque chose. Laissant s'échapper son incertitude dans un soupir, il décida de penser à autre chose et de retourner à l'énorme véhicule, dont la carrosserie luisait au soleil.

Étant donné que Caleb et Rudolph s'étaient installés à l'avant, Victor se hissa par une portière arrière avec les autres. Pakarel l'accueillit aussitôt en pointant vers lui un gros morceau de chocolat :

— Tu en veux ?

Après quelques secondes d'hésitation, Victor le lui prit des mains et répondit :

— Pourquoi pas…

Le véhicule se mit en marche, traversant une grande plaine en ligne droite, en direction du fleuve. Durant la route, Baroque, qui n'avait pas été très bavard avec les autres jusqu'à maintenant, se retrouva à discuter avec Udelaraï. Enfin, c'était plutôt un interrogatoire, car le vieillard ne cessait de lui balancer toutes sortes de questions.

— Vous aimez la pêche ?

— Non, lui répondit Baroque, qui avait le regard rivé vers l'extérieur.

Ce devait être la sixième ou septième fois qu'il répondait « non » à une question venue d'Udelaraï.

— Donc, déduisit le vieillard, vous n'êtes pas friand de poisson ?

— Je n'ai jamais dit ça, lui répondit Baroque, qui avait l'air complètement désintéressé du sujet.

— Ah ? répliqua Udelaraï. Alors, vous aimez le poisson, mais vous préférez qu'on le pêche pour vous.

Baroque tourna la tête, l'air irrité, pour croiser le regard du vieillard, qui affichait un sourire narquois. Lorsque le carrosse arriva près du fleuve, au point de rencontre, environ une vingtaine de minutes plus tard, Baroque fut l'un des premiers à descendre du carrosse afin de prendre l'air.

Même si le paysage était remarquablement beau, baignant sous un ciel matinal bleu clair et un soleil chaleureux, le vent côtier soufflait en de fortes bourrasques bruyantes, transportant une odeur de marée que Victor trouvait fort désagréable. Ses amis et lui se trouvaient en haut d'une colline, qui descendait droit vers le fleuve. Au loin, à sa gauche, au bord du large cours d'eau, il pouvait voir la ville de Québec. Cette vue donna la forte envie au jeune homme de joindre son amoureuse. Seulement, avec de tels vents, elle risquait de ne pas être en mesure de l'entendre parler.

— Alors, on prend le large ? demanda Rudolph.

— Il semblerait, répondit Victor d'un air absent, un peu déçu de ne pas pouvoir entrer en contact avec Maeva.

Il entendit des pas s'approcher de lui ; c'était Caleb.

— Quelle charmante odeur ! fit-il remarquer avec sarcasme, tout en grimaçant et en clignant rapidement des yeux.

Visiblement, l'air marin ne plaisait pas non plus à Caleb. Victor et le demi-gobelin lâchèrent un petit rire complice tout en observant le fleuve.

— Vous n'avez pas le pied marin, les gars ? leur demanda Rudolph.

— Oh ! l'eau ne me dérange pas, répondit Victor d'un air dégagé. L'odeur de nos beaux rivages, par contre…

Caleb se retourna vers le carrosse hybride, qu'il observa d'un regard interrogateur. Décidément, quelque chose lui trottait dans la tête.

— Qu'est-ce qu'il y a, Caleb ? lui demanda le jeune homme, qui avait bien remarqué la réaction de son ami.

En pointant le carrosse de l'index, le demi-gobelin demanda :

— On va laisser ce gros machin derrière nous comme si de rien n'était ? Ça ne t'ennuie pas ?

En effet, Caleb avait raison. Avaient-ils réellement fait tous ces efforts pour utiliser le carrosse aussi peu et le laisser derrière eux ensuite ? L'idée n'enchantait vraiment pas le jeune homme. Le demi-gobelin lui tapota alors l'épaule avant de lui dire, de son habituel ton sarcastique :

— Ne te casse pas la tête avec ça, je suppose que le vieux sage mystique a tout prévu, de toute façon, hein ?

Laissant Victor sur cette phrase, Caleb retourna vaquer à ses occupations.

— Ça ne te dérange pas de partir au large vers les Antilles, comme ça ? lui demanda Rudolph.

Victor tourna les yeux vers lui, le regard interrogateur. Cherchant ses mots tout en se grattant la tête, le hobgobelin finit par dire, d'un air hésitant :

— Je veux dire… généralement, des voyages, ça se prévoit…, surtout en sous-marin…

Victor ne trouva pas grand-chose à lui répliquer.

— Et… ? Où veux-tu en venir, Rudolph ?

Ce dernier s'approcha du jeune homme, jetant des regards autour de lui, comme pour s'assurer que personne d'autre que Victor ne l'entende.

— Je veux en venir au fait que l'idée de retraverser l'océan tout juste après être rentré d'Égypte ne m'enchante pas vraiment, dit-il à voix basse.

Victor, qui regardait vers l'océan, se tourna vers Rudolph, de sorte à lui faire face.

— Cela ne m'enchante pas plus. Mais voyager faisait partie de cette tâche, Rudolph. Je te l'ai dit avant que tu t'engages auprès de moi, le monde est grand, et nous…

— Ce ne sont pas les voyages qui m'embêtent ! le coupa Rudolph. C'est le fait de retourner dans ce sous-marin ! Pourquoi ne pas passer par les airs, comme tout le monde ?

Victor plissa les yeux, songeant aux paroles du hobgobelin. Il avait un point. D'ailleurs, ce point souleva une question dans la tête du jeune homme. Pourquoi devaient-ils passer par l'eau ? Il se souvenait qu'Udelaraï lui avait mentionné qu'il serait préférable pour eux d'éviter les voies aériennes.

— Hé ! s'exclama Rudolph en voyant Victor s'éloigner en direction d'Udelaraï. Où vas-tu ?

Le vieil homme était occupé, avec Pakarel et Ichabod, à sortir les affaires personnelles de tout le monde du carrosse. Le bâton d'Udelaraï était appuyé contre le véhicule, près d'une portière ouverte. Tout en sifflotant joyeusement, le vieillard était grimpé sur le marchepied tandis que le haut de son corps était incliné dans l'habitacle du carrosse.

— Grand-père ? l'appela Victor, qui, les mains dans les poches de son veston, observait le vieil homme en espérant attirer son attention.

D'un mouvement vif, Udelaraï recula et émergea du véhicule. En voyant son petit-fils, il afficha un sourire avant de se laisser tomber sur le sol dans une grâce qui n'était pas commune pour les hommes de son âge.

— Oui, Victor ? Que puis-je faire pour toi ?

Le pianiste savait que son grand-père ne voulait pas répondre à la plupart de ses questions, préférant plutôt garder un mystère presque irritant sur beaucoup de choses. Cependant, Victor jugeait bon de tenter de faire la lumière sur un point bien précis.

— Pourquoi prendre un moyen de transport maritime ? demanda-t-il directement.

Pakarel et Ichabod, toujours occupés à vider le carrosse, cessèrent tous deux leur activité, le haut du corps dans le carrosse, figés sur place. C'était plus qu'évident qu'ils étaient, eux aussi, intrigués par la question du jeune homme. Udelaraï, quant à lui, observait Victor d'un air indéchiffrable.

— Car voyez-vous, continua Victor, qui tentait de comprendre, en gyrocoptère ou, si vous préférez, en machine volante, nous déplacer de pays en pays ne serait vraiment pas un problème. Mais lorsque vous êtes arrivé chez moi, l'autre jour, vous m'avez fait comprendre que vous vouliez éviter les airs. Vous m'avez dit que c'était pour garder une certaine discrétion, si je me souviens bien.

— C'est bien cela, oui, lui confirma Udelaraï.

Il ne cessa pas pour autant d'observer Victor avec un tel intérêt que le jeune homme eut presque la mauvaise impression que son grand-père se moquait de lui.

— Alors, pourquoi cherchez-vous à éviter les voies aériennes? demanda finalement le pianiste en scrutant le visage de son grand-père.

Udelaraï plongea la main dans sa poche et en sortit un petit objet, qu'il lança d'un geste lent vers son petit-fils. Victor rattrapa l'objet des deux mains avant de l'observer, dans le creux de sa paume. C'était une carte mère. Levant les yeux vers Udelaraï, les sourcils froncés par la confusion, Victor dit :

— Une carte mère... ?

Le vieillard ouvrit alors lentement la bouche avant de préciser :

— Celle d'un robot que j'ai surpris sur le toit de ta maison, le soir où je suis arrivé chez toi. Avec l'espèce d'arme à feu qu'il trimbalait avec lui, il n'était pas très difficile de déduire que cette machine n'était pas là pour livrer le courrier.

Victor était abasourdi, les yeux grands ouverts, observant la carte mère dans ses mains avec dégoût. Udelaraï reprit la parole :

— Je ne t'ai pas informé plus tôt, car il n'y avait aucune raison que toi, ta conjointe et ta petite sœur ne vous sentiez plus en sécurité dans votre propre maison.

La gorge de Victor se noua. Son grand-père était donc au courant… Il savait que des robots assassins lui en voulaient, cependant, il s'était abstenu de l'en informer. Pour contrôler sa rage montante, le jeune homme ferma les yeux et prit une grande inspiration avant d'expirer lentement, dans le but d'évacuer l'énergie négative de son corps. Le pianiste était confus, coincé entre sa colère et son désir rationnel de comprendre les choses avant tout.

— Vous voulez dire que… que vous saviez ? lança Pakarel, qui se tenait debout sur un marchepied du carrosse.

Le pakamu observait Udelaraï d'un œil sombre.

— Vous êtes fou ? hurla Ichabod, noir de colère, qui, depuis le haut du carrosse, venait de sauter à terre.

Caleb, Rudolph et Baroque, qui étaient tous un peu plus loin, s'adonnant à leurs affaires, se retournèrent aussitôt, alertés par l'épouvantail. Même Victor afficha un air surpris ; jamais de toute sa vie il n'avait vu Ichabod, un être si jovial, pacifique et bon vivant, réagir ainsi. Voyant bien qu'il s'agissait de quelques secondes avant que l'épouvantail, qui tremblait de rage, explose à nouveau, le jeune homme lui dit :

— Ichabod, attends.

Victor leva le bras vers son ami empaillé, tout en l'encourageant à se calmer d'un regard persuasif.

— Laissons-le s'expliquer, continua le jeune homme en détournant le regard vers son grand-père. Laissons Udelaraï nous expliquer pourquoi il a agi ainsi.

Malgré les regards mauvais d'Ichabod et de Pakarel qui pesaient sur lui, le vieil homme resta passif, l'air neutre, comme un condamné acceptant sa sentence. Au bout de quelques lourdes secondes, il s'expliqua enfin :

— Je suis arrivé parmi vous en avance parce que j'ai réalisé que quelqu'un te voulait du mal, Victor, dit-il en tournant la tête vers lui pendant un court instant. Sachant que tu étais en Égypte, chassant une Liche, j'étais incapable de te joindre et de t'avertir à temps. Une lettre aurait pris trop de temps, et, je dois l'admettre, ma connaissance de vos appareils radiophoniques frôle la nullité. Il n'en reste pas moins que je devais agir.

Caleb, Baroque et Rudolph avaient rejoint le groupe, près du carrosse, afin d'écouter les paroles du vieillard.

— J'ai donc pris l'initiative de quitter les trois royaumes d'Orion en avance, continua Udelaraï après avoir balayé les nouveaux venus du regard, dans le but de vous protéger, toi et tes amis. Mais avant de vous inquiéter avec de tels faits, je voulais passer quelques moments calmes avec toi, Victor. Avant de cogner à ta porte, j'ai pris le temps d'installer un système de sécurité autour de ta maison, le soir de mon arrivée, assurant ainsi sa protection.

— Quelque chose me dit que ce système de sécurité n'avait rien à voir avec nos systèmes habituels, fit savoir Caleb d'un air sarcastique.

— Il s'agissait d'une protection invisible à l'œil nu, expliqua immédiatement Udelaraï, liée directement à moi. Si quelqu'un l'avait franchie, je l'aurais tout de suite su. Cependant...

— Je ne veux pas vous vexer, l'interrompit Ichabod d'un air froid, qui laissait paraître une grande retenue, mais votre protection n'a pas très bien fonctionné !

— Pourquoi ? demanda aussitôt Victor. Qu'est-ce qui n'a pas marché ?

Udelaraï s'assit sur le marchepied du carrosse hybride et, d'un air sincèrement désolé, il expliqua :

— La pluie. La pluie a brouillé la protection que j'avais mise autour de la maison. J'aurais dû le prévoir, étant donné que j'avais marché jusqu'à ta maison pendant un bon moment, mais dans ma hâte et mon excitation à l'idée de te rencontrer, je n'ai pas prêté attention au ciel.

— Tu parles d'une mauvaise coïncidence, dit Rudolph d'un air frustré.

Fuyant le regard de son petit-fils, le vieillard baissa la tête. Même si Ichabod semblait peu convaincu par les arguments d'Udelaraï, Victor pensait autrement. Maintenant que ce dernier s'était expliqué, il n'en voulait pas du tout à son grand-père. Il s'approcha donc du vieil homme et lui posa la main sur l'épaule. Udelaraï leva la tête, son regard émeraude démontrant une certaine tristesse, tandis que ses longs cheveux argentés fouettaient son visage au souffle du vent côtier.

— Je ne suis pas fâché contre vous, vieil homme, lui assura Victor avec un sourire honnête. Je vous suis reconnaissant d'avoir essayé de nous protéger, moi et les miens, même si je ne suis pas tout à fait d'accord avec votre décision de me tenir dans l'ignorance de l'attaque du premier robot.

— Vraiment ? s'étonna le vieillard, les yeux mouillés. Tu... ne m'en veux pas ?

Le jeune homme confirma d'un hochement de tête.

— Je ne suis pas rancunier.

Victor balaya le visage de ses amis avant d'ajouter d'un air sérieux :

— Inutile de vous mentir ou de vous cacher quoi que ce soit, nous avons une longue et périlleuse route devant nous.

Comme le chef d'un groupe, Victor se mit à marcher de long en large, tout en continuant ses paroles sur un ton de ralliement :

— Vous avez vu ce dont les Liches sont capables. Ce sont des adversaires redoutables et très différents les uns des autres. Nos vies seront mises en danger à plusieurs reprises, et c'est exactement pourquoi nous devons apprendre à nous serrer les coudes et à coopérer.

Des regards furent échangés dans le groupe, et l'attitude d'Ichabod s'attendrit.

— Notre monde est peut-être grandiose et parsemé de merveilles, mais il est aussi habité par d'effroyables créatures et monstres qui tenteront très probablement de nous barrer la route, tout au long de notre quête.

— De robots assassins aussi, ajouta Caleb d'un air comique, tout en levant le doigt.

— Et de robots, confirma Victor en faisant un clin d'œil au demi-gobelin. Ce que je veux dire, à vous tous, qui avez individuellement accepté de vous joindre à moi, c'est que nous allons devoir nous faire confiance et, surtout, apprendre à vivre et à évoluer en groupe.

Baroque et Rudolph échangèrent un regard neutre, mais qui démontrait un brin de reproche.

— Attends un peu que je te bouffe les yeux ! hurla une voix étouffée depuis le sac de Caleb. Sortez-moi de là !

Après une seconde de surprise, le jeune homme et ses amis lâchèrent un petit rire.

— Sors-le de là, dit Victor à Caleb en désignant son sac du menton. Fais attention. Il mord.

Avec précaution, le demi-gobelin tira Manuel de son sac, le tenant par le haut du crâne, évitant sa mâchoire claquante qui tentait de lui dévorer les doigts.

— Comment as-tu osé me… me… m'euthanasier avec ce bidule maléfique ? beugla le crâne.

— « Euthanasier » n'est pas le mot que tu cherches, ricana Victor. « Désactiver » serait plus approprié.

— Approche-toi de moi, que je te montre où je l'enfonce, ton langage de merde ! lui lança Manuel d'un air noir.

Le demi-gobelin pivota le crâne face à lui.

— Tout doux, l'avertit-il avec un sourire vicieux, sinon je m'assure que le drone électromagnétique ne se déloge pas au fond de mon sac, cette fois-ci.

— Manuel, lui dit Victor en faisant signe à Caleb de le retourner vers lui, tu as compris ce que j'ai dit, n'est-ce pas ?

— Tes paroles peu convaincantes de motivation de groupe ? grogna Manuel, dont le comportement avait été apaisé par la menace du demi-gobelin. Ouais. J'ai compris.

Udelaraï se leva du marchepied avant de s'avancer aux côtés de Victor et de Caleb, tendant la main droite, sertie d'une bague noire, comme pour saisir le crâne.

— Je peux ? demanda-t-il poliment à Caleb.

— Hé ! protesta Manuel alors que le demi-gobelin le passait au vieil homme. Je ne suis pas un vulgaire objet ! Arrêtez de me passer de main en main !

— Faites attention, l'avertit le demi-gobelin, dont la chevelure bleutée dansait au gré du vent, tout en désignant le crâne du menton, cette boîte à insultes aime bien croquer les doigts.

— Oh, oh ! ricana jovialement le vieillard en observant le crâne d'un grand sourire. Je crois que notre cher ami Manuel et moi allons bien nous entendre. N'est-ce pas, fidèle assistant ?

— Je ne suis pas votre assistant ! Je suis Manuel, pirate sanguinaire et…

— Tu m'as donné ta parole, Manuel, lui rappela Udelaraï.

— Et alors ? lui rétorqua le crâne sur un ton provocant.

Le vieillard se mit à rire, l'air amusé, avant de dire :

— Alors, je décide de faire ce que je veux de ta parole. Par exemple, si je décide que tu es toujours essentiel à notre petite aventure, eh bien, ce sera le cas. Je décide aussi que, désormais, ce sera ma responsabilité de te traîner avec nous !

Udelaraï passa le crâne de sa main droite à sa main gauche, avant de secouer son bras droit afin de faire retomber sa manche. D'un vif geste de la main, il fit venir à lui son bâton de marche, qui, jusqu'à maintenant, était resté posé contre le carrosse. Le bâton fila entre les jambes de Rudolph, qui lâcha :

— Nom de… !

Une fois son bâton dans sa main droite, Udelaraï l'enfonça dans le sol d'un geste rapide.

— Qu'est-ce qui m'arrive ? hurla Manuel d'une voix très aiguë et plaintive. Je ne veux pas mourir ! Laissez-moi redescendre !

Comme par magie, Manuel s'était mis à flotter, dirigé par les doigts du vieillard, avant de se retrouver enfoncé au bout du bâton. La mâchoire du crâne se mit à claquer frénétiquement, indiquant sa peur, sous les yeux amusés de Victor et des autres.

— Quelle poule mouillée ! lâcha Pakarel, qui ricanait de plus belle.

— Voilà ! déclara Udelaraï en reprenant son bâton.

— Pas mal, admit Caleb en hochant la tête d'un air convaincu. Vous voulez le drone, juste au cas où ? ajouta-t-il à l'intention du vieil homme.

— Non, non, refusa poliment Udelaraï en agitant la main, je suis persuadé que Manuel saura bien se comporter.

Le crâne, qui avait décidément pris un bon moment avait de réaliser qu'il était embroché au bout d'un bâton, lança alors :

— C'est inhumain de me traiter ainsi !

— Tu n'es pas humain ! lui renvoya Ichabod d'un air moqueur.

Même Baroque, qui était resté plutôt réservé jusqu'à maintenant, ne put s'empêcher de laisser échapper un petit rire.

— Je ne suis pas un ornement ! protesta Manuel.

— Mais tu le deviendras, si tu continues de rouspéter ainsi, lui répliqua Udelaraï d'un air absent et qui avait très visiblement la tête à autre chose.

En fait, le vieillard observait le carrosse d'un œil curieux. Victor s'était attendu à ce que Manuel sorte une réplique fulminante, mais le crâne s'en était abstenu, probablement parce qu'il avait peur des étranges pouvoirs d'Udelaraï.

Le vieil homme pivota ensuite sur lui-même et demanda, à Pakarel et à Ichabod, qui étaient côte à côte :

— Le carrosse est bien vidé de tous les bagages de nos compagnons ?

— Oh, euh… non, répondit timidement Pakarel. Il reste la canne de Victor et son arbalète. Voulez-vous que je les retire ?

— S'il te plaît, mon cher ami, lui confirma Udelaraï.

Pakarel s'exécuta rapidement, tandis que, sous le regard interrogateur de Victor et des autres, Udelaraï balayait le carrosse de la main droite, observant à travers les vitres, son moteur, ses tuyaux et jetant même un coup d'œil sous le véhicule.

— Voilà ! dit Pakarel, qui venait de bondir au sol, brandissant la canne et l'arbalète de Victor vers Udelaraï.

— Non, non, mon ami ! lui dit gentiment Udelaraï en désignant Victor. Ces choses vont à leur propriétaire.

Après avoir remercié d'un sourire Pakarel, qui lui avait rendu ses affaires, Victor demanda à son grand-père, qui se promenait autour du carrosse, l'analysant toujours :

— Que faites-vous, exactement ?

Udelaraï, penché pour observer l'intérieur d'un tuyau d'échappement du véhicule, pivota la tête vers son petit-fils pour lui envoyer l'un de ses sourires mystérieux. Évidemment, le vieil homme ne prit pas la peine de répondre à la question de Victor, et celui-ci n'en fut pas vraiment surpris.

Après s'être reculé de quelques pas du carrosse, Udelaraï tendit la main droite vers l'engin, avant de la refermer doucement. Au même moment, le carrosse hybride prit soudain une couleur bleue translucide, avant de se dématérialiser en s'évaporant progressivement, jusqu'à ce qu'il ne reste plus rien. Même si Victor et ses amis étaient habitués de voir les étranges habiletés d'Udelaraï, il n'en demeura pas moins que cette démonstration en surprit plus d'un. La mâchoire de Manuel se mit à claquer, démontrant sa frousse.

— Mon Dieu ! couina-t-il d'une voix de petite fille. Vous… vous êtes… Ne me tuez pas, je vous en supplie !

Caleb s'inclina doucement vers Victor et lui murmura :

— Voilà qui répond à notre question de tout à l'heure.

— Vous pouvez le faire réapparaître, hein ? demanda Rudolph au vieillard d'un air méfiant.

— Bien sûr, bien sûr, lui assura Udelaraï.

En voyant le visage apaisé des autres, Victor déduisit que le hobgobelin n'était pas le seul à s'être posé la question. Ils entendirent alors un bruit aigu et irritant ; Manuel s'était mis à gémir de manière plutôt ridicule, jusqu'à ce qu'Udelaraï se décide à tapoter le pied de son bâton au sol, faisant taire les plaintes de Manuel.

— Allons ! Un peu de silence, lui ordonna-t-il.

Au même moment, ils entendirent de larges éclaboussures d'eau. Victor et ses camarades se tournèrent vers le fleuve et virent le sous-marin en forme de calmar en émerger, créant de fortes vagues dans tous les sens.

— Prenez vos affaires, dit Victor à l'intention de ses amis en désignant du doigt les sacs et les armes qui jonchaient le sol, près de l'endroit où le carrosse s'était trouvé, un peu plus tôt.

— C'est le véhicule en question? demanda Udelaraï, qui observait la masse qui avait émergé du fleuve, maintenant à moitié cachée par les vagues. Drôle de forme.

— Le sous-marin représente en fait un calmar, l'informa son petit-fils. Vous savez ce qu'est un calmar?

Udelaraï, dont la cape de voyage voltigeait avec énergie au gré du vent fougueux, envoya un sourire au jeune homme.

— Pas la moindre idée! déclara-t-il jovialement. Je le découvrirai bien dans quelques instants!

Alors que les autres s'occupaient toujours à ramasser leurs bagages, Baroque, qui avait toutes ses possessions sur lui, s'approcha du jeune homme, qui observait le fleuve, et lui demanda :

— Pelham, tu comptes nous faire traverser une partie du fleuve à la nage?

— Bien sûr que non, lui répondit Victor comme si c'était l'évidence.

Peu convaincu, le grand lézard continua d'un air neutre :

— Je doute que ton ami puisse approcher son sous-marin du rivage. L'eau n'est pas très profonde. À moins d'avoir une barque, ajouta-t-il en observant les alentours, je crois que nous allons devoir prendre un bain d'eau froide bien désagréable.

— Regarde, l'avertit Victor en désignant le sous-marin du menton.

La porte latérale du sous-marin s'était ouverte, dévoilant Rauk, torse nu, qui leur lança en projetant sa voix de sa main :

— Peux pas m'approcher! Vous envoie la passerelle!

Victor leva son pouce en l'air tout en criant :

— Pas de problème!

Laissant la porte ouverte, Rauk disparut alors dans l'habitacle du sous-marin et, un instant plus tard, l'un des longs tentacules mécaniques émergea du fleuve, laissant s'écouler de larges quantités d'eau, avant de se tendre comme une passerelle au pied de la colline.

– Vous pourrez l'atteindre ? leur envoya Rauk, dont la tête venait d'apparaître dans le cadre de porte. Peux pas m'approcher plus, moi !

– Ça ira ! lui cria Victor.

Les compagnons du jeune homme se rangèrent à ses côtés, tous observant l'étrange passerelle qui les attendait au pied de la colline. Le tentacule étendu se faisait constamment submerger par l'eau du fleuve, qui éclaboussait sans cesse contre ses parois.

– Alors… qui y va en premier ? demanda Pakarel, qui n'avait pas l'air très convaincu à l'idée de marcher sur le tentacule étendu.

Il n'y eut que quelques éclaircissements de gorge, personne ne se porta volontaire.

– J'y vais, se décida alors Victor en rangeant sa canne dans l'étui situé sur son dos, afin de mieux descendre la colline et de pouvoir s'aider de ses mains. On se retrouve dans le sous-marin.

Chapitre 14

Un départ au large

La descente de la colline fut aussi délicate que ce que Victor avait redouté. Fort heureusement, il n'avait pas trébuché et ne s'était même pas fait mal à la jambe gauche. Bien que la passerelle fût étendue, le jeune homme avait dû se tremper les pieds dans l'eau froide du fleuve avant de pouvoir se hisser dessus. À peine avait-il fait un pas sur celle-ci qu'il manqua de tomber ; son pied gauche avait glissé sur la surface mouillée et glissante du tentacule. N'ayant pas un très bon équilibre, il n'était par ailleurs pas aidé par les vents puissants de la côte. Il entendit soudain le roulement de plusieurs pierres qui dévalaient la colline, et Rudolph lâcha quelques jurons sous les rires de Caleb et de Pakarel. Jetant un coup d'œil derrière, Victor vit le hobgobelin au pied de la colline se redresser avec difficulté, affichant un air noir.

– Je t'avais dit que ça risquait d'être glissant, lui envoya Caleb d'un air amusé.

– Mon plastron, grommela-t-il, il est souillé !

En effet, remarqua le jeune homme, un sourire en coin, l'équipement que Rudolph chérissait tant était maculé d'une épaisse boue, qui, afin d'être nettoyée, allait lui donner bien du fil à retordre. Alors que le hobgobelin s'apprêtait à monter sur le tentacule, suivi par les autres, qui dévalaient un à un la pente derrière lui, le jeune pianiste reprit sa traversée.

Les bras tendus de chaque côté de son corps et le dos voûté, Victor traversa la passerelle, qui était chancelante à cause des vagues, sans trop de difficulté. Une fois arrivé au bout, le pianiste fut accueilli par Rauk, qui lui tendait la main.

– Ça va ? lui demanda le gros bonhomme à la jambe de bois.

– Merci d'être venu à nous, lui dit Victor avec un sourire.

— Pas de quoi, mon petit ! rétorqua Rauk en lui donnant une bonne tape dans le dos. Va t'asseoir, je t'envoie tes camarades.

Victor traversa le petit corridor du sous-marin qui menait à la cabine de pilotage, avant de s'asseoir devant la table, sur l'un des sièges qui l'entouraient. Après avoir déposé ses affaires au sol, à ses pieds, le jeune homme jeta un regard autour de lui. De nouveau, il se trouvait dans le calmar mécanique, et ce fait ne le réjouissait pas vraiment. Victor n'était pas un amateur de voyages en sous-marin, simplement parce que l'air continuellement filtré et recyclé finissait toujours par lui donner un mal de tête prononcé. Il entendit alors les lourds pas de Baroque frappant le plancher métallique du sous-marin tandis que le grand reptile allait s'asseoir un peu plus loin.

Tout le monde rejoignit Victor dans le cockpit, s'installant à gauche et à droite. Rauk fut le dernier à arriver, après avoir refermé la porte du sous-marin. Rudolph, dont l'humeur avait pris une claque à cause de sa désagréable rencontre avec la boue, eut un sourire moqueur en voyant le visage boueux de Pakarel.

— Caleb m'a poussé, dit le pakamu d'un air sombre, après s'être assis auprès de Victor.

— On va t'arranger ça, lui dit le jeune homme en fouillant dans son sac, qu'il avait posé au sol.

Victor en tira alors une gourde, qu'il tendit à Pakarel afin qu'il puisse nettoyer son visage boueux.

— Je ne t'ai pas poussé, réfuta le demi-gobelin, qui passait la sangle de son sac par-dessus sa tête, je t'ai simplement incité à avancer. Nuance.

Après avoir retiré sa ceinture, qui soutenait les fourreaux de ses trois épées, et l'avoir déposée sur son sac, à ses pieds, le demi-gobelin se laissa tomber sur un siège en face de Victor.

Une fois que Pakarel eut terminé de se frotter les joues avec de l'eau, Caleb lui dit d'un air amusé :

— Regarde, tu es tout propre.

Pakarel lui envoya un de ces regards pointus qui laissaient présager une éventuelle vengeance. À ce moment-là, Udelaraï arriva et s'installa sur le dernier siège de la table tout en s'aidant de son bâton.

— Un peu de repos ne nous fera décidément pas de mal! lâcha-t-il dans un soupir de satisfaction.

— Moi, je file au lit! leur lança Ichabod en ouvrant la porte d'une cabine. Je suis crevé et je dois recharger ce bidule, ajouta-t-il en brandissant son poignet.

Victor lui envoya un hochement de tête en lui disant :

— Bon repos, l'ami.

— Hé, Victor! lâcha Rauk, qui s'était lourdement laissé tomber sur l'un des sièges de pilotage. Viens m'aider à entrer les coordonnées de votre destination, tu veux?

Victor leva la tête vers Udelaraï avant de lui dire :

— J'aurais bien besoin de votre aide pour lui décrire ces coordonnées. Car..., à part vous, grand-père, personne ne sait vraiment où nous allons.

— Bien sûr, Victor! Allons éclairer ton ami, en même temps, nous ferons connaissance!

Le jeune pianiste se leva, laissant Caleb et Pakarel seuls à la table, avant de se diriger vers Rauk avec son grand-père. La grande vitre circulaire qui se trouvait devant Rauk, un peu en hauteur, se faisait doucement heurter par les vagues du fleuve tandis que des rayons de soleil y pénétraient, éclairant l'intérieur du sous-marin et lui conférant une chaleur agréable. Pivotant sur son siège ancré, l'homme à la jambe de bois renifla fortement avant de s'essuyer le nez du revers de la main.

— Radvek Kraut, se présenta-t-il en tendant sa grosse main souillée à Udelaraï, qui eut le bon réflexe de ne pas la saisir, lui faisant plutôt un signe de tête.

— Udelaraï, enchanté! lui envoya le vieil homme.

Après avoir observé Udelaraï de la tête aux pieds, Rauk lui dit :

— C'est donc vous, le grand-père d'Hector!

Udelaraï leva un sourcil et Victor s'empressa d'expliquer, avec un sourire gêné :

— C'est une vieille blague, il me nomme ainsi parce que... ça sonne un peu comme « Victor »...

S'interrompant, le jeune homme sentit ses joues s'embraser un peu. Il était évident, de par le sourire de son grand-père, que la précision qu'il venait de faire était totalement inutile. S'empressant de changer le sujet, Victor fit semblant de trouver un soudain intérêt au tableau de bord avant de s'éclaircir bruyamment la gorge.

— Alors, dit-il en plissant les yeux vers la carte du monde affichée sous la grande vitre bombée, qui faisait office d'œil au calmar mécanique, les Antilles... Voyons voir, il s'agit d'une multitude d'îles qui se trouvent... juste ici. Voilà.

Le jeune pianiste indiqua l'endroit du bout du doigt, afin que Rauk et Udelaraï puissent le voir.

— Non, sans blague ? réalisa Rauk avec ravissement. Dans les Caraïbes, en plus ! Tu aurais dû me le faire savoir plus tôt !

— Je t'ai dit, par radio, que nous devions aller dans les Antilles, lui rappela Victor en fronçant les sourcils.

— Oh ! euh... fit le bonhomme chauve d'un air dégagé tout en grattant sa grosse barbe hirsute, je n'avais pas vraiment compris...

— Tu ne m'as pas écouté ? s'étonna Victor, entre l'irritation et l'amusement.

— Interférences ! lui envoya rapidement Rauk. C'est ça ! Je ne t'entendais pas bien...

— L'archipel des Antilles est plutôt tropical, si je ne m'abuse ? demanda Udelaraï, qui s'était incliné vers la carte, ses longs cheveux fins et argentés dégringolant de ses épaules.

Le jeune homme savait très bien que son grand-père était parfaitement au courant de ces détails et qu'il agissait ainsi par simple politesse. D'ailleurs, Victor en était légèrement irrité. Il détestait ne pas se faire dire les choses telles qu'elles étaient vraiment.

— Attendez de voir ces îles ! ajouta Rauk à l'intention d'Udelaraï. Le paradis ! Et les femmes ! Oh, oh ! Les femmes ! Elles sont assez belles pour redonner vie à des parties de vous qui sont mortes depuis des années ! Et leurs courbes... Oh, Seigneur ! Je ne blague pas, mon vieux, généreuses comme des immenses… hein? Pourquoi tu me regardes comme ça, Hector?

Victor venait d'envoyer un regard très pesant vers Rauk.

— Ça ira avec les détails sur la gent féminine, d'accord?

En fait, il avait honte que Rauk se conduise ainsi devant Udelaraï. Mais, à sa grande surprise, son grand-père répondit jovialement :

— Les femmes y sont belles, donc?

— De splendides créatures des tropiques! renchérit Rauk. Attendez de voir par vous-même!

Sur ces mots, les deux hommes éclatèrent d'un rire complice. Victor observait les deux hommes avec une expression de totale incompréhension. Après s'être vigoureusement secoué la tête, comme pour se réveiller de cette situation bizarre, il interrompit leur rire en disant :

— Euh… bon, je suggère que nous… que nous nous concentrions sur notre quête.

— Alors, Hector, dit Rauk, qui finissait de rire, où veux-tu aller exactement, dans l'archipel des Antilles? Car il y a un bon nombre d'îles dans ce coin.

Victor tourna la tête vers Udelaraï.

— C'est à vous de jouer, grand-père.

Le vieillard s'inclina vers la carte tout en marmonnant :

— Voyons… nous devrons aller… si ma mémoire ne me joue pas de tours… ici.

Udelaraï venait de poser son index droit sur la carte, indiquant un endroit bien précis.

— Vous pouvez nous mener à cet endroit? demanda-t-il à Rauk.

— Euh… un instant, dit Rauk, qui se mit à entrer des données dans l'ordinateur de bord. Alors… N'enlevez pas votre doigt! l'avertit-il d'un air amical alors qu'Udelaraï s'apprêtait à faire un mouvement de recul.

— Oh, pardon! s'excusa le vieil homme d'un air jovial. Je le laisse comme ça?

— Ouais, dit Rauk d'un air absent pendant qu'il continuait à enregistrer leur destination. Un petit moment…

Pendant qu'Udelaraï et Rauk se mirent à discuter du fonctionnement du tableau de bord du véhicule marin, Victor jeta un coup d'œil derrière lui, histoire de voir ce que faisaient ses amis. Pakarel et Caleb parlaient, tout simplement, tandis que Rudolph essuyait vigoureusement son plastron de la boue qui s'y était accumulée. Baroque, installé dans le siège de pilotage devant l'autre œil du calmar mécanique, semblait perdu dans ses pensées.

— C'est nul, lâcha Manuel d'un ton plus qu'ennuyé.

Détournant son attention vers le crâne, qui était accroché au bout du bâton d'Udelaraï, posé contre une cloison, non loin de Victor. Le jeune homme l'interrogea du regard et lui demanda :

— Qu'est-ce qu'il y a ?

Manuel lâcha un long soupir.

— Toute cette histoire dans laquelle tu m'as enrôlé contre mon gré.

— Ah, parce que tu aurais préféré rester dans ton tombeau, peut-être ? lui renvoya Victor.

Manuel lâcha un bruit d'indifférence.

— Je ne suis pas comme toi, Victor. Sauver les gens ne m'amuse pas. Je n'ai rien à faire de ce qu'il peut advenir de notre monde.

Le jeune homme laissa sortir une expiration de moquerie.

— Et Carmen, tu t'en moques, de son sort ?

Carmen était une jeune fille énergique que Victor avait rencontrée, des années auparavant, durant son voyage vers le Belize, à bord du vaisseau de Manuel. À la mention de la fillette que le pirate métacurseur avait adoptée, celui-ci se tut. Même si le visage de crâne robotisé de Manuel n'affichait aucune expression, Victor savait qu'il avait atteint l'une de ses cordes sensibles.

— Elle est morte, dit Manuel d'une voix éteinte.

Victor resta muet. Non pas parce qu'il était désolé, mais bien parce que son cerveau fonctionnait à vive allure. Un an plus tôt, des pirates venus des mers du Nord avaient abordé le vaisseau de Manuel, et la fillette avait ensuite disparu, laissant le pauvre métacurseur démoralisé et fou de rage. En vérité, Victor avait appris, en lisant son journal quotidien, que les pirates en question étaient des hommes dotés d'un certain sens moral ; ils n'avaient pas vraiment abordé le navire volant de Manuel pour ses richesses, mais bien pour sauver l'enfant qu'ils croyaient avoir été enlevée. Les pirates avaient ensuite fait escale au premier port qu'ils avaient trouvé, c'est-à-dire sur les côtes de l'Islande, afin de rendre la fille aux autorités.

Manuel étant ce qu'il était, il n'avait jamais su ce côté de l'histoire, simplement parce qu'il n'en avait rien à faire de lire les journaux, et Victor n'en était pas vraiment étonné. Cette nouvelle avait longuement tracassé le jeune homme ; il aurait bien voulu en aviser son camarade robotisé auparavant, mais Maeva l'avait convaincu d'éviter de le faire, simplement pour la sécurité de Carmen, qui était, depuis, logée dans un foyer en attendant qu'on lui trouve une famille d'accueil.

Et voilà qu'aujourd'hui, Victor se tenait devant un Manuel blessé, persuadé que l'enfant qu'il avait adorée comme sa propre fille était morte. Même s'il savait que Maeva allait lui reprocher sa décision, Victor ne put se résoudre à laisser son ami dans l'ignorance plus longtemps. Après un long soupir, il empoigna le bâton de son grand-père, Manuel en son bout, avant de se diriger vers l'une des quatre cabines du sous-marin. Victor sentit le regard d'Udelaraï contre sa nuque, mais son grand-père ne protesta pas.

— Où vas-tu ? lui demanda Pakarel au passage.

— Ouais, où m'emmènes-tu ? demanda Manuel d'une voix blasée.

— Manuel et moi avons des choses à nous dire, envoya Victor à l'intention de Pakarel et de Caleb, qui le regardaient avec un certain étonnement. Ça ne sera pas très long.

Victor se glissa ensuite dans la première cabine avant de refermer la porte derrière lui. Apparemment, il était tombé sur la cabine personnelle de Rauk, à en juger par le désordre, les nombreuses bouteilles d'alcool et la forte odeur de tabac. Le jeune homme alla s'installer devant le minuscule bureau de la cabine, avant de débarrasser la chaise d'une pile de chemises humides et malodorantes, que Victor soupçonna de ne pas avoir été lavées depuis trop longtemps. Une fois assis, il tourna sa chaise en face du lit, de sorte qu'il puisse s'accouder au bureau.

Tenant le bâton dans sa main gauche, il appuya celui-ci contre le lit, avant de finalement croiser les bras. Manuel lui dit alors d'un air désagréable :

– Maintenant que nous sommes en privé, juste toi et moi, tu veux bien cracher ce que tu as à dire ?

– Carmen est vivante, lui dit Victor, n'y allant pas par quatre chemins. Dans un village côtier de l'Islande.

– Si j'avais des mains pour t'attraper, lui dit Manuel d'un air sombre et mauvais, je t'arracherais la langue pour te punir d'avoir osé dire de telles conneries !

– Elle y vit dans un refuge pour jeunes, continua Victor en ignorant les propos du crâne. En attente d'une véritable famille d'accueil.

D'une voix qui était, cette fois, brisée par l'émotion, comme s'il y croyait maintenant à moitié, Manuel continua :

– Tu mens…

Il y eut un léger tremblement. Le sous-marin s'était mis à bouger. D'ailleurs, les rayons de soleil qui pénétraient par le hublot de la cabine venaient de disparaître. Ils étaient en route.

– Si tu prenais la peine de lire les journaux, lui répliqua Victor, jetant un regard vers le hublot à travers lequel il pouvait maintenant voir des bulles monter vers le haut, peut-être apprendrais-tu certaines choses, comme le fait que Carmen soit bel et bien en vie.

Le jeune pianiste se passa la main droite dans ses cheveux rasés, ce qui lui fit une drôle d'impression. Victor ne s'était visiblement toujours pas habitué à sa très courte chevelure, lui qui avait toujours eu les cheveux longs. Voyant bien que Manuel n'ajoutait rien, même si sa mâchoire était tombée, Victor changea de posture et continua :

– Les pirates des mers du Nord qui vous ont dérobé Carmen, à toi et à ceux qui te suivaient durant cette période, l'ont par la suite ramenée à bon port. Ils croyaient qu'elle était retenue contre son gré.

Puisque Manuel ne répondait rien, Victor redirigea son regard vers le hublot, qui laissait maintenant paraître un paysage marin bleu foncé, transpercé par quelques rayons de soleil. Finalement, le crâne lâcha faiblement :

— Donc… elle serait en vie…

Victor n'était pas vraiment certain de vouloir réunir Manuel et la fillette, mais en fouillant dans sa mémoire, il dut admettre que Carmen et le pirate métacurseur avaient eu une belle complicité. Sachant très bien qu'il allait prendre une décision sur un coup de tête, le jeune homme espérait simplement qu'il ne le regretterait pas.

— Une fois cette aventure terminée, décida-t-il alors, je trouverai un moyen de la faire transférer dans mon orphelinat. Elle y sera bien mieux traitée et pourra poursuivre sa vie et ses études sans se soucier de payer son logis, tout comme les autres enfants qui sont sous la garde de mon orphelinat. Et de ce fait, tu pourras lui rendre visite sans avoir peur que les forces de l'ordre locales t'arrêtent, étant donné que tu es un bandit recherché.

— Pourquoi ferais-tu une telle chose ? s'étonna Manuel. Tu ne m'aimes pas. La preuve, tu as laissé cette mauviette de demi-gobelin m'engourdir avec ce satané drone à champ électromagnétique.

Victor lâcha un petit rire.

— Pourquoi je ferais une telle chose ? Parce que c'est ce que les amis font, je suppose.

— Et depuis quand te considères-tu comme mon ami, hein ? Je n'ai pas d'amis. Je ne veux pas d'amis. Les amis sont pour ceux qui ne sont pas capables de se supporter eux-mêmes.

— Honnêtement, lui rétorqua Victor avec un sourire moqueur, j'ai peine à croire que tu puisses te tolérer toi-même pendant bien longtemps.

— Gna gna ! lui grommela Manuel comme l'aurait fait un enfant boudeur.

Reprenant un ton plus normal et pesé, Victor lui dit :

— La solitude ne te va pas, Manuel. Tu as besoin de gens autour de toi, que tu le veuilles ou non. Tu as eu des équipages sous ton commandement…

Interrompant Victor, Manuel s'empressa de faire remarquer :

— Qui m'ont injustement trahi, d'ailleurs !

Ignorant les propos défaitistes et pessimistes du métacurseur, Victor continua :

— … et tu as pris Carmen sous ton aile. Elle te procurait un certain bien-être.

En fait, Victor n'en savait strictement rien, mais il n'avait pas peur de prendre le risque de s'avancer sur de tels propos, si cela lui permettait de remettre Manuel de son côté.

D'un air presque naïf et hésitant, Manuel demanda :

— Tu trouves que l'on avait une belle synergie, la fillette et moi ?

— Oh oui ! lui assura Victor en essayant d'être le plus convaincant possible, tout en hochant la tête. Totalement. On pouvait sentir dans l'air que... que vous aviez une... Hum, une parfaite complicité !

— Tu dis cela juste pour me faire plaisir, lui dit Manuel d'une façon qui laissait paraître avec une grande évidence qu'il voulait entendre l'inverse.

Tout en changeant de posture, pour paraître plus enthousiaste, Victor mentit avec une crédibilité de comédien :

— Non ! Mais non ! C'est totalement vrai !

Quelques longues et stressantes secondes s'écoulèrent, laissant Victor dans l'incertitude, à savoir si sa ruse avait fonctionné ou non. Puis, d'un ton rêveur et nostalgique, Manuel concéda :

— C'est vrai que nous étions de bons complices, elle et moi…

— Alors, voilà ! s'exclama Victor avec énergie, sautant sur l'occasion. Tu as une chance de retrouver Carmen ! Et pour cela, tu n'as qu'à jouer ton rôle !

— D'esclave de ton grand-père, lui fit remarquer le crâne d'un air noir.

— Mais non ! contre-attaqua Victor. Tu sais bien qu'il ne te perçoit pas ainsi !

— Peu importe ! lâcha précipitamment Manuel. Alors, si je t'aide dans ta quête que je considère comme une perte de temps monumentale, tu vas l'accueillir dans ton orphelinat pour petits morveux, et je pourrai lui rendre visite ?

— Ce n'est pas une perte de temps, lui fit savoir le jeune homme en fronçant les sourcils. Il s'agit là de protéger notre écosystème et d'exterminer des Liches. Elles sont dangereuses, pour Carmen aussi.

Ces paroles firent naître une question dans la tête de Victor ; pourquoi la terre agricole hantée par la Liche n'avait-elle pas été contaminée de manière apparente ? Si vraiment les Liches étaient nuisibles pour l'environnement, comment se faisait-il que Victor lui-même et ses amis n'eussent rien remarqué ? Évidemment, le jeune homme allait s'abstenir d'en faire part à Manuel, mais il poserait certainement la question à Udelaraï, plus tard…

— Ta parole ! insista le crâne.

— Tu l'as. Tu pourras lui rendre visite, à certaines conditions, particulièrement celle qu'aucun autre enfant ne te voie. Tu fais un peu peur.

Au même moment, on cogna à la porte de la cabine.

— Entrez, dit le jeune homme en haussant le ton.

La porte s'ouvrit, dévoilant Udelaraï, qui avait passé la tête dans l'ouverture.

— Je dérange ?

— Pas du tout, répondit Victor. Vous pouvez entrer.

— Oh ! s'exclama le vieil homme en entrant dans la pièce. Bien, bien. Comme vous devez vous en douter, tous les deux, ajouta-t-il en promenant son regard entre Manuel et Victor, nous sommes en route.

— J'ai remarqué, oui, confirma Victor avec un petit sourire.

Udelaraï sourit à son tour avant de poser les yeux sur le crâne et de lui dire :

— Manuel…

À peine eut-il entendu son nom que le crâne lâcha un petit cri aigu, si ridicule que Victor dut détourner la tête pour ne pas éclater de rire et ruiner ses chances avec lui.

— … mon cher assistant, continua le vieil homme en ignorant le spasme de Manuel, voudrais-tu me venir en aide pour une tâche bien ardue ?

— Qui… moi ? demanda le métacurseur d'une petite voix.

Bégayant et cherchant ses mots d'un air théâtral, Manuel continua :

— Je ne suis qu'un modeste… qu'une vulgaire fraction de ce que j'ai jadis été… Je ne sais vraiment pas comment je pourrais vous être… utile en quoi que ce soit…

En voyant la personnalité si grandiloquente de Manuel se dégonfler comme un ballon devant Udelaraï, Victor dut se pincer pour ne pas, encore une fois, lâcher un rictus qui l'aurait trahi. Udelaraï sortit de sa poche cinq ou six paquets de gomme. Levant un sourcil, Victor se demanda où il avait bien pu se les procurer. Apparemment, son grand-père avait appris le faible de Manuel pour la gomme.

— Oh ! ce sera bien simple, dit Udelaraï comme si de rien n'était, tout en agitant les paquets qu'il tenait. Je veux simplement que tu m'aides à découvrir quelles saveurs de ces paquets de gommes à mâcher sont les meilleures !

Après un certain moment, comme pour digérer ce qui venait de se produire, Manuel dit d'une petite voix aiguë :

— Ah… ? Oh, euh… alors, dans ce cas…, je veux bien.

Cette fois, Victor ne put s'empêcher de lâcher un petit rire.

— Bon, dit-il en se levant. Je vous laisse. Désolé d'avoir pris votre bâton, grand-père.

— Il n'y a aucun mal, voyons ! lui répondit gentiment Udelaraï.

Alors que son petit-fils passait près de lui pour sortir de la cabine, le vieil homme lui dit :

— Vous devriez vous offrir, toi et tes amis, quelques longues heures de repos. Vous les avez bien méritées.

Victor lui sourit en guise de réponse avant de retourner jusqu'à la grande cabine de pilotage, là où les autres se trouvaient.

– Hé, Victor ! Viens ici, mon vieux !

C'était la voix de Caleb, toujours assis à la table, qui s'était retourné sur son siège et lui faisait signe de le rejoindre. Tout en se dirigeant vers le demi-gobelin et Pakarel, Victor remarqua qu'un journal, plus précisément celui de la ville de Québec, était déposé sur la table.

– Tu devrais lire ça ! lui dit Pakarel en pointant un article de son petit doigt.

Sans prendre la peine de s'asseoir, Victor saisit le journal avant de lire l'article désigné par le pakamu. Le bout de texte que Pakarel pointait était un petit encadré situé en bas de la troisième page, juste sous un grand article qui parlait de la récente course de diligences qui avait eu lieu la fin de semaine dernière. En lisant l'article une première fois en diagonale, le jeune homme repéra le seul segment qui valait la peine d'être lu. Il y était écrit :

Une ville toujours déchirée ?

Il semblerait bien, d'après les récents événements, que la ville de Paris n'ait pas totalement guéri de ses vieilles blessures. Comme vous pouvez vous en souvenir, chers lecteurs, nos cousins français traversent une rude époque qui a commencé il y a bientôt trois ans, lorsque François Beltimbre, ancien ministre et loup-garou, avait tenté de fracturer la ville par un décret que nous avons le regret de qualifier de raciste. Depuis, les choses ont grandement évolué, mais certains extrémistes ne semblent pas vouloir oublier et pardonner les méfaits qu'ils ont injustement subis. En effet, nos sources nous confirment qu'un sérieux groupe d'antihumains serait toujours en activité et tenterait de recruter davantage de membres par le biais d'affiches et de graffitis offensants. De nombreux humains ont été enlevés et sauvagement battus par ce groupe, qui, encore une fois selon nos sources, serait composé de gobelins, de graboglins, de satyres et même de demi-ogres. « Les rues ne sont plus sûres dès le coucher du soleil ! Mon petit-fils s'est fait casser les deux jambes et couper un doigt par ces horribles truands.

Je m'estime heureuse qu'il soit toujours en vie ! » nous a révélé une dame qui préfère garder l'anonymat.

Le reste de l'article était, d'après le rapide coup d'œil de Victor, du même registre. Il jugea inutile de le lire en entier. En se laissant tomber sur un siège, Victor lâcha un soupir avant de dire :

— Il semblerait que l'œuvre de Beltimbre suive toujours son cours.

Caleb, le regard dans le vide, les bras croisés, proféra d'une voix haineuse :

— Dire que c'est moi qui l'avais capturé en Alsace… J'aurais dû l'égorger quand j'en avais la chance…

— Tu ne pouvais pas savoir, Caleb, lui rappela Victor pour le rassurer. Personne ne t'en a jamais voulu, et personne ne le fera.

— Ouais ! intervint Pakarel avec énergie. Et par chance, Victor était là pour l'arrêter !

— Je n'y suis pour rien, répondit humblement le jeune homme. Rappelle-toi, nous étions occupés à jouer le jeu de l'antiquaire. Si je suis tombé sur Beltimbre, dans cette forêt, c'était par hasard.

Victor soupira avant de continuer d'un air plutôt triste :

— Beaucoup de braves gens sont morts pour leur ville.

— Comme Hubert, dit Pakarel, qui avait volé les pensées du jeune homme.

— Ouais…, comme Hubert, répéta Victor en se remémorant le graboglin, qui lui avait donné une sacrée raclée lors de leur première rencontre dans les égouts parisiens.

Un moment de silence suivit, durant lequel le jeune pianiste se remémora les tristes événements liés à Paris. Puis, changeant de sujet, Victor s'adressa à tous ses amis en haussant le ton :

— Au fait, vous devriez tous aller vous reposer. Nous avons plusieurs heures devant nous, n'est-ce pas, Rauk ?

Le bonhomme à la jambe de bois pivota sur son siège et le lui confirma :

— À cette vitesse, quatre heures, pour être exact !

— Il y a quatre cabines, donc quatre lits, continua Victor. Nous prendrons deux heures de sommeil chacun avant de déterminer qui laissera sa place à ceux qui n'ont pas encore récupéré.

Ce furent Baroque, Rudolph, Pakarel et Ichabod — qui partagea une cabine avec Caleb —, qui allèrent se reposer en premier. Évidemment, Baroque protesta, mais Victor lui tint tête, simplement parce qu'il avait d'autres projets que d'aller dormir. Le jeune homme voulait premièrement tenter d'entrer en contact avec Maeva, mais il voulait aussi tout particulièrement interroger son grand-père. À l'abri du regard et des oreilles des autres, c'était le moment idéal de le faire parler.

Victor se retrouva donc seul avec Rauk, Udelaraï et Manuel dans la cabine de pilotage. Profitant du fait que son grand-père discutait avec Rauk, qui était toujours aux commandes de l'appareil marin, Victor alla s'installer à l'écart afin d'avoir un peu d'intimité.

Après avoir tiré sa radio de son sac, le jeune homme se rappela soudain qu'il ne connaissait pas du tout la fréquence radiophonique pour joindre Béatrice. Comment avait-il pu oublier un détail si évident ? Victor s'en voulait. Inconsciemment, il avait gardé l'espoir de pouvoir communiquer avec Maeva quand il le voudrait, mais à peine était-il parti qu'il n'avait déjà plus aucun moyen de la joindre.

Envoyant un regard vers l'une des deux vitres bombées qui faisaient office d'yeux au calmar mécanique, Victor vit des bulles d'air défiler rapidement, indiquant qu'ils s'éloignaient à grande vitesse de Québec. À ce moment précis, le pianiste sentit une certaine détresse lui envahir l'estomac… Il quittait bel et bien sa douce, ainsi que sa petite sœur.

Victor décida d'appeler chez lui, juste au cas où. « Pourquoi appelles-tu ? songea-t-il. Tu sais très bien que tu n'auras pas de réponse… »

Comme il s'y était attendu, personne ne répondit et, même si le jeune homme était parfaitement conscient que sa maison était déserte, il fut quand même déçu de le réaliser. Une idée lui vint alors en tête.

— Rauk, envoya-t-il à travers la cabine de pilotage.

Le bonhomme à la barbe hirsute et son grand-père se tournèrent vers lui.

— Tu n'aurais pas la fréquence radiophonique de Béatrice Duval, par hasard ?

— Qui ?

Victor lui répondit d'un geste de la main.

— Laisse tomber, murmura-t-il, déçu.

Rauk haussa les épaules avant de retourner à sa discussion avec le vieil homme. Appuyant la tête sur le dossier du siège, Victor fixa le plafond parsemé de longs tuyaux rouillés qui s'entremêlaient avec complexité. À quelques endroits, il y avait des valves, et certaines d'entre elles laissaient échapper de minces filets de vapeur. Une voix lui demanda soudain :

— Qu'est-ce qui te trotte dans la tête, Victor ?

Baissant vivement la tête, un peu trop vite, d'ailleurs, puisque de petites taches blanches apparurent dans son champ de vision, le jeune homme vit son grand-père, qui se tenait devant lui, sans son bâton. Se portant la main à la tête, pris d'un léger étourdissement, Victor ferma les yeux pendant un instant.

— Rien, rien, grommela-t-il.

— Tu sembles bien fatigué, Victor, poursuivit Udelaraï. Pourquoi as-tu insisté pour ne pas aller te reposer ? Tu voulais prendre des nouvelles de Maeva ?

Voyant bien qu'il était inutile de lui mentir, Victor hocha doucement la tête avant de lui confirmer :

— C'est ça, oui.

— Eh bien, déclara Udelaraï en jetant un coup d'œil autour de lui, lorsque nous serons sortis de cet engin, je t'aiderai à entrer en contact avec elle. À moins qu'elle le fasse d'elle-même d'ici là !

Le jeune homme observa son grand-père pendant un instant, silencieux. Il voulait lui parler, et c'était le moment idéal pour le faire, puisqu'ils étaient enfin seuls, mis à part la présence de Rauk, mais celui-ci semblait bien concentré sur ses activités de pilotage. Victor devait absolument faire le point sur plusieurs choses, mais en même temps, il ne voulait pas brusquer son grand-père, de peur de rater son coup.

– Je dois vous parler, lâcha Victor.

Il venait de prononcer ces mots de manière un peu trop brusque à son goût. Sa fatigue, mentale comme physique, en était très probablement responsable. Victor s'attendit presque à ce que son grand-père soit froissé par son manque de tact, mais celui-ci alla s'installer à sa droite. Udelaraï lui sourit avant de lui dire gentiment :

– Alors, parle-moi, petit-fils, je t'écoute.

Chapitre 15

Une arrivée plutôt imprévue

– Pourquoi n'êtes-vous pas actuellement mourant ? lui envoya Victor de manière plutôt directe. De ce que j'ai pu comprendre, par vous et par Isaac, les Mayas ne survivent pas ici.

Au lieu de répondre à sa question, Udelaraï lui répliqua :

– Isaac ne t'avait-il pas mentionné que quelques Mayas étaient, tout comme toi, parvenus à survivre aux conditions terrestres ?

À vrai dire, Isaac Buckingham lui avait effectivement fait savoir que d'autres, tout comme lui, marchaient sur Terre sans problème. Cependant, Victor avait presque volontairement oublié ce détail, parce qu'au fond de lui, il ne ressentait aucun désir d'être lié aux Mayas, mis à part à son propre grand-père.

– Il me l'avait dit, oui. Comment faites-vous, alors, pour ne pas mourir comme Mila et l'assassin de Balter ?

Un sourire mystérieux se traça sur le visage d'Udelaraï.

– Vous ne répondrez pas à ma première question, n'est-ce pas ? l'accusa le pianiste, les sourcils froncés.

Évidemment, Udelaraï ne répondit rien. Victor aurait bien voulu lui faire part de son désaccord et lui dire combien il détestait ses petits jeux énigmatiques, mais par respect pour son grand-père, il préféra se taire. Cependant, une question lui vint en tête, piquant sa curiosité.

– Cette personne que vous avez mentionnée, lorsque nous étions chez moi, vous avez dit…

Udelaraï l'interrompit :

– Que nous aurions besoin d'aide afin de réparer la roue de l'engrenage, oui, confirma le vieil homme. Étant donné qu'il est impossible pour nous de joindre les fragments en sa forme originelle de roue d'engrenage, vous rencontrerez inévitablement cette personne en temps et lieu. Et même plus tôt que vous le croyez…

Encore une fois, même si sa curiosité était loin d'être rassasiée, le jeune homme ne prit pas la peine d'essayer d'en savoir plus, car il savait très bien qu'il rencontrerait un mur.

— J'ai quelque chose d'autre à vous demander.

— Je sais, lui renvoya son grand-père avec un grand sourire.

— Vous avez dit que les Liches pouvaient endommager l'écosystème.

— C'est le cas, confirma le vieil homme d'un hochement de tête.

— Alors pourquoi le champ de légumes était-il intact ?

— Parce que cette Liche voyageait constamment et, avant tout, parce qu'elle n'était pas très dangereuse. Votre Terre est déjà irradiée, souviens-toi. Les gens de ce monde sont habitués à une certaine dose de radiations, que vous jugez tout à fait normale. Cependant, comme tu le sais, lorsque je suis passé dans le village pour y déposer des rats, afin de retenir le monstre, j'ai quand même averti les paysans d'attendre le printemps avant de réutiliser le même champ. Juste au cas où.

— En parlant de votre piège avec les rats, reprit Victor, vous vous êtes occupé des autres Liches de la sorte ?

— Oh non, lui dit Udelaraï. C'était la seule qui était près de chez toi.

Victor resta là, l'air absent. Il aurait voulu demander toutes sortes de choses à son grand-père, mais, ironiquement, pas une question ne lui venait à l'esprit. En fait, le jeune homme était si épuisé qu'il consacrait la moitié de ses forces à combattre la fatigue pour rester lucide. Dans un ultime effort, le pianiste demanda à son grand-père :

— Vous avez déjà tracé notre itinéraire, n'est-ce pas ?

Le vieillard l'interrogea du regard.

— Je veux dire…, vous savez exactement où sont ces Liches et comment nous y rendre ?

— Plus ou moins, répondit Udelaraï. Je sais où les trouver, mais je ne peux pas prévoir les embûches que nous risquons de rencontrer.

— Et où irons-nous ? Où se trouvent les Liches ?

— Elles sont dispersées sur la Terre entière. L'une était à Paris, une autre en Égypte, une aux portes de Québec et une autre sur une île de l'archipel des Antilles. Quant à la dernière, je ne l'ai pas encore trouvée. Espérons que je puisse la localiser dans les jours qui suivront.

Le pianiste, qui s'était attendu à se faire fermer la porte au nez, fut plutôt surpris de constater que son grand-père lui avait tout révélé ainsi. Au même moment, un bruit de pas qui se dirigeait vers eux coupa la conversation entre le jeune homme et son grand-père. C'était Pakarel.

— Salut ! dit-il en faisant un geste de la main alors qu'il s'approchait de Victor et d'Udelaraï.

Décidément, songea Victor, sa conversation avec Udelaraï allait devoir être écourtée. Étant donné que son cerveau était embrouillé par la fatigue et que ses autres questions lui avaient échappé, il n'était pas déçu par les renseignements qu'il avait reçus. Il n'en voulait donc pas du tout à Pakarel d'avoir interrompu leur tête-à-tête.

— Tu ne dors pas ? lui demanda le jeune homme alors que le pakamu s'était planté devant lui, souriant et énergique. Il te reste encore…

Victor consulta sa montre de poche.

— … au moins deux heures, termina-t-il en la refourrant dans sa poche.

— Bah ! euh… bredouilla Pakarel en se balançant sur ses talons, contrairement à vous, je ne suis pas vraiment fatigué ! Je dormais et j'avais déjà récupéré quand Maeva m'a averti de ta visite. Alors, je te laisse ma place, parce que tu as l'air vraiment fatigué, Victor !

— Ce n'est pas une mauvaise idée, acquiesça Udelaraï en posant la main sur l'épaule de son petit-fils. Va donc dormir un peu, Victor. Tu auras besoin de ton sommeil.

— Et vous ? lui renvoya le jeune homme, l'air inquiet. Vous devez…

Il allait expliquer à son grand-père qu'étant donné son âge avancé, ce serait plutôt à lui de prendre du sommeil. Cependant, au dernier moment, Victor préféra éviter un tel commentaire, de peur d'insulter Udelaraï. Le jeune homme se reprit donc rapidement en disant :

— Je veux dire…, vous devez être complètement exténué, vous aussi…

— Oh, ne t'en fais pas pour moi ! lui dit Udelaraï avec un geste de la main. J'irai me reposer dès que le prochain lit sera libre.

— Mais… vous en êtes bien certain ? lui demanda Victor, mal assuré.

— Absolument ! Et puis, j'ai promis de montrer le métronome à notre cher ami Pakarel, lorsque nous étions à L'Ancienne-Lorette…

— Oh oui ! s'exclama Pakarel en bondissant de joie. Oui, vous me l'avez promis ! Je veux voir !

Udelaraï envoya un sourire vers Victor avant de lui dire :

— Repose-toi, petit-fils. Nous aurons besoin de toute ta lucidité.

N'ayant pas d'autres arguments, Victor se laissa convaincre. Il prit sa canne, son sac, son glaive, son étui ainsi que son arbalète avant de se diriger vers les cabines. Alors que le jeune homme marchait, il y eut une lueur bleutée qui éclaira la pièce derrière lui. Sans même se retourner, Victor comprit que son grand-père venait de faire se matérialiser le métronome. Comme il l'avait prédit, le jeune homme entendit Pakarel s'exclamer avec énergie :

— Rauk ! Viens voir ! Udelaraï vient de faire apparaître quelque chose !

Alors que Victor entrait dans la cabine vide et refermait la porte derrière lui, il put entendre la voix distance de Rauk :

– Hein ? Que… De quoi parles-tu ?

Une fois la porte fermée, Victor lâcha un bâillement si profond qu'il en frissonna par la suite de tout son corps. D'un bref coup d'œil, le jeune homme vit que la cabine était étonnamment bien entretenue, contrairement à celle utilisée par Rauk. L'endroit était faiblement éclairé par la lumière vacillante d'une lampe à huile accrochée au mur. La seule chose qui sortait de l'ordinaire était le lit, qui n'avait pas été défait, mais dont les couvertures fripées portaient l'empreinte de Pakarel. Le pakamu s'était donc allongé sur le lit sans même prendre la peine de se couvrir.

Victor s'assit sur le lit avec des mouvements lents et pénibles ; son corps était complètement engourdi par la fatigue. Il passa la bandoulière de son arbalète par-dessus sa tête, avant de la poser sur le coin du bureau miniature, qui était presque collé à son lit. Il y appuya ensuite le fourreau contenant son glaive, ainsi que sa canne. Victor venait de se passer la bandoulière de son sac par-dessus la tête, lorsque la soif vint lui picoter la gorge. Après avoir bâillé un autre bon coup, il ouvrit son sac et jeta un coup d'œil à son contenu. Il y trouva son régulateur corporel, quelques rations de fromage, du pain, des munitions d'onyxide pour son glaive, quelques carreaux supplémentaires pour son arbalète, les cartes mères des robots ainsi que celle qui lui avait été donnée par Udelaraï, sa radio et finalement une gourde bien pleine.

En portant sa gourde à sa bouche, il eut une certaine surprise qui lui fit presque recracher sa gorgée. Il s'était attendu à boire de l'eau, mais le liquide qui s'était écoulé était du jus de canneberge. C'était l'œuvre de Maeva, qui lui avait rempli sa gourde de son jus préféré avant qu'il quitte la maison. Cette petite attention de la part de son amoureuse étira un petit sourire sur le coin des lèvres du jeune homme. Même si le liquide était tiède, Victor apprécia grandement cette surprise.

Après avoir vissé le bouchon de la gourde, il la rangea dans son sac avant de retirer le fourreau de sa canne, qui était en diagonale dans son dos. Le jeune homme retira ensuite son beau manteau gris orné de boutons, digne de la dernière tendance victorienne. Il détacha ensuite les lacets de ses bottes de voyage avant de s'étendre sur le lit. Victor préférait dormir habillé, puisque la température du calmar mécanique était plutôt frisquette.

Le jeune homme tira les couvertures sur lui avant de se tourner sur le ventre, tout en prenant soin de ne pas faire de faux mouvement de sa jambe gauche. Un instant plus tard, il s'était endormi.

Plus tard, Victor ouvrit les yeux. Quelque chose l'avait dérangé et réveillé, mais il ne savait pas quoi. Restant allongé sur le côté, soudain alerté, il sentit que ses paupières étaient engourdies par le sommeil. Même s'il ne savait pas exactement pendant combien de temps, Victor avait décidément dormi. Au bout de quelques secondes, le jeune pianiste mit le doigt sur ce qui l'avait réveillé : le calmar ne bougeait plus. En effet, les bruits habituels de la machinerie et les faibles craquements des cloisons avaient cessé.

Alors qu'il se redressait dans son lit, une paire de mains se plaquèrent sur sa gorge, le repoussant brutalement sur ses couvertures et l'enfonçant très inconfortablement dans le matelas. Une créature, qu'il reconnut aussitôt, l'avait empoigné. C'était un Agas. Il venait de bondir sur lui, ses cuisses lui écrasant les côtes. Ces humanoïdes particulièrement minces avaient des membres anormalement longs, et leur corps était entièrement recouvert de lanières de cuir. Leur tête, presque ovale, était masquée par une cagoule trouée de deux vitres globuleuses et opaques. Victor était incapable de lâcher le moindre cri, car la poigne de la créature se renforçait étroitement contre sa trachée. Ayant été pris par surprise, le pianiste avait eu le souffle coupé avant qu'il puisse prendre une inspiration. Ses capacités pulmonaires surhumaines ne lui serviraient à rien, il allait étouffer.

Pris de panique et sentant son visage enfler, le jeune homme essaya de se débarrasser de son adversaire en lançant une série de gestes imprécis et presque aveugles ; il tenta de desserrer l'étreinte de l'Agas avant d'essayer de griffer sauvagement son avant-bras recouvert de lanières de cuir.

Soudain, l'étreinte contre sa gorge se desserra légèrement. Inexplicablement, l'humanoïde avait retiré l'une de ses mains de la gorge du jeune homme. Profitant du moment, Victor put prendre une rapide inspiration avant de réaliser que la créature avait levé une dague, pointée vers le bas, de son autre main. Il allait se faire transpercer la gorge ou se faire poignarder. Gardant l'une de ses mains pour lutter contre celle de l'assaillant qui tentait de l'étouffer, Victor attrapa de son autre main le poignet brandissant la lame.

Pendant de longues et pénibles secondes, Victor retint son adversaire en utilisant toutes ses forces. Ses membres, ainsi que ceux de l'Agas, tremblaient sous l'effort. La pointe de la dague, qui était jusqu'à maintenant restée à la même hauteur, tremblotante, se mit à se rapprocher très lentement de sa gorge. Victor allait perdre et il le savait. Dans un ultime effort pour sauver sa peau, le jeune homme décida de sacrifier son souffle surhumain, car de toute façon, dans cette situation, ce serait la dague qui aurait raison de lui et non l'étranglement. Victor abandonna donc la lutte de sa main gauche, celle qui retenait le bras qui l'étouffait, avant d'attraper la dague par la lame. Cette fois, ses deux mains étaient concentrées contre le bras maniant l'arme blanche.

Le jeune homme put sentir la lame entailler et écorcher la paume de sa main gauche, mais sous l'effet de l'adrénaline, il n'en ressentit aucune douleur. D'un mouvement vif, il parvint à faire chavirer son adversaire sur la gauche, tout en lui dérobant sa lame au passage. Les deux adversaires s'écroulèrent lourdement au sol, près du lit, mais, cette fois, c'était Victor qui avait le dessus. De toutes ses forces, il planta la dague dans la tête de l'Agas, dans un bruit de perforation osseuse.

Le pianiste, pris de panique, se redressa tellement rapidement que ses gestes, larges et imprécis, firent tomber la chaise au passage. Debout, tous ses membres tremblant sous l'effet de l'adrénaline, sa respiration trop haletante, Victor observa le cadavre qui gisait à ses pieds tout en essuyant de son avant-bras la sueur accumulée sur son front et sa lèvre inférieure. Dans une autre situation, comme lors de ses derniers affrontements au Belize contre les Agas et leurs gordurels, il aurait probablement cherché à éviter de tuer son adversaire. Seulement, cette fois, son instinct de survie l'avait poussé à agir pour sauver sa peau. Ce qu'il venait de faire lui levait le cœur, mais il ne trouvait pas la force de regretter son geste, car, pour le moment, il avait bien d'autres priorités.

Au même moment, Victor entendit des cris incompréhensibles venant de l'autre côté de la porte de sa cabine, qui était entrouverte. C'était un autre Agas. Dans son dialecte, il continuait à déblatérer alors que ses pas, résonnant sur le plancher métallique du sous-marin, se rapprochaient dangereusement de Victor.

D'un geste aveugle, il saisit la première arme qui se trouvait à sa portée, son arbalète, qu'il brandit aussitôt en direction de la porte de la cabine. Il se souvint alors que le mécanisme de poudre à canon était armé. Ce serait une belle erreur de tirer des carreaux explosifs dans un sous-marin. Le jeune homme désactiva le mécanisme de poudre à canon d'un geste vif, avant de reporter son arme sous son œil.

C'est à ce moment-là qu'un Agas apparut sur le seuil de la porte et, à la vue de Victor, il se figea, surpris, même si le jeune homme ne pouvait voir son expression sous sa cagoule. Le jeune pianiste décocha un carreau qui, dans un sifflement, se planta en plein dans son front. L'Agas mort, toujours debout, allait s'écrouler lourdement au sol, mais Victor s'empressa de le rattraper afin de limiter le bruit.

Après avoir étendu le corps de l'humanoïde sur l'autre qui avait une dague en pleine tête, Victor attrapa ses affaires avec rapidité, car quelque chose lui disait qu'il ne reviendrait probablement pas dans cette cabine de sitôt. De ses mains rendues tremblantes par l'adrénaline et tout en jetant des regards furtifs vers la porte ouverte, il attacha la ceinture du fourreau de son glaive à sa taille, avant de passer la bandoulière du fourreau de sa canne par-dessus son épaule et d'y insérer cette dernière. Après avoir rapidement fermé son sac, qui était ouvert sur le sol, il en passa la bandoulière sur son épaule.

Il empoigna ensuite son manteau et le fourra sous la bandoulière, coincé sur son sac, qui battait sur son flanc. Maintenant équipé de toutes ses affaires, le jeune homme s'assura que son arbalète était bien armée avant de montrer le bout de son nez au coin de la porte ouverte. Victor jeta un coup d'œil dans le couloir, qui, d'un côté, menait au cockpit, et de l'autre, au portail qui donnait sur l'extérieur.

Il n'y avait personne ! Encore plus surprenant, le cockpit et le corridor baignaient sous de forts rayons de soleil, qui perçaient les yeux vitrés du calmar. Ils avaient donc fait surface. Son arbalète pointée sous son œil, Victor s'engagea en direction du cockpit, tout en ouvrant les portes des trois autres cabines. Rien. Absolument rien, pas même un objet laissé en arrière. Le jeune homme marcha rapidement jusqu'au cockpit pour y découvrir quelques traces de sang un peu partout.

— Oh non ! murmura-t-il en priant le Ciel pour que ses amis soient sains et saufs.

Encore plus alarmé, Victor fit volte-face et se dirigea rapidement vers le lourd portail qui menait à l'extérieur du sous-marin. L'idée d'ouvrir la porte brusquement lui traversa l'esprit, mais le jeune homme opta pour une approche plus prudente. Il ouvrit donc le portail de manière lente et silencieuse, afin de jeter un coup d'œil dans son entrebâillement. Une percée de soleil agressa la rétine de son œil, qu'il dut plisser afin de discerner quelque chose. Victor vit que le tentacule était étendu, sur une eau calme et turquoise, en direction d'une longue et magnifique plage surplombée par une grande et haute jungle tropicale, le tout constituant un paysage paradisiaque. À une centaine de mètres de Victor, marchant dans le sable, le jeune pianiste repéra ses amis. Marchant en file indienne, désarmés, ils se faisaient emmener par une bande d'Agas. Victor en compta huit ou neuf. Le jeune homme remarqua que son grand-père marchait péniblement en se tenant la poitrine, comme s'il était blessé. Comment Udelaraï avait-il pu se faire capturer ainsi ? Lui qui possédait tant d'étranges pouvoirs…

Ces Agas avaient donc abordé le sous-marin et l'avaient oublié ! Une erreur qui leur coûterait cher, songea amèrement Victor, qui, après avoir poussé la porte un peu plus, brandit son arbalète sous son œil droit. En l'absence de vent, à en juger par l'immobilité des feuilles dans les arbres tropicaux, au loin, et surtout en fonction de la distance, le jeune homme ajusta son arme. Victor leva son arme et visa un peu devant le tout dernier des Agas, qui fermait la marche tout en bousculant Caleb.

Après avoir pris une bonne inspiration, Victor retint son souffle avant de presser la détente de son arme. Tel un tireur d'élite, il atteignit sa cible en plein dans la nuque et celle-ci pivota faiblement avant de s'effondrer sur le sol.

Caleb, qui semblait être le seul à l'avoir remarqué, cessa de marcher, jetant des regards autour de lui. Victor vit le regard de son ami lointain s'arrêter dans sa direction. Le demi-gobelin venait de comprendre. Le jeune homme s'avança de quelques pas sur le long tentacule qui faisait office de passerelle avant de s'immobiliser et de porter à nouveau son arme sous son œil, visant non pas vers un, mais deux autres Agas qui marchaient, menant leurs captifs vers la jungle.

Alors qu'il allait décocher un carreau, un énorme moustique se posa sur la main du jeune homme, lui faisant faire un faux mouvement qui eut pour effet de le faire tirer par erreur. Le cœur de Victor manqua un battement tandis que le projectile filait droit vers ses cibles. Le carreau passa droit devant Rudolph et l'un des ravisseurs, qui se mit à hurler. Victor avait raté son tir. Son cri fut aussitôt coupé, puisque Caleb lui brisa la nuque. Les autres Agas, qui n'avaient pas été alertés jusqu'à maintenant, se retournèrent brusquement avant de dégainer dagues et épées courtes.

Le combat s'engagea entre les alliés de Victor et leurs ravisseurs indigènes. Pakarel fonça la tête baissée entre les jambes de deux Agas tout en retenant son gros chapeau d'une main. Les deux humanoïdes, distraits par le pakamu, eurent le crâne fracassé par les énormes poings de Rudolph, qui avait profité de la diversion de Pakarel. Victor, qui brandissait toujours son arme, dut renoncer à l'utiliser par peur d'atteindre les siens.

— Merde ! lâcha-t-il avant de se mettre à traverser la passerelle du sous-marin du plus vite qu'il le pouvait, dans l'espoir de rejoindre ses amis et de leur prêter main-forte.

Seulement, Victor fut rapidement ramené à la réalité ; il avait forcé sur sa jambe gauche et bêtement trébuché sur le tentacule. En s'aidant inconsciemment de sa main blessée pour se redresser, Victor sentit une douleur stridente s'infiltrer dans la paume de sa main gauche, en plus du mal bourdonnant qui engourdissait sa jambe faible. En effet, la passerelle était partiellement recouverte d'eau de mer bien salée – les vagues frappant allègrement contre celle-ci –, qui piqua sa chair à vif. Le jeune homme lâcha quelques jurons pour compenser la douleur du sel qui brûlait la plaie de sa main, avant de se redresser et de poursuivre sa route d'un pas chancelant.

Au loin, le jeune homme vit Rauk, se déplaçant difficilement avec sa jambe de bois sur le sable, qui tenait deux Agas par la tête, sous ses bras. Tout en hurlant des jurons de premier choix, il tourna sur lui-même avant d'envoyer les deux Agas s'effondrer sur le sable, à un mètre ou deux de lui. Juste à côté, Caleb livrait un combat contre un Agas maniant une dague. Il évita une volée de coups de l'arme blanche avant de saisir d'une main le poignet de son assaillant. Sa longue chevelure bleutée voltigeant, le demi-gobelin roula agilement sur le dos de son adversaire, passant ainsi derrière celui-ci tout en lui tenant l'avant-bras. Caleb lui brisa alors le poignet avant de lui assener un solide coup de poing au niveau du coude, ce qui eut pour effet de lui casser le bras.

Alors que l'Agas hurlait de douleur, Caleb le désarma de sa dague avant de la lui planter dans le dos, lui perforant ainsi le cœur. Un peu plus loin, Ichabod, quant à lui, avait un peu plus de difficulté. Il manqua par trois fois de se faire trancher en deux, en évitant les coups d'épée de manière théâtrale (parfois même ridicule), tout en envoyant à l'Agas qui l'attaquait, entre chaque esquive :

– Hé ! c'est coupant ce truc, faites attention !

Victor, qui venait d'atteindre la plage, aurait bien voulu l'aider, mais il lui était impossible de viser avec précision dans une telle mêlée. Avec un profond sentiment d'impuissance et de hâte, le jeune homme continua sa route, se déplaçant du plus vite qu'il le pouvait. Subissant toujours l'assaut d'un Agas, l'épouvantail trébucha sur une branche avant de tomber sur le sable.

Tandis que l'épée d'un indigène masqué d'une cagoule et de lanières de cuir allait s'abattre sur lui, une grosse main écailleuse attrapa l'épée par la lame. C'était Baroque, qui, d'un air furieux, souleva l'Agas de son autre main avant de lui dérober violemment son épée et de l'empaler dessus.

Victor, qui venait de rejoindre la scène de combat en passant son arbalète sur son épaule, dégaina son glaive.

— Udelaraï, attention ! hurla Baroque en guise d'avertissement, alors qu'il venait de tuer un autre adversaire.

Alerté par le cri de son ami, Victor repéra rapidement son grand-père, qui venait de se faire brusquement pousser au sol, l'air blessé et meurtri, par le dernier indigène restant, qui hurlait avec rage. Cette vision crispa le cœur du jeune homme. C'était son grand-père, la seule personne de sa famille qu'il connaissait. Il n'allait certainement pas le perdre aujourd'hui, se dit-il avec haine. Lâchant son arbalète, Victor se mit à courir en boitant, ignorant la douleur de sa jambe gauche, la rage dans les yeux.

Alors que le dernier Agas levait ses deux dagues pour achever Udelaraï, Victor lui planta férocement son glaive dans le dos, dans un bruit d'os broyés. Il lui avait probablement brisé la colonne vertébrale ainsi que plusieurs côtes. Victor et l'humanoïde recouvert de lanières de cuir restèrent ainsi, immobiles, pendant quelques secondes, jusqu'à ce que l'Agas lâche ses dagues, qui tombèrent au sol.

Les bras tremblants, le cœur battant la chamade dans sa poitrine et la respiration haletante, Victor délogea lentement sa lame en repoussant le corps de sa main blessée. Son grand-père, qui se redressait péniblement, leva un regard impuissant et désemparé vers lui. Le jeune homme resta là, son glaive ensanglanté pendant vers le bas, alors qu'il essayait de calmer ses tremblements. Udelaraï lui marmonna alors :

— Victor…

– Êtes-vous... êtes-vous blessé ? lui demanda son petit-fils, tout en lui tendant sa main blessée.

Le vieil homme saisit la main ensanglantée de Victor, qui le remit sur pied. Même s'il avait une vilaine plaie au niveau du front, et que sa lèvre inférieure était enflée et rougeoyante, Udelaraï trouva le moyen de répondre d'un ton léger :

– Quelques vilaines égratignures par-ci par-là... Et toi, Victor ? Ta main.

– Oh, dit Victor sur le même air nonchalant que son grand-père. Ce n'est qu'une vilaine égratignure...

Pris à son propre jeu, Udelaraï sourit et répondit :

– D'accord, tu m'as eu.

Victor sentit une grosse main d'ours l'empoigner par l'épaule. C'était Rudolph. Sa joue gauche, qui était bien creuse au-dessus de son énorme mâchoire de hobgobelin, était ornée d'une entaille ensanglantée.

– Ça va, bonhomme ? demanda-t-il.

– Je vais bien, et vous ? envoya Victor à l'intention d'Ichabod, de Pakarel et de Baroque, qui venaient de les rejoindre.

Apparemment, tout le monde était encore en une seule pièce, et personne n'était sérieusement blessé, mis à part quelques coupures. Caleb, qui était accroupi un peu plus loin sur la plage, près d'un cadavre, se releva avant de trotter vers Victor et les autres. Il tenait sous ses bras leurs armes, qui avaient sans doute été prises par les Agas, et se mit à les distribuer à leurs possesseurs.

Pivotant sur lui-même, Victor observa le paysage. Ils se trouvaient sur une plage qui s'étirait à perte de vue, entourant une majestueuse jungle couronnée d'une chaîne de hautes montagnes recouvertes de feuillus et qui pointaient vers un ciel bleu azur. Sous le soleil de midi, quelques oiseaux tropicaux chantonnaient, accompagnant le bruit des vagues et du vent. Au loin, sur la mer, il pouvait voir plusieurs autres îles paradisiaques. Victor et les siens avaient visiblement atteint l'archipel des Antilles.

— Jolis tirs, mon vieux, lui envoya Caleb avec un petit sourire en coin, tout en balançant vers Baroque sa carabine à deux canons ainsi que sa large épée.

Victor lui répondit d'un sourire humble.

— Sauf celui qui m'est passé à deux doigts du visage ! fit remarquer Rudolph d'un air amusé.

— Ce que Victor a fait est remarquable ! envoya Pakarel à l'intention du hobgobelin d'un air sévère, ses petits poings sur ses hanches.

— Hé ! se rattrapa Rudolph, visiblement pris au dépourvu par la remarque du pakamu. Je rigolais, voyons !

Pendant ce temps, le jeune homme s'était approché du rivage et il nettoyait dans la mer son glaive du sang qui s'y était collé. Après avoir rangé sa lame dans son fourreau et récupéré son arbalète, qui traînait sur le sable, il dit au hobgobelin, qui semblait misérable :

— Ne t'en fais pas, Rudolph, je ne l'ai pas mal pris.

Puis, s'adressant cette fois au groupe entier, il demanda :

— Et maintenant, vous pouvez me dire ce qui s'est passé ?

— Nous sommes tombés dans un des pièges de ces maudits indigènes ! lui répondit Rauk avec mauvaise humeur.

Victor l'interrogea du regard. Après un soupir de culpabilité, Rauk continua :

— J'ai fermé l'œil quelques minutes et, un moment plus tard, nous étions passés sur une mine électromagnétique posée par ces crétins !

Tout en prononçant le mot « crétin », Rauk botta le cadavre d'un des Agas qui jonchaient la plage et faillit perdre l'équilibre, mais Caleb le retint juste à temps.

— Fais attention, Rauk ! lui dit le demi-gobelin d'un air moqueur tout en attachant les ceintures de ses armes autour de sa taille. Il faut croire que l'âge te rattrape !

— Et toi, surveille ta langue, Caleb Fislek ! lui grommela Rauk. Je naviguais sur les océans et affrontais ses tempêtes avant même que tu sois venu au monde !

Pendant que Rauk parlait, Caleb imita une bouche de sa main droite, levant les yeux en l'air de façon nonchalante. Voyant bien que le bonhomme à la barbe hirsute allait s'enflammer, Victor s'empressa de le ramener au sujet qui l'intéressait :

— Rauk, continue, tu veux bien ?

Rauk, qui affichait maintenant une expression de concentration qui se rapprochait plus d'une grimace qu'autre chose, il répondit :

— Hum… ouais…, alors, je disais… euh…

Afin de le mettre sur la piste, le jeune homme lui rappela :

— La mine électromagnétique…

— Ouais ! ajouta subitement Rauk en claquant des doigts avant de pointer Victor. C'est ça. Alors, lorsque le sous-marin est passé dans le champ de sensibilité de la mine, les moteurs ont aussitôt lâché. Étant donné que je savais que nous risquions de couler, j'ai lâché quelques réserves d'air, afin de nous permettre de remonter à la surface.

Puis, tout en bottant à nouveau le pauvre cadavre sans défense, Rauk termina d'un air noir :

— C'est là que ces salauds de singes recouverts de cuir nous ont abordés !

— Il est mort, lui rappela Caleb d'une voix blasée. Arrête de botter dans ce pauvre Agas. Ce n'est pas comme s'il avait mangé ta réserve secrète de chocolat.

Rauk lui envoya un regard interloqué avant de balbutier :

— Hein… Que… Comment sais-tu à propos de ma réserve de chocolat ?

Le demi-gobelin lâcha un petit rire avant de pointer Pakarel, qui détourna aussitôt le regard.

— Demande au glouton, qui n'a surtout pas la réputation d'un voleur, lui répondit Caleb en ricanant.

Baroque s'avança vers Victor d'un air impatient. Visiblement, il en avait assez, lui aussi, que Rauk ne termine pas son histoire. Il continua donc :

— J'ai remarqué depuis ma cabine que nous remontions à la surface. Lorsque j'en suis sorti, ces créatures, dit-il en pointant vers les corps des Agas dispersés sur la plage, s'infiltraient déjà à bord. Je n'étais pas armé et ils étaient six ou sept.

— Je suis sorti au même moment de ma cabine, dit Rudolph. J'aurais bien voulu démolir quelques visages, mais... comme Baroque l'a mentionné, ils étaient plusieurs. Ils sont tombés sur les autres alors qu'ils dormaient.

— On m'a réveillé avec un coup de poing dans le nez, se plaignit Ichabod en massant l'endroit sur son visage où aurait dû se trouver un nez.

— Tu n'as pas de nez ! lui fit remarquer Pakarel.

— C'est une façon de parler ! répliqua Ichabod d'un air contrarié.

— Donc, si je comprends bien, dit Victor en s'efforçant de joindre les bouts, ils sont tombés sur vous alors que vous dormiez... Udelaraï, Pakarel, vous dormiez aussi ?

Le pakamu baissa la tête, l'air honteux.

— Je me suis endormi, avoua-t-il en continuant de fixer le sable.

— Et moi, j'étais aux toilettes, avoua le vieillard avec un total manque de gêne, tout en haussant les épaules. Je lisais le journal. Ah, ces viles grilles de mots croisés, elles prennent toujours trop de notre temps et abaissent notre vigilance !

Quelques rires éclatèrent çà et là.

— En tout cas, dit Caleb en tapotant amicalement l'épaule de Victor, nous avons eu peur pour ta vie, lorsqu'ils nous ont emmenés dehors sans toi. Mais il faut croire qu'ils ont oublié de jeter un coup d'œil dans ta cabine.

Le jeune homme répondit au demi-gobelin d'un simple sourire. Puis, quelque chose lui vint en tête. Tout en lançant des regards à gauche et à droite, il demanda :

— Euh... où est Manuel ?

Chapitre 16

Le briar

Après avoir bien analysé les alentours tropicaux, Victor conclut assez rapidement que le métacurseur décapité n'était pas présent.

– L'un de ces sauvages l'a enlevé, lui expliqua Ichabod, qui ajustait son grand chapeau haut de forme.

Victor, qui fronçait les sourcils et s'apprêtait à lui renvoyer une question, fut aussitôt interrompu par son grand-père, qui fit savoir, tout en se massant le front :

– J'ai perdu mon bâton. J'ai reçu un coup à la tête et… je l'ai perdu de vue.

– En fait, ajouta Caleb, c'est un Agas qui a pris le bâton d'Udelaraï. Il était amusé par Manuel, qui criait comme une fillette affolée. Ensuite, il s'est rué dans la jungle.

– C'était marrant, d'ailleurs, précisa Rudolph en ricanant. T'aurais dû l'entendre crier, ah !

Victor se passa la main sur le visage, l'air exaspéré. Le visage enjoué du hobgobelin perdit toute expression. Visiblement, la réaction du jeune homme n'était pas celle qu'il attendait.

– Que… quoi ? Qu'est-ce qu'il y a ? demanda Rudolph en bégayant, l'air un peu confus lui aussi.

Dans un accès de colère, Victor lui renvoya froidement :

– Il nous faut retrouver Manuel !

Rudolph fut si surpris par la réaction de Victor qu'il eut un mouvement de recul, comme s'il avait eu peur de ses paroles. Se reprenant, le jeune homme soupira et dit, cette fois sur un ton plus calme :

– Je m'excuse, Rudolph. Mais nous devons vraiment retrouver Manuel.

— Pourquoi ? s'étonna le hobgobelin. On s'en moque bien, de cet abruti de crâne déplaisant !

Baroque, qui était un peu à l'écart, les bras croisés, s'incrusta dans la conversation :

— Pour une fois, je suis du même avis que Rudolph.

— Et pour les fragments ? demanda Pakarel avec une certaine panique. Qui portera le dernier fragment ? Manuel est l'un des nôtres, même si je ne l'aime pas !

— Ce n'est pas comme si Manuel était irremplaçable, dit Caleb d'un ton plutôt neutre, comme s'il envisageait la possibilité que le crâne ne les accompagne pas. Et puis, Rauk devait le remplacer, non ?

— Hein… que… quoi ? balbutia le barbu à la jambe de bois, d'un air perdu. Holà, mon bonhomme, s'adressa-t-il d'un ton dur à l'intention de Victor. T'aurais pas oublié de mentionner quelque chose, par hasard ?

— Euh… en effet, avoua Victor, mal à l'aise, qui avait complètement oublié de demander à Rauk s'il accepterait d'être un porteur de fragment.

— Je suis de l'avis de Pakarel, s'empressa Ichabod en levant le doigt. Nous ne pouvons pas l'abandonner ainsi !

Alors que les autres échangeaient des arguments, Victor resta silencieux, l'air perdu. Il se retourna, dos aux autres, faisant face à l'océan turquoise par-dessus lequel volaient quelques oiseaux. D'un côté, il avait fait une promesse à Manuel. Il lui avait promis de s'arranger pour faire venir Carmen à son orphelinat et de lui permettre de la voir. Pourrait-il vraiment abandonner le métacurseur à son sort, reniant ainsi sa propre parole et assurément le peu d'amitié qu'ils partageaient ? Et puis, son grand-père n'avait-il pas insisté pour que Victor sauve Manuel de son triste sort, sous prétexte qu'il lui serait utile, plus tard ? D'un autre côté, ils devaient poursuivre leur chasse aux Liches, puisqu'Udelaraï leur avait fait comprendre qu'ils devaient faire vite. Victor sentit soudain quelqu'un s'approcher de lui, ce qui eut pour effet de le sortir de ses pensées.

— Nous retrouverons notre ami squelettique, lui dit Udelaraï, ses longs cheveux argentés collant à son front couvert de sang et de sueur. Au risque de me répéter, nous aurons besoin de lui.

— Est-ce vraiment ce que nous devrions faire ? lui renvoya Victor. Nous ne savons même pas sur quelle île des Antilles nous nous trouvons, et…

— En fait, l'interrompit Udelaraï d'un ton jovial, nous sommes précisément là où nous devions être.

Victor afficha une expression de surprise.

— Nous devions arriver exactement sur cette île, reprit le vieillard en détournant son regard vers l'océan. Certes, peut-être pas de cette façon, mais quand même. C'est un début.

Victor était sans voix. Il essaya de dire quelque chose, mais ses lèvres bougèrent sans prononcer le moindre mot. Udelaraï se tourna vers lui avant de dire :

— Et tu sais quoi, petit-fils ? Je suis persuadé que Manuel se trouvera exactement là où la Liche se trouve.

— Qu'est-ce qui vous fait croire ça ?

— Mon petit doigt, lui répondit le vieillard avec un sourire complice.

— Attendez une minute, intervint Caleb, qui marchait vers eux en compagnie des autres. J'ai bien entendu ? Nous sommes là où nous devions être ?

— C'est exact, Caleb, lui confirma Udelaraï avec un hochement de tête.

— Et Manuel serait là où la Liche se trouve ? continua le demi-gobelin qui grimaçait son incompréhension. C'est bien ce que vous avez dit ?

— Oui, lui confirma à nouveau le vieil homme. En trouvant l'un, nous trouverons forcément l'autre.

Le demi-gobelin envoya à Victor et à ses amis un regard perdu, avant de hocher la tête à son tour.

— Très bien, dit-il, même s'il ne donnait pas l'impression d'être en accord avec la situation.

— Rauk, s'enquit Victor, quel est l'état du sous-marin ? Peux-tu lui faire reprendre le large ?

— Les moteurs sont bousillés, lui répondit Rauk, qui observait le calmar accosté tout en soupirant. Il me faudra le réparer… si c'est réparable. Dans le meilleur des cas, ça devrait prendre une journée, le temps de changer les fusibles et les fils qui ont grillé. Faudra aussi s'assurer que rien n'est sérieusement endommagé et que la coque est intacte… De toute façon, tant que je n'ai pas jeté un coup d'œil à la salle des machines, rien n'est certain, alors je parle dans le vide.

— Udelaraï, savez-vous exactement où se trouve la Liche que nous sommes venus chasser ? demanda Victor.

— Hélas ! non, admit le vieillard. Je n'ai guère d'information à son sujet, mis à part qu'elle rôde sur cette île.

— Si ce que vous dites est vrai, dit la voix distante de Caleb, nous n'avons qu'à suivre ses traces.

Victor et les autres tournèrent la tête en direction du demi-gobelin. Il était accroupi, un peu plus loin, à la lisière de la jungle. Il avait visiblement trouvé une piste. Le jeune homme et ses amis le rejoignirent aussitôt. Lorsque Victor arriva aux côtés de Caleb, ce dernier se redressa.

— Encore de la jungle, marmonna Caleb en hochant la tête de gauche à droite. Ça ne te rappelle pas des souvenirs, mon vieux ?

— Le Belize, dit Victor, qui observait le sol.

En effet, il y avait des traces, probablement celles de l'Agas qui s'était enfui avec le bâton d'Udelaraï.

— Et la tortue-dragon, murmura Pakarel d'un air sombre.

— La tortue quoi ? répéta Rudolph.

— Longue histoire que je te raconterai une autre fois, lui répondit Victor, qui avait posé un genou à terre pour analyser les traces.

Tout en jouant nerveusement avec ses longs doigts, Ichabod demanda d'une voix mal assurée :

— Alors, que faisons-nous ?

Il n'était pas difficile de déduire que l'épouvantail redoutait la réponse à sa propre question. Son visage, étrangement expressif pour un pantin de paille, démontrait un profond manque de volonté à l'idée de s'aventurer dans la jungle.

– On suit ces traces, lui répondit Caleb. Tu proposes autre chose ? Que l'on reste ici, peut-être ?

– Moi, je ne vous accompagne certainement pas là-dedans, en tout cas ! lâcha Rauk tout en s'étirant le cou pour voir à travers la jungle dense.

Victor lui dit alors :

– Je sais. Il vaut mieux que tu restes ici, afin de voir si tu ne pourrais pas réparer le sous-marin.

– J'aurais pas vraiment fait autrement, lui renvoya Rauk, qui observait la jungle avec peu d'envie.

– Pelham, qu'allons-nous faire des corps ? intervint Baroque.

Le jeune homme tourna son attention vers le grand lézard, qui avait l'air contrarié. Le lozrok continua alors :

– Les cadavres vont attirer les charognards, voire d'autres Agas.

Rauk envoya un regard hésitant vers Victor.

– Je n'avais pas pensé à ça, dit-il.

– Divisons le groupe, lança Caleb. C'est simple, quatre d'entre nous partiront à la chasse de cette Liche, les autres resteront ici pour protéger Rauk et le sous-marin. Et débarrasser la plage des cadavres, ajouta-t-il avec un brin de dégoût.

– Je n'ai pas vraiment besoin que l'on me protège ! protesta Rauk avec peu de crédibilité.

– C'est une idée envisageable, dit Udelaraï, qui jouait avec sa barbe, l'air pensif. Mmmh, Victor, qui ira dans la jungle et qui restera derrière ?

Le jeune homme fut surpris de la demande de son grand-père. Il lui mettait sur les épaules une décision assez lourde. S'attendant à ce que quelqu'un proteste, Victor resta silencieux. Il posa son regard sur chacun de ses amis, ne sachant pas trop quoi dire. Finalement, l'air incertain, il s'adressa timidement à eux :

— Euh… vous… vous voulez vraiment que je prenne cette décision ?

— Je crois que c'est pour toi que nous sommes tous ici, Victor, dit Rudolph.

Les yeux noirs du hobgobelin le fixaient avec une certaine bienveillance. Son visage brunâtre à la mâchoire carrée ruisselait déjà de sueur. Pas étonnant, avec un plastron en fer aussi lourd sur la poitrine.

— C'est vrai, confirma Ichabod, qui jouait nerveusement avec ses longs doigts. C'est à toi qu'il revient de prendre les décisions, Victor. Nous… nous sommes ici pour t'aider, toi ! ajouta-t-il avec un sourire forcé.

Malgré ses dires, il était assez évident que l'épouvantail aurait préféré être ailleurs, à cet instant. Victor envoya un regard vers ses autres amis, dans l'espoir d'avoir leur opinion. Pakarel lui sourit, Caleb lui envoya un clin d'œil, Baroque leva le pouce et Udelaraï se contenta de siffloter silencieusement. Le jeune homme remarqua alors que Rauk n'était plus là. L'air alarmé, le cherchant du regard, il lança :

— Rauk ? Rauk !

— Suis là ! répondit la voix du gros bonhomme.

La voix provenait de la plage, loin derrière. Victor et ses amis le virent à une vingtaine de pas sur la plage, de l'eau jusqu'aux genoux, faisant face à l'océan.

— Qu'est-ce que tu fais là ? lui envoya Victor avec sévérité et confusion.

L'homme barbu, dont le crâne chauve luisait au soleil, se secoua un peu avant de revenir vers le groupe d'un pas claudicant.

— Un homme n'a pas le droit de se soulager un peu ? répondit Rauk en ricanant. Ne fais pas cette tête, Hector ! ajouta-t-il en envoyant une tape amicale sur l'épaule de Victor.

Le jeune homme observa son épaule avec une expression de dégoût.

— Alors ! lâcha Rauk avec énergie. Où en étions-nous ?

— C'était à toi de diviser le groupe, Victor, dit Pakarel.

Les regards se tournèrent à nouveau vers le jeune homme, qui supportait mal la lourdeur d'être le centre de l'attention devant un tel sujet.

— Écoutez, dit-il. Je ne prendrai pas de décision pour vous. Je ne suis pas à votre place. Ceux qui désirent m'accompagner dans la jungle, vous n'avez qu'à venir, les autres resteront ici avec Rauk afin de garder un œil sur le sous-marin. Alors..., qui reste ?

Personne ne se proposa, pas même Ichabod, qui observait nerveusement dans tous les sens.

— Je pue tant que ça ? lança Rauk en ricanant.

Puis, il cessa de rire en voyant qu'il était le seul à le faire. Discrètement, le bonhomme à la jambe de bois se renifla une aisselle avant d'afficher une expression mortifiée, sans couleur. Victor continua d'observer ses amis dans un silence obstiné, tout en devenant de plus en plus irrité. Au bout d'un moment, Caleb lâcha un bâillement nonchalant, et Pakarel s'assit par terre.

— Très bien, dit-il d'un ton sec, après de longues secondes. Vous voulez vraiment que je prenne cette décision ?

— C'est toi le chef, Pelham, lui répliqua Baroque. À ta place, je ferais vite, nous ne sommes pas venus ici pour profiter du soleil.

Le jeune homme envoya un regard sombre au grand lézard, qui ne sembla aucunement affecté.

— Très bien, répéta Victor en se mettant à faire les cent pas, ce qui lui rappela qu'il avait bien besoin de sa canne, qu'il tira aussitôt de son étui dorsal. Puisque je prends les décisions, qu'il en soit ainsi.

S'adressant à Udelaraï, Victor demanda :

— Voulez-vous rester au sous-marin, étant donné vos blessures à la tête ? Vous avez certainement besoin de repos.

— Si tu préfères que je reste derrière, lui répondit simplement Udelaraï, je le ferai.

En fait, Victor ne savait pas quoi penser. Il était déchiré par le choix qui s'imposait à lui. Devait-il réellement laisser Udelaraï au sous-marin avec Rauk ? Au fond de lui, Victor n'avait aucune envie de se séparer de son grand-père et il était parfaitement conscient qu'il ne s'agissait là que d'égoïsme à l'état pur. Car en fait, Udelaraï était vieux, blessé et très probablement mourant étant donné sa nature maya, ce qui voulait dire que le temps qu'ils avaient à passer ensemble était compté... Et c'était exactement pourquoi Victor n'avait aucune envie de se séparer de lui ; il voulait veiller sur son grand-père et aussi profiter du peu de temps qu'il leur restait ensemble. Cependant, l'emmener dans la jungle risquerait de l'affaiblir encore plus.

— Vous devriez rester, dit Victor à contrecœur, même si son cœur égoïste lui criait l'inverse. Reposez-vous. J'aurai besoin que vous soyez en parfaite forme, au cas où les choses tourneraient mal.

Udelaraï sourit avec espièglerie avant de répliquer :

— Si c'est ma santé qui t'a fait prendre cette décision, alors je suis contraint de t'avouer que ton jugement est erroné.

Victor afficha un air stupéfait, la bouche entrouverte.

— Il vaut mieux pour moi de rester actif, continua Udelaraï. Je t'accompagnerai dans cette jungle.

Secouant la tête comme pour s'éclaircir les idées, Victor débuta :

— Mais je...

Mais le vieillard l'interrompit aussitôt :

— Rester inactif ralentit mon métabolisme, Victor. Le repos, pour moi, n'a pas la même signification que pour toi et les tiens. Préfères-tu toujours que je reste derrière ? Je me plierai à ta décision.

Toujours un peu perdu, le pianiste lui répondit :

— Euh... non, bien sûr que non.

Alors que son grand-père venait se ranger à ses côtés, Victor cligna des yeux, toujours abasourdi par sa décision. Pourquoi Udelaraï et ses amis avaient-ils insisté pour qu'il prenne les décisions, s'ils les remettaient en question ? Le jeune homme leva les yeux vers Rudolph et lui demanda :

— Rudolph, tu veux rester ici ou nous accompagner dans la jungle ?

Le hobgobelin prit une bonne inspiration, comme pour préparer ses mots, avant de le regarder de ses pupilles rouges et de lui dire :

— Pour tout te dire Victor, si tu me laisses le choix, je préférerais rester au sous-marin. Je suis content que nous soyons enfin partis, parce qu'honnêtement, je me suis un peu tourné les pouces dans ton atelier, à faire ces foutus sudokus…, mais la jungle et son humidité ne me vont vraiment pas. Je vais rester derrière, cette fois.

— Je comprends, lui dit Victor avec un sourire en coin. Tu pourrais quand même faire un périmètre de sécurité autour du sous-marin et balancer ces corps à la mer ?

— Pas de problème, lui répondit le hobgobelin d'un hochement de tête. Compte sur moi.

Victor tourna alors son regard vers le lozrok, qui attendait, les bras croisés.

— Baroque ?

Au lieu de lui répondre, le grand lézard alla se ranger aux côtés du jeune homme.

— Ichabod, comment est ta batterie solaire ? lança ensuite Victor.

L'épouvantail tira la manche de son long manteau afin d'observer le gadget qui était attaché à son poignet.

— Pas… pas vraiment au top, admit Ichabod d'un air déçu. La batterie est encore plutôt affaiblie, et je…

— C'est ce que je pensais, lui dit Victor. Reste avec Rauk et Rudolph. Pendant ce temps, tu pourras recharger ta batterie solaire.

— Très… très bien, dit Ichabod d'un air démoralisé, laissant très bien paraître qu'il combattait intérieurement contre le fait de rester derrière.

Victor fut pour le moins surpris de voir la réaction de l'épouvantail, qui ne semblait pas être en mesure de se décider. Le jeune homme s'approcha donc de son ami empaillé avant de poser une main sur son épaule. Ichabod leva alors ses grands yeux verts luminescents vers lui, l'air désolé.

— Ça ira, Ichabod ? Il me semblait que l'idée de venir avec moi dans la jungle ne t'enchantait pas vraiment ?

L'épouvantail lâcha un grand soupir avant de lui expliquer :

— Certes, certes…, mais je me sens si inutile… Tu aurais dû choisir quelqu'un d'autre que moi.

Victor secoua légèrement Ichabod de sa main qui était toujours sur son épaule.

— Si je t'ai choisi, lui dit-il, c'est parce que je te faisais confiance au point de mettre ma vie entre tes mains. Mais il serait idiot de te faire courir dans une jungle profonde et ombragée, si ta batterie solaire n'est pas bien régénérée, surtout que la fatigue physique t'affecte beaucoup plus que nous, étant donné ta nature.

— Mais je me sens mieux, beaucoup mieux ! lui renvoya Ichabod, qui avait l'air tout aussi misérable. Les températures tropicales me remplissent d'énergie !

À ce moment-là, l'épouvantail lâcha un profond bâillement, qui trahit ses paroles. Victor soupira en observant son ami et en lui souriant.

— J'ai besoin que quelques-uns d'entre nous restent derrière pour assurer la protection du sous-marin, continua le jeune homme d'un air convaincant. Tu veux te rendre utile, alors reste pour aider Rudolph et Rauk à réparer le sous-marin avant notre retour. C'est une tâche tout aussi importante. Et profite du moment pour t'accommoder au climat.

Ichabod l'observa pendant un certain moment avant de répondre :

— D'accord. D'accord, reprit-il avec énergie, je resterai. Tu peux compter sur moi, Victor. Mais la prochaine fois…

Le jeune homme le remercia d'un sourire avant de porter son attention vers Caleb. Avant même qu'il puisse dire quoi que ce soit, le demi-gobelin prit la parole :

— Ne compte pas sur moi pour rester derrière à changer des fusibles. Je t'accompagne.

Victor accorda finalement son attention à Pakarel. Le pakamu, dissimulé sous son énorme chapeau, avait baissé la tête.

— Alors, Pakarel, lui envoya le jeune homme. Préfères-tu rester ici ?

Pakarel répondit d'un marmonnement inaudible en fixant le sable.

— Lève la tête, lui demanda Victor. Je ne comprends pas ce que tu dis.

Le raton laveur leva la tête, l'air gêné, et répondit faiblement :

— Je ne peux pas m'éloigner de toi.

Victor leva un sourcil.

— Et pourquoi donc ?

Un petit sourire timide s'étira sur les lèvres du pakamu.

— Maeva m'a fait promettre de ne pas te quitter des yeux.

— Ah, vraiment ? s'exclama Victor en souriant. Et tu lui as donné ta parole, à Maeva ?

Pakarel hocha la tête de haut en bas.

— Alors, que je ne te prenne pas à faillir à ta parole !

Le pakamu sembla étonné de la réponse de son ami.

— Tu... tu ne veux pas me faire rester ici ?

— Pourquoi ? C'est ce que tu souhaites ?

— Pas du tout ! répondit Pakarel, qui semblait confus, en jouant nerveusement avec ses petits doigts. Mais... mais puisque je suis petit et... moins grand que vous et... que vous me prenez tous pour un enfant, même si je ne suis plus un enfant et que...

Victor éclata d'un bon rire avant d'observer le raton laveur avec une certaine tendresse. Cette fois, le jeune homme devait bien l'admettre ; Pakarel était plutôt mignon.

— Pourquoi voudrais-je que Pakarel, le tueur de calmars de boue, reste ici ? lui demanda Victor avec un grand sourire.

Cette phrase illumina le visage de son petit camarade.

— Bon, ajouta Caleb d'un air pressé. Puisque c'est décidé, nous devrions nous bouger un peu.

Victor lui confirma d'un hochement de tête avant de se tourner vers l'épouvantail et le hobgobelin.

— Ichabod et Rudolph, leur dit-il, je vous confie la protection de Rauk et du sous-marin. Prêtez-lui main-forte si jamais il a besoin d'un peu d'aide.

— Un coup de main est toujours apprécié, déclara Rauk en bombant la poitrine, mais je n'ai pas besoin de protection !

— Comme tu veux, vieux bonhomme orgueilleux, lui dit Victor d'un ton amical.

— Pelham, dit Baroque, Caleb a raison. Nous devrions partir aux trousses de l'Agas qui s'est emparé du bâton de ton grand-père dès maintenant.

Victor lui confirma d'un hochement de tête avant de s'adresser à Caleb :

— Tu crois pouvoir pister l'Agas dans la jungle ?

— Ça devrait, répondit le demi-gobelin.

Après avoir balayé ses amis du regard, Victor prit une bonne inspiration avant de conclure :

— Parfait. Alors, dans ce cas, allons-y. Baroque, peux-tu ouvrir la marche ?

Sans prendre la peine de répondre, le grand lézard fit glisser sa carabine à deux canons de son épaule et l'arma avant de s'engouffrer dans la jungle, sa longue queue froissant les fougères, laissant de profondes traces dans le sable. Udelaraï pressa le pas sur ses talons, avant que le demi-gobelin fasse signe à Victor de s'y aventurer à son tour. Suivi par Pakarel et finalement par Caleb, le jeune homme s'inclina afin de passer sous une épaisse branche, avant de s'enfoncer dans la jungle.

— Essayez de revenir avant la tombée de la nuit ! leur envoya la voix amicale de Rudolph. Sinon, je serai forcé d'aller vous chercher !

Victor se retourna pour envoyer un signe de la main vers la silhouette du hobgobelin, qu'il apercevait à peine à travers le feuillage de la jungle. Un instant plus tard, Baroque s'arrêta.

– Faites attention, dit-il en écartant son bras qui tenait sa carabine, comme pour empêcher les autres d'avancer. Il y a une petite pente à descendre. Utilisez les lianes pour vous retenir.

Le grand lézard balança une liane en direction d'Udelaraï, qui répondit joyeusement :

– Ma foi, merci !

Une fois qu'Udelaraï eut descendu la pente, Victor et Pakarel descendirent à leur tour, utilisant l'une des nombreuses lianes qui pendaient des arbres en guise de corde, comme l'avait suggéré Baroque. Caleb bondit quant à lui habilement sur un tronc d'arbre tombé à terre, avant de se balancer d'une main sur une branche et de retomber au sol avec grâce, tout près de Baroque et d'Udelaraï. Le jeune homme et le pakamu les rejoignirent quelques secondes plus tard.

– C'est pratique d'être une ballerine, hein ? lança Victor au demi-gobelin d'un air taquin, tout en essuyant de son avant-bras la sueur déjà accumulée sur son front.

– Mauvais joueur, ricana Caleb.

À la suite de cet échange, Victor et les autres reprirent leur chemin à travers la jungle tropicale, dont la chaleur et l'humidité suffocante affectaient tout le monde sauf Baroque qui marchait toujours en tête du groupe sans le moindre signe de fatigue. Comme les arbres du Belize, qu'avait visité Victor lorsqu'il avait 20 ans, ceux de cette île des Antilles étaient énormes, s'étirant jusqu'au ciel sur une centaine de mètres, et leur tronc était aussi large qu'une petite maison. Quelques timides rayons de soleil parvenaient à percer l'épaisse couche de feuilles qui masquait le ciel bleu azur. Les racines de ces immenses arbres, qui s'entremêlaient au sol comme des serpents, étaient si grosses qu'il était parfois impossible pour Victor et ses amis de les surmonter. D'énormes moustiques venaient constamment les irriter, bourdonnant trop près de leurs oreilles.

Après avoir chassé l'un de ces suceurs de sang volants d'un geste de la main répugné, Caleb grogna :

— Ces sales bestioles sont bien trop grosses. C'est dégueulasse.

— Elles n'ont pas toujours été ainsi, répondit la voix d'Udelaraï, qui venait de récupérer une branche au sol, qu'il analysa d'un bref coup d'œil.

— Que… quoi ? balbutia Caleb, étonné par l'intervention du vieil homme.

En fait, Victor, Pakarel et Baroque furent tout aussi surpris que le demi-gobelin ; ils cessèrent même leur marche, près d'un petit ruisseau qui glissait sur de petites pierres rondes dans une mélodie naturelle très agréable.

— Ces insectes, précisa Udelaraï comme s'il croyait que Caleb n'avait pas compris de quoi il parlait. Ils n'étaient pas de cette taille, avant.

Victor et Caleb échangèrent un regard, mais le jeune homme pensait avoir une petite idée d'où son grand-père voulait en venir. Le vieillard, qui observait toujours la branche qu'il tenait, afficha un air satisfait avant de manier celle-ci comme un bâton de marche.

— Et comment étaient ces bestioles, autrefois ? se risqua Caleb d'un air confus, comme s'il avait peine à croire qu'il s'engageait dans une telle conversation.

— De la taille d'un raisin, répondit jovialement Udelaraï, qui leva la tête avant de pointer du doigt vers les hauts arbres. Même chose pour ces arbres, continua-t-il. Ils étaient plus petits.

— De quoi parlez-vous, vieil homme ? intervint Baroque, qui s'approcha de lui, l'air intrigué et presque choqué.

Udelaraï dirigea son regard vers Victor et, aussitôt, le jeune homme sentit ses joues s'embraser alors qu'un profond malaise bouillonnait en lui. À présent, il savait très bien ce dont Udelaraï voulait parler : l'incident nucléaire qui avait fait fuir les Mayas de la Terre, des milliers d'années auparavant. L'incident qui avait donné à la vie sur Terre, tous les êtres vivants et les plantes, la forme qu'elle avait désormais. C'était un sujet que Victor avait volontairement choisi durant toutes ces années de ne pas révéler à ses amis, car il jugeait inutile et surtout cruel de leur avouer l'origine de leur existence. C'était la deuxième fois que le vieil homme abordait ce sujet.

Lorsqu'Udelaraï ouvrit la bouche pour parler, le cœur de Victor se crispa.

— La chaleur me fait un drôle d'effet, dit-il en s'essuyant le front de son avant-bras. Pardonnez les excentricités d'un vieillard exposé au climat tropical !

Baroque lâcha un grognement d'acquiescement.

— Remplissez vos gourdes d'eau pendant que nous sommes près d'un ruisseau, dit le lozrok en se détachant du sujet.

— Bonne idée ! répondit Pakarel avec énergie.

Caleb, qui avait froncé les sourcils, finit par hocher la tête, comme s'il s'efforçait d'oublier le sujet. Le demi-gobelin fouilla dans son sac et en tira sa gourde, avant de rejoindre Baroque et Pakarel, accroupis près du ruisseau. Victor était resté planté là, blême comme un fantôme, n'en croyant pas ses oreilles. Udelaraï s'avança près de lui et, tout en l'observant de ses yeux verts perçants, il lui dit d'une voix très basse :

— Je respecte ta décision et je ne ferai plus l'erreur de prononcer des paroles qui pourraient te mettre dans l'embarras.

Udelaraï continua de fixer son petit-fils pendant de longues secondes, avant que celui-ci finisse par déglutir et hocher la tête.

— Dis-moi, tu as toujours ton fragment ? lui demanda Udelaraï.

Victor se crispa. Le fragment était dans la poche de son manteau, coincé sous la bandoulière de son sac. Dans une telle position, le morceau de métal aurait pu tomber ! Alarmé, Victor fouilla dans les poches de son manteau et, lorsque ses doigts touchèrent le petit bout métallique, son rythme cardiaque décéléra.

— Peut-être vaudrait-il mieux que tu le portes le temps que nous quittions cette jungle, lui suggéra Udelaraï avec sagesse. Il serait très navrant de le perdre par mégarde.

Victor ne répondit même pas ; il enfila plutôt la chaîne de son fragment autour de son cou.

— Allons remplir ces gourdes ! reprit son grand-père avec énergie. Il fait une chaleur infernale !

Afin de ne pas semer le doute dans l'esprit de ses camarades, Victor s'empressa de les rejoindre en compagnie de son grand-père. Étrangement, Baroque, Pakarel et Caleb étaient côte à côte, figés comme des statues, leur tête fixant dans une même direction. Fronçant les sourcils, le jeune homme leur demanda :

– Qu'est-ce que vous… ?

Le pianiste se tut avant de se figer à son tour. Il venait de voir ce que les autres avaient repéré avant lui. Une énorme bête de la taille d'un cheval, qui ressemblait au croisement improbable d'une grenouille et d'un lézard, se trouvait au bout du ruisseau et s'abreuvait à grands coups de langue bruyants. Alertée par les paroles de Victor, la créature leva vivement sa grosse tête vers le groupe. Après une très courte inspection, Victor constata que la comparaison avec la grenouille et le lézard s'arrêtait à la couleur verdâtre et au corps écailleux de la bête.

La tête du monstre était recouverte de longues épines noires tombant vers l'arrière, sa gueule était énorme, baveuse et pourvue de dents noires, dont les canines étaient si immenses qu'elles pouvaient être considérées comme des défenses. Ses yeux étaient petits et noirs, fixant le groupe d'un air vicieux et presque colérique. Ses pattes griffues étaient plutôt larges et recourbées vers l'intérieur, lui donnant une apparence trapue. Une grosse queue traînait sur le sol derrière lui, écailleuse à sa base, mais se terminant étonnamment en lianes et en feuilles.

Pakarel recula d'un pas, écrasant au passage une brindille de bois, qui cassa dans un bruit sec. Aussitôt, comme si elle avait été personnellement insultée par le bruit, la créature lâcha un rugissement si puissant que la surface de l'eau en vibra. Pendant celui-ci, de longs filaments de bave épaisse se retrouvèrent propulsés hors de sa gueule et ses épines dorsales se hérissèrent brusquement.

– Courez ! cria Udelaraï. Ne restez pas là !

En effet, la bête se mit à dévaler le ruisseau comme un bélier, chargeant droit vers le groupe la tête baissée, sa longue queue fouettant lourdement l'eau. Caleb, Baroque et Pakarel se mirent à courir le long du ruisseau. Victor, n'étant pas sur la trajectoire du monstre, en profita pour dégainer son arbalète avant d'y armer rapidement un carreau. Enclenchant d'un coup de pouce le mécanisme de poudre à canon, il pointa la visée de l'arme sous son œil et pressa la gâchette. Le carreau éclata au niveau de la cuisse du monstre, qui se retrouva simplement bousculé sur le côté dans une explosion d'eau et de sang.

Un bon morceau de chair manquait à la bête, qui se redressa cependant comme si de rien n'était, l'air doublement enragée, avant de s'élancer droit vers Victor. N'ayant vraiment pas prévu que le carreau explosif ne fasse presque pas effet, le pianiste sentit ses tripes se contracter. Il lâcha aussitôt son arme et s'élança d'une course boiteuse dans une direction au hasard, écartant dans de grands gestes les fougères et la végétation qui lui fouettaient le visage sur son passage.

À travers sa propre respiration haletante et le bruit des fougères qu'il bousculait, le pianiste pouvait entendre les lourdes pattes qui martelaient le sol à sa poursuite. Incapable de regarder où il mettait les pieds, Victor priait intérieurement pour ne pas trébucher contre une ronce ou une roche.

Comme si le simple fait d'y avoir pensé avait déclenché le phénomène, le pianiste se prit le pied dans quelque chose et son cœur se crispa aussitôt, avant de frapper le sol de plein fouet. Ne s'accordant aucun temps de répit, Victor se mit tout de suite à ramper vers un amas de fougères à sa droite, dans l'espoir de s'y cacher et de quitter le champ de vision de la créature. En rampant, il parvint à dégainer son glaive, juste au cas où.

Soudain, alors qu'il se glissait sous la dense végétation, qui aurait pu le masquer, quelque chose s'agrippa à son sac, qu'il portait en bandoulière, et le tira brutalement vers l'arrière. Victor se retrouva alors étendu sur le côté entre les pattes du monstre verdâtre, qui, tenant fermement son sac dans sa gueule, le secouait de gauche à droite, comme un chien l'aurait fait pour assommer sa proie.

Victor, qui se faisait asperger de bave, se libéra de la bandoulière de son sac sans trop de difficulté avant de tenter de se relever.

Par malheur, la créature remarqua que ses dents s'étaient refermées sur un simple sac. Ses petits yeux se levèrent alors vers le jeune homme, qui venait de se redresser, et sa grande gueule laissa tomber au sol le sac déchiré et recouvert de bave. Pendant une fraction de seconde, le pianiste sentit son courage s'évaporer, laissant place à un profond sentiment de peur, qui lui contractait les poumons.

Avant même que Victor puisse faire quoi que ce soit, le monstre verdâtre se jeta sur lui comme un chien, l'envoyant au sol sous son énorme poids. La bête voulut mordre le jeune homme à plusieurs reprises, mais ce dernier parvint à repousser la grosse gueule en lui assenant plusieurs coups de glaive bien placés.

Puis, profitant d'une opportunité pour punir sévèrement la bête, Victor enfonça la lame du glaive dans la mâchoire inférieure du monstre, avant de presser la détente du mécanisme d'arme à feu incrusté à son arme. Sous l'impact sanguinolent, la poignée de l'arme vibra fortement, et le glaive se délogea d'un seul trait. Mis à part les deux ou trois dents qui tombèrent de sa gueule maintenant ensanglantée, le monstre ne parut aucunement affecté par sa blessure et continua d'attaquer férocement le pianiste, qui se défendait avec difficulté.

— Tu es increvable, merde ! lâcha le jeune homme avec frustration, alors qu'il abattait toujours son glaive contre la gueule du monstre.

De longues secondes passèrent pendant que Victor, qui hurlait de peur et de rage à pleins poumons, combattait pour sa vie, continuant à entailler de son glaive le visage de la créature recouverte d'épines.

Soudain, quelque chose plaqua le monstre au niveau de la tête, le forçant aussitôt à lâcher sa proie et à reculer. Poussé par son instinct de survie, Victor, qui était toujours au sol, recula rapidement avant de se relever. Il vit alors son grand-père maniant une lance et un bouclier, tous deux d'un bleu translucide et bourdonnant d'énergie.

— Arrière! s'écria Udelaraï en poinçonnant le vide de sa lance pour faire peur au monstre. Recule, sale bête!

Malgré la menace des armes venues d'un autre monde du vieil homme, le monstre ne recula que de quelques pas, avant de se mettre à grogner de colère, démontrant clairement qu'il n'avait aucune intention de laisser ses proies s'enfuir.

— Va-t'en! envoya Udelaraï à l'intention de son petit-fils.

Victor voulut protester, mais il savait bien qu'il ne pourrait rien faire pour aider son grand-père, qui, malgré son âge avancé, était bien mieux armé que lui. Au bout d'une seconde d'hésitation, le jeune homme s'éloigna à reculons, sans pour autant quitter Udelaraï des yeux. À cet instant, Caleb, Pakarel et Baroque arrivèrent dans tous les sens, armés.

— C'est un briar! les avertit le grand lézard, qui pointait sa carabine vers le monstre. Ces créatures sont immensément dangereuses et colériques, il faudra l'abattre!

L'arrivée soudaine des compagnons de Victor énerva grandement le briar, qui se mit à lâcher une série de grognements similaires aux jappements d'un chien. À cet instant, Baroque, qui se trouvait à la droite du briar, fit feu dans sa direction, l'atteignant sur le côté de la tête dans un éclat d'écailles et de sang.

Le briar s'élança aussitôt vers le grand lézard, qui bondit à un mètre du sol à l'encontre du monstre, assenant ensuite un solide coup de crosse de son arme sur sa gueule blessée. Grognant de douleur, la bête recula pendant que Baroque, qui était tombé un genou au sol, se relevait, les joints de sa lourde armure grinçant au passage.

C'est avec horreur que Victor réalisa que Pakarel s'était mis à courir vers le monstre, tenant fermement sa dague maya à la lame bleutée.

— Pakarel, non! s'écria le pianiste, impuissant, qui tendit le bras par instinct. Ne fais pas ça!

Le jeune homme aurait bien voulu rattraper son ami, mais il lui était impossible de courir, ni même de faire quoi que ce soit... Il devait rester là, bloqué par son corps à la jambe défectueuse, à contempler Pakarel, qui courait droit vers un monstre qui faisait dix ou quinze fois sa taille.

Son grand sac à dos bondissant au rythme de ses pas, Pakarel se jeta sur la longue queue composée de lianes et de feuilles du briar et l'attrapa de ses petits bras. Rugissant de fureur, la bête se mit à fouetter de la queue dans tous les sens, dans l'espoir d'en détacher le pakamu, qui s'y agrippait fermement.

Caleb tenta de venir au secours du pakamu, mais le briar tournait sur lui-même et tentait de mordre sa propre queue avec une telle frénésie qu'il fut impossible pour le demi-gobelin de s'approcher sans risquer de se faire piétiner.

– Ne tire pas, bordel ! cria Caleb d'un ton noir à l'intention de Baroque, qui avait levé son arme vers le briar. Tu risques d'atteindre Pakarel !

Après un moment d'hésitation, les dents serrées, Baroque baissa finalement sa carabine, visiblement à contrecœur.

Soudain, alors que le briar agitait toujours la tête dans tous les sens, Pakarel fut projeté dans les airs. Sous les yeux de Victor et de ses amis, le raton laveur tournoya dans les airs, sa dague étincelant dans un rayon de soleil qui transperçait la dense couche de feuilles qui recouvrait la forêt. Avec une souplesse – ou une chance – incroyable, Pakarel retomba assis sur la tête du briar, sur laquelle il lutta pendant quelques secondes pour garder son équilibre, avant de lui planter sa dague dans l'œil.

Folle de douleur, la bête lâcha un rugissement effroyable, qui fit vibrer toute la végétation avoisinante, agitant la tête dans tous les sens dans le but d'en décrocher Pakarel, qui s'y retenait toujours, sa dague plantée dans l'œil du monstre. Finalement, le briar parvint à faire tomber le pakamu, délogeant la dague au passage. Une fois au sol, Pakarel prit aussitôt ses jambes à son cou, se dépêchant d'aller se réfugier derrière un arbre, une expression de terreur figée sur le visage.

Le briar, meurtri et grognant de rage, sembla alors se reprendre, cessant de s'agiter dans tous les sens, avant de tourner d'un mouvement vif sa grosse tête vers Udelaraï. L'œil gauche du monstre, qui reniflait fortement, était clos, dégoulinant de sang. Sans aucun préavis, la bête chargea vers le vieillard à toute vitesse.

— Attention ! s'écria Caleb, qui se mit à courir en direction de la bête, dans une vaine tentative de venir en aide à Udelaraï.

À la vue de l'énorme créature se ruant vers son grand-père, Victor se figea. Le vieil homme allait se faire piétiner… et ce dernier ne bougeait même pas.

— Grand-père, non ! s'écria le jeune homme.

À cet instant, Udelaraï leva son bouclier d'un bleu translucide près de son épaule, face à la bête, de façon à ce que sa tête et le haut de son corps soient entièrement protégés. Lorsque la tête du briar se plaqua contre le bouclier, c'est avec une stupéfaction incroyable que Victor réalisa que son grand-père n'avait pas bougé d'un centimètre et que le bouclier avait entièrement stoppé le monstre sur place. L'impact fut si puissant qu'une décharge d'énergie émana du bouclier et se propagea dans la jungle avoisinante.

Fortement assommée, la créature recula de quelques pas titubants, avant de se déplacer de gauche à droite et de s'écraser au sol, quelques instants plus tard. Dégainant l'une de ses épées, Caleb se mit à marcher d'un pas rapide vers le monstre étourdi. Il était assez clair qu'il allait l'abattre, et Victor ne serait pas celui qui l'en empêcherait.

Lorsque le demi-gobelin fut arrivé à proximité de l'énorme créature verdâtre et recouverte d'épines, celle-ci redressa vigoureusement la tête et tenta de le mordre.

— Oh, merde ! lança Caleb en reculant juste avant de se faire croquer par la gueule immense et aux dents acérées du briar.

Tel un animal blessé, ce dernier restait allongé sur le sol, sa gueule mordant dans le vide pour repousser Caleb.

— Peut-être… peut-être devrions-nous simplement la laisser là et partir, suggéra timidement Pakarel, qui était revenu auprès de Victor et des autres.

— Certainement pas ! rétorqua sèchement Baroque, qui, tenant sa carabine d'une main, fouillait de l'autre dans l'une des bourses de cuir accrochées à sa ceinture. Nous devons tuer cette bête, ajouta-t-il en glissant de grosses munitions dans son arme, les briars sont extrêmement agressifs et se régénèrent très rapidement. Celui-là sera sur pied dès demain, et il reviendra nous chercher.

Baroque chargea sa carabine dans un bruit sec avant de poser son regard vers Victor, en attente de son jugement. Tournant la tête vers Pakarel, le jeune homme lui dit d'un air un peu désolé :

— Si on peut éviter un scénario similaire à celui de la tortue-dragon, alors...

Le pianiste n'avait aucune envie de tuer des animaux, mais lorsque leur vie était en danger, ils devaient agir. De plus, le jeune homme n'avait pas du tout envie d'être à nouveau poursuivi à travers la jungle par un monstre démesuré.

— Cette créature n'a pas à mourir par notre faute, intervint Udelaraï, qui était toujours armé de son bouclier et de sa lance translucide et bourdonnant d'énergie.

Toutes les têtes se tournèrent vers le vieil homme. Il écarta doucement les bras et tout à coup, le bouclier et la lance se dématérialisèrent progressivement, avant qu'il ne reste plus que les mains vides assorties de deux bagues d'un bleu luminescent. Celles-ci perdirent leur intense couleur et redevinrent normales.

— Que... que faites-vous ? l'interrogea Victor, alors que lui et les autres fixaient d'un regard sévère le vieil homme, qui s'approchait de la bête.

Udelaraï se mit à marcher d'un pas de plus en plus lent, sa main droite légèrement tendue vers l'avant, tout en s'approchant du briar furieux, qui mordait toujours le vide, sa mâchoire claquant fortement.

— Reculez, vieil homme ! lui envoya Baroque d'un ton sec, brandissant sa carabine sous son œil. Vous n'avez aucune idée de ce que ce monstre peut faire !

Malgré l'avertissement du lézard humanoïde, le vieillard ne s'arrêta pas. Tentant d'approcher la main de la créature, Udelaraï faillit se la faire arracher à plusieurs reprises, sans pour autant être dissuadé de continuer. Au bout d'un certain temps, comme si elle avait été mystérieusement apaisée par la présence du vieillard, la bête s'était entièrement calmée, avant de se mettre à chigner faiblement, comme un chien.

— C'est ça, l'encouragea le vieil homme d'un ton apaisant. Calme-toi, mon ami, calme-toi…

La main du vieil homme se posa finalement contre la grosse tête écailleuse et ensanglantée du briar, qui cessa de chigner au même moment.

— Tout ira bien, lui murmura Udelaraï d'un ton affectueux. Tout ira bien…

C'est alors que la bague de la main droite du vieillard vira brusquement au bleu, avant de reprendre sa couleur normale. Udelaraï recula de quelques pas, sans quitter du regard l'immense bête qui était affaissée au sol. Soudain, sous les yeux écarquillés de Victor et de ses amis, le briar se releva doucement, avant de s'en aller en sens opposé, disparaissant à travers les hautes fougères de la jungle. Ils restèrent là, à écouter le son de ses lourds pas s'éloigner à travers la jungle jusqu'à devenir inaudibles.

Tandis qu'Udelaraï revenait vers eux, Victor, Pakarel, Caleb et Baroque étaient immobiles, observant d'un air incrédule dans la direction vers laquelle la bête avait disparu.

— Tout… tout ça pour qu'elle finisse par s'en aller, tout simplement ? marmonna Caleb d'un air stupéfait. Je n'y crois pas.

— Comment avez-vous fait ? demanda Pakarel, étonné, à Udelaraï, qui récupérait son bâton posé sur le sol.

— J'ai apaisé ses maux, répondit-il simplement en replaçant une mèche de cheveux qui collait à son visage en sueur. Voilà.

Victor ne put s'empêcher de se remémorer un souvenir, lorsqu'il avait lui-même subi ce genre de traitement incroyable de la part d'Udelaraï. Adolescent, il s'était retrouvé dans la chambre de la Fleur mécanique et avait été grièvement blessé par Isaac. Son grand-père avait alors inexplicablement apaisé sa douleur.

— Nous aurions quand même dû la tuer, dit Baroque en levant sa carabine d'une main pour pointer dans la direction vers laquelle le briar s'était sauvé. Il reviendra pour nous chasser.

— Oh, j'en doute, répondit Udelaraï. Et puis, il était inutile de la tuer, car nous sommes sur son terrain de chasse, après tout. Nous sommes les intrus, pas cette créature. Elle ne faisait que tenter de se nourrir… et telle est la nature des animaux.

Personne ne répondit, même si les visages de Caleb et de Baroque en disaient long ; ils trouvaient l'idée de laisser le briar s'enfuir bien mauvaise.

— Je vais récupérer mes affaires et, ensuite, retournons au cours d'eau, suggéra Victor, qui essuyait son front et ses joues recouvertes d'un mélange de terre et de sueur. Il est inutile de traîner la patte, nous avons une longue journée devant nous.

Étrangement, le sac du pianiste n'avait pas été trop endommagé par le briar, mis à part quelques déchirures.

— Espérons que le briar n'aille pas vers la plage, fit alors remarquer Baroque, sinon Rudolph et les autres auront une bien mauvaise surprise…

Passant la bandoulière de son sac par-dessus sa tête, Victor se redressa pour répondre au grand lézard, car lui aussi éprouvait une certaine crainte par rapport au briar. Seulement, avant même qu'il puisse ouvrir la bouche, Udelaraï répondit :

— Je doute fortement que cette créature embête qui que ce soit dans les prochaines journées. Elle s'endormira très bientôt. Croyez-moi, ajouta-t-il avec un petit sourire en coin.

— Qu'est-ce qui vous fait croire ça, exactement ? demanda Caleb, qui, l'air curieux, réajustait les ceintures en cuir qui retenaient les fourreaux de ses lames.

— En plus d'avoir atténué ses souffrances, expliqua le vieillard avec modestie, je lui ai injecté un profond somnifère. Rien de bien compliqué. Comme tout animal, le briar ira sans doute se trouver un endroit tranquille, où il pourra dormir pendant un très long moment.

Alors qu'il observait dans toutes les directions, Baroque fronça les sourcils de son visage reptilien et recouvert d'écailles tandis qu'un muscle frémissait sur sa joue. Il était évident que le grand reptile avait l'air dérangé par la situation, mais il ne fit cependant aucun commentaire.

– Moi, je vous fais confiance ! déclara Pakarel à l'intention d'Udelaraï alors que tous deux observaient Baroque s'éloigner.

Chapitre 17

Le démon des sables

Après avoir récupéré son glaive et son arbalète, Victor se dirigea, en compagnie des siens, vers le cours d'eau, lançant quand même des regards dans tous les sens, juste au cas où. Une fois arrivé près du ruisseau, le jeune homme s'y agenouilla avant de retrousser les manches de sa chemise. Victor s'envoya ensuite une bonne quantité d'eau sur le visage et la nuque, afin de se nettoyer et de se rafraîchir.

— Aïe ! lâcha-t-il en regardant avec une grimace de douleur sa main gauche.

Le contact de l'eau lui avait rappelé qu'une vilaine blessure s'y trouvait, causée par la lame de l'Agas lors de son agression dans le calmar métallique. Tout en nettoyant sa plaie, le jeune homme profita du moment pour observer furtivement ses amis. Pakarel et Caleb discutaient joyeusement en riant alors que Baroque, qui venait de se relever, buvait de l'eau à grandes gorgées depuis une gourde, l'air dérangé par la bonne humeur des deux autres. Victor tourna ensuite son regard vers son grand-père, qui s'épongeait le front à l'aide de l'eau du ruisseau, et l'observa pendant un bon moment. Malgré l'épaisse aura de mystère qui englobait Udelaraï et son agaçante habitude de tout savoir, le jeune homme était énormément reconnaissant d'être à ses côtés et de partager du temps avec lui.

Alors que le jeune homme regardait son grand-père avec un petit sourire au visage, ce dernier tourna la tête vers lui, croisant aussitôt son regard. Soudain mal à l'aise, Victor détourna vite son attention vers sa main blessée.

— Depuis quand es-tu tatoué, jeune homme ? lui demanda Udelaraï.

Victor, pris au dépourvu, eut besoin de deux secondes avant que l'information se rende à son cerveau.

– Oh! lâcha-t-il en observant son avant-bras, sur lequel on pouvait voir la queue de la wyverne qui était tatouée sur son bras. Euh… ça fait un bon moment. Environ une année et quelques mois, je dirais.

– Qui t'a fait ce tatouage? lui demanda Caleb, un peu plus loin, qui s'était redressé avant de visser le bouchon de sa gourde fraîchement remplie.

– Marlboro Reinhart, lui répondit Victor en fouillant dans son sac afin d'y récupérer sa propre gourde.

Le pianiste remplit sa gourde et la porta à sa bouche. Il réalisa alors que Caleb et Pakarel l'observaient avec une stupéfaction silencieuse.

– Quoi? leur envoya-t-il d'un air incertain, les regardant tour à tour.

– *Le* Marlboro Reinhart? couina Pakarel avec de grands yeux.

– Euh… oui, répondit Victor. Enfin, je crois, car je ne sais pas si on parle du même…

– C'est un satyre? demanda Pakarel en plissant les yeux.

– Ouais, répondit Victor en remplissant sa gourde une autre fois.

Le regard baissé sur sa gourde, qui se remplissait d'eau, le jeune homme sentit quelque chose s'approcher de lui. Pakarel se trouvait maintenant à quelques centimètres de son visage, la bouche entrouverte. Pris d'un sursaut, le jeune homme laissa tomber sa gourde en lâchant :

– Nom de…! Qu'est-ce qui te prend?

De ses grands yeux exorbités, lui donnant un air frôlant la démence, Pakarel dit :

– Tu… tu t'es fait tatouer par le plus grand joueur de grombrug au monde?

Caleb ricana et rectifia d'un air léger :

– Je ne dirais pas qu'il est le meilleur joueur au monde, mais…

— Sacrilège ! l'interrompit Pakarel d'un air noir en bondissant sur ses pieds. Tu n'es pas un partisan des BBB, c'est ça ?

Le demi-gobelin fit un pas en arrière, presque intimidé par la petite boule de poils au grand chapeau.

— Des quoi ? demanda Victor, qui n'avait pas du tout compris la référence.

— Les Barbares beuglants barbus ! lui répondit sèchement Pakarel avant de foudroyer Caleb du regard à nouveau.

— Bon, d'accord, reprit le demi-gobelin. D'accord, c'est un sacré bon joueur, mais…

L'expression meurtrière collée au visage du pakamu l'incita à dire :

— … mais rien, finalement. Un sacré bon joueur, répéta-t-il. Totalement.

Puis, Pakarel tourna vivement la tête vers Victor.

— C'était comment, reprit le raton laveur d'un air adouci, de se faire toucher par Marlboro lui-même ?

— Euh… cette discussion devient un peu bizarre, ricana Victor, qui s'était redressé, laissant Pakarel déçu. Vous avez tous rempli vos gourdes ? envoya-t-il à Baroque, Caleb et son grand-père. Ce n'est peut-être pas une bonne idée de rester dans le coin… surtout avec le briar.

— Bien sûr, répondit Udelaraï à la place des autres, appuyé sur son bâton, attendant visiblement leur départ.

Le jeune homme hocha la tête avant d'essuyer son front luisant de sueur à l'aide de son avant-bras. Pour Victor, l'envahissante et lourde température tropicale venait de franchir le seuil du supportable, surtout considérant le fait qu'il trimbalait avec lui sa canne, son glaive, son arbalète, son sac et son manteau ! Cette fois, c'était décidé ; il allait user de son gadget.

— Que fais-tu, Victor ? lui demanda Pakarel, curieux.

Le jeune homme avait ouvert son sac et y fouillait d'une main aveugle. Finalement, Victor parvint à en tirer son régulateur. C'était le nouveau modèle que lui avait offert Zackarias, mais qu'il n'avait jamais eu l'occasion d'utiliser. L'objet ressemblait à une petite plaque métallique sur laquelle était ancrée une fiole de liquide rougeâtre. Tout autour du disque se trouvaient quatre petites ampoules, qui s'allumeraient une fois le régulateur connecté au récepteur du jeune homme.

— Qu'est-ce que c'est ? demanda Udelaraï.

— Un régulateur de température corporelle, lui répondit le jeune homme. Ça… régule la température, ajouta-t-il avec un sourire en coin.

— Le fait que tu connectes ce truc à ton corps me répugnera toujours, lui dit Caleb avec une grimace de dégoût.

Ignorant les propos de son ami, Victor lui envoya un sourire avant de lever le bas de sa chemise et de connecter son régulateur à la plaque réceptrice qui se trouvait au bas de son dos. Aussitôt, Victor sentit une vague de fraîcheur serpenter tout au long de sa colonne vertébrale. L'humidité et la chaleur excessive venaient de disparaître.

— Comme ça doit être pratique ! commenta Udelaraï d'un air enjoué.

— Non, merci pour moi, fit remarquer Caleb d'un rire jaune.

Maintenant bien plus à l'aise, Victor tira sa canne de son étui dorsal.

— Et maintenant, par où continuerons-nous notre route ? demanda-t-il à l'intention de Caleb et de Baroque, tout en ajustant les bandoulières de son sac et de son arbalète.

— Par là, je crois, répondit Caleb en désignant du menton la direction dans laquelle le ruisseau s'écoulait, tout en attachant sa chevelure bleutée à l'aide d'un élastique.

Baroque s'agenouilla alors, prenant appui sur la crosse de sa carabine, avant d'étudier les multiples traces de pas qui étaient marquées au sol, près du ruisseau.

— Il s'est arrêté ici pour s'abreuver, tout comme nous, dit-il d'un air songeur tout en passant son doigt griffu sur les traces. Comme Caleb l'a dit, l'Agas a longé le ruisseau.

— C'est ce que je disais, confirma le demi-gobelin.

D'un air pensif, Pakarel prit la parole :

— Je me demande à quoi ces Agas ressemblent sous leur cagoule...

— Je n'ai pas vraiment l'intention de le découvrir, lui fit savoir Caleb sans l'observer. Allons. Poursuivons.

Victor, Caleb, Pakarel, Udelaraï et Baroque reprirent leur route en file indienne, longeant le cours d'eau. La randonnée sur cette île des Antilles était devenue bien plus agréable pour Victor depuis qu'il ne ruisselait plus de sueur comme une éponge pressée.

Victor et les siens marchèrent à travers la jungle dense pendant près d'une heure, accompagnés par le chant omniprésent des oiseaux et par d'énormes moustiques bourdonnants, qu'ils ne cessaient de chasser de vifs gestes de la main. Au bout d'un moment à escalader des roches immenses, à enjamber des ronces et à affronter la dense végétation de la forêt, le jeune pianiste remarqua que son grand-père perdait le rythme. En effet, celui-ci traînait plusieurs mètres en arrière. Le jeune homme s'arrêta auprès d'un arbre afin qu'Udelaraï puisse le rattraper.

— Comment vous sentez-vous ? lui demanda le pianiste, lorsque son grand-père passa auprès de lui.

— Bien... bien, répondit le vieil homme à bout de souffle, ses cheveux argentés maintenant imbibés de sueur et d'humidité.

Trahissant ses paroles, Udelaraï se mit à tousser fortement, à la grande inquiétude de son petit-fils.

— Arrêtons-nous ici, annonça-t-il d'une voix forte au groupe, tout en dévissant le bouchon de sa gourde afin d'y boire quelques gorgées.

Pakarel lui envoya un regard reconnaissant, avant de se laisser tomber sur les fesses, sa queue touffue de raton laveur entre ses petites jambes aux grosses bottes.

— Aïe, aïe ! se plaignit le pakamu en retirant ses bottes afin de masser ses petits pieds. Mes pieds sont enflammés. Ouille !

Caleb s'assit sur une roche et déchira l'emballage d'une barre de chocolat. Mais Baroque, qui était toujours en tête, tout en haut d'une grosse racine d'arbre, se retourna vers le groupe, qu'il observa d'un regard désapprobateur.

— Nous devrions poursuivre notre chemin, Pelham, lui lança-t-il. Nous ne sommes plus très loin.

— Cinq minutes, insista Victor d'un ton ferme.

Le grand lézard répondit d'un grognement avant de se laisser tomber de la racine jusqu'au sol, dans un lourd choc.

— Comme tu veux, Pelham, lui dit Baroque en posant sa carabine et le fourreau de sa large épée au pied d'un arbre, avant de s'y asseoir. Cinq minutes, alors.

Udelaraï s'était assis sur une souche renversée, épongeant son front de la manche de sa chemise déjà mouillée par la sueur. Victor alla le rejoindre et s'assit à ses côtés, lui tendant sa gourde au passage.

— Buvez, lui ordonna-t-il. Vous êtes déshydraté.

Udelaraï lui obéit et but quelques gorgées de la gourde, l'eau dégringolant sur sa barbe.

— Ce n'était pas une bonne idée de vous laisser venir avec nous, lui confia Victor, qui jouait avec sa canne. Vous êtes épuisé, vous auriez dû vous reposer un peu.

Alors que le pianiste observait les alentours, il crut voir, du coin de l'œil, son grand-père porter quelque chose à sa bouche. On aurait dit une petite pastille foncée. Fortement intrigué et fronçant les sourcils, Victor ramena entièrement son attention vers Udelaraï.

— Ne t'en fais pas trop pour moi, jeune homme ! lui fit savoir le vieillard en souriant. J'ai plus d'un tour dans mon sac. Certes, la chaleur est écrasante, mais je me porte à merveille.

Évidemment, son grand-père cherchait à détourner le sujet de ce que Victor venait de remarquer.

— Qu'est-ce que... qu'est-ce que vous venez de manger ? demanda le jeune homme, qui avait très bien remarqué que son grand-père venait d'ingurgiter quelque chose.

Udelaraï resta silencieux pendant quelques secondes, fixant son petit-fils d'un air plutôt sérieux, avant que son expression s'adoucisse progressivement.

— Oh ! répondit-il comme si de rien n'était, ce n'était qu'une simple pastille pour soulager la douleur de mes rhumatismes, surtout avec cette humidité !

Les lèvres de Victor s'étirèrent, entre la grimace et le sourire. Il n'était vraiment pas convaincu par les mots de son grand-père, qui venait de lui mentir en pleine figure. À ce moment-là, son attention fut vite perturbée par un mauvais pressentiment… quelque chose n'allait pas et ce sentiment l'agaçait. Victor leva les yeux au ciel. Quelques longs rayons dorés s'étaient frayé un chemin entre les arbres, faisant briller de petites particules qui voltigeaient dans l'air. C'est là que le jeune homme put mettre le doigt sur ce qui ne tournait pas rond.

— Les oiseaux, dit-il.

— Mmmh ? lui renvoya Udelaraï, avalant une gorgée d'eau. Qu'est-ce qu'il y a ?

— Nous n'entendons plus leur chant.

— Depuis une demi-heure environ, précisa le vieillard.

Le jeune homme leva un sourcil.

— Vous aviez remarqué ?

Udelaraï confirma d'un hochement de tête. À ce moment-là, un gros moustique, le premier que le jeune homme voyait depuis un bon moment, d'ailleurs, passa dans son champ de vision, volant avec difficulté, avant de s'effondrer au sol. Ses ailes battirent encore quelques instants, ses pattes gesticulant faiblement avant qu'il cesse de bouger. Victor réalisa une fois debout qu'il s'était inconsciemment levé pour mieux observer la scène, bouche bée.

— Nous ne sommes plus très loin, dit Udelaraï.

Victor tourna la tête vers son grand-père, l'air perdu.

— Que… De quoi parlez-vous ? bégaya-t-il.

— De la Liche et de notre pauvre ami Manuel, précisa le vieil homme en rendant sa gourde à Victor. Tu te souviens de m'avoir demandé en quoi les Liches dérangeaient l'écosystème ? Ce qui arrive autour de toi en est une démonstration.

Le jeune homme sentit une présence à ses côtés. C'était Caleb, mâchant sa dernière bouchée de barre de chocolat tout en froissant le papier de sa main gauche.

— C'est donc pour cela qu'il n'y a plus d'animaux ? demanda-t-il, la bouche pleine.

— Exact, confirma Udelaraï. Et c'est aussi pourquoi les oiseaux ne sont plus présents et les insectes meurent. C'est le résultat de la présence d'une Liche qui rôde dans les alentours depuis un bon moment.

Pakarel s'était approché, lui aussi, tenant son gros chapeau sur son ventre, dévoilant ainsi sa petite tête mignonne de raton laveur.

— Vous savez de quoi elle a l'air, cette Liche ? demanda-t-il d'une petite voix incertaine.

— Aucune idée, lui répondit Udelaraï. Nous le découvrirons bientôt.

Seul Baroque était demeuré à l'écart, toujours adossé à un tronc d'arbre, mâchant une miche de pain de sa grosse gueule reptilienne. Cependant, il fixait attentivement le groupe, et Victor savait que son ouïe de lozrok, beaucoup plus fine que celle des humains, lui permettait d'écouter la conversation.

— J'ai faim, dit Pakarel en massant son petit ventre. Je crois que je vais aller cueillir quelques fruits. J'en ai vu quelques-uns dans un buisson, pas très loin.

— Mauvaise idée, lui déconseilla le vieil homme. Plus nous nous enfonçons dans la forêt, plus celle-ci est infectée par la présence de la Liche. Nous ne devrions rien avaler de cette jungle avant de revenir plus près de la plage.

Le raton laveur afficha un air déçu. Finalement, l'idée de dévorer quelques fruits avait l'air de lui sembler bien moins alléchante.

— Et l'eau que nous avons bue plus tôt ? demanda Caleb, qui tenait sa gourde en l'observant d'un air suspicieux. Elle était potable, j'espère ?

Après s'être éclairci la gorge, Udelaraï répondit :

— L'eau possède une particularité chimique qui, à long terme, étouffe et détruit toute radiation excessive, comme celles causées par les Liches.

Caleb échangea un long regard avec Pakarel, qui haussa les épaules. Le demi-gobelin fronça les sourcils, n'ayant vraiment pas l'air convaincu, mais hocha tout de même la tête avant de s'en retourner vaquer à ses occupations.

— Dis, Caleb, tu as d'autre chocolat ? lui envoya Pakarel. Je meurs de faim.

— Ouais, viens, lui répondit le demi-gobelin sans prendre la peine de se retourner.

Le pakamu trotta aussitôt sur ses talons afin de le rattraper. Victor allait inconsciemment prendre une gorgée d'eau, mais au dernier moment, il s'arrêta, observant l'intérieur de sa gourde avec un certain manque d'assurance. Finalement, il renonça à ses craintes et but quelques gorgées. De toute façon, si l'eau était vraiment infectée, il serait déjà contaminé.

— Comment va ta main ? lui demanda Udelaraï.

— Pas très bien, je dois avouer, répondit Victor en observant sa main gauche.

En effet, à force d'utiliser sa canne et d'y mettre un certain poids, sa plaie s'était un peu plus ouverte et s'était mise à picoter fortement.

— Je vais la nettoyer à nouveau et me faire un pansement, décida le jeune homme en contemplant sa main. Chose que j'aurais dû faire plus tôt. Hé, Caleb !

Un peu plus loin, le demi-gobelin, qui discutait avec Pakarel, leva la tête.

— Tu aurais un bandage pour ma main ? lui envoya Victor en brandissant sa main en l'air.

Caleb se mit à fouiller dans son sac.

— Ton gadget est bien utile, lui fit savoir son grand-père alors que Victor fouillait dans son sac. Comment t'es-tu fait installer cette plaque, que tu as dans le bas du dos ?

Alors qu'il vidait le reste de sa gourde sur sa main, le pianiste dit avec un petit sourire en coin :

— Vous ne savez pas comment ça m'est arrivé ? Vous qui savez toujours tout, d'habitude…

Udelaraï eut un petit rire, tandis que Victor lui envoya un clin d'œil.

— Tu serais surpris de savoir tout ce que je ne sais pas, jeune homme ! répondit-il avec amusement.

Victor attrapa le rouleau de bandage blanc que Caleb venait de lui lancer. Puis, tout en se bandant la main, le jeune homme continua :

— Pour répondre à votre question, grand-père, je me suis fait poser cette plaque, que l'on appelle « récepteur », voilà bien des années, lorsque j'avais 16 ans. J'allais mourir d'hypothermie, vous savez ce que c'est ?

Tout en jouant avec la pointe de sa longue barbe, le vieillard répondit avec une fausse modestie :

— L'hypothermie est une situation dans laquelle le corps d'une créature à sang chaud passe sous le seuil des 35 degrés, si je ne m'abuse ?

Il observait maintenant Victor d'un petit air amusé.

— Vous êtes fier de votre coup, hein ? lui renvoya le jeune homme d'un air amical en finissant d'enrouler son bandage.

— Un peu, admit Udelaraï d'un air vantard.

Les lourds pas de Baroque se firent entendre, accompagnés des tintements métalliques de sa cuirasse et de ses armes. Son plastron marqué d'une tête de lézard sectionnée luisait aux rayons de soleil, qui transperçaient les feuilles. Le lozrok avançait vers Victor et son grand-père, le fourreau en peau animale contenant son épée sous le bras et sa carabine à deux canons superposés dans l'autre main.

— Il semblerait que tu doives reporter l'histoire de ton récepteur à une autre fois, dit Udelaraï à son petit-fils à voix basse.

Le lézard à la crête jaune déposa sa carabine contre la souche sur laquelle étaient installés le pianiste et son grand-père. Baroque passa le fourreau de sa large épée dans son dos avant de s'assurer qu'elle était bien maintenue en ajustant la bandoulière qui passait en diagonale sur son plastron.

— Pelham, dit-il de sa voix particulièrement grave avant de saisir sa carabine, qu'il rangea sur son épaule, les cinq minutes sont écoulées depuis peu.

Victor observa Baroque pendant un bref moment avant de répondre. Il était bien heureux d'avoir un lozrok à ses côtés. Non seulement parce qu'il était incroyablement intimidant, mais parce que le jeune homme savait qu'il ferait un excellent garde du corps ainsi qu'un guerrier redoutable.

— D'accord, lui confirma Victor en se laissant glisser de la souche renversée. Grand-père, vous êtes prêt ?

— Absolument ! répondit le vieillard, qui se leva avec énergie.

Pakarel et Caleb, qui avaient vu Baroque arriver, se levèrent eux aussi afin de les rejoindre.

— On te suit, Baroque ! dit le pakamu contraint de lever les yeux vers le ciel et de retenir son chapeau pour croiser le regard du grand lézard.

Après avoir aisément retrouvé les traces de l'Agas qui s'était aventuré dans la jungle avec le bâton d'Udelaraï, Victor et les autres reprirent leur route, suivant Baroque, toujours en tête du groupe. Maintenant qu'il avait bien bandé sa main gauche, le jeune homme n'eut plus aucun problème à maintenir sa canne à travers les nombreux obstacles de la jungle.

À un moment, Pakarel accéléra le pas afin de rejoindre Baroque, qui avait une bonne avance sur le reste du groupe. Une fois à ses côtés, le pakamu fixa très ouvertement le grand lézard, tout en marchant près de lui.

— Quoi ? demanda finalement Baroque à l'intention de Pakarel, d'un air plutôt patient, sans même lui accorder un regard.

— Quoi quoi ? répéta Pakarel d'un air innocent, continuant de l'observer avec intérêt.

Caleb, Victor et Udelaraï marchaient quelques mètres derrière eux et observaient la scène.

— Il va exploser, leur chuchota Caleb, en désignant Baroque du menton.

— Tu crois ? lui renvoya Udelaraï.

— Je n'en suis pas si sûr, répondit Victor à voix basse. Baroque est patient de nature.

— Avec Pakarel, ajouta Caleb, qui était en désaccord, la patience chavire assez vite… Crois-moi, mon vieux.

Ils marchèrent ainsi pendant quelques minutes, écartant les fougères de leurs mains et enjambant les racines gênantes dans cette jungle étrangement calme. Même à travers ces obstacles, Pakarel ne décrocha pas son regard de Baroque. Caleb donna quelques coups dans le flanc de Victor. Par son visage rieur, le jeune homme vit bien que son ami demi-gobelin éprouvait un malin plaisir à épier l'interaction entre Pakarel et Baroque.

— Il va exploser, je te dis ! chuchota Caleb. Regarde !

Comme l'avait prédit le demi-gobelin, Baroque s'arrêta, ce que firent également Victor et les autres, par instinct. Cependant, c'est avec un calme remarquable que le lozrok demanda à Pakarel :

— Qu'est-ce que tu veux, petit ?

— Rien ! lui répondit le raton laveur d'un air taquin en se balançant sur ses talons.

— Pfff ! lâcha Baroque avant de poursuivre sa route.

Caleb, dont le visage affichait un air royalement déçu par la réaction du lozrok, marmonna avec incompréhension :

— Je ne comprends pas… Comment fait-il pour garder son calme ?

Devant la réaction de son ami, Victor ne put s'empêcher de lui tapoter l'épaule en ricanant afin de l'inciter à marcher.

— Allez, viens, dit-il entre deux rires. Il faut croire que tes dons de divination ne sont pas aussi accomplis que tes talents de ballerine !

Au bout de quelques minutes, Pakarel, qui fixait toujours Baroque avec un étrange intérêt qui ne semblait pas le fatiguer, se décida finalement à lui dire :

— C'est vrai que tu préfères qu'on pêche ton poisson à ta place ?

– Non, mais c'est ce que croit Udelaraï, lui répondit Baroque, qui écarta une imposante fougère à l'aide de sa carabine.

À la grande déception de Caleb, qui en devenait presque morose, le lozrok n'avait pas perdu patience.

– Tu sais, déclara Pakarel, qui trottait derrière Baroque, je te trouve vraiment cool pour un grand lézard de deux mètres.

– Intéressant, dit Baroque avec nonchalance tout en enjambant une ronce particulièrement grosse, sa queue de reptile serpentant derrière lui.

– Au début, je croyais que tu serais du genre « je mange tout ce qui bouge », s'expliqua Pakarel en mimant les guillemets, mais finalement, tu es gentil. Dis, Baroque, je peux te poser une question ?

– Et si je disais non ? lui renvoya le lozrok d'un air absent.

– Où as-tu connu Victor ? lui demanda quand même Pakarel, ignorant délibérément la réponse de Baroque.

– Pourquoi ne lui demanderais-tu pas directement ? lui répondit le lézard humanoïde.

Pakarel s'immobilisa, fixant Baroque avec étonnement, avant de le rejoindre au pas de course.

– Tu es vraiment grand, hein ? lui envoya le pakamu. Ça ne doit pas être évident d'aller aux toilettes dans les maisons classiques…

À la suite de cette remarque, Victor dut se masquer la bouche de la main droite afin d'étouffer un rire.

– C'est la constatation du siècle que tu viens de faire, lui répondit Baroque, brisant une branche gênante et se mettant à escalader une petite pente. Faites attention, envoya-t-il aux autres. La pente est glissante. Aïe ! ajouta-t-il brusquement, l'air irrité.

Pakarel venait de s'agripper à l'énorme queue du reptile, afin de se faire hisser jusqu'en haut de la pente.

– Pardon, pardon, s'excusa ce dernier, qui lâcha la queue une fois qu'ils furent arrivés en haut. Alors, tu me dis où tu as rencontré Victor ?

D'un ton las, Baroque lui répondit :

— On s'est croisés lorsqu'il avait réquisitionné l'aide des Kobolds, voilà quelques années.

— En fait, continua Pakarel, qui se dépêcha de rattraper le lozrok, je voulais savoir comment Victor s'y est pris pour te demander de l'accompagner avec nous, parce que... Hé, que fais-tu ?

Baroque ne répondit pas. Il s'était arrêté, avant de poser un genou sur le sol, s'appuyant sur sa carabine. Le lozrok passa la main sur le sol boueux, avant d'observer autour de lui. Victor, Caleb et Udelaraï arrivèrent à ses côtés, froissant les fougères au passage.

— Qu'est-ce que tu as vu, Baroque ? lui demanda le jeune homme.

— Les traces s'arrêtent-elles ? s'inquiéta Udelaraï, qui s'épongea le front à l'aide de sa cape de voyage, maintenant souillée de boue et de brins d'herbe.

— Non, répondit Baroque, elles ne s'arrêtent pas.

Caleb s'accroupit à son tour et, après avoir jeté un coup d'œil au sol, releva la tête vers Victor, les sourcils froncés.

— Regarde ça, lui dit-il.

Le jeune homme s'appuya sur sa canne pour poser un genou au sol avant d'analyser les traces au sol. À première vue, on aurait dit des traces de bouc, mais muni de deux orteils griffus. Seulement, un détail assez inhabituel lui sauta aux yeux. Le contour des traces était entièrement calciné, mis à part quelques endroits encore rougeoyants comme de la braise. D'après la distance entre chacun des pas brûlés dans le sol, la créature, visiblement bipède, devait être aussi grande que Baroque. Suivant les traces du regard, Victor remarqua qu'elles suivaient exactement celles de l'Agas que ses amis et lui poursuivaient.

— Qu'est-ce que tu crois que c'est ? lui demanda Pakarel, qui observait les traces tout près de lui.

— Aucune idée, répondit Victor.

Pakarel croisa le regard de Caleb en quête d'aide, mais celui-ci avait l'air tout aussi confus que lui. Le jeune homme lâcha un regard par-dessus son épaule, tentant de discerner d'autres traces sur le sol. Étrangement, la piste calcinée débutait ici, en plein milieu de la jungle.

— Mmmh, lâcha le pianiste, grattant ses joues picotées de barbe.

— Pas d'autres traces ? lui demanda son grand-père, appuyé sur son bâton.

Tout en levant son regard au ciel afin d'analyser les arbres et leurs branches, le jeune homme répondit :

— À moins que notre ami soit venu des arbres.

— Tu crois ? demanda Caleb. C'est bien trop haut. Ces arbres sont immenses, mon vieux.

Avec précaution, Victor passa son index sur l'empreinte afin de déterminer sa chaleur. Même si quelques petits tisons étaient encore allumés, la trace était tiède. Il toucha deux autres traces et celles-ci se révélèrent un peu plus chaudes.

— En tout cas, déclara Victor en se redressant, tout porte à croire que cet être poursuit le même Agas que nous. Et il est passé ici il y a peu de temps.

Lorsque Victor, qui observait les alentours à la recherche d'indices, posa par hasard son regard sur Baroque, il remarqua que celui-ci semblait contrarié.

— Baroque, lui demanda-t-il, reconnais-tu ces traces ?

Le lozrok était resté silencieux, sa longue queue s'agitant lentement de gauche à droite. Le jeune homme s'approcha de son ami reptilien et saisit son avant-bras musculeux. À son toucher, le lézard détourna ses yeux bleus vers le jeune homme. Dans son regard, Victor crut lire une certaine forme de crainte.

— Baroque, répéta-t-il, as-tu déjà vu ce genre d'empreinte auparavant ?

— Oui, Pelham, répondit finalement le reptile, j'ai déjà vu ces traces.

— Que sont-elles ? demanda Caleb.

Victor n'avait jamais vu Baroque dans un tel état. En plus d'éviter de répondre à la question du demi-gobelin, il semblait nerveux, à l'affût de tout bruit. À vrai dire, c'était très peu rassurant.

— Baroque ? lui demanda calmement Udelaraï. À qui appartiennent ces traces ?

— Au démon des sables, répondit le grand lézard.

Victor ne fut pas le seul à froncer les sourcils à la suite de cette révélation peu ordinaire. Certes, ça aurait pu être ridicule, mais en voyant la nervosité de Baroque, c'était tout l'inverse. Mais que voulait-il dire par « démon » ?

— Nous devons reprendre notre route, ajouta-t-il sur un ton sec. Restez groupés et suivez-moi de près !

Sans attendre les autres, Baroque reprit son chemin, suivant les traces qui serpentaient à travers la dense jungle. Victor et les autres n'eurent d'autre option que de presser le pas à leur tour, afin de rattraper le lézard, qui ne faisait aucun effort pour les attendre. Victor s'était attendu à ce que Caleb fasse une remarque à propos de la révélation du lozrok, mais contrairement à ses attentes, le demi-gobelin était resté tout aussi silencieux que les autres. Visiblement, il n'y avait pas matière à rire.

Le pas de Baroque s'accéléra de plus en plus, ce qui eut pour effet de faire forcer inutilement la jambe gauche de Victor. D'ailleurs, l'humeur du jeune homme commençait à en prendre un coup. Au bout d'un moment de marche rapide, celui-ci se coinça le pied dans une ronce et manqua de tomber. Par chance, Caleb l'avait retenu de justesse, mais le mal était en partie fait ; sa jambe bourdonnait de douleur.

— Je te tiens ! lui dit le demi-gobelin. Attends, prends un instant pour reposer ta jambe.

Victor choisit d'ignorer la suggestion de Caleb et voulut poursuivre sa route, mais le demi-gobelin le retint aussitôt par les épaules.

— Attends, je te dis ! lui ordonna-t-il.

Se résignant, Victor répondit par un grognement de douleur plutôt sec avant de s'adosser au pied d'un arbre énorme.

— Hé ! envoya hostilement Caleb à l'intention de Baroque, qui continuait sa route. Tu veux bien ralentir le pas, merde ?

Le grand lézard s'arrêta brusquement. Pendant un instant, Victor craignit que Caleb eût énervé Baroque. Cependant, celui-ci répondit avec rapidité :

– Nous ne pouvons pas attendre ! Si je dois porter Pelham sur mon épaule, je le ferai !

Passant sa carabine sur son épaule, Baroque revint sur ses pas en direction de Victor, sous les regards d'Udelaraï, de Pakarel et de Caleb. Au même moment, ils entendirent un bruit d'ossements se faisant broyer avec violence, avant qu'une masse, tombant du ciel, s'effondre lourdement au centre du groupe. C'était un Agas, dont le cou avait été sérieusement tordu. Pakarel, pris d'un sursaut, bondit en arrière, près de Victor, tandis qu'une grande silhouette orangée atterrit sur un genou, près du cadavre, avant de se redresser avec grâce.

– Vous n'irez nulle part, déclara l'être qui venait de faire son apparition, tenant dans sa main griffue une longue lance.

Sa voix était rauque, caverneuse et effrayante.

Chapitre 18

Une lourde décision

Le jeune homme se redressa, délaissant sa canne, dégainant doucement son glaive modifié et protégeant instinctivement Pakarel de son autre bras. Lâchant un juron, Caleb dégaina aussitôt deux de ses trois épées qui battaient sur sa taille, et Baroque fit glisser sa lourde épée de son fourreau en peau animale. Tous deux se mirent à tracer un cercle autour du nouveau venu, que Victor analysa d'un bref coup d'œil.

La créature, visiblement masculine, avait un corps athlétique et élancé, tout en étant bien sculpté de muscles. Son épiderme, qui semblait être aussi dur que de la pierre, était d'un rouge orangé et était fendu, ou plutôt gravé, en d'étranges motifs circulaires. Ses jambes, qui se terminaient en deux orteils griffus et écailleux, étaient arquées vers l'arrière, comme celles d'un satyre, d'un lozrok ou d'un bouc, et couvertes de banderoles. Son visage sévère avait des traits fins et pointus, des pommettes hautes, et le cartilage de son nez était cicatrisé de deux profondes entailles horizontales.

Une barbiche se trouvait au bout de son menton, tandis que ses longs cheveux blanc neige, qui lui tombaient jusqu'au bas du dos, étaient coiffés en une queue de cheval particulièrement haute. Le démon possédait deux paires de cornes. Les deux plus grosses, qui étaient entourées d'anneaux dorés, longeaient son front et se redressaient vers le haut. La deuxième paire de cornes, bien plus petite, passait juste derrière les oreilles du démon avant de terminer en pointe, derrière sa tête.

Les pupilles de ses yeux étaient, au grand étonnement de Victor, de petites spirales d'un vert très pâle et luminescent. L'humanoïde portait en guise de vêtement un long pagne à plusieurs étages brodé de motifs inconnus, probablement des runes, tandis que plusieurs bourses et sacs étaient fixés en bandoulière sur sa poitrine. De nombreux petits objets, que Victor supposa être des trophées ou des ornements tribaux, étaient accrochés aux sangles de ses sacs. C'était sans aucun doute le démon des sables mentionné par Baroque.

Entourée par Victor et ses compagnons, la créature fit habilement tournoyer sa lance, qui fouetta lourdement l'air, avant de se mettre en position de défense. Sa longue lance, qui devait être plutôt lourde, était munie de plusieurs mécanismes, indiquant qu'elle possédait probablement des propriétés spéciales. Puis, alors que Victor allait ouvrir la bouche pour tenter de communiquer avec l'être, ce dernier se lança sur Caleb.

Le démon trancha l'air de sa lance en direction du demi-gobelin, qui évita le coup de justesse en s'abaissant habilement. Dans le même élan, le démon envoya un solide coup du revers de la lance dans l'abdomen de Caleb, qui, pris au dépourvu, recula brutalement sous l'impact en laissant tomber l'une de ses épées au sol. Avant même qu'il puisse réagir, le démon orangé l'avait saisi par la gorge, le soulevant comme pour l'embrocher.

Victor s'élança, malgré sa jambe faible, au secours de son ami. Remarquant la présence du jeune homme, la créature, maniant sa lance d'une seule main, traça un demi-cercle à l'horizontale, qui obligea Victor à reculer brusquement. Heureusement, Caleb avait profité du moment de distraction causé par le pianiste pour donner un coup de botte dans la poitrine du démon, qui le lâcha aussitôt.

Retombant sur ses pieds, Caleb s'élança tel un félin vers son adversaire, dégainant sa troisième et dernière épée, qui était plus courte, et la mania à l'envers, assenant deux coups rapides en direction de la créature. Le premier coup atteignit sa cible de justesse ; la pointe de la lame de Caleb trancha une fine entaille sur le poitrail du démon, mais le deuxième fut repoussé par le manche de sa lance.

Au même moment, Baroque entra dans la mêlée, balançant son énorme épée contre le démon. Les coups portés par le lézard étaient lents et lourds, mais dévastateurs, ce qui força la créature orangée à reculer et à esquiver. Au bout de quelques secondes, le démon profita d'une ouverture pour envoyer un puissant coup de pied, tout en s'appuyant au manche de sa lance, dans la poitrine protégée d'une cuirasse de Baroque, qui s'écrasa contre un arbre juste derrière, laissant tomber sa lourde épée au sol dans le choc. Caleb se remit à l'assaut, maintenant toujours son épée courte à l'envers, évitant les coups de lance mortels.

Victor, Pakarel et Udelaraï observaient la scène avec impuissance, n'osant pas intervenir par peur de blesser Caleb, qui livrait à lui seul une lutte féroce et rapide contre la créature. Baroque se redressa, se secouant un peu la tête avant de ressaisir son épée et de repartir à la charge. Puis, sous les yeux de Victor, Caleb, qui venait de faire tournoyer sa lame afin de la tenir à l'endroit, leva le bras pour assener un autre coup d'épée au démon. Contre toute attente, la créature le bloqua en se saisissant de la lame, qui se mit aussitôt à fumer et à rougir. Un instant plus tard, pendant lequel le demi-gobelin était resté frappé de stupeur, le démon brisa l'épée d'une seule main. Les mains et les pieds du démon s'enflammèrent aussitôt, ce qui força Caleb à reculer subitement. Baroque s'arrêta sur ses pas, terrorisé par la combustion de la créature. Le demi-gobelin, qui reculait sans regarder derrière lui, se prit le pied dans une ronce avant de tomber sur le sol. Le démon s'approcha de lui, levant sa lance…

– Hé ! lui cria Victor en se ruant vers lui, le cœur battant la chamade, son glaive levé.

De toutes ses forces, le jeune homme abattit son arme contre le bras de la créature. À sa grande surprise, sa lame atteignit sa cible. Cependant, l'excitation ne dura pas, car Victor réalisa avec épouvante que son glaive s'était à peine enfoncé, suffisamment cependant pour se coincer solidement dans sa chair, comme s'il avait frappé contre du bois. Abandonnant son arme, qu'il ne parvenait pas à déloger, Victor recula de quelques pas. La créature foudroya le jeune homme de son regard verdoyant et délogea l'arme, qu'il jeta vulgairement au sol, tandis que Caleb s'éloignait en rampant avant de se redresser.

— Laisse ces jeunes tranquilles, ordonna Udelaraï d'un ton sévère et froid.

Pakarel et Caleb furent tout aussi ébranlés que Victor d'entendre le vieil homme parler sur un tel ton. C'était très inhabituel, impressionnant et même effrayant. Baroque voulut s'interposer contre le démon, mais le vieillard lui fit signe de son bras droit de ne pas intervenir.

— Vous profanez cette île ! lui envoya sèchement le démon aux quatre cornes, tout en désignant Udelaraï et les autres de son index griffu. C'est par votre faute, si ce monde est infecté ! Vous portez et répandez ce mal !

— Vous tremblez, lui dit Udelaraï d'un air adouci, presque soucieux.

En effet, Victor remarqua que la créature orangée tremblait de tout son corps et que sa respiration devenait plus difficile ; ce n'était pas de l'épuisement normal.

— Vous êtes malade, poursuivit le vieil homme. Arrêtons ce cirque !

Le démon, qui fixait Udelaraï d'un air mauvais, lui dit d'une voix hargneuse :

— De piètres paroles dites par des lâches, qui sont incapables d'affronter les conséquences de leurs actes.

C'est à ce moment-là que Victor remarqua un détail ; le démon avait l'air incroyablement épuisé, sa poitrine gonflant rapidement, à bout de souffle. Malgré tout, la créature brandit sa lance et la pointa vers Udelaraï. Le vieil homme hocha la tête, l'air désappointé, avant de dire :

— Très bien. Qu'il en soit ainsi.

La créature pressa le pas, tenant sa lance d'une main, par-dessus son épaule, pointée vers le vieillard. Dans un instant, il se ferait transpercer.

— Udelaraï, attention ! cria inutilement son petit-fils, horrifié.

Pris de panique, Victor lâcha son glaive et saisit son arbalète, même s'il était probablement trop tard. Puis, tout à coup, Udelaraï étira son bras droit d'un geste vif, sa cape de voyage voltigeant au passage, tandis qu'une épée bleutée et translucide se matérialisait dans sa main.

Le démon perfora l'air en direction d'Udelaraï, qui, avec une agilité remarquable, avait esquivé l'attaque et, dans le même mouvement, porté un coup d'épée d'une effroyable force, qui trancha la lance du démon en deux. Le visage de la créature se crispa dans une incompréhension totale, puis, sous les yeux de Victor et des siens, le démon fut pris de violentes convulsions, s'effondrant sur un genou.

– C'est... c'est de la sorcellerie! gronda-t-il avec fureur alors qu'il s'écroulait à plat ventre au sol, visiblement incapable de se contrôler.

Victor, Caleb, Baroque et Pakarel rejoignirent Udelaraï, qui fit disparaître son épée d'un geste las. Le démon se mit à ramper sur le sol, se traînant en griffant férocement la terre de ses mains. La créature étendit sa main droite qui, tremblotante, saisit faiblement la botte droite du pianiste. Victor observa l'être orangé non pas avec peur, mais avec une certaine... pitié. La créature qui gisait à ses pieds était mourante.

Aussitôt, le grand lézard donna un coup de pied dans la main du démon et pivota son épée afin de la placer au-dessus de la créature, comme pour l'achever.

– Non, lui interdit Udelaraï d'un geste de la main.

Ahuri et choqué, Baroque lui dit :

– Udelaraï, vous n'avez aucune idée du mal que cet individu a causé...

Le vieillard l'interrompit, s'adressant à son petit-fils et à ses amis :

– Reculez. J'ai besoin d'espace.

Victor l'interrogea brièvement du regard, mais il vit que son grand-père était tout à fait sérieux. Il fit signe à Caleb et à Pakarel de reculer avec lui. Seul le reptile demeura immobile, observant le démon d'un air dégoûté, mais absent, la pointe de son épée traînant au sol.

– Baroque, viens, lui ordonna Victor.

À contrecœur, le lozrok recula, laissant Udelaraï seul auprès du démon. Victor et ses amis observèrent le vieillard, qui écarta sa cape de voyage d'un geste avant de s'agenouiller auprès de la créature. Le jeune homme vit par l'expression de son visage que Caleb était tendu, mal à l'aise avec la situation, alors que Pakarel semblait plutôt curieux. Quant à Baroque, il avait l'air bouleversé, voire démoli. Juste par précaution, Victor arma un carreau dans son arbalète, tout en prenant soin de s'assurer d'un coup d'œil rapide que le mécanisme d'ajout de poudre à canon était bien désengagé.

Le soleil de l'après-midi transperçait le tapis de feuilles et de branches qui surplombait la scène au beau milieu de la jungle. Udelaraï saisit le démon par les épaules et, avec un certain effort, parvint à le tourner sur le dos. Puis, il se mit à toucher le démon de son index et de son majeur à différents points sur son corps, comme l'aurait fait un médecin. Enfin, Udelaraï déclara :

— Vous êtes grièvement irradié, mon cher ami.

Le démon ne répondit pas ; il semblait avoir perdu connaissance. Le vieil homme essuya ensuite son front dégoulinant de sueur, ce qui rappela à Victor qu'il utilisait toujours son régulateur et qu'il serait préférable de le retirer, afin d'éviter de courir le risque d'en subir les effets secondaires. Passant son arbalète dans son autre main, le jeune homme délogea le régulateur de sa plaque dorsale et le glissa dans son sac.

La température humide et oppressante refit aussitôt son apparition ; Udelaraï et les autres pouvaient bien être mouillés de sueur ! Udelaraï, accroupi près du démon orangé, fit apparaître quelque chose dans sa main, que Victor reconnut comme étant la pochette protectrice qui devait être offerte à Rauk. Dans un effort qui sembla difficile, Udelaraï parvint à ouvrir la bouche du démon et y enfonça ensuite ses doigts.

— C'est votre jour de chance, mon cher ! déclara-t-il au démon avant de lui enfoncer la totalité de la pochette dans la gorge.

Caleb fronça les sourcils, et Pakarel chuchota à Victor :

— Qu'est-ce que ton grand-père fait ? Et pourquoi est-ce que le monstre orange est épuisé ainsi ?

– La présence de la Liche l'a mortellement irradié, expliqua Victor en regardant son grand-père, qui maintenait de ses deux mains la gueule du démon bien refermée. Udelaraï veut lui sauver la vie.

– On sait de qui tu tiens, maintenant, gloussa Caleb tout en observant la scène avec un regard bourré de désapprobation.

– Ne sois pas désagréable, lui envoya Pakarel, prenant la défense du pianiste.

Soudain, le démon se redressa en position assise dans un mouvement vif, avant de retirer la pochette de sa bouche. Alertés, Victor et ses camarades sursautèrent, prêts à tout. Le démon roula sur le ventre, grognant de douleur, pris de violents haut-le-cœur. Ses doigts griffus labourèrent la terre avant qu'il se mette à vomir un liquide verdâtre. Udelaraï, qui s'était relevé, se tenait près du démon, penché vers lui, lui disant :

– C'est bien, continuez. Il faut que tout ce poison quitte votre corps.

– Victor, regarde ! s'exclama Pakarel en pointant la scène du doigt.

Sous les regards ébahis de Victor et des autres, le mucus expulsé par le démon rendit le sol d'un noir cendré, avant de se répandre doucement comme de l'encre dans l'eau, empoisonnant la végétation sur un rayon de quelques mètres, avant de s'arrêter aux pieds du jeune pianiste, qui avait instinctivement reculé d'un pas. La végétation de la zone affectée devint méconnaissable en quelques secondes seulement. L'écorce des arbres vira au noir et craqua, s'égrainant, comme s'ils étaient faits de cendre. La végétation se tordit, fana, avant que des bulbes luminescents gros comme des ballons bleus, orange et violets prennent forme. C'était presque surnaturel, songea Victor. Sinistre et étrangement magnifique à la fois.

En plein centre de la zone infectée se trouvaient Udelaraï et le démon, qui respirait difficilement, à quatre pattes, le visage contre le sol. La pochette, qui se trouvait à quelques centimètres du démon orangé, était devenue bleu luminescent.

— Gardez la pochette avec vous, dit Udelaraï à l'intention de la créature. Elle vous protégera. Dépêchez-vous de la prendre.

Le démon leva un regard sombre vers le vieillard, dévoilant ses canines proéminentes, un peu comme celles de Caleb. Puis, il saisit la pochette d'un geste lent, avant de tenter de se relever et de s'écrouler, à bout de force. Par chance, Udelaraï l'attrapa par la taille et l'épaule.

— Tout doux! Lâcha-t-il en aidant le démon à s'asseoir. Victor, viens m'aider.

Le jeune homme eut un moment d'hésitation à l'idée de mettre les pieds dans cette étrange zone de la jungle, mais voyant bien que son grand-père avait sérieusement besoin de lui, Victor prit bien vite sa décision. Passant son arbalète sur son épaule, il se dirigea vers son grand-père sans sa canne, traversant sans problème la zone noircie.

— Aide-moi à le soulever, grogna son grand-père en plein milieu d'un effort. Nous allons... nous allons le traîner hors de cette partie irradiée de la jungle. Je devrai la mettre sous l'effet de stase du métronome de Maébiel.

Un peu à contrecœur, Victor passa l'autre bras du démon pardessus sa propre épaule et aida son grand-père à le traîner à plusieurs mètres de là, dans une partie bien verte et normale de la jungle, avant de l'asseoir sur un rocher. Ne sachant pas trop quoi faire, Victor recula de quelques pas, dans l'idée d'aller chercher son glaive et sa canne, mais tomba nez à nez avec le demi-gobelin. Celui-ci lui tendit sa canne et son glaive. Il avait donc lui aussi traversé la zone noire pour aller récupérer leur équipement.

— Tiens, dit le demi-gobelin. Prends-les.

— Merci, lui répondit Victor en les saisissant.

Par-dessus l'épaule de Caleb, le pianiste vit Pakarel et Baroque marcher en leur direction.

— Que fait-on avec lui? demanda le demi-gobelin, désignant du menton quelqu'un qui se trouvait derrière le jeune homme.

Il parlait bien évidemment du démon orangé. Jetant un coup d'œil derrière, Victor observa la créature avec une expression incertaine. Le démon était assis, l'une de ses mains contre son front, l'air démoli. Il était probablement très affaibli.

— On devrait lui parler ! proposa Pakarel, qui venait d'arriver à leurs côtés.

— Et lui dire quoi ? lui renvoya Caleb d'un air désapprobateur.

— Lui demander son nom, tiens ! suggéra le raton laveur avec bonne humeur.

— C'est une réponse stupide, soupira le demi-gobelin.

— Udelaraï lui a laissé une pochette, dit le jeune homme en observant le démon orangé assis au loin. Il faudra la récupérer. Nous ne pouvons pas continuer sans cette bourse.

— Ou bien le convaincre de nous accompagner ! suggéra le raton laveur en bondissant sur ses pieds.

— Tu veux rire ? lui renvoya Caleb, visiblement contre cette proposition. Je préfère de loin Rauk..., comme le plan initial le suggérait.

Victor, qui n'écoutait pas les chamailleries entre ses deux amis, remarqua du coin de l'œil que Baroque s'éloignait maintenant du groupe, après avoir déposé son épée et sa carabine contre un arbre.

— Baroque ? le héla-t-il. Hé, Baroque !

Le jeune homme voulut le rattraper, mais Caleb l'arrêta en posant la main sur son épaule.

— Laisse-le, lui suggéra le demi-gobelin. Tu sais comme moi que la présence de cette créature l'affecte très lourdement. Ce n'est pas très difficile à percevoir. Laisse-lui le temps. Il reviendra.

Le jeune homme et le demi-gobelin observèrent le lozrok s'éloigner, sans ses armes. Caleb avait raison. Il valait peut-être mieux laisser Baroque se changer les idées. Après un soupir, Victor hocha lentement la tête. Puis, il sentit qu'on tirait sur son pantalon. C'était Pakarel.

— Va lui dire quelques mots, lui proposa-t-il en désignant de sa petite main le démon. Il est peut-être gentil !

Victor leva les yeux vers la créature. Udelaraï n'était plus à ses côtés. En fait, il n'était tout simplement plus là.

— Où… où est mon grand-père ? demanda le pianiste, cherchant le vieil homme du regard en tournant sur lui-même.

— Je l'ai vu partir par là, dit Caleb en désignant une direction dans la jungle.

Il était probablement parti mettre en stase la partie irradiée de la jungle. Mais juste pour être certain, Victor demanda au raton laveur :

— Pakarel, tu veux bien rattraper Udelaraï et l'accompagner ? Je ne voudrais pas qu'il lui arrive quelque chose.

— D'accord ! répondit joyeusement le pakamu. Mais je veux que tu ailles lui parler. Toi, ajouta-t-il d'un ton autoritaire en pressant son index contre la cuisse du jeune homme. Pas Caleb. Caleb ne sait pas parler aux gens.

Après avoir échangé un regard avec le demi-gobelin, qui ricanait, Victor répondit :

— Très bien. J'irai lui parler. Allez, va.

Sur ces mots, Pakarel se mit à courir sur les traces d'Udelaraï, tout en tenant son chapeau d'une main, avant de disparaître du champ de vision de Victor, laissant sur son passage des fougères agitées. Il avait fait exprès de demander cette faveur à son petit camarade au gros chapeau. En fait… le jeune homme n'avait pas vraiment envie d'approcher le démon orange sans être sous le regard de Caleb.

— Alors, le diplomate, lui envoya le demi-gobelin en repoussant une mèche rebelle de sa longue chevelure, tu vas tenter de persuader notre nouveau copain de nous rendre cette pochette ?

Victor hocha la tête sans grande conviction. Puis, il se mit à détacher la ceinture qui tenait le fourreau de son glaive.

— Qu'est-ce que tu fais ? lui demanda Caleb, levant un sourcil.

— Tu as déjà vu des diplomates armés ? lui renvoya Victor avec un sourire en coin.

Alors que Caleb cherchait une réponse, le jeune homme lui posa dans les mains l'étui contenant son glaive ainsi que son arbalète. Puis, sous le regard consterné du demi-gobelin, le jeune homme s'éloigna en direction du démon orangé. Même s'il avait un but, celui de récupérer la pochette, il ne savait littéralement pas comment s'y prendre, surtout que cinq minutes plus tôt, ce dernier avait tenté de les tuer… à lui seul.

En se remémorant ces événements, Victor sentit sa confiance, qui n'était déjà pas très haute, se dégonfler. L'herbe se froissait sous ses pieds, et il était de moins en moins à l'aise à mesure qu'il s'approchait du démon. Ce dernier l'avait probablement remarqué venir à lui, mais il ne montra aucun signe d'hostilité. En effet, la créature, toujours assise sur un rocher, avait la tête baissée, les coudes sur les genoux, l'air exténuée. Sa main gauche était refermée sur quelque chose qui émettait une faible lueur bleutée ; il n'était pas difficile de déduire qu'il s'agissait de la pochette que lui avait offerte Udelaraï. Victor en vint donc à la conclusion que la bourse de cuir devenait luminescente lorsqu'elle était en présence de fortes radiations, bien supérieures à celles qui étaient jugées naturelles sur la Terre.

Victor s'arrêta à un mètre du démon et, ne sachant pas quoi dire, se mit à jouer avec sa canne en regardant aux alentours. Puis, après s'être mentalement fait violence pour trouver quelque chose à dire, il lui demanda d'un air peu convaincant :

– Vous… vous allez bien ?

Le démon ne répondit rien ; il resta dans la même position, sans accorder la moindre attention au jeune homme. Cette réaction ne froissa pas vraiment Victor, car il s'y était attendu. Le pianiste posa sa canne sur son épaule, avant de jeter un coup d'œil derrière lui. Caleb était assis plus loin, les fixant, l'arbalète sur ses genoux. Soudain, une voix retentit derrière lui :

– Qu'est-ce que vous êtes venus faire ici, toi et les autres ?

Victor retourna son attention vers le démon, qui n'avait toujours pas bougé.

– Pourquoi polluez-vous cette île ? continua le démon sans même lever la tête.

Le jeune homme sentit une soudaine boule de colère lui monter à la gorge. Comment osait-il les accuser ? Sa première réaction aurait été de remettre l'être orangé à sa place en lui faisant savoir, de façon peu courtoise, qu'il était très mal informé. Mais, heureusement, Victor se souvint que le fragment pendait toujours à son cou… Ce devait être ce qui le rendait si irritable.

— Vous faites erreur, dit le jeune homme, qui passa la chaîne du fragment par-dessus sa tête tout en tentant de garder son calme.

Le changement fut instantané ; il se sentait beaucoup plus léger. Puis, tout en fourrant le fragment au fond de son sac, où il ne le perdrait pas pour le moment, Victor continua :

— Nous ne sommes pas venus ici pour détruire l'écosystème de l'île, contrairement à ce que vous nous accusez de faire. Bien au contraire. C'est peut-être dur à croire…, mais nous voulons empêcher que ce mal s'étende encore plus.

Le démon leva la tête vers lui. Lorsque ses pupilles spiralées croisèrent celles de Victor, ce dernier sentit sa poitrine se crisper alors qu'il déglutissait avec difficulté. Le regard hors du commun du démon orangé avec quelque chose de peu rassurant. À cette distance, Victor put voir que l'épiderme de la créature était finement craqué, juste sous ses yeux, fendant son visage parallèlement jusqu'au bas de sa mâchoire.

— Pourquoi nous avez-vous attaqués ? ajouta le pianiste pour faire avancer la discussion, même si la réponse à cette question était évidente.

Victor s'était attendu à un semblant de réponse, mais, au lieu de cela, le démon rebaissa la tête, l'ignorant totalement. Avait-il jugé sa question trop évidente, voire stupide ? Le jeune homme prit une profonde inspiration, comme pour se revigorer de sujets de conversation, et tenta ensuite :

— Comment vous appelez-vous ?

— Naveed, lui répondit presque aussitôt la créature, qui fixait toujours le sol dans sa position nonchalante.

Devant la soudaine spontanéité du démon, le jeune homme leva un sourcil, étonné. Peut-être allait-il finalement réussir à établir une réelle conversation ?

— Et d'où venez-vous, Naveed ?

– Je viens du grand royaume de Perse. J'y ai été banni et je suis venu chercher refuge et tranquillité sur cette île.

Victor présuma donc que Naveed vivait ici depuis un moment. Même s'il n'était pas certain qu'adopter un comportement aussi courtois était la meilleure chose à faire, le jeune homme décida de tenter une poignée de main.

– Victor Pelham, se présenta-t-il en tendant la main.

Naveed releva lentement la tête avant de fixer Victor dans les yeux. Puis, il lui dit :

– Vous devriez vous en aller. Partez.

Une expression de confusion envahit le visage du jeune homme, qui, les sourcils froncés et la bouche entrouverte, chercha ses mots pendant un court instant. Puis, un peu inquiet de la réaction de son interlocuteur, Victor lui fit tout de même savoir :

– Euh... je... je ne crois pas que ce soit... réellement possible.

Le démon lâcha un grognement sec avant de demander :

– Pourquoi le vieux m'a-t-il épargné ?

– Parce que vous n'êtes pas notre ennemi, supposa Victor en tentant d'avoir l'air convaincant, tout en gesticulant d'une main. Vous faisiez simplement... ce que vous croyiez bon de faire.

D'un air légèrement abattu, Naveed lança :

– J'ai vu la sorcellerie pratiquée par le vieux qui ressemble à un humain.

Victor leva un sourcil. La façon dont Naveed avait décrit son grand-père l'intrigua. Était-il au courant de ses origines ?

– Cette sorcellerie m'a guéri, continua le démon dans un soupir, tout en ouvrant la paume de sa main griffue, dévoilant la pochette qui perdait lentement sa luminescence.

Le jeune homme observa la créature sans trop savoir quoi dire. En fait, il n'avait absolument aucune idée de la manière de continuer cette conversation, qui, selon lui, n'allait pas très loin. C'était probablement la première fois de sa vie qu'il parlait à quelqu'un sans savoir comment s'y prendre. Naveed leva les yeux vers lui.

— C'est avec ces pouvoirs que vous voulez purifier cette île ? lui demanda-t-il, une lueur d'espoir dans les yeux. Le vieux pourra faire pour cet endroit ce qu'il a fait pour moi ?

— Pas… tout à fait, répondit le pianiste avec honnêteté.

— Alors, comment comptez-vous purifier cet endroit ? lui renvoya Naveed sur un ton sec.

Victor l'observa pendant un court moment, se demandant s'il devait ou non faire part à la créature de leur tâche.

— Avec un appareil qui est capable de rendre à l'écosystème son état naturel, lui dit Victor en préférant sauter les détails. Mais, avant tout, il faudra tuer la source du mal. Et ce mal, il vient des créatures que l'on nomme des « Liches ». Elles sont considérées comme des anomalies et émettent un…

Le jeune homme fit une pause. Puisqu'il ne savait pas si Naveed était instruit, il préféra utiliser un langage plus simple.

— Ces monstres, reprit-il alors que le démon l'observait avec attention, émettent un poison nocif pour les êtres vivants ainsi que pour l'écosystème. En les éliminant, nous réglons une bonne partie du problème.

— Tu parles comme s'il y en avait d'autres, avança Naveed en plissant les yeux.

— C'est le cas, lui annonça Victor. Il y en a cinq au total, et je… Enfin, nous en avons déjà tué trois. C'est une longue histoire.

Naveed l'observa d'un regard à la fois perplexe et presque accusateur.

— Comment se fait-il que vous ne soyez pas affectés par leur mal, comme moi je l'ai été ? lui demanda-t-il aussitôt.

— De la même façon que vous avez été guéri, lui dit Victor en pointant la pochette que le démon tenait. Ceci. C'est une sorte de protection qui…

Encore une fois, il chercha une définition plus simple :

— … assimile et détruit le poison.

Le regard de Naveed se dirigea aussitôt vers la pochette, qu'il observa avec un certain étonnement.

— Tu veux dire qu'avec ceci, je pourrais mettre fin au mal de cette île ?

— Vous pourriez résister au mal de cet endroit, oui, lui confirma Victor. Mais…

Le visage de Naveed s'assombrit.

— Mais… ? répéta le démon en inclinant légèrement la tête sur le côté, lui donnant un air de prédateur.

Le jeune homme passa la main sur ses joues picotées de barbe, l'air incertain. Il ne savait pas vraiment comment s'y prendre, même si, en théorie, c'était relativement simple. Cependant, Victor ne voulait pas risquer d'énerver le démon.

— Mais vous n'avez pas nécessairement… l'adresse qu'il faut pour tuer ces créatures, continua le jeune homme d'un seul trait.

Tout comme le jeune homme l'avait redouté, Naveed se redressa vivement du rocher, l'air outré, presque insulté.

— Venant de quelqu'un qui marche avec une canne, cracha-t-il d'un ton sec en enfonçant son index si fortement dans la poitrine du jeune homme que ce dernier tituba de quelques pas en arrière avant de tomber sur le derrière, c'est pour le moins ironique !

Jetant rapidement un coup d'œil derrière lui, Victor fit signe à Caleb de ne pas intervenir ; celui-ci s'était redressé d'un bond et pointait son arbalète vers le démon. Le demi-gobelin baissa finalement son arme tandis qu'à plusieurs mètres, le pianiste se relevait doucement, tout en s'appuyant sur sa canne.

— Inutile de vous emporter ainsi, Naveed, protesta Victor, contrarié.

— Laisse-moi tranquille, rétorqua le démon en se rasseyant sur le rocher, chassant le jeune homme en balayant l'air de la main. Toi et tes amis, laissez-moi. Cette discussion est inutile.

N'étant pas prêt à abandonner ses pénibles efforts afin de créer un lien avec le démon, le pianiste lui expliqua d'un air sincère :

— Si je vous ai dit que vous n'aviez pas ce qu'il faut pour affronter les Liches, ce n'était pas parce que je vous en crois incapable et encore moins pour vous dénigrer. Regardez.

Victor ouvrit son sac et y plongea une main. Après une très brève fouille aveugle, le jeune homme en sortit son fragment, qu'il tenait au bout de la fine chaîne. Le bout de métal scintilla à la lumière de l'un des rayons de soleil qui était parvenu à percer l'épaisse couche de feuilles située en hauteur.

— Qu'est-ce que c'est? lui demanda Naveed avec très peu d'intérêt.

— C'est un fragment de métal qui est empoisonné par le même mal que répandent les Liches, tenta de lui expliquer Victor. En récupérant tous ces fragments, nous parviendrons à renverser l'effet néfaste provoqué par la présence des Liches.

Naveed leva les yeux vers le bout de métal, qui pendait allégrement au bout de la chaîne. Puis, sans quitter l'objet des yeux, il demanda :

— Où trouve-t-on ces fragments?

— Sur les Liches elles-mêmes.

— Ce que tu dis n'a pas beaucoup de sens, lui fit savoir Naveed d'un ton légèrement irrité.

Victor s'approcha du démon, qui le fixait maintenant avec méfiance, avant de lui tendre son fragment.

— Prenez-le, dit le jeune homme en lui présentant l'objet.

Naveed approcha la main, et Victor laissa filer la chaîne de sa poigne. Au moment où le fragment tomba dans la paume du démon, ce dernier lâcha :

— Mais qu'est-ce que…

— Votre main s'engourdit, n'est-ce pas? lui demanda Victor, un sourire en coin.

L'air complètement abasourdi par le fragment, qu'il observait avec un mélange d'effroi et de stupéfaction, le démon marmonna :

— C'est… Ce n'est pas normal…

— Sans la pochette que vous tenez de l'autre main, lui fit savoir le jeune homme en pointant la bourse de cuir avec le pommeau de sa canne, vous seriez en train de mourir. Sans protection, un contact avec un objet aussi néfaste vous tuerait.

— Tu ne portes pas de bourse, fit remarquer Naveed.

— C'est une longue histoire, lui dit brièvement Victor, essuyant la sueur qui coulait sur ses tempes. Alors, écoutez. Je n'irai pas par quatre chemins. Mon grand-père vous a offert cette pochette afin de vous sauver la vie, seulement, cette décision vient de créer un problème.

Victor marqua une pause afin de laisser Naveed l'interroger davantage, mais celui-ci resta silencieux, l'observant simplement, l'air attentif.

— Je doute que vous soyez rétabli de votre empoisonnement au mal qui envenime cette île, reprit Victor. Vous départir de cette pochette signifierait votre mort, surtout sur cette île, qui est déjà bien infectée, selon ce que je peux comprendre. Cependant, voilà notre problème : nous avons besoin de la pochette qui vous sert de protection.

À la suite de cette déclaration, le démon resta silencieux. Ses yeux étaient rivés sur les objets qu'il tenait dans ses paumes ouvertes. Voyant bien qu'il allait avoir besoin d'argumenter un peu plus, Victor ajouta :

— Naveed, vous n'êtes sûrement pas ici par hasard, puisque vous dites venir du royaume de Perse. C'est assez loin d'ici. Écoutez, vous voulez rétablir l'écosystème, non ? Eh bien, c'est ce que nous faisons. Je vous donne une chance de vous joindre à nous. Préférez-vous vivre et nous accompagner afin d'accomplir cette tâche ou mourir ici ? Car, honnêtement, je ne peux pas vous laisser cette pochette. Nous en avons besoin, c'est crucial.

C'était vrai, se dit le jeune homme. Il ne laisserait en aucun cas le démon partir avec cette pochette, même si cela signifiait qu'il allait devoir lui prendre de force. Au bout de quelques instants, Naveed referma ses mains griffues sur la pochette et le fragment, avant de se redresser.

— Je n'ai aucun désir de mourir en étant inutile, dit-il simplement avant de redonner son fragment à Victor.

Un sourire de satisfaction s'étira sur les lèvres du jeune homme.

Chapitre 19

La forêt noire

Alors qu'il rangeait son fragment dans son sac, le jeune homme entendit l'herbe se froisser au rythme de pas qui marchaient vers Naveed et lui. Jetant un regard par-dessus son épaule, Victor vit qu'il s'agissait d'Udelaraï.

– Comment allez-vous, cher ami ? demanda le vieillard à l'intention du démon orangé.

– Je vais mieux, lui répondit Naveed en inclinant la tête. Tous mes remerciements. Je vous dois la vie.

Victor, qui s'était attendu à ce que le démon ne réponde pas vraiment ou qu'il le fasse avec hostilité, fut assez surpris de le voir s'exprimer avec autant de politesse. Le vieillard posa alors la main sur l'épaule du pianiste avant de lui envoyer un clin d'œil.

– Je crois que mon petit-fils vous a convaincu de nous accompagner, n'est-ce pas ? demanda-t-il à Naveed.

Le démon répondit d'un hochement de tête positif.

– Très bien ! s'exclama le vieillard avec bonne humeur en tapotant l'épaule de Victor, qu'il observait d'un regard fier. Bien joué, petit.

C'est à ce moment-là, après avoir croisé le regard empli de fierté de son grand-père, que les rouages se mirent à tourner dans la tête du jeune homme. Et si tout ce qui venait de se produire avait été orchestré par son grand-père ? Et si Udelaraï avait profité de l'intoxication de Naveed pour le convertir à leur tâche ? Peut-être qu'en donnant la pochette au démon, Udelaraï savait d'avance que Victor irait lui parler et parviendrait à sceller une alliance…

– Victor ?

C'était la voix d'Udelaraï. Tiré de ses pensées, le jeune homme cessa de fixer le vide et tourna son regard vers son grand-père, qui l'observait d'un air intrigué.

– Oui ? répondit-il, tentant de paraître le plus normal possible après s'être inutilement éclairci la gorge.

– Nous devrions retourner auprès des autres et leur faire savoir qu'un nouvel allié va nous accompagner, suggéra le vieil homme.

– Oui, bonne idée.

Le jeune pianiste, son grand-père et le démon des sables se mirent à marcher vers Caleb. Un détail sauta soudain aux yeux de Victor, qui observa le sol derrière lui avec curiosité : les traces de pas de Naveed, qui marchait à ses côtés, ne carbonisaient plus le sol ; elles semblaient tout à fait normales. Pendant ce temps, Udelaraï faisait la conversation à Naveed, qui se montra plutôt bavard.

– Comment vous appelez-vous ? lui demanda le vieil homme.

Naveed répondit certainement, mais pour Victor, la voix du démon et celle de son grand-père n'étaient maintenant plus que des bruits inaudibles. Il ne les écoutait pas, il n'entendait que des fractions de leur conversation.

– De Perse, vous dites ? J'ai entendu parler de ces terres arides…

Son attention était plutôt dirigée vers Baroque, qui, se tenant près de Caleb et de Pakarel, était apparemment revenu sans que le jeune homme s'en rende compte. Les trois amis du jeune homme observaient en sa direction, et une certaine crainte pouvait se lire sur leur visage. C'était parfaitement justifié. Surtout pour Baroque, qui avait démontré un très grand inconfort concernant la présence de Naveed. Une fois arrivé devant ses amis, Victor ressentit lui aussi un profond sentiment d'inconfort. Il ne savait vraiment pas comment leur annoncer qu'il venait d'offrir au démon des sables de les accompagner. Seulement, c'est Udelaraï qui, d'une excellente humeur, s'en chargea avec énergie :

– Baroque, Caleb et Pakarel, je vous présente Naveed !

Plutôt désintéressé par les présentations, Naveed observait les alentours, l'air ennuyé. Seul Pakarel fit un effort minime pour le saluer ; il leva sa petite main pendant une fraction de seconde. Caleb, lui, se contenta d'analyser Naveed de la tête aux pieds. Quant à Baroque, il sembla s'efforcer d'éviter le regard du démon des sables. En effet, le reptile observait au loin, dans une direction précise, comme s'il avait vu quelque chose d'intéressant. Mais Victor savait très bien que le grand lézard avait une raison de réagir ainsi, et il comptait bien la découvrir. Peut-être savait-il quelque chose d'important au sujet du démon ?

— Comment procéderons-nous ? demanda Caleb, qui détacha lentement son regard de Naveed afin d'observer Victor. À ce que je sache, c'est notre ami ici présent, ajouta-t-il en désignant le démon du menton, qui a éliminé notre copain voleur de bâton. Peut-être pourrait-il nous dire où se trouve ce bâton ?

La façon de parler de Caleb était sèche, voire hostile. Il n'était pas très difficile pour Victor de voir que le demi-gobelin était en désaccord avec la présence de Naveed, et ce n'était très probablement pas seulement par rancune de s'être fait briser l'une de ses trois épées.

— L'Agas que j'ai tué ne portait pas de bâton avec lui, répondit alors le démon des sables, dont le regard était rivé ailleurs, comme s'il trouvait la jungle plus intéressante à observer que Victor et ses amis.

— Tu es certain ? continua Caleb en croisant les bras, l'air irrité. Un bâton avec un crâne planté en son bout ? Tu n'as pas vu ça ?

Naveed ne répondit pas, il se contenta d'ajuster les bandoulières qui passaient en diagonale sur sa poitrine musculeuse. Voyant bien que Caleb allait s'énerver, risquant d'attiser la colère du démon, Victor lui envoya un regard assez convaincant pour l'inciter à rester silencieux. Le demi-gobelin haussa les mains avant de les laisser retomber en soupirant.

— Naveed, lui demanda doucement Victor, l'Agas que tu as tué, que faisait-il ?

— Il venait du centre de l'île, répondit le démon. Il venait de la frontière.

— Quelle frontière? ajouta le jeune homme, intrigué.

Le démon leva la main et pointa dans une direction touffue de la jungle. Puis, il dit simplement :

— À 30 minutes de marche dans cette direction se trouve la frontière.

— Attends, attends..., la frontière de quoi, exactement? demanda Caleb, qui ne faisait que très peu d'efforts pour cacher son mépris plutôt évident du démon.

— Des terres infectées, lui répondit Naveed, qui ne semblait pas se préoccuper de l'humeur du demi-gobelin.

Victor échangea un regard avec ses amis. Puis, Pakarel, dont le visage était marqué d'une expression sérieuse, s'adressa au démon :

— Tu veux dire qu'une partie de cette île est... comme celle que...

Le pakamu se mit à chercher ses mots, mais Udelaraï l'aida aussitôt en disant :

— Comme celle que je viens de nettoyer?

Victor prit une note mentalement; il allait devoir questionner son grand-père à ce sujet.

— Oui! confirma Pakarel avant de renvoyer sa question à Naveed. Une partie de l'île est comme ça?

Naveed s'éloigna alors du groupe de quelques pas et, tout en regardant en l'air, il expliqua :

— Le centre de cette île est condamné par une frontière infranchissable, derrière laquelle se trouvent les terres infectées. L'Agas que j'ai tué revenait de ces terres.

— Et pourquoi l'as-tu tué? lui demanda Pakarel, l'air inquiet à l'idée de connaître la réponse à sa propre question.

Le démon pivota vers le groupe avant d'observer le raton laveur au gros chapeau de ses pupilles spiralées. Il semblait bien que le regard perçant Naveed avait un certain effet sur Pakarel, puisque les genoux du petit personnage s'étaient mis à trembler.

— Parce qu'il était incapable de répondre à ma question, répondit le démon aux cheveux blancs comme neige. Il m'a confirmé ce que je savais déjà. Une bande d'individus s'est installée dans le vieux bâtiment, au centre des terres mortes.

— Un bâtiment ? répéta Victor, interloqué. Quel bâtiment ?

— Tu ne nous avais pas mentionné de bâtiment plus tôt, fit remarquer Caleb d'un ton amer et presque accusateur. Tu as consciemment omis de nous en parler, non ?

— Au centre des terres mortes, répéta Naveed, ignorant les propos du demi-gobelin, se trouve un bâtiment. Des individus y vivent depuis peu. J'ai remarqué des Agas et trois ogres mercenaires venus dans une sorte de barque bizarre. Depuis leur arrivée, la forêt noire prend de plus en plus d'ampleur sur cette île et empoisonne tout sur son passage. Ce n'est pas une coïncidence.

— Des ogres ? répéta Pakarel à demi-voix. Il y a des ogres ?

— Je les ai souvent aperçus depuis le haut des arbres, dit Naveed. Mais contrairement aux Agas, ils ne se sont jamais approchés du bâtiment. Ils restent à l'écart. Ils doivent savoir que cet endroit est maudit.

La présence d'ogres sur cette île était une bien mauvaise nouvelle pour le groupe, qui échangea des regards inquiets. Victor avait souvent lu, dans les journaux, des articles à propos de ces créatures cruelles. Venus des terres nordiques de l'Europe de l'Est, les ogres étaient des individus de plus de deux mètres de haut qui vivaient en petits groupes et en clans. Charognards et assoiffés de combat, la plupart des ogres éprouvaient une haine pointue envers tous les autres peuples du monde et, de ce fait, il n'était pas rare d'entendre dire qu'une bande d'ogres avait pillé des navires commerciaux qui suivaient la route des épices.

Plissant les yeux, Caleb demanda alors à Naveed :

— Tu t'es aventuré sur ces terres, n'est-ce pas ? C'est pour ça que tu t'es mis à vomir tout à l'heure… C'est pour ça que tu es irradié, hein ?

Naveed fronça les sourcils ; visiblement, il n'avait pas compris le mot « irradié ». Voyant bien sa confusion, le jeune homme s'avança vers lui.

— C'est ce qui t'a empoisonné ? lui demanda-t-il afin qu'il comprenne mieux. La zone au-delà de la frontière ?

Naveed leur fit non de la tête avant d'expliquer :

— Je n'ai jamais tenté d'approcher la forêt noire. Néanmoins, le mal de cette île a empoisonné mes veines il y a quelque temps, alors que je chassais pour me nourrir. J'ai voulu m'aventurer dans la forêt noire, mais sa malédiction est si forte que je n'ai jamais pu m'en approcher. Je tentais de découvrir un moyen de m'y aventurer, mais lorsque j'ai questionné l'Agas, il était incapable de me répondre.

— Alors..., si je comprends bien, dit Caleb d'un air incertain, seuls les Agas, pas les ogres, sont capables de s'aventurer dans la forêt noire ?

Naveed confirma d'un hochement de tête.

— Eh bien, lâcha Caleb, il faut croire que ces indigènes ont une protection particulière. Quant aux ogres..., il nous faudra rester alertes.

— Ils dorment durant le jour, l'avisa Naveed. Nous ne les croiserons pas en pleine journée. En pleine nuit, par contre, ils patrouillent dans la jungle. Ils sont très bruyants.

Alors que des regards incertains se croisaient dans le groupe, Victor s'approcha du démon.

— Peux-tu nous y mener ? lui demanda-t-il simplement. À ce bâtiment, dans la jungle ?

Le démon des sables se mit à marcher dans une direction. Pardessus son épaule, il envoya au groupe :

— Ce n'est pas très loin. Venez.

— Attendez, intervint Udelaraï. Il ne serait pas prudent de procéder sans... réparer les erreurs que nous avons commises plus tôt.

Sans trop savoir de quoi son grand-père parlait, Victor l'observa s'éloigner à quelques pas de là, entre deux immenses racines d'un arbre, avant qu'il s'y accroupisse, dos aux autres, comme pour y chercher quelque chose. Udelaraï se redressa finalement, tenant dans ses mains les armes brisées de Caleb et de Naveed. La lame du demi-gobelin avait été chauffée au rouge avant d'être brisée, tandis que la lance du démon des sables avait été fendue en deux.

Le vieil homme déposa à ses pieds les deux parties brisées de l'épée de Caleb, afin de concentrer son attention sur la lourde lance de bois. De sa main gauche, Udelaraï joignit les deux bouts fendus ensemble et, d'un simple geste de sa main droite, souda les deux parties sectionnées l'une avec l'autre dans une pluie de petites flammèches bleutées.

— Voilà pour vous, Naveed, dit Udelaraï comme si de rien n'était en tendant sa lance au démon des sables.

Ce dernier récupéra sa lance, les sourcils froncés. Il analysa ensuite son arme d'un air inquiet, comme si ce qui venait de se produire était insensé. Udelaraï leva le bras droit et, comme si l'épée sectionnée avait été aimantée, cette dernière flotta jusqu'à sa main droite, dans les airs. Victor n'en croyait pas ses yeux ; son grand-père pouvait faire léviter les objets !

— Ça devient vraiment bizarre, lâcha Caleb d'un air noir.

Udelaraï, qui gardait toujours son bras allongé près des deux fragments de l'épée, se mit à faire valser ses doigts pendant de longues secondes, comme s'il essayait de chatouiller l'air.

— Tu l'as déjà vu faire ça ? demanda Pakarel, qui tirait sur le pantalon de Victor.

Le jeune homme jeta un regard au pakamu et, avant même qu'il puisse penser à lui répondre, quelque chose scintilla au coin de son œil droit. Ramenant son attention vers son grand-père, Victor comprit l'origine du scintillement. Des dizaines de petits fragments d'épée, venus de l'endroit où ils avaient affronté Naveed, volaient lentement vers la main du vieil homme, dont les doigts n'avaient cessé de valser.

Un à un, les morceaux s'assemblèrent les uns aux autres, éliminant les imperfections de la lame sectionnée. Une fois tous les fragments réunis, Udelaraï joignit les deux bouts d'épée à l'aide de sa main gauche, avant de souder la lame d'un geste de sa main droite dans une pluie d'étincelles bleutées. Une fois la lame réparée, celle-ci se décrocha de son socle invisible avant que le vieillard l'attrape par le pommeau.

— Et voilà pour Caleb, dit le vieil homme en tendant l'épée réparée au demi-gobelin.

Sans même vérifier l'état de son arme, Caleb la rengaina dans son fourreau.

— Lorsque les pattes de mes chaises seront brisées, lui envoya-t-il d'un air sombre, mais sarcastique, je vous ferai signe.

Udelaraï répondit d'un court rire masqué par un sourire, avant de s'adresser à Naveed :

— Nous vous suivons.

Sans ajouter quoi que ce soit, le démon se mit en marche, tenant sa lance comme un bâton de marche, suivi par Victor et les autres. Il ne fallut qu'une minute avant que Pakarel fasse remarquer aux autres que les empreintes de pas du démon n'étaient pas recouvertes de braises. La marche s'avéra difficile pour Victor, puisque le terrain devenait de plus en plus abrupt et glissant. Le jeune homme faillit chuter à plusieurs reprises, mais ses bons réflexes et des branches bien positionnées l'aidèrent à ne se salir qu'à moitié.

— Alors, grand-père, lui demanda Victor une fois qu'ils furent un peu à l'écart des autres, comment êtes-vous parvenu à nettoyer la forêt de sa radiation ? Je croyais que vous aviez besoin du métronome pour y parvenir ?

— Je peux empêcher les radiations de s'étendre et stabiliser leur infection, répondit Udelaraï, mais pour renverser les effets, j'aurai en effet besoin du métronome. Il va de même pour les terres agricoles des paysans du village de L'Ancienne-Lorette.

— Vous voulez dire que vous allez devoir revenir sur nos pas pour purifier les zones infectées ? s'étonna Victor.

Udelaraï confirma d'un hochement de tête, n'ajoutant rien d'autre. Ce simple fait venait ajouter une difficulté de plus à leur quête, qui était, déjà, pour le moins pénible. Au bout d'un instant, les compagnons atteignirent un plateau, rendant leur traversée beaucoup plus facile.

– C'est pas trop tôt ! fit remarquer Pakarel, essoufflé, dont les joues poilues étaient hérissées et mouillées par la chaleur.

À cet instant, le démon, qui était en tête du groupe, balaya une lourde fougère de la main et la retint abaissée.

– Viens, dit-il en s'adressant à Victor. Regarde.

Le jeune homme, qui s'assurait que son grand-père allait bien, acquiesça d'un signe de tête. Laissant Udelaraï derrière lui, avec Caleb et Baroque, il dépassa Pakarel en lui tapotant l'épaule avant d'arriver auprès du démon des sables. Ce dernier lui fit signe du menton d'observer à travers l'espace qu'il venait de créer. Victor y jeta un coup d'œil et vit un paysage effroyable.

Ils se trouvaient apparemment au sommet d'une montagne recouverte de jungle. Droit devant, à un niveau bien plus bas et à quelques centaines de mètres, se trouvait une jungle noire comme de la cendre, qui s'étendait jusqu'à l'extrémité de l'île. Les abondantes branches de ces arbres sans feuilles étaient sinistrement crochues, masquant le soleil. Ce qui était le plus bizarre, c'était le changement radical entre la forêt tropicale verdoyante et celle qui, délimitée par une barrière invisible qui encerclait une zone bien définie, ressemblait bien plus à une sombre forêt hantée, même en pleine journée. Au centre, Victor voyait ce qui restait de la toiture de ce qui semblait être un vieux manoir.

– C'est… sinistre, déclara Caleb, qui était juste derrière lui, observant la scène par-dessus l'épaule du jeune homme.

Alors que les autres contemplaient toujours la vue, le pianiste s'avança d'un pas, dans l'intention de franchir les buissons. Baroque, qui était resté silencieux jusque-là, intervint en s'exclamant :

– Hé ! Qu'est-ce que tu fais, Pelham ? Tu veux nous faire courir droit vers notre mort ?

Victor tourna son regard vers Baroque, mais Pakarel répondit à sa place :

– Nous sommes protégés, lui rappela-t-il en brandissant sa propre pochette, qu'il se mit à agiter. Grâce à ça, tu te souviens ?

— Je crois que Baroque a raison, dit le vieil homme d'un air songeur, le front plissé et ses sourcils broussailleux froncés. Il serait… imprudent de tester la capacité protectrice d'une pochette contenant un fragment dans une zone aussi irradiée. Je n'aurais jamais pensé qu'une Liche aurait pu infecter son domaine aussi rapidement… et avec autant d'ampleur.

Quant à Naveed, s'il ne comprenait peut-être pas tous les termes utilisés, l'expression plutôt avertie de son visage indiquait qu'il était tout de même en mesure de suivre la conversation.

— Je suis navré, j'aurais dû prévoir cela, s'excusa Udelaraï en pinçant l'arête de son nez, les yeux fermés. Nous aventurer sur ces terres pourrait mettre vos vies en danger…, nous ne pouvons aller plus loin.

L'air déprimé, le vieillard se laissa tomber en position assise sur un arbre renversé.

— Je croyais que nous étions correctement protégés ? lui demanda Pakarel en s'approchant de lui.

Udelaraï hocha la tête de gauche à droite en guise de négation.

— Pas contre ce genre de manifestations radioactives.

Le regard perdu, Victor fixait la jungle corrompue, au loin. Il se passa la main sur le visage, l'air incertain, presque désemparé, mais son cerveau était en pleine activité. Le jeune homme savait ce qu'il devait faire, mais au fond de lui, cela l'effrayait un peu. Après un moment, le pianiste pivota sur lui-même afin de faire face à ses amis, l'air décidé.

— Je n'aime pas ce regard, lui fit savoir Caleb en plissant les yeux. Je sais ce que tu vas dire…

— J'irai seul, déclara-t-il. Vous avez entendu mon grand-père, c'est trop dangereux pour vous ! Nous ne parlons pas de risques, nous parlons d'évidence !

À ce moment-là, ses amis s'alarmèrent, comme s'il venait de révéler la chose la plus improbable qui soit.

— Je le savais, soupira le demi-gobelin en levant les yeux au ciel. Il fait toujours ça.

— Hein ? lâcha Pakarel.

— J'irai seul, répéta le jeune homme, cette fois à l'intention de tout le monde. Je suis davantage protégé que quiconque ici présent. Grand-père, je prendrai votre métronome.

Baroque s'approcha de lui, l'observant d'un regard sévère.

— Tu portes un fragment sans pochette, Pelham, lui rappela-t-il en pointant son sac. Même s'il est au fond de ce sac, tu n'es pas protégé autrement que par ton étrange immunité contre les maladies, contrairement à ce que tu m'as raconté au sujet des autres Mayas qui sont venus ici. Mais peu importe. Ce que je veux te demander est plutôt simple.

Le lézard étira le bras et pointa au loin.

— Veux-tu vraiment prendre un risque aussi insensé que t'aventurer dans cette jungle maudite ?

Victor ne savait pas quoi lui répondre. Et si Baroque avait raison ? D'ailleurs, l'expression incertaine sur le visage du jeune homme fut remarquée par son grand-père, qui s'approcha de lui. Après avoir mis la main sur son épaule afin de le regarder dans les yeux, Udelaraï lui dit :

— Si tu préfères rester ici, je veux que tu saches que je ne t'en voudrai pas. Baroque a peut-être raison. Peut-être serait-il préférable de ne pas jouer avec la chance.

Encore une fois, le pianiste resta silencieux, fuyant le regard de ses camarades. En réalité, il savait bien qu'il leur était impossible de laisser l'infection des Liches envenimer l'environnement autant. Ils n'avaient pas fait tout ce voyage, affronté tous ces périls et surmonté tous ces obstacles pour rien. Quelqu'un allait devoir se rendre dans cette jungle infectée et mettre un terme à la vie de la Liche qui s'y trouvait. Et comme Victor le savait, cette personne ne pouvait être que lui. Malgré son handicap, il allait devoir descendre vers la jungle irradiée et affronter les horreurs qui s'y trouvaient.

— Pelham, c'est de la folie ! intervint Baroque. Tu ne sais même pas te battre convenablement !

Victor lâcha un petit rire de désespoir, puisqu'il connaissait très bien l'enjeu de la situation.

— Je le connais, dit Caleb en désignant Victor du menton. Je sais que malgré tout ce que nous lui dirons, il va quand même y aller. Et si tu y vas, mon vieux, je veux que tu prennes une pochette avec toi. Le fait de porter cette bourse t'offrira une protection supplémentaire, n'est-ce pas, Udelaraï ?

Le vieil homme, qui ne semblait pas apprécier le fait d'avoir à appuyer cette théorie, confirma tout de même d'un hochement de tête.

— Alors, c'est décidé, dit Victor après avoir pris une bonne inspiration. Je prendrai la pochette de l'un d'entre vous, et je descendrai vers cette jungle du plateau inférieur, dit-il en pointant au loin.

Tous les regards étaient rivés vers le jeune homme, et tous l'observaient comme s'il parlait une langue étrangère. Victor détestait être perçu ainsi. Il savait bien que sa décision était risquée et radicale, mais il était le seul à pouvoir le faire. Personne d'autre que lui ne pouvait tolérer les hauts niveaux de radiations de l'île, bien plus élevés que le niveau normal de radiation de la Terre. Et, se connaissant lui-même, Victor savait très bien qu'il ne laisserait jamais Udelaraï porter le fardeau à sa place…

— Je ne veux pas que tu t'aventures là-bas tout seul ! protesta Pakarel.

— Moi non plus, Pelham, intervint Baroque. C'est insensé.

Décidément, ses amis ne comprenaient pas. Victor hocha la tête de gauche à droite, avant de porter sa main à son front.

— Vous vouliez que je prenne les décisions, tout à l'heure ? Vous vouliez que je joue le rôle du chef ? Eh bien, c'est ce que je fais. J'irai seul.

Victor s'approcha du bord de la pente, dans le but d'y repérer un moyen plus ou moins sécuritaire de descendre.

— Je ne voudrais pas que tu coures un tel risque, lui dit son grand-père d'une voix triste. Nous serions tous morts d'inquiétude.

Le jeune homme se retourna pour faire face au vieillard. Son visage était marqué d'une expression presque misérable, rappelant presque l'innocence d'un enfant. Udelaraï se laissa tomber en position assise sur une racine, l'air abattu. Son visage dans la main, le vieil homme marmonna, cherchant difficilement ses mots :

— Je ne voulais pas... Je n'avais pas prévu...

Les amis de Victor se croisèrent du regard, impuissants devant la réaction d'Udelaraï. Personne ne savait quoi dire ou quoi faire. Pakarel semblait à court de remarques positives, Caleb avait l'air perdu et Baroque se grattait la tête, l'air mal à l'aise. Victor s'avança tout de même, avant de mettre la main droite sur l'épaule frêle de son grand-père. C'était à lui de remonter le moral des autres. C'était, après tout, sa responsabilité.

Le vieil homme leva la tête vers lui, les yeux rougis, humides. À travers son regard, Victor pouvait voir que son grand-père était complètement désolé, démoli par ce qu'il lui demandait de faire. Afin de réconforter Udelaraï, le jeune pianiste afficha un sourire. Puis, d'un air rassurant, il lui dit calmement :

— Vous ne pouviez pas tout prévoir, vieil homme. Ne vous blâmez pas pour les décisions que je prends. J'ai décidé de vous aider. Non, d'aider notre monde entier. Sans moi, sans... vous tous, ajouta-t-il en s'adressant à ses amis, même Naveed, la Terre se retrouverait infectée par un désastre épouvantable. Nous devons tous faire des efforts.

Victor essuya la sueur sur son front avant d'observer chacun de ses amis.

— Je vous ai tous demandé de m'accompagner, et chacun de vous accomplit sa tâche avec succès, continua le jeune homme. Mais c'est aussi à moi de faire un effort. Et en ce moment, c'est à mon tour.

— C'est toujours ton tour, lui envoya Pakarel, l'air attristé.

Le jeune homme lâcha un petit rire. La remarque du raton laveur était flatteuse.

— Je ne vous mentirai pas, continua-t-il en toute honnêteté, cette idée ne me plaît pas plus qu'à vous. En fait, j'ai peur. J'ai peur de tomber sur quelque chose d'effroyable et de me faire arracher la tête. Mais j'essaierai quand même... et je n'ai pas l'intention de mourir. Vraiment pas.

À la suite des paroles de Victor, il y eut un silence pendant lequel les autres semblaient digérer ses paroles. Leur visage était toujours défait, mais ils semblaient moins démoralisés... c'était déjà une amélioration.

Naveed s'avança vers Victor, tenant sa lance comme un bâton de marche, son long pagne à plusieurs étages brodé de runes flottant derrière lui.

— Viens, lui dit-il, je vais te montrer la meilleure façon de descendre.

— Attends, intervint Caleb à l'intention du démon.

Puis, il s'adressa au jeune homme et lui demanda, le regard inquiet :

— Tu veux que je t'accompagne jusqu'à la lisière de la forêt infectée, au moins ?

— Non, refusa Victor en tapotant l'épaule de Caleb pour le rassurer. Ne t'en fais pas.

Caleb détacha la pochette qui se trouvait sur sa ceinture avant de la mettre dans la main de Victor. Le regard du demi-gobelin s'attarda longuement sur le visage de son ami. Caleb était inquiet.

— Prends-la, lui dit-il simplement.

— Tu sais que tu te retrouves sans protection ? lui renvoya Victor. C'est dangereux, Caleb..., cet endroit de l'île reste tout de même irradié...

— Ne t'en fais pas, répondit le demi-gobelin en lui tapotant le bras, je retourne à la plage de ce pas.

Puis, s'adressant aux autres, Caleb dit :

— Restez ici. Attendez que Victor revienne.

— Fais vite, lui dit Baroque de sa voix grave. Ne traîne pas.

— Mais pourquoi toi, Caleb ? lui envoya Pakarel, l'air déçu de voir que le demi-gobelin était sur le point de s'en aller. Pourquoi pas quelqu'un d'autre ?

— Parce que je peux retrouver mon chemin jusqu'au sous-marin, lui répondit Caleb avec honnêteté. Toi, ajouta-t-il en pointant le jeune homme du doigt, ne fais rien de stupide, c'est compris ? Tu as une amoureuse et une petite sœur qui t'attendent à Québec.

— Caleb, l'avertit Udelaraï, il faudrait vous dépêcher de retourner à la plage, car vous n'êtes plus protégé...

— Victor, tu as compris ? répéta le demi-gobelin, ignorant les propos du vieil homme.

Victor confirma d'un hochement de tête et, aussitôt, Caleb s'élança à travers les fougères, avant de disparaître du champ de vision du jeune homme. Voir son meilleur ami s'éloigner ainsi lui fit un pincement au cœur. Était-ce parce qu'il se sentait moins en sécurité ou simplement parce que lui aussi s'inquiétait à son sujet ?

— Tu ne pourras pas emporter ton fragment, Victor, lui fit alors savoir le vieil homme. N'oublie pas que tu devras ramener celui de la Liche..., alors en plus des radiations excessivement élevées, l'effet des deux fragments pourrait te tuer. Tu devrais le laisser ici. Il serait très imprudent de tester de la sorte ta résistance à la radioactivité.

— Donne-le-moi, Victor ! lui ordonna Pakarel avec vigueur. J'ai une pochette. Je serai protégé.

Fronçant les sourcils, le pianiste dit :

— Pakarel...

— Non, je ne veux pas t'entendre ! l'interrompit le pakamu d'un ton sec en détachant sa pochette de sa ceinture, avant de la tendre grande ouverte vers Victor. Allez, insista-t-il en voyant l'hésitation de ce dernier. Là-dedans !

Le jeune homme voulut protester, mais il savait que son grand-père avait raison. S'aventurer dans la jungle irradiée avec deux fragments en plus serait probablement très dangereux. En lâchant une bonne expiration, Victor retira son fragment de son sac en le tirant par sa chaîne et le déposa dans la pochette que le pakamu tenait bien ouverte. Celle-ci vira aussitôt au bleu. Une fois la bourse protectrice bien attachée à sa ceinture, Pakarel la tapota, comme pour assurer Victor qu'elle était bien en sécurité.

— Il est temps d'y aller, déclara le pianiste au démon orangé.

— Nous ne bougerons pas d'ici ! lui assura Pakarel avec énergie. Promis ! Mais Victor, avant que tu partes, tu devrais me laisser ton manteau, il doit t'encombrer...

Ravi par cette offre, le pianiste lui offrit son manteau, qu'il avait, jusqu'à maintenant, traîné sur son sac juste sous sa bandoulière. À peine avait-il donné son manteau au pakamu qu'Udelaraï s'adressa à lui :

— Victor…

Accordant toute son attention à son grand-père, le jeune homme comprit aussitôt qu'il allait oublier le métronome. Le vieillard ouvrit la main et, soudain, l'objet se matérialisa progressivement dans une lueur bleutée, avant qu'Udelaraï referme la main dessus. Il tendit ensuite l'objet à son petit-fils, qui le saisit délicatement.

Victor se rendit compte que c'était la première fois qu'il tenait le métronome. Il observa l'objet qui servait normalement, du moins dans son monde, à calculer le tempo musical. Après l'avoir fourré dans son sac, Victor releva la tête vers ses amis.

— Reviens-nous vite, lui dit Udelaraï d'un air inquiet.

Victor leva alors le pouce en l'air avant de saluer d'un geste Baroque et Pakarel. Puis, sur les traces de Naveed, il se mit à descendre la pente tout en suivant les conseils que le démon lui donnait.

— Utilise ta canne comme appui, lui suggéra Naveed au bout de cinq longues minutes de descente, la terre s'égraine très facilement.

Juste après que le démon eut prononcé ces derniers mots, le pied droit de Victor se mit à glisser. Incapable de trouver une prise, même en enfonçant ses doigts dans la terre, le jeune homme tomba sur le côté. Son cœur venait de manquer un battement ; il allait dévaler la pente. Soudain, une poigne solide le rattrapa par le col. Naveed l'avait arrêté de justesse, juste avant qu'il dégringole une cinquantaine de mètres de pente bourrée d'arbres, de racines et de rochers.

Dans un grognement d'effort, Naveed, qui utilisait son bâton comme appui de son autre main, hissa Victor un peu plus haut afin qu'il puisse se retenir à une branche inclinée. Dans sa glissade, le jeune homme avait malencontreusement laissé tomber sa canne, qui dégringolait la pente.

— Merde ! lâcha Victor en contemplant sa canne disparaître dans la dense végétation de la jungle, un peu plus bas.

— Ça ira ? lui demanda Naveed d'un ton de voix ironiquement désintéressé.

— Ouais.

— Je ne vais pas plus loin.

— Oh… je vois, répondit Victor, qui cachait mal sa déception de se faire abandonner en plein milieu d'une pente. Bon, alors…, merci pour le coup de main.

— Descends par là, continua le démon en désignant du doigt une section moins abrupte de la pente, tu trouveras beaucoup de prises et de lianes pour t'aider. Arrivé tout en bas, tu trouveras facilement ton chemin. Suis-le jusqu'à ce que tu arrives au bâtiment.

— Et toi ? lui renvoya Victor. Que feras-tu ?

— Je veux débarrasser cette île de son mal, répondit Naveed en observant au loin. Si tu dis qu'il y a d'autres créatures comme celle qui empoisonne cette île, alors je viendrai avec toi. J'ai mes raisons. Je repartirai une fois la tâche accomplie.

— Pas de problème, répondit Victor avec un certain manque d'enjouement. Avec la tâche qui l'attendait, il n'était pas vraiment d'humeur à exprimer sa joie d'avoir un nouveau camarade à ses côtés.

— Bien, répondit Naveed en envoyant un bref regard au jeune homme. Je retourne rejoindre les tiens. Lorsque tu auras besoin de moi, tu n'auras qu'à crier. Je viendrai te chercher.

— Euh… d'accord, répondit Victor, qui, toujours désappointé de se faire abandonner aussi vite, ne savait pas vraiment comment interpréter l'offre de son étrange compagnon.

— N'oublie pas, Victor Pelham, l'air de la jungle hantée est lourd et maudit. Je sentais quelque chose grouiller sous ma peau. C'était si intense que j'ai été forcé de rebrousser chemin. Ne tarde pas, sinon tu mourras.

Sur ce commentaire, qui laissa une expression de malaise sur le visage de Victor, Naveed se donna un puissant élan à l'aide de sa lance et, délogeant au passage cette dernière, qui était profondément enfoncée dans la terre, se mit à remonter la pente à pleine course. Voir le démon accomplir une telle prouesse physique n'aida en rien le jeune homme, qui avait déjà de la peine à descendre la pente, à se motiver.

Sachant très bien que, contrairement à Naveed, il allait probablement devoir user péniblement de tous ses membres pour se hisser tout en haut, Victor grommela d'un air noir :

— C'est pratique d'avoir de telles jambes…

Presque irrité, le jeune homme détourna son attention vers le bas de la pente. Après avoir analysé le terrain pendant un instant, Victor se remit à descendre la pente tout en suivant le chemin que lui avait suggéré Naveed. Contrairement aux craintes du jeune homme, la descente se déroula plutôt bien. Certes, son pied glissa un peu par-ci par-là, mais le tout se révéla faisable, même sans canne pour appui.

Une fois arrivé en bas, Victor prit un moment pour reprendre son souffle et essuyer les coulées de sueur qui nappaient ses tempes et ses joues. Le pianiste jeta un coup d'œil à la pente qu'il venait de descendre. Son sommet était impossible à voir, puisque la vue était bouchée par la végétation de la jungle des alentours. Ses amis ne le voyaient donc plus depuis un bon moment.

Observant les alentours, Victor comprit aussitôt ce que voulait dire Naveed, lorsqu'il lui avait dit qu'il trouverait bien le chemin à prendre. Un sentier était littéralement tracé au sol, serpentant entre les arbres. Remarquant un détail étrange, le jeune homme s'avança jusqu'au sentier afin de nourrir sa curiosité. Les traces de pas de Naveed y étaient visibles, légèrement fumantes. Le démon était donc vraiment passé dans le coin. D'après les traces de ses pas, Victor conclut que Naveed était arrivé en descendant la colline, tout comme lui. Le démon orangé s'était ensuite arrêté après avoir fait quelques pas sur le sentier, avant de revenir sur ses pas et de remonter la pente.

Sans trop s'éloigner du point où il venait d'arriver, Victor se mit à fouiller les environs dans l'espoir de retrouver sa canne.

Malheureusement, au bout de cinq minutes de recherche, le jeune homme ne l'avait toujours pas retrouvée. Sur le point d'abandonner, Victor lâcha un juron de choix extrait du vaste répertoire de Rauk, afin d'évacuer la frustration qui l'envahissait peu à peu. C'est à ce moment-là qu'il remarqua, à quelques mètres de lui, que sa canne gisait au pied d'une fougère. Vaincu par l'ironie du sort, Victor, posa les mains sur ses hanches et baissa la tête pour lâcher un énorme soupir. D'un pas légèrement claudicant, sa jambe gauche fatiguée par la descente, le jeune homme alla récupérer sa canne. Victor s'était attendu à ce que celle-ci fût abîmée par la chute, mais après l'avoir rapidement analysé, le jeune homme conclut qu'elle n'avait pas pris une égratignure, pas même son pommeau sculpté en tête de wyverne.

Son moral s'étant revigoré après avoir retrouvé sa canne, Victor fit face au sentier, qu'il observa pendant quelques secondes. Puis, décidé, il déclara :

— Bon..., allons-y.

Au bout de quelques secondes de marche, ayant à peine dépassé les dernières traces de Naveed, Victor s'arrêta. Il sentait un faible picotement s'emparer de lui, de la tête aux pieds. Il venait de mettre les pieds dans une zone fortement irradiée. Cela voulait dire qu'il n'avait pas de temps à perdre. Juste pour être un peu plus prudent, Victor décida de maintenir la pochette protectrice de Caleb dans sa main droite. De cette façon, il se sentait un peu plus protégé, même si ce n'était peut-être pas le cas.

À peine une minute de marche plus tard, le décor commença à changer de façon si radicale que Victor dut s'arrêter pour contempler, avec effroi, la jungle noircie qui l'entourait. Le feuillage verdoyant et la dense végétation de la jungle avaient laissé place à un décor considérablement sinistre. Les timides rayons du soleil étaient maintenant presque entièrement obstrués par la profusion de branches anormalement tordues et qui serpentaient dans tous les sens. Les quelques feuilles assez coriaces pour rester accrochées aux branches étaient devenues noires et pendaient, dégoulinant d'un liquide verdâtre. Quant aux plantes, elles étaient disproportionnées, leurs pétales fanés entourant de gros bulbes luminescents qui allaient du bleu à l'orange. En tâtant le sol de ses pieds et de sa canne, le jeune homme réalisa que celui-ci devenait plus mou, voire spongieux, prenant une teinte noire tirant sur le violet.

Malgré le changement oppressant de la jungle envenimée, le pianiste reprit sa route sans ralentir la cadence, poussé par une étrange motivation. Il savait que son temps était compté. Victor croisa de nombreux cadavres d'animaux qui avaient succombé aux radiations, comme ceux de magnifiques oiseaux tropicaux, de serpents, de singes et d'insectes en tout genre. Voir que la faune locale avait été autant atteinte dérangeait fortement le pianiste, qui avait pitié de ces êtres injustement punis.

Au fur et à mesure que Victor s'enfonçait dans la jungle inondée par les radiations, suivant toujours le sentier zigzaguant dans la forêt, l'air devenait plus lourd, comme s'il se trouvait en haute altitude. Les picotements avaient redoublé d'ampleur, engourdissant la plupart des membres du jeune homme. Ses yeux s'emplissaient d'eau, ses paupières enflaient inconfortablement, son nez s'était mis à couler, et l'air qu'il respirait lui irritait la gorge.

Reniflant, toussant et sentant à peine ses membres, Victor ne s'arrêta pas pour autant. Il devait trouver cette Liche. Il devait l'abattre. Il courait peut-être droit à sa perte, mais le pianiste s'efforçait de penser à autre chose, car s'attarder aux risques et périls de sa tâche ne ferait probablement que dégonfler le peu de moral qui lui restait.

C'est alors qu'une structure apparut à travers les branches de la jungle morte. Brisant quelques branches gênantes au passage, Victor arriva à une vingtaine de mètres de ce qui semblait être un énorme manoir anglais. Sa peinture extérieure, qui avait dû être blanche à l'origine, était totalement décrépie. La végétation infectée s'était frayé un chemin sur presque toute la surface du manoir, envahissant les murs extérieurs jusqu'au toit. Ses fenêtres étaient brisées, et son immense porte d'entrée était défoncée, entrouverte.

Serrant la pochette qu'il tenait dans la main droite, Victor se mit en route vers le manoir.

Chapitre 20

Le comptable

À mesure que Victor s'approchait du manoir, les symptômes semblaient prendre de l'intensité. Son nez, qui était déjà congestionné, s'était complètement bouché, créant une pression désagréable au niveau de son front. Le pianiste s'arrêta près d'un arbre, derrière lequel il s'adossa, accroupi, avant de prendre quelques gorgées d'eau pour s'hydrater. Après avoir brièvement observé les alentours, Victor se releva et s'approcha du manoir, tous ses sens à l'affût.

Juste avant d'arriver devant les quelques marches qui menaient au porche du manoir, le jeune homme fit une pause afin d'essuyer son nez à l'aide de son avant-bras.

– Seigneur ! se plaignit-il en maudissant ses symptômes. C'est dégoûtant.

Le jeune homme n'avait jamais été malade, auparavant, un nez coulant et une gorge irritée étaient donc pour lui des phénomènes particulièrement inconfortables. Surtout avec cette température humide et suffocante, c'était très désagréable. Il avait l'impression que tout son corps dégoulinait, et, en réalité, c'était presque le cas. Qu'est-ce qu'il n'aurait pas donné pour une bonne douche, un café et son bon vieux piano… « Mieux vaut en finir le plus vite possible », se dit Victor, qui ne voulait pas rester une minute de plus dans cet endroit infect.

Dans un effort considérable – tous ses muscles semblaient meurtris de fatigue –, Victor gravit le court escalier de pierre qui menait au porche avant de s'arrêter devant la double porte défoncée du manoir. Sur ses gardes, sa pochette bien serrée dans sa main droite, il mit lentement les pieds dans le manoir. À peine était-il entré qu'une odeur de moisi, si intense qu'il en toussa en grimaçant, parvint à se frayer un passage à travers ses narines bouchées. On aurait dit que quelque chose de mort se trouvait dans les parages.

Le hall d'entrée dans lequel Victor avait mis les pieds avait probablement connu de meilleurs jours. En effet, la tapisserie des murs était à moitié décollée, et le tapis, qui avait autrefois sans doute été rouge, était maintenant bruni et incroyablement souillé. Les nombreux tableaux qui étaient accrochés au mur étaient négligemment inclinés, déchirés et même renversés. Même en pleine journée, le manoir était très sombre, surtout à cause de la jungle envahissante des alentours. Seuls de très rares filets de lumière passaient à travers les fentes des fenêtres barricadées.

Devant le jeune homme se trouvait un large escalier, dont quelques marches étaient défoncées. Victor allait probablement devoir monter à l'étage, mais tout d'abord, le jeune homme décida de jeter un coup d'œil au rez-de-chaussée.

Son attention fut attirée par une salle avoisinante, qui ressemblait à une salle à manger. On aurait dit qu'un festin y avait eu lieu, puisque, de là où Victor se trouvait, il pouvait apercevoir une longue table bien garnie et entourée de chaises à haut dossier.

— Bizarre... murmura-t-il, les sourcils froncés, tout en s'approchant de la pièce.

Lorsqu'il y mit les pieds, son cœur se crispa. Lâchant un juron en sursautant, le jeune homme recula brusquement ; ce qu'il venait de voir était si horrible qu'il dut se couvrir la bouche de la main, pris de haut-le-cœur. Une douzaine de cadavres étaient installés à table. Entièrement décomposés et squelettiques, ceux-ci étaient vêtus de costumes tout droit sortis du siècle précédent. Certains étaient effondrés sur leur assiette, d'autres affaissés nonchalamment contre le haut dossier de leur chaise.

Après avoir combattu son écœurement, Victor se reprit, s'efforçant de se concentrer sur sa tâche. Avant de quitter la pièce, il décida de l'inspecter un peu. Finalement, se disait Victor en se frottant le nez, les yeux mouillés, sa congestion nasale était peut-être une bonne chose. Des restes de nourriture moisie étaient éparpillés sur la table, entourés de cadavres de mouches. Ces petites bestioles étaient probablement venues se régaler avant de mourir irradiées.

Victor s'attarda alors aux occupants de la table, tout en gardant une certaine distance avec ceux-ci par simple mesure d'hygiène, même si la sienne laissait à désirer. La plupart d'entre eux avaient des ustensiles plantés dans le crâne, sans pour autant qu'il y ait de taches de sang dans les alentours. Ces lésions avaient donc été infligées post mortem, conclut le jeune homme. L'idée que quelqu'un de sérieusement tordu ait pu les placer ainsi lui effleura l'esprit, le faisant frissonner.

Soudain, il entendit une détonation provenant du premier étage. Alerté, le cœur crispé, Victor dégaina son glaive de sa main qui tenait la pochette, maintenant compressée sous le pommeau. Le bruit qu'il venait d'entendre était sans aucun doute possible un coup de feu. Revenant rapidement sur ses pas, Victor escalada l'escalier en face du hall d'entrée. Tout en s'aidant de sa canne et en faisant bien attention de ne pas mettre le pied dans les marches défoncées, Victor gravit l'escalier en se tordant le cou pour s'assurer que personne ne surgissait de l'étage supérieur. Il devait forcément y avoir quelques Agas dans ce manoir, si les dires de Naveed étaient justes.

Par mégarde, le jeune homme se coinça par deux fois le pied droit dans l'escalier en mauvais état, causant de ce fait un certain vacarme, même s'il s'efforça de ne pas prononcer un mot. Cela ne changeait rien au fait que son entrée n'avait rien de discret et que, si quelqu'un se trouvait à l'étage, il l'aurait très probablement entendu. Sauf si cette personne était sourde, évidemment, songea le jeune homme avec sarcasme.

Juste avant d'arriver à l'étage, le jeune homme balaya furtivement l'endroit du regard, à travers la balustrade qui entourait l'escalier. Le corps d'un Agas gisait dans une mare de sang, sur le plancher, tout près du visage de Victor, sa tête trouée par une balle. C'était donc sur lui qu'on avait tiré. N'y portant pas plus d'attention, Victor monta les dernières marches. Un long corridor décrépi et complètement désert s'étirait à sa gauche et à sa droite, dont les murs, tous aussi crasseux et usés que ceux du rez-de-chaussée, étaient recouverts de portraits peints. Deux doubles portes se trouvaient en face de lui, donnant accès au balcon. Quelques lianes, qui étaient parvenues à défoncer une partie du toit depuis l'extérieur, se faufilaient à l'intérieur, s'étendant même sur le plancher de bois.

Néanmoins, ce furent les portraits affichés aux murs qui attirèrent principalement l'attention de Victor. Sans pour autant baisser sa garde, le pianiste s'approcha de ces derniers afin de mieux les observer. Contrairement aux autres tableaux que le jeune homme avait pu voir, ceux-ci étaient bien droits, ce qui était plutôt étrange, considérant l'état du manoir. Autre détail que Victor remarqua : les peintures affichaient les portraits d'une très longue descendance d'Espagnols, les Mortaz, qui remontait aux années 1600. Tous les visages, aux traits fins et pointus, affichaient la même expression de désapprobation solennelle et hautaine. Ce n'était peut-être pas un manoir anglais, finalement.

À cet instant, une voix masculine retentit depuis le fond du corridor, à la gauche de Victor. Le jeune homme ne comprit pas la phrase prononcée, qui venait d'ailleurs très probablement d'une pièce fermée. Jetant tout de même un coup d'œil par-dessus son épaule, juste au cas où, le pianiste se dirigea vers la voix. Encore une fois, celle-ci se fit entendre, avant qu'une seconde détonation survienne, suivie du bruit de quelqu'un qui s'écrasait au sol de tout son poids.

Il y eut un rire sonore avant que la voix s'exprime à nouveau. Cette fois, Victor fut capable de deviner qu'on s'exprimait en espagnol, et, même s'il ne comprenait rien de ce langage, la personne qui parlait semblait très agitée, comme si elle criait après quelqu'un. Tout en continuant de s'approcher de la voix d'un pas rapide, mais silencieux, Victor arriva enfin près d'une porte fermée. Il s'adossa au mur, juste à côté, et porta son oreille à la porte. C'est là qu'il entendit une autre voix, cette fois bien familière :

— Non, pitié ! gémit Manuel d'une voix suraiguë. Je ne demande qu'à vivre ! Je ne comprends pas votre baratin espagnol !

L'autre voix, celle qui s'exprimait en espagnol, lui répondit en hurlant des paroles incompréhensibles pour Victor. Oubliant ses symptômes envahissants, comme ses yeux à demi obstrués par les larmes, le pianiste enfonça la porte d'un solide coup d'épaule. Étant vieillie et à moitié pourrie, celle-ci se délogea de ses gonds sans qu'il eût à faire de grand effort.

Arrivant dans la pièce à toute allure, Victor pointa son glaive vers une silhouette qui était dos à lui, vêtue d'un costume tout droit sorti du siècle précédent. Aux pieds de l'individu gisaient cinq ou six cadavres d'Agas, tous récemment abattus par balle. En observant rapidement les alentours, le pianiste réalisa qu'il se trouvait dans ce qui avait autrefois été un somptueux salon. Le tapis était couvert de moisissures, un buffet dans un coin était fendu en deux et les fenêtres étaient complètement brisées. Malgré tout, un feu brûlait dans un foyer en marbre, qui avait bien résisté à l'épreuve du temps. Sur le manteau du foyer se trouvait un crâne couronné d'une perruque blanche à boudins. C'était Manuel, qui avait d'ailleurs lâché un hurlement strident à l'arrivée du pianiste. Fronçant les sourcils, Victor s'attarda cependant à la silhouette qui ne s'était pas retournée vers lui, malgré son entrée pour le moins fracassante.

– Victor ! couina Manuel. Aide-moi ! Je suis trop grandiose pour mourir !

Le jeune homme envoya un regard noir au crâne dans le but de le faire taire. Puis, il fixa son attention sur le personnage du siècle précédent, tout en le pointant de son glaive, prêt à faire feu.

– Qui êtes-vous ? lâcha le pianiste.

La personne se retourna finalement, et Victor eut une drôle de surprise. L'être qui se tenait devant lui était un cadavre en pleine décomposition ; son visage squelettique, verdâtre et tacheté, n'avait plus de nez ! Son œil droit était couvert d'un monocle, tandis qu'une fine moustache et une barbiche couronnaient ses lèvres bleutées et gercées. De l'une de ses mains pourries aux doigts particulièrement longs et recouverts d'horribles bagues, la créature tenait un pistolet antique et de l'autre, une coupe de vin rouge à moitié pleine.

— Qui êtes-vous ? lui renvoya la créature dans un français à l'accent espagnol, ayant l'air franchement dérangée par la présence du jeune homme.

Le personnage enjamba la pile de cadavres qui gisaient à ses pieds, en bousculant un de son pied au passage, avant de faire un pas vers Victor. Malgré son état, le mort-vivant bougeait d'un air hautain, avec des gestes vifs et énervés. L'étrange individu portait un long manteau incroyablement usé, d'un rouge bien terni. Les manches en dentelle de sa chemise étaient fripées et souillées. Son pantalon était moulant, s'arrêtant à ses genoux, avant de faire place à des bas jaunis et à d'horribles petits souliers de cuir surmontés d'une boucle.

— Qu'est-ce que... qu'est-ce que vous faites ici ? lui demanda Victor, qui ne savait pas vraiment quoi demander, sans pour autant abaisser son glaive.

— Qu'est-ce que je fais ici ? répéta le curieux personnage, l'air insulté. Je suis chez moi ! Et vous ? ajouta-t-il en agitant furieusement son pistolet vers Victor. Qu'est-ce que vous faites ici ?

Le jeune homme fronça les sourcils dans une expression d'incompréhension. Il était là, devant un homme cadavérique portant une perruque, à envoyer des questions qu'on lui retournait aussitôt.

— Ce vieux tordu est un malade mental ! lâcha Manuel d'une voix apeurée. Il vient de flinguer un homme ! Remarque, ajouta le crâne d'une voix éteinte, je l'ai souvent fait, mais...

— C'est vous qui avez tué ces Agas ? envoya Victor à l'Espagnol décomposé, ignorant son ami métacurseur.

— Et après ? répondit le mort-vivant à perruque d'un air moqueur. Ils étaient vos amis, peut-être ? Ils allaient mourir, de toute manière ! Comme les autres ! Piètres vautours incapables de supporter ma magnificence sans devenir faibles. Autant les tuer tout de suite !

— Incapables de supporter... votre magnificence ? répéta Victor, l'air incrédule.

Le personnage cadavérique abaissa son arme, affichant un air exaspéré avant de vider sa coupe de vin d'un trait. Victor put voir avec dégoût le liquide passer dans un trou de la gorge du mort-vivant.

— Ils meurent tous ! se plaignit l'Espagnol en balançant sa coupe vide contre un mur. Tous ! Pas une seule pauvre âme ne peut survivre à ma si magnifique et majestueuse magnificence.

À la suite de ce commentaire ridicule, Victor grimaça un sourire.

— Pourtant, ajouta-t-il en étant faussement au bord des larmes, comme l'aurait fait un très mauvais comédien, je ne demande pas grand-chose !

Puis, le mort-vivant se laissa tomber avec élégance dans un fauteuil déchiré et recouvert de moisissures, avant de continuer sa grande scène :

— Moi, le splendide Eduardo Mortaz, lâcha-t-il en tendant les mains en l'air, comme s'il demandait une offrande, je ne veux qu'un peu de compagnie !

À cet instant, Victor vit une lueur verdâtre scintiller au fond du regard d'Eduardo, juste derrière son monocle... et il fut certain que ce n'était pas qu'un simple reflet causé par la vitre circulaire. Le pianiste ne bougea pas, la bouche entrouverte, pointant toujours son glaive vers le personnage qui agissait comme s'il jouait une pièce de théâtre devant un auditoire. Se trouvait-il devant la Liche qu'il cherchait ?

À ce moment-là, apparemment revenu sur Terre, Eduardo envoya un sombre regard vers Victor.

— Vous n'êtes pas mort ? dit-il en bondissant sur ses pieds avant d'agiter vers Victor un index particulièrement long et verdâtre, au bout duquel siégeait un ongle dégoûtant. Vous...

Eduardo plissa les yeux, analysant Victor de la tête aux pieds.

— Non, vous n'avez rien des Mortaz, fit remarquer le mort-vivant en croisant les bras, l'air songeur, tenant son pistolet de manière nonchalante. Mais... vous êtes vivant ! lâcha-t-il avec énergie. C'est le plus important. Nous pourrions faire une balade sur la terre avant de faire un petit festin ? Mes invités nous attendent depuis déjà un bon moment !

Décidément, songea Victor, qui observait Mortaz avec dégoût, il avait affaire à quelqu'un de mentalement déséquilibré. Pour cette raison, le jeune homme hésitait très fortement à appuyer sur la détente.

— Vous sentez-vous bien, monsieur Mortaz ? lui demanda le jeune homme d'un ton poli, son arme toujours levée.

— Qu'est-ce que tu attends, merde ? lâcha la voix tremblante de Manuel. Troue-le de balles ! Il est dément !

Eduardo se retourna alors vers Manuel, installé sur le manteau du foyer, avant de faire feu sur le cadre qui se trouvait juste au-dessus de lui. Le crâne lâcha un hurlement digne d'une fillette alors que le cadre s'affaissait sur le sol dans un épais nuage de poussière. Ce détail sauta aux yeux de Victor. Avec une telle couche de saleté, il était évident que personne n'avait mis les pieds dans cet endroit depuis très, très longtemps.

— Un peu de patience, grand-père ! lui renvoya le mort-vivant d'une voix douce. Nous irons marcher bientôt !

— Il croit que je suis son grand-père ! couina Manuel en sanglotant de manière si ridicule que le jeune homme en sourit presque. C'est pour ça qu'il m'a mis cette maudite perruque ! Sauve-moi de cet enfer, Victor, je t'en supplie !

Le jeune homme allait très probablement passer à l'acte, mais pour l'instant, quelque chose d'autre attirait son attention : le pistolet d'Eduardo. C'était un modèle incroyablement âgé, qui aurait dû se trouver dans un musée d'antiquités. Cette arme devait être chargée de poudre à canon et d'une balle de plomb après chaque tir. Chose que le drôle de personnage n'avait pas encore faite, ce qui donnait à Victor une certaine tranquillité d'esprit. Le jeune homme choisit d'abaisser son glaive, qu'il rangea dans son fourreau. En cessant les hostilités, il aurait peut-être davantage d'information au sujet du curieux aristocrate cadavérique. Avant de tenter quoi que ce soit, Victor voulait être absolument certain qu'Eduardo Mortaz était bel et bien une Liche.

– Qu'est-ce que… qu'est-ce que tu fais ? cria Manuel. Seigneur, oh, Seigneur…

– Depuis quand êtes-vous ici, monsieur Mortaz ? demanda poliment le pianiste.

D'un air surpris, le mort-vivant porta son index sur sa joue, l'air songeur.

– Mmmh… c'est une bonne question ! répondit-il avec énergie. Très bonne, même, mon cher…

Mortaz suspendit sa phrase, observant le jeune homme avec intérêt, afin de l'inciter à se présenter.

– Victor Pelham, se présenta le jeune homme, qui ne voyait aucun inconvénient à dévoiler son nom à une créature qu'il allait très probablement tuer.

– Eduardo Mortaz ! se présenta le mort-vivant en faisant la révérence. Comptable chevronné à votre service !

Le personnage cadavérique tendit ensuite sa main répugnante vers Victor. Les doigts d'Eduardo étaient crochus, et, à quelques endroits, on pouvait même voir ses os. Remerciant mentalement le fait que ses membres soient engourdis à cause du niveau élevé de radioactivité, le jeune homme serra la main (ou plutôt les doigts) de Mortaz en affichant un faux sourire.

– Vous aimez le domaine des Mortaz, cher ami ? lui demanda le comptable avec son accent espagnol prononcé.

– Euh… c'est charmant, mentit Victor en balayant du regard les alentours.

– Certes, ces lieux auraient besoin d'un petit coup de balai ! s'exclama Eduardo, qui avait tourné le dos au jeune homme afin de contempler un bout de mur défoncé, en hauteur, qui laissait entrevoir les branches tordues de la jungle infectée.

– Alors…, depuis combien de temps êtes-vous ici ? redemanda Victor, profitant du moment pour essuyer vigoureusement sa main sur son pantalon.

— Vrai ! répondit Eduardo en se tournant si rapidement vers le jeune homme que sa perruque faillit tomber, laissant voir un crâne chauve et tacheté de plaques mauves. J'avais presque oublié votre question ! Oh ! mon accessoire capillaire !

Puis, en réajustant sa perruque d'un air rieur, il continua tout simplement :

— Pour vous répondre, très cher ami Pelham, je dirais que je n'en sais rien.

— Vous n'en avez même pas une petite idée ? lui renvoya Victor sur un ton subtilement insistant.

Le mort-vivant fit rouler ses yeux vers le haut, fouillant visiblement dans sa mémoire tout en marmonnant des paroles incompréhensibles en espagnol.

— Voyez-vous… je crois que cela doit faire… deux à trois mois.

— Oh, je vois, répondit simplement le jeune pianiste d'un air détaché.

En réalité, son cerveau fonctionnait à toute vitesse. Il croyait avoir mis le doigt sur quelque chose, mais il devait s'en assurer. À ce moment-là, Manuel lâcha en pleurnichant :

— Si tu ne veux pas me sauver, tue-moi ! Je ne veux pas rester avec ce vieux tordu une seule seconde de plus !

— Grand-père, voyons ! lui envoya sèchement Mortaz, l'air irrité, cette fois. Ne soyez pas impoli avec notre ami, ajouta-t-il en affichant un sourire garni d'une dentition noircie et trouée.

À la vue des dents du comptable mort-vivant, le jeune homme fut aussitôt atteint d'un haut-le-cœur, qu'il fut en mesure de masquer en se couvrant la bouche à l'aide de son poing.

— Je vous ai dit deux ou trois mois, n'est-ce pas ? envoya Mortaz à l'intention de Victor, l'air songeur.

— Euh… oui, c'est exact.

— Je crois me tromper, avoua le comptable. Car imaginez-vous donc que je me suis réveillé au fond d'un monticule de terre !

— Ah ? fit le jeune homme d'un sourcil levé. Et pourquoi donc ?

— Aucune idée ! répondit le mort-vivant en haussant des épaules. En fait, ajouta-t-il en grattant son front moisi de son index, si je me souviens bien…, ma tendre Maria et moi étions allés faire une promenade sur la plage alors que je venais d'hériter de la gouvernance de cette île, à la suite du triste décès de mon père. C'est une très longue histoire.

Eduardo se laissa retomber dans son fauteuil avant de passer la jambe gauche par-dessus la droite dans un craquement osseux assez inquiétant.

— Mon arrière-arrière-grand-père avait été nommé gouverneur de cette île par notre roi lui-même, continua le curieux personnage tout en gesticulant de sa main qui tenait son pistolet. Il fallait quelqu'un qui soit digne d'un tel petit paradis, tant convoité par les Anglais.

Une ombre traversa le visage cadavérique de Mortaz, qui prononça d'un air mauvais :

— Ah… ces maudits diables buveurs de thé ! Peu importe ! Mon arrière-arrière-grand-père, Roberto Mortaz, avait été envoyé ici pour veiller sur la colonie qui s'y était établie. Mais son règne ne dura pas, expliqua le mort-vivant d'un air tragique. On raconte qu'il a fait une chute mortelle du balcon, après une soirée un peu trop arrosée…

— Comptable Mortaz ? l'interrompit Victor en étant très poli, afin de ne pas l'offenser. Pourriez-vous sauter directement à ce que Maria et vous faisiez…

— Oh, bien sûr ! répondit Mortaz en ricanant d'un air amical. Vous êtes un homme direct ! Les détails inutiles ne vous intéressent pas ! J'adore ! ajouta-t-il en applaudissant rapidement.

En fait, l'histoire du comptable l'intéressait un peu, mais le jeune homme sentait, depuis quelques minutes, que quelque chose n'allait vraiment pas dans son corps. Il se sentait nauséeux, et son crâne, sous pression, semblait trop petit pour son cerveau. Victor se donnait plus ou moins dix minutes avant que ses symptômes deviennent dangereux.

— Où en étais-je ? demanda Mortaz, qui donnait l'impression de fouiller au plus profond de sa mémoire.

— Vous marchiez sur la plage avec une certaine Maria... votre épouse, je suppose ? lui dit Victor dans l'espoir de remettre le comptable sur la bonne voie.

— Ah ! bien sûr que non, cher ami ! s'exclama Eduardo. Maria est le nom que j'ai donné au coffre qui contenait les avoirs de ma famille !

— Ah... répondit Victor après un temps d'hésitation. Je... je vois.

Mortaz était définitivement bizarre, songea le jeune homme.

— Voyez-vous, très cher, continua l'aristocrate mort-vivant, je transportais le coffre sur la plage afin d'aller l'enterrer. Car la colonie de cette île était souvent visitée par d'ignobles pirates et voleurs en tout genre. J'avais creusé un trou suffisamment grand pour y cacher mon trésor, lorsqu'une bande de truands se sont présentés à moi pour voler Maria. Je me souviens qu'ils ont pointé leurs armes vers moi et... pouf ! lâcha Mortaz en mimant une explosion de ses mains, je me suis endormi.

— Vous... vous vous êtes endormi ? répéta Victor.

Qu'est-ce que cela signifiait ? se demanda le pianiste. Mortaz avait-il été tué ? Il allait devoir le découvrir d'ici peu.

— Voilà ! confirma le comptable en hochant fébrilement la tête. Et lorsque je me suis réveillé, j'étais au fond d'un trou ! Ces chiens galeux m'ont enterré dans le trou que j'avais creusé pour Maria... et ils se sont sans doute emparés d'elle !

Puis, de son air de mauvais comédien dramatique, Eduardo lâcha :

— Oh... Maria..., ma douce Maria...

— Vous vous êtes réveillé combien de temps après votre sommeil au fond de ce trou ? lui demanda Victor, les sourcils froncés.

— Je n'en sais rien ! répondit franchement le curieux personnage. Tout ce que je sais, c'est que la colonie avait entièrement disparu et que le manoir de ma famille était souillé. C'est probablement l'œuvre de ces maudits Anglais...

Le jeune homme, l'air songeur, se mordit la lèvre inférieure. Manifestement, bien que Mortaz ne semblât pas le réaliser, le comptable cadavérique s'était éveillé un siècle plus tard.

– Avez-vous... remarqué quelque chose de particulier? demanda Victor tout en formulant mentalement sa requête. Je veux dire, à votre réveil?

– Certes! acquiesça l'aristocrate avec énergie. Puisque vous le demandez, j'ai en effet trouvé quelque chose de particulier.

Tirant sa manche droite d'un seul trait, le comptable dévoila un avant-bras squelettique grossièrement décomposé sur lequel était incrusté un fragment verdâtre... C'était exactement ce que Victor voulait voir. Il avait la confirmation qu'il se trouvait devant la Liche. En posant son regard sur la pile de cadavres qui gisaient devant le foyer, le pianiste comprit quelque chose.

Contrairement aux dires de Naveed, les Agas n'étaient pas protégés contre les radiations ou, comme l'aurait dit Mortaz, sa magnificence. Les Agas démontraient des signes de faiblesse et des symptômes, ce qui avait dû énerver la Liche et la pousser à les exécuter. Mais pourquoi les Agas accordaient-ils de l'attention à Eduardo?

– Vous allez bien? demanda ce dernier, qui, la tête inclinée, observait Victor avec attention.

Le jeune homme, perdu dans ses pensées, revint à lui en offrant un sourire forcé à Mortaz.

– Comment se fait-il que vous ayez amené ce crâne ici? demanda Victor en désignant Manuel d'un hochement de tête.

– Vous parlez de mon grand-père? Eh bien, j'ai remarqué qu'à mon réveil, ma famille ainsi que mes proches étaient tous mystérieusement endormis et, encore plus étranges, ils avaient été enterrés!

Ce n'était pas si étrange, se dit Victor, puisqu'il s'était déroulé un siècle depuis l'éveil de Mortaz. Ses proches ne s'étaient pas endormis... ils étaient tout simplement morts, ce que le comptable semblait complètement ignorer. L'aristocrate continua :

— Je les ai donc libérés de leur tombe afin de les installer dans la salle à manger, histoire de déguster un repas en famille ! Hélas, il ne manquait que mon grand-père. C'est à ce moment-là que j'ai eu la visite de ces étranges indigènes vêtus de cuir. Style vestimentaire très bizarre, je dois dire, ajouta-t-il en tapotant son index sur son menton.

Manuel, qui pleurnichait, supplia depuis le manteau du foyer :

— Victor..., tue-moi, je n'en peux plus d'entendre ces âneries...

— Enfin, bref, continua Mortaz en ignorant le crâne, étrangement, ils se sont prosternés à mes pieds et se sont mis à obéir à mes ordres. Ils m'ont même érigé un trône avec des ossements. Dégoûtant !

Voilà pourquoi les Agas avaient accordé de l'attention à Eduardo Mortaz, conclut Victor. Simplement parce qu'ils l'avaient pris pour une sorte de divinité revenue d'entre les morts.

— Je dois dire qu'il était plutôt complexe de communiquer, continua Mortaz, puisque ces sauvages ne parlent pas vraiment le français ni l'espagnol... Cela me rappelle mon jeune temps, lorsque je n'étais qu'un simple apprenti à Madrid et que j'arpentais les rues...

Le jeune homme, qui redoutait de bientôt perdre sa lucidité, pouvait entendre ses battements cardiaques pomper contre ses tympans. Il n'avait plus de temps à perdre. La main sur la joue, Victor ouvrait et fermait la mâchoire dans le but de se déboucher les oreilles.

— Revenons aux faits, l'interrompit le jeune homme, qui ne l'écoutait pas. Qu'avez-vous demandé à ces Agas ?

— Ah ! un homme direct, j'oubliais ! lâcha Mortaz avec bonne humeur. Avec une certaine difficulté, je suis parvenu à leur faire comprendre que j'avais besoin de leur aide pour retrouver les membres de ma famille, qui étaient forcément toujours sur l'île, puisque je ne m'étais endormi que depuis quelques heures à peine ! Étrangement, ces indigènes mouraient après avoir passé un certain temps en ma glorieuse compagnie... Et, au bout de quelques semaines, ils ont commencé à se tenir à l'écart..., me laissant ainsi seul ! dit-il en posant le revers de sa main contre son front.

Le comptable étouffa un sanglot théâtral.

— Mais vous ! envoya-t-il d'un air dément à l'intention de Victor en le pointant du doigt. Vous êtes là ! Vous tolérez ma radieuse présence !

Le jeune homme recula d'un pas, alors que la paupière de l'œil gauche du mort-vivant tressaillait.

— Vous pourrez donc partager le repas avec moi, grand-père et les autres ! continua le comptable. Voilà des mois que je prépare ce festin ! Nos invités meurent d'envie que ce banquet débute enfin !

— Euh... non, pas vraiment, lui répondit le jeune homme d'un air froid. Je suis désolé.

— Alors, vous n'avez qu'à mourir comme ces autres chiens galeux vêtus de cuir ! s'exclama le comptable en pointant son pistolet vers Victor.

Le mort-vivant appuya sur la gâchette. Comme le jeune homme l'avait prévu, il n'y eut qu'un simple clic ; le pistolet n'avait pas été rechargé de poudre et d'une balle de plomb. Malgré tout, la vue d'une arme pointée dans sa direction et dont la gâchette était pressée réussit quand même à crisper le cœur du jeune homme.

— Hein ? lâcha le mort-vivant en observant son pistolet d'un air surpris pendant un instant. Ah ! zut..., j'ai oublié de recharger.

Puis, avec un gémissement d'effort plutôt ridicule, Eduardo lança son pistolet vers Victor, qui l'évita aisément en pivotant simplement son torse. Hurlant des paroles affolées en espagnol, le comptable se mit à courir en direction opposée du jeune homme, renversant maladroitement le fauteuil au passage.

En observant le comptable courir, Victor sut ce qu'il lui restait à faire. Il allait devoir agir vite. Il devait le tuer, même si l'idée de jouer les bourreaux le répugnait... mais c'était pour le bien de tous. Même celui de la Liche. Sur ce, le pianiste dégaina son glaive, qu'il pointa ensuite vers Eduardo. Après une brève estimation de la trajectoire du projectile, Victor pressa la gâchette du mécanisme d'arme à feu. La balle atteignit le comptable en plein dos, le propulsant au sol dans un cri aigu, sa perruque projetée en l'air sous l'impact, dévoilant son crâne chauve et tacheté.

— Oh ! lâcha Manuel, ricanant avec une excitation maligne. En plein dans le dos ! Tu es vicieux, Victor ! Ha ! ha ! Tu as vu la perruque ?

Ignorant les propos du crâne, Victor lâcha sa canne et fourra la pochette protectrice dans sa poche de pantalon, tout en se dirigeant vers le mort-vivant, qui tentait de se redresser avec difficulté. L'aristocrate gémit quelques paroles en espagnol, mais cela n'empêcha pas Victor de lui saisir le bras et de déchirer sa manche d'un geste brutal.

— Vous me pillez ! hurla Eduardo d'un air affolé et outré. Sale petit voleur ! Chargez mon pistolet à ma place et tirez-vous dessus vous-même !

Sans même lui répondre, Victor enfonça la pointe de son glaive dans son avant-bras, qu'il maintenait fermement de son autre main, délogeant d'un seul coup le fragment, qui tomba au sol. Puisque Victor l'avait laissé tranquille afin de récupérer le fragment, l'aristocrate se traîna sur le sol jusqu'au pied du foyer, là où siégeait Manuel, qui lâchait des insultes vulgaires à son égard. Au moment où les doigts de Victor saisirent le fragment, une vague d'inconfort lui traversa le corps. Il sentit que son estomac menaçait de se renverser à tout instant.

L'air dément, le mort-vivant se mit à balbutier des paroles incompréhensibles en espagnol. À cet instant, debout devant Eduardo, tenant fermement le fragment et son glaive, sa poitrine se soulevant au rythme de sa respiration rapide, le jeune homme se sentit comme un monstre… comme un vulgaire meurtrier.

— Qu'est-ce que tu attends ? lui envoya Manuel en ricanant. Tue ce vieux fou !

Immensément irrité par le crâne, Victor lui cria d'un air noir :

— Ferme ta gueule, Manuel !

C'était trop, sa patience avait atteint ses limites. Affecté par le fragment, le corps du pianiste tremblait sous l'effet des radiations.

Son grand-père avait raison, et il remerciait le fait qu'il l'ait empêché d'apporter son propre fragment. Avec les effets de deux fragments, il serait forcément mort. Se préparant mentalement, le jeune homme savait que ce qu'il s'apprêtait à faire le répugnait jusqu'au plus profond de son être. D'un geste vif, Victor enfonça fermement son glaive dans la poitrine squelettique d'Eduardo, là où devait battre son cœur. L'aristocrate cadavérique lâcha un gémissement de douleur.

De toutes ses forces, le jeune homme délogea ensuite son glaive de la plaie, sa lame dégoulinant de sang vert et malodorant. L'aristocrate, dont la bouche s'emplissait de sang verdâtre et les yeux roulaient vers le haut, marmonnait en faisant des bruits gutturaux :

– Que... que... Pourquoi... Notre... buffet...

Lâchant son glaive, qui atterrit dans un tintement métallique contre le plancher de bois, Victor se laissa tomber à genoux avant d'enfoncer, de toutes ses forces, le fragment d'Eduardo dans sa plaie saignante, exactement au niveau du cœur. À cet instant, la créature s'embrasa dans une bourrasque d'air radioactif, qui fit se renverser les quelques meubles du salon encore debout. Le même phénomène qui s'était produit à la mort de la striga se répéta : le plancher de bois vira progressivement au noir autour du corps du comptable, telle une flaque d'huile qui se répandait inégalement. Un moment plus tard, il ne restait plus qu'un simple monticule de cendres au centre du plancher noirci, qui avait inexplicablement viré au gris. La respiration haletante, la vue trouble et victime de violents tremblements, Victor saisit difficilement le fragment.

De forts haut-le-cœur lui coupaient la respiration, le faisant presque vomir chaque fois qu'il tentait de prendre une inspiration. Après avoir toussé violemment, Victor trouva assez de force pour plonger sa main tremblante dans sa poche afin d'en tirer la bourse protectrice. Une fois qu'il l'eut ouverte, Victor voulut y introduire le fragment, mais souffrant d'importantes convulsions, ses doigts tremblaient tellement qu'il fit tomber le bout de métal au sol.

— Merde, marmonna-t-il en tentant de récupérer le fragment de ses gestes engourdis, lents et imprécis.

— Si j'avais un corps, lui envoya Manuel d'un air sarcastique, j'aurais pu accomplir cette incroyable tâche à ta place. Mais non. Pas de corps pour Manuel.

Sans répondre aux railleries du crâne, Victor parvint, même s'il ne sentait plus ses doigts, à glisser le fragment dans la pochette. Le changement fut instantané ; même si le jeune homme se sentait tout aussi à l'envers, au moins, l'engourdissement s'était dissipé.

— Qu'est-ce que tu fais ? lui demanda ensuite le crâne. Sors-moi d'ici, espèce d'idiot !

Ignorant toujours Manuel, Victor fouillait maintenant dans son sac, d'où il tira finalement le métronome de Maébiel. Il plaça ensuite l'objet sur les cendres de Mortaz, avant que la réalité le frappe de plein fouet : comment diable allait-il utiliser ce métronome ? Après une brève analyse, il découvrit, juste au-dessus de l'objet, un seul interrupteur triangulaire, et non pas deux, comme il s'y était attendu. Comment la fracture moléculaire allait-elle s'enclencher, s'il n'y avait pas d'interrupteur à cette fin ?

Voyant bien qu'il était inutile de s'interroger sur ce point, le pianiste appuya sur le bouton. Aussitôt, une fine neige dorée s'éleva dans l'air, rendant à l'endroit macabre et délabré une touche de beauté. Les quelques rayons de soleil qui pénétraient par les fenêtres et les trous des murs donnaient un effet scintillant aux particules dorées, les rendant encore plus magnifiques.

— Comment as-tu fait ça ? lâcha Manuel, ébahi. Avec ce bidule, hein ? On se croirait dans un conte de fées débile, ha ! ha !

Victor tendit la main dans le vide, avant de la refermer sur l'une de ces petites lucioles dorées. Il sentit alors un faible engourdissement bourdonnant au fond de sa main, comme s'il tenait une petite source d'énergie. Lorsqu'il ouvrit la main, la particule dorée s'éleva doucement, comme si elle n'était pas affectée par la gravité, avant de disparaître doucement.

À cet instant, le jeune homme réalisa qu'il se sentait un peu mieux. Certes, il était toujours bien malade et irradié, mais… l'air semblait bien plus tolérable à respirer. Il semblait bien que l'effet de stase annulait la radioactivité.

Maintenant décidé à quitter cet endroit, Victor récupéra le métronome, qu'il enfouit avec douceur au fond de son sac. Dans un effort considérable, mais maladroit, le pianiste réussit ensuite à se redresser en s'agrippant à une chaise renversée. Une fois debout, le jeune homme parvint à récupérer son glaive, qu'il glissa difficilement dans son étui, et revint sur ses pas afin de saisir sa canne. À contrecœur – il aurait préféré laisser Manuel croupir dans cet endroit infect –, Victor saisit le crâne en enfonçant ses doigts dans ses orbites, le débarrassant au passage de sa perruque ridicule.

– Mes yeux, merde ! lâcha Manuel.

– Tu n'as pas d'yeux, lui rappela Victor.

D'une démarche si chancelante qu'elle était comparable à celle d'un ivrogne, le jeune homme s'engagea dans le corridor qu'il avait emprunté plus tôt. Seulement, l'effet de stase s'était bel et bien répandu dans tout le manoir, donnant à l'endroit un air féerique. En retournant vers l'escalier, Victor s'aida des murs décrépis afin de garder son équilibre, tenant dans ses mains sa canne et Manuel.

– Qu'est-ce qui te prend ? lui envoya Manuel, dont le visage se cogna contre les murs plus d'une fois. Pourquoi tu marches comme ça ?

– L'endroit est irradié, répondit Victor d'une voix rauque alors qu'il s'efforçait de ne pas débouler l'escalier qu'il descendait.

Pris d'un haut-le-cœur soudain, qu'il ne put contenir, le pianiste lâcha un vomissement guttural par-dessus la balustrade de l'escalier.

– Comment ça, l'endroit est irradié ? répéta le crâne. Ah ! c'est pour cette raison que la jungle est noircie ? Tu veux dire que... que ce bouffon était une Liche ?

Victor, qui s'essuyait la bouche de son avant-bras, ne prit pas la peine de répondre à une question aussi évidente ; il se concentra plutôt sur le peu de lucidité qu'il lui restait. Lorsqu'il eut enfin franchi la double porte défoncée du manoir, les conduits respiratoires du jeune homme se mirent à brûler à chaque inspiration, en plus de sa gorge maintenant bien enflée, qui se contractait dangereusement. Avec effroi, Victor en vint à la conclusion que même si les radiations du manoir avaient été stoppées, celles qui habitaient son corps continuaient apparemment de prendre de l'ampleur.

Lorsqu'il leva les yeux vers la jungle qui l'entourait, le jeune homme fut tout aussi ébahi par les résultats de la stase qu'à l'intérieur. La jungle noircie, à la végétation déformée et aux arbres tordus, était envahie de ces petites lucioles dorées, qui voltigeaient doucement dans l'air, scintillant sous les timides rayons de soleil. Jamais auparavant il n'aurait cru apercevoir un paysage aussi étrange et improbable. Le métronome était réellement un objet extraordinaire. La respiration douloureuse du jeune homme lui rappela alors qu'il devait se concentrer sur ses pas.

Malgré tout le chemin qu'il avait parcouru jusqu'à maintenant, ce furent les quelques marches du porche du manoir qui eurent raison de Victor, qui, s'y prenant le pied, trébucha et chuta la tête la première contre le sol terreux et cendré de la jungle infectée. Abasourdi, le pianiste resta ainsi pendant un moment. Étrangement, il ne ressentit aucune douleur. Les yeux fermés, étendu, Victor sentait son corps sombrer vers un doux sommeil, seulement, il ne cessait d'entendre quelqu'un l'interpeller.

Irrité, le jeune homme ouvrit les yeux et leva la tête. Manuel se trouvait un peu plus loin, renversé sur le côté. Il avait dû rouler jusque-là lorsque Victor était tombé.

— Hé, imbécile ! lui envoya le crâne. Redresse-toi, à moins que tu veuilles que Maeva s'habitue à dormir toute seule ! Ou avec un autre ! Ha ! ha !

Les paroles de Manuel firent effet ; dans un grognement d'effort, Victor se redressa difficilement, comme s'il se décollait d'une surface adhésive. Une fois debout, étourdi, le jeune homme faillit perdre l'équilibre, mais un arbre bien placé lui servit d'appui au bon moment. Dans l'espoir de diminuer ses étourdissements, Victor ferma les yeux tout en se pinçant l'arête du nez, restant immobile pendant un moment. Il devait le faire. Le plus difficile était accompli, maintenant, il ne lui restait plus qu'à revenir sur ses pas…

— C'est quand tu veux, hein ? lui envoya Manuel, toujours renversé sur le côté, d'un ton sarcastique.

Ouvrant les yeux, Victor expira une bouffée d'air douloureuse avant de récupérer sa canne et Manuel. Après s'être assuré que rien n'était tombé de son sac, le pianiste reprit sa route, se déplaçant d'un pas difficile, dans le but de quitter la jungle irradiée et baignant dans la stase du métronome.

Chapitre 21

Un gobelet de chocolat chaud... quelque peu douteux

Le jeune homme progressa dans la forêt en restant silencieux, mis à part sa forte respiration et ses reniflements, suivant le petit sentier qu'il avait emprunté plus tôt, dans l'espoir de retourner à cette pente, qu'il pourrait escalader afin de rejoindre ses amis. Le fait d'avoir réussi à vaincre une Liche à lui seul ne le réjouissait pas vraiment, c'était plutôt l'inverse. Son cœur était lourd. Il venait encore de tuer. Lui, un simple pianiste handicapé, venait encore d'enlever la vie. Il se sentait souillé. De plus, il avait oublié de questionner la Liche sur la présence des ogres. Si ces brutes s'étaient présentées sur l'île depuis peu, il devait bien y avoir une raison.

Accordant trop d'attention à ses pensées et en raison de sa vision diminuée par ses yeux larmoyants, Victor se prit le pied dans une ronce. Par chance, grâce à sa canne, il parvint à garder son équilibre. En temps normal, s'il n'avait pas été engourdi de la tête aux pieds, sa jambe gauche aurait assurément bourdonné de douleur.

– Tu devrais regarder où tu marches, lui suggéra tout simplement Manuel, qu'il tenait dans sa main droite. Je ne sais pas si tu avais remarqué, mais nous sommes dans une jungle.

Victor garda le silence. Même s'il s'efforçait de garder le rythme, le jeune homme se sentait de plus en plus épuisé, et ses pas devenaient de plus en plus lourds, comme s'il tirait des boulets invisibles.

La bouche entrouverte, Victor avait la respiration si difficile qu'il avait l'impression que ses poumons lui déchiraient la poitrine. À bout de souffle, fortement étourdi, le jeune homme s'effondra à genoux sur le sol noirci, les particules dorées voltigeant autour de lui.

— Ne reste pas ici, imbécile ! le gronda Manuel.

Victor leva le crâne au niveau de ses yeux. Le jeune homme l'observait tout en puisant dans ses forces intérieures pour ne pas le balancer au loin, dans la jungle.

— Si tu restes ici, lui rappela le crâne, tu n'es pas mieux que mort. Alors, bouge tes fesses, tu veux ?

Manuel avait raison, il devait persister. En mettant tout son poids sur sa canne, le jeune homme parvint à se hisser sur ses pieds. Péniblement, il se remit en route. Il lui sembla que le simple fait de s'éloigner du manoir avait grandement réduit son engourdissement, et ses voies respiratoires s'étaient un peu dégagées. Étrangement, un autre effet secondaire était apparu : les yeux du pianiste devenaient de plus en plus sensibles. Même dans cette partie de la jungle, recouverte d'une marée de branches qui bloquait la plupart des rayons du soleil, il devait garder les paupières à peine entrouvertes.

À un moment, il leva malencontreusement les yeux en l'air, et la luminosité éblouissante du ciel, qui perçait à travers les branches, lui rappela douloureusement sa sensibilité oculaire, comme si une aiguille glacée lui avait percé la rétine jusqu'au cerveau. Dans un grognement de douleur prononcé, grimaçant, le jeune homme porta son avant-bras devant ses yeux.

— Tu sais où tu vas, au moins ? lui envoya alors Manuel avec un brin d'inquiétude. Je veux dire..., tu n'es pas perdu, hein ?

Enjambant difficilement une énorme racine tout en essuyant ses yeux mouillés et rougis, Victor sentit la désagréable sensation de la sueur tiède qui ruisselait sur ses tempes fiévreuses.

— Parce que je ne voudrais pas que tu meures et que je me retrouve coincé ici, tu comprends ? continua Manuel, qui éclata ensuite d'un rire trop fort et énervant.

Voyant bien que le jeune homme ne lui répondait pas, le crâne enchaîna :

— Tu n'es pas bavard, hein ?

— Tais-toi, soupira Victor avec difficulté, alors qu'il observait douloureusement les alentours, les yeux à peine ouverts.

Il tentait de repérer les lieux, histoire d'estimer la distance qu'il lui restait à parcourir dans cette maudite jungle infectée.

— Laisse-moi deviner, lui dit Manuel d'un air songeur. Tu te morfonds à cause du fait que tu viens de tirer sur ce bouffon tordu ?

Le jeune homme lâcha un simple grognement.

— Dois-je te rappeler qu'il a essayé de te tuer, petit Victor au grand cœur ? continua le crâne. Il a même flingué ces Agas qui le prenaient pour un dieu. Dire que ces espèces de singes masqués le vénéraient ! ajouta-t-il d'un air de moquerie.

Alors que Victor ne répondait rien, ce dernier accordant toute son attention à la traversée de la jungle noire, le métacurseur poursuivit :

— Ce vieux tordu était peut-être dérangé mentalement, mais ça ne change rien au fait qu'il a essayé de te tirer dessus. Et puis, c'était une Liche, non ? N'est-ce pas ce que ton vieil ancêtre voulait que tu fasses ?

Même s'il restait silencieux, Victor trouva étonnamment un certain réconfort dans les paroles du crâne, qui était parvenu à lui faire voir les choses autrement. Il était vrai qu'Eduardo était un être dangereux : il avait tué des Agas avant de tenter de s'en prendre à lui. Voir les choses de cette façon retira une certaine lourdeur sur les épaules du jeune homme. De plus, le comptable était une Liche, et sa présence avait causé des dommages considérables sur cette partie de l'île. S'il advenait que l'une de ces créatures n'était pas éliminée à temps et parvenait à étendre ses radiations, surtout sur un continent peuplé, les conséquences pourraient être désastreuses. Faire fonctionner son cerveau ainsi permit à Victor de regagner une certaine lucidité.

— En parlant de vieilles peaux, reprit Manuel avec un malin plaisir, pourquoi est-ce qu'il t'a envoyé ici tout seul ? Parce que, si c'est le cas…, je me dis que ce n'est pas très gentil. C'est même cruel. Très cruel.

— Parce que l'endroit est irradié, expliqua Victor avec difficulté, sa langue alourdie par son engourdissement. Et qu'aucun des autres ne peut supporter de telles conditions.

— Moi, je peux supporter ces conditions ! jubila Manuel avec une intense satisfaction. Facile ! En fait, je peux résister à n'importe quoi ! Tu dois admettre que je suis impressionnant et que…

Le crâne interrompit lui-même ses élucubrations pour lâcher un cri aigu. Deux robots marchaient à la rencontre du jeune homme, armés de carabines à mécanisme d'horlogerie. Malgré tous ses symptômes, Victor lâcha Manuel, qui tomba au sol en continuant de hurler, afin de dégainer son glaive. Cependant, en exécutant ce mouvement, le jeune homme faillit perdre l'équilibre.

Les machines qui se dirigeaient vers lui semblaient être construites de façon rudimentaire, comme celles qui avaient défoncé la porte de sa demeure. La différence était que ces robots, aux yeux orangés, étaient équipés de réacteurs. À première vue, ces êtres mécaniques semblaient être venus jusqu'ici en volant. Faits de membres frêles et rouillés, les robots marchaient vers Victor d'une démarche si saccadée qu'on aurait dit qu'ils allaient s'effondrer à tout instant.

Maudissant le fait que ces robots assassins étaient tombés sur lui dans une situation aussi précaire, le pianiste recula doucement. Au même moment, les robots levèrent tous deux leurs armes vers le jeune homme. Ignorant ses lourds symptômes et sa jambe faible, Victor se mit à couvert derrière un arbre alors que des coups de feu étaient tirés en sa direction. Il entendit l'écorce noircie de l'arbre éclater sous l'impact des balles.

Réalisant que son glaive n'avait pas été rechargé d'une nouvelle munition, le pianiste lâcha un juron. Dissimulé derrière l'arbre, il pouvait entendre les pas et les articulations grinçantes des robots. Ils s'approchaient de lui. Abandonnant l'idée de recharger son arme, puisqu'il n'avait pas le temps de fouiller dans son sac, il glissa son glaive et sa canne dans leur étui, sur sa taille et dans son dos respectivement, avant de faire passer la bandoulière de son arbalète par-dessus son épaule.

Le cœur lui martelant la poitrine, Victor jeta un coup d'œil rapide à son arbalète afin de s'assurer qu'un carreau y était armé, ce qui était le cas. Il tenta alors de calmer sa respiration, avant d'activer le mécanisme de poudre à canon. Tenant fermement son arme de ses deux mains, le jeune homme pivota, se mettant à découvert. Il ne parvint à décocher qu'un seul carreau avant d'être forcé de retourner à couvert par une volée de balles.

Victor entendit une explosion ; le carreau venait d'atteindre quelque chose. Adossé à l'arbre, il n'eut pas à attendre longtemps pour savoir s'il avait atteint sa cible, puisqu'un bras robotisé fut projeté dans son champ de vision, tournoyant sur le sol avant de se fendre en deux, un peu plus loin.

Alors qu'il s'apprêtait à quitter sa couverture pour faire feu sur le second robot, Victor tomba nez à nez avec lui. L'être mécanique pointa à nouveau sa carabine vers lui. La respiration coupée par la surprise, le jeune homme s'élança sur le côté, évitant de justesse un coup de feu. Après s'être lourdement écrasé sur le sol noirci de la jungle irradiée, Victor se retourna brusquement afin de se relever.

C'est avec horreur qu'il réalisa que le robot se tenait à deux mètres de lui, le canon de son arme braqué en sa direction. Soudain, un jet de vapeur jaillit de l'épaule de la machine humanoïde, propulsant un boulon au passage. Même s'il ne comprenait pas ce qui se passait, Victor profita du moment pour s'éloigner rapidement, en se traînant sur le sol.

Le robot tomba à genoux dans un grincement métallique, avant que d'autres jets apparaissent un peu partout sur son corps. Il y eut une explosion au niveau de sa tête, créant momentanément un arc électrique. Les yeux orangés du robot s'éteignirent alors, et ce dernier sombra sur le côté dans un lourd impact.

Le jeune homme se redressa, observant la machine désactivée avec incompréhension, la bouche sèche, le corps tremblant. Que s'était-il passé ? Pourquoi venait-il de se détruire ainsi ? Victor s'approcha du robot afin de l'observer. Ce dernier était recouvert d'algues et de saletés aquatiques ; ce que Victor avait pris pour des réacteurs était en fait des propulseurs sous-marins. Ce robot était donc venu ici par la voie des mers. Après une brève analyse de l'être robotisé, le pianiste déduisit qu'en fin de compte, c'était tout simplement l'usure qui était venue à bout du robot.

Quoi qu'il en soit, une question subsistait dans l'esprit du jeune homme, qui leva son regard vers les alentours, observant la scène exotique recouverte de lucioles dorées. Était-ce un simple hasard ou avait-on découvert que lui et les siens voyageaient en sous-marin ? Il n'y avait qu'une seule façon d'espérer le découvrir.

Le jeune homme détacha la tête du robot sans problème, avant d'utiliser son glaive pour en déloger la carte mère, qu'il glissa dans son sac.

— Victor ? cria la voix de Manuel, brisant le silence. Victor ! Victooor !

D'après sa voix, le crâne devait être à une vingtaine de mètres, masqué par la végétation putride de la forêt infectée.

— Je suis là, lui répondit le jeune homme sur un ton normal, puisqu'il n'avait pas la force de crier, avant d'aller récupérer son arbalète.

— Tu es en vie ? lança la voix du crâne, d'un air surpris. Ils ne sont même pas parvenus à te tuer ?

— Cela t'étonne ? répondit-il en marchant vers le crâne, tout en passant son arbalète sur son épaule.

— Wouah ! Tu as la chance aux fesses ! ricana Manuel.

À ce moment-là, Victor sentit une vague d'étourdissement lui envahir le cerveau tandis que son estomac semblait chavirer. L'adrénaline s'était sans doute estompée, et voilà que ses symptômes revenaient… en redoublant d'ampleur. Après avoir récupéré le crâne de sa main droite, Victor fit glisser sa canne de son étui et reprit sa route.

— Tu es increvable ! continua Manuel d'un air enjoué. Personne ne peut venir à bout de toi !

Les pas de Victor étaient difficiles et chancelants, son dos lui semblait de plus en plus lourd, et il était incapable de contrôler les tremblements qui circulaient dans son corps. Les yeux plissés par l'éclat aveuglant du soleil, le jeune homme réalisa que les lucioles dorées causées par l'effet de stase commençaient à se faire de plus en plus rares, jusqu'à disparaître complètement. Au bout d'un instant, il vit enfin la jungle verdoyante, s'étendant à quelques pas de lui. Il avait réussi.

— Ah, je sais ! poursuivit Manuel d'un air triomphant. J'ai trouvé ! Tes adversaires, ils ont pitié de toi parce que tu marches avec une canne. Tu flinguerais un type handicapé, toi ?

Victor ne répondit pas, trop affairé à retrouver le chemin pour retourner vers ses amis. Son cœur battait tellement rapidement dans ses tempes qu'il commençait à avoir la migraine. Dans quelques instants, il devrait apercevoir cette pente qu'il avait descendue et pourrait atteindre le plateau sur lequel se trouvaient ses amis.

— En fin de compte, répondit Manuel à sa propre question d'un air décidé, je flinguerais un type handicapé. Mouais. Mais la plupart des gens sont des mauviettes avec des principes. Pas moi. Et tu sais quoi ?

Les paroles du crâne devinrent progressivement inaudibles jusqu'à ce que Victor ne soit plus en mesure de comprendre quoi que ce soit. De petits points blancs apparurent dans le champ de vision du jeune homme, dont la respiration difficile s'accélérait de plus en plus. Puis, à bout de souffle, le jeune homme tituba avant de s'effondrer sur le sol de la jungle dense.

Incapable de dire ou de faire quoi que ce soit, la joue écrasée contre une touffe d'herbe mouillée, Victor sentit son rythme cardiaque s'affaiblir. Il pouvait entendre les cris lointains de quelqu'un qui l'interpellait, mais c'était sans importance. Maeva marchait vers lui, son doux visage marqué de taches de rousseur lui souriant. Il la serra dans ses bras et, à ce moment-là, tout devint noir.

À un moment, Victor entendit des gens parler, leur voix devenant de plus en plus audible. Dérangé, le pianiste ouvrit les yeux. Apparemment, on l'avait couché sur le dos, sur un lit de feuilles de palmier. On l'avait déshabillé, mis à part ses sous-vêtements, et recouvert d'une couverture à l'odeur d'alcool, qui devait appartenir à Rauk. Près de lui se trouvaient ses affaires : sa canne, son sac et ses armes.

Se redressant sur les coudes, Victor vit qu'il était étendu sur la plage, non loin du sous-marin, qui avait été grandement rapproché du rivage, puisque la tête du calmar reposait maintenant sur la plage. Quelqu'un devait travailler à sa réparation, car Victor pouvait entendre un bruit de soudure, tandis que des étincelles jaillissaient continuellement de l'autre côté du sous-marin. Le ciel violet était recouvert de sa nappe d'étoiles, tandis que l'horizon tirait sur l'orangé, montrant encore quelques rayons de soleil. Le pianiste pouvait aussi entendre le faible crépitement d'un feu de camp, à travers le doux bruit des vagues qui se jetaient sur la plage.

À une dizaine de mètres de lui, il vit les silhouettes de Pakarel, de Baroque et de Rudolph, tous trois assis autour du feu, en train de rôtir des poissons à l'aide de branches. Ils parlaient joyeusement, échangeant quelques rires.

— Comment te sens-tu ? lui demanda la voix de son grand-père.

Tournant la tête vers la gauche, Victor vit Udelaraï, assis sur le sable, son bâton entre les jambes, appuyé sur son épaule.

— Bien, répondit le jeune homme.

En fait, il avait répondu par automatisme, car, en toute honnêteté, il se sentait un peu nauséeux.

— As-tu mal au cœur ?

— Un peu, admit Victor.

Udelaraï s'étira le bras d'un geste vif, afin de retrousser sa manche, avant de poser la main sur le front de son petit-fils. Un sourire révélateur s'étira sur son visage recouvert d'une longue et fine barbe.

— Comment m'avez-vous retrouvé ? lui demanda le jeune homme en s'asseyant dans son lit rudimentaire.

— C'est grâce à Manuel et à Naveed. Manuel hurlait à l'aide, et c'est là que Naveed l'a entendu. Il s'est dépêché de redescendre la pente et, cinq minutes plus tard, il remontait avec toi sur l'épaule et Manuel dans la main.

Victor chercha le démon du regard, il ne semblait pas être là.

— Il est parti te chercher un peu d'eau dans un ruisseau un peu plus loin, lui fit savoir son grand-père, qui avait apparemment deviné les pensées de son petit-fils.

— Bien dormi, princesse ? lui envoya la voix de Caleb.

Tournant la tête dans l'autre sens, Victor vit le demi-gobelin s'approcher de lui, tenant quelque chose dans du papier.

— J'aurais préféré un oreiller et un édredon ultra moelleux, lui répondit Victor avec un sourire en coin, mais je suppose que ça ira pour aujourd'hui.

Caleb s'installa à ses côtés avant de lui tendre ce qu'il tenait dans ses mains. Il s'agissait de gros morceaux de poisson fumé, qui dégageaient une odeur alléchante.

— Tiens, mange un peu, c'est du saumon rouge, lui dit-il.

Victor ne se fit pas prier davantage et prit un morceau fumant.

— Merci. C'est toi qui l'as pêché ?

Caleb lâcha un petit rire avant d'échanger un regard complice avec Udelaraï.

— Figure-toi donc que c'est Baroque qui a joué les pêcheurs !

Le sourire aux lèvres, Victor se tordit le cou pour observer le lozrok, qui était toujours en pleine discussion autour du feu.

— Finalement, dit le jeune homme à l'intention de son grand-père et de son meilleur ami, il sait pêcher, ce grand reptile.

Caleb offrit un peu de poisson au vieillard, et celui-ci accepta volontiers. Tout en dégustant son morceau de poisson, Udelaraï confia d'un ton amusé :

— Je ne cesserai pas pour autant de le soupçonner d'avoir agi ainsi simplement par orgueil après la discussion que nous avons eue, plus tôt dans la journée. Très bon, ce poisson ! C'est quoi, déjà ?

— Saumon rouge, lui rappela Caleb, qui mangeait la portion restante.

Le simple fait de manger un peu dissipa la nausée de Victor.

— Nous avons vu l'effet de stase envahir la jungle et le manoir depuis le haut du plateau, expliqua le vieil homme à son petit-fils. Je te félicite, Victor. Tu as réussi. Tu as ramené le métronome de Maébiel, j'espère ?

— Bien sûr, voyons ! confirma le jeune homme, qui engloutissait sa dernière bouchée.

— Alors..., Victor est complètement guéri ? demanda Caleb à l'intention du vieillard.

— Je n'en suis pas certain, répondit Udelaraï, qui regardait son petit-fils, le front fortement plissé dans une expression d'inquiétude. Les radiations l'ont fortement affecté, certes, mais sa résistance naturelle est... hors du commun. Te sens-tu affaibli, jeune homme ?

— Pas plus que d'habitude, avoua Victor avec honnêteté. Je suis un peu fatigué parce que je viens de me réveiller, mais... rien d'autre.

— Au fait, dit Caleb, Manuel nous a tout raconté. Le fait que la Liche était en fait un vieil aristocrate, que tu aurais flingué dans le dos. Tu as vraiment fait ça ? ajouta-t-il d'un air étonné.

Victor lâcha un petit rire avant de dire :

— Il manque probablement quelques détails à la version de Manuel, mais... oui, j'ai abattu la Liche... en lui tirant dans le dos. Mais peu importe, comment m'avez-vous soigné, au fait ? demanda-t-il en promenant son regard entre Caleb et son grand-père.

Caleb se tourna vers Udelaraï, qui, observant son petit-fils, souriait en coin.

— Nous ne t'avons pas soigné, Victor, lui dit-il. Ton corps s'est stabilisé dès que Naveed t'a ramené à nous. Le simple fait de t'éloigner de la stase, qui étouffait les capacités régénératrices de ton corps, a permis à ton système d'éliminer les radiations. Ah, en parlant du loup...

Le vieillard avait levé son regard émeraude par-dessus l'épaule de Victor. Ce dernier jeta un coup d'œil derrière lui et vit le démon marcher vers eux, la lance sur l'épaule et tenant un seau d'eau dans la main. Le pianiste remarqua que les pas de Naveed laissaient des traces recouvertes de tisons rougeoyants, alors qu'un peu plus tôt dans la journée, ses traces étaient éteintes. Bizarre.

Arrivé auprès du jeune homme, le démon posa le seau à ses côtés. Son regard spiralé et intimidant tomba sur celui de Victor. Les yeux de Naveed étaient presque luminescents dans cette quasi-obscurité, ce qui rendait son regard d'autant plus inconfortable. Mal à l'aise, le jeune homme détourna les yeux vers la mer calme, qui poussait allègrement ses vagues contre la plage.

— De l'eau pour toi, Victor Pelham, lui dit Naveed.

— Merci, lui répondit le jeune homme en ramenant brièvement son regard vers le démon, afin de lui sourire.

Sur ce, le démon fit volte-face et commença à s'éloigner.

— Hé ! lui renvoya aussitôt Victor en se redressant doucement pour ne pas forcer inutilement sur sa jambe gauche. Naveed ! Naveed, attendez !

Le démon s'arrêta, avant de se retourner lentement vers le jeune homme, qui marchait vers lui d'un pas lent.

— Je voulais vous remercier de m'avoir sauvé, lui dit Victor en tentant de soutenir son regard. Sans vous, je serais probablement mort.

De bonne foi, le jeune homme tendit la main droite. Naveed observa sa main d'un air curieux, comme s'il se demandait ce que le jeune homme tentait de faire. Quelques secondes plus tard, lorsque Victor voulut ramener sa main, un peu vexé et mal à l'aise de l'inaction de Naveed, celui-ci étira le bras afin de lui serrer la main. Celle-ci était considérablement chaude, et rugueuse comme de la roche.

— Merci de m'avoir serré la main, lui dit le démon avant de s'éloigner à l'écart du groupe, sa lance contre son épaule.

Étonné par ce que Naveed venait de dire, le jeune homme envoya un regard à Caleb, qui semblait tout aussi confus que lui.

— Bizarre, mentionna ce dernier.

— Naveed n'est visiblement pas habitué aux formalités d'usage, dit Udelaraï. Je crois que tu lui as fait plaisir, Victor.

Le jeune homme continua d'observer le démon, qui s'était assis dans le sable, plus loin, avant de lever la tête, comme s'il observait les étoiles.

— Tiens, dit Caleb en tendant une gourde à Victor, si tu veux boire un peu. Tu devras la remplir.

Victor le remercia d'un sourire et déboucha la gourde avant de se mettre à la remplir d'eau provenant du seau. Il entendit soudain une voix de pakamu bien familière s'écrier :

— Victor ! Tu es réveillé !

Bien avant qu'il puisse se retourner, le pianiste fut étreint dans le dos par un petit bonhomme plein d'énergie, ses petites mains lui serrant la poitrine. Riant tout en tapotant ses petits bras, le jeune homme freina son enthousiasme :

— Tout doux, Pakarel !

Le raton laveur trotta pour faire face à Victor et, d'un seul coup, son visage enjoué prit une expression sombre. Portant sa gourde à sa bouche, le jeune homme lui demanda amicalement :

— Qu'est-ce qu'il y a, petite boule de poils ?

— Tu aurais pu mourir, Victor, lui dit Pakarel d'un air consterné, voire accusateur.

Une main grosse comme une patte d'ours s'abattit vigoureusement sur l'épaule du jeune homme, qui faillit renverser sa gourde. C'était Rudolph, le hobgobelin musculeux et trapu, qui venait d'apparaître aux côtés du jeune homme.

— Mais le bonhomme a plus d'un tour dans son sac, hein ? déclara-t-il en l'observant de haut.

Son visage brunâtre était fortement marqué par la fatigue, et sa mâchoire proéminente était picotée de barbe naissante, à travers laquelle coulait de l'eau ou du jus de poisson.

— Content de te revoir, Rudolph, lui dit Victor.

— Tu es réveillé ? lâcha la voix de Rauk. Eh bien, merde !

L'air pratiquement offensé par la simple vue de Victor, le gros bonhomme chauve et barbu avançait de sa démarche claudicante jusqu'à eux depuis le calmar mécanique, tout en grommelant des jurons. Sans grande surprise, Victor constata que c'était donc lui qui travaillait toujours à la réparation du calmar.

— Je savais que j'aurais dû cesser de réparer ce tas de ferraille ! déclara-t-il d'un air grognon tout en nettoyant ses mains huileuses à l'aide d'un vieux torchon. Avec tout ce raffut, c'était évident que je te réveillerais ! Il faut que tu te reposes ! Retourne au lit !

— Ça va, le vieux, ne t'en fais pas pour moi, le rassura le jeune homme d'un air taquin. J'ai besoin de m'éveiller un peu. Comment vont les réparations ? Ça avance ?

— Les autres ne te l'ont pas dit ? s'étonna Rauk en jouant momentanément dans sa narine gauche, au grand dégoût de tous.

— Non, admit le pianiste en balayant du regard les visages de ses amis, on ne m'a rien dit à ce sujet.

— Nous ne pourrons pas partir ce soir, soupira Rauk. Ces mines électromagnétiques ont provoqué de sérieux dommages aux moteurs. Je vais avoir besoin d'une journée complète, voire deux. D'ailleurs, je devrais y retourner…

— Ce n'est pas grave, lui répondit le jeune homme, qui n'était pas déçu pour autant, comme je te connais, tu as probablement fait du bon boulot, jusqu'à maintenant. Pour le reste, nous t'aiderons demain. Tu en as assez fait pour aujourd'hui. Viens t'asseoir.

— Oh non ! intervint Rudolph d'un geste du bras décidé. Pas ici. Allons près du feu. Je n'ai pas perdu une heure à tenter de l'allumer pour que personne n'en profite ! Allez, hop ! Debout !

Afin de ne pas heurter la sensibilité de Rudolph, Victor et les autres se levèrent afin d'aller rejoindre Baroque autour du feu. Dès l'arrivée du jeune homme, le grand reptile, confortablement étendu sur un coude, lui avoua :

— Impressionnant, Pelham. Très impressionnant.

Victor remercia Baroque d'un hochement de tête, avant de s'installer sur le sable.

— Où est Ichabod ? demanda-t-il en cherchant l'épouvantail du regard.

Avant que quiconque ait pu lui répondre, la voix de l'épouvantail se fit entendre :

— Je suis là !

Jetant un coup d'œil en direction du calmar mécanique, le pianiste vit une grande et frêle silhouette se diriger vers eux, dotée de deux cercles verts luminescents lui faisant office d'yeux. Il s'agissait d'Ichabod, marchant vers eux tout en tenant un plateau sur lequel se trouvaient des objets indiscernables dans cette faible luminosité.

— Je préparais des biscuits et des boissons chocolatées ! lui dit l'épouvantail une fois arrivé au feu de camp. Oh ! Victor, ajouta-t-il d'un air tendre, content de voir que tu es réveillé ! Nous étions tous inquiets.

Fortement intrigué par la présence des gobelets de chocolat chaud fumants et des biscuits, Victor pointa le cabaret et demanda :

— Où as-tu préparé ces choses, Ichabod ?

— Oh ! s'exclama l'épouvantail, le sous-marin possède un petit four dans la salle des machines ! Incroyable, non ? J'y ai aussi trouvé quelques gobelets, un bol et un cabaret que j'ai vigoureusement lavés avant de les utiliser.

L'air fier, Ichabod se promena autour du feu en distribuant à Victor et à ses amis les sucreries et boissons qu'il avait préparées. Étrangement, l'épouvantail déposa un gobelet supplémentaire sur le sable, près de Victor, avant d'aller distribuer les derniers gobelets aux autres. Profitant du fait qu'Ichabod leur tournait le dos, Caleb s'inclina vers le pianiste et lui chuchota à l'oreille :

— Tu… tu crois qu'il a réellement lavé les gobelets ?

Apparemment, le demi-gobelin n'était pas le seul à se poser cette question. Rudolph et Baroque observaient leur gobelet avec inquiétude, comme s'ils s'attendaient à y trouver un insecte mort. Victor porta le gobelet à hauteur de ses yeux et tenta de discerner toute trace de malpropreté. Le jeune homme fut alors distrait par le bruit d'une déglutition répétée à sa droite. Le visage caché par son gobelet, qu'il tenait de ses petites mains, le pakamu buvait sa boisson chocolatée à grandes gorgées.

L'air répugné, Caleb lui dit d'un air exaspéré :

— Tu avalerais n'importe quoi, hein ?

— C'est Ichabod qui l'a préparé ! lui renvoya Pakarel après avoir essuyé son museau recouvert de chocolat. Tu ne crois quand même pas qu'il nous servirait quelque chose de malpropre ?

Haussant les épaules, Victor goûta le liquide chaud préparé par Ichabod, aussitôt suivi par Rudolph et Baroque, qui semblaient attendre qu'il s'exécute en premier. Le goût de la boisson s'avéra exquis, tout comme le biscuit qu'il venait de croquer. Comment avait-il pu douter un seul instant de son ami l'épouvantail ? Même les deux capitaines de la milice des sept lames affichaient un air agréablement surpris !

— Si tu meurs, je peux être ton héritier ? envoya Caleb à l'intention de Victor sur un ton sarcastique.

À cet instant, Ichabod tourna la tête vers eux, affichant un air suspicieux, même s'il n'avait heureusement rien entendu des réticences du demi-gobelin. Caleb lui rendit un faux sourire en levant son gobelet en son honneur. Puis, d'un air de pure innocence, même si son visage crispé indiquait un dégoût à venir, le demi-gobelin trempa le bout de ses lèvres dans son gobelet.

Le visage de Caleb prit instantanément une expression de surprise.

— C'est... c'est vraiment bon ! lâcha-t-il, l'air complètement abasourdi.

— Parce que tu croyais que j'aurais servi quelque chose de dégoûtant ? rétorqua Ichabod d'un air froid et insulté.

Mal à l'aise, Caleb lui renvoya un sourire stupide. Cherchant à changer de sujet, le demi-gobelin lui demanda d'un air faussement intéressé :

— Comment... comment as-tu concocté ces petits délices ?

— Ah, avec les innombrables barres de chocolat que j'ai trouvées dans une armoire du sous-marin, répondit Ichabod. Quoi d'autre ?

Ils entendirent alors un fort bruit d'étouffement ; Rauk, le visage rougi et les joues gonflées, lâcha d'une voix coupée, en toussotant :

— Quoi ? Tu... tu as pris mes barres de chocolat ?

Soudain, Victor entendit une voix à sa droite :

— Et moi, comment suis-je censé boire ce gobelet, hein ?

Pris d'un sursaut, le jeune homme faillit s'étouffer avec sa dernière gorgée de boisson chocolatée. Manuel avait été déposé juste à sa droite, caché par sa propre ombre.

— Manuel ! s'exclama Victor, d'une voix éteinte par l'étouffement, une main sur la poitrine, le visage souriant et les yeux humides.

Voilà donc pourquoi Ichabod avait déposé un chocolat chaud supplémentaire !

— Ah, tiens, tu viens de réaliser que j'existe ? lui envoya le crâne d'un air mauvais.

— Je ne t'avais pas vu, mon vieux ! s'excusa Victor en ricanant. Tu veux que je t'aide à boire ton gobelet ?

Le jeune homme leva la main dans le but de prendre le crâne, mais Manuel protesta vivement :

— Ne me touche pas ! Arrière !

Victor observa Manuel, qui s'était plongé dans une concentration difficile et grognait, comme s'il essayait de déplacer le gobelet par télépathie. S'efforçant de ne pas rire, Victor tenta :

— Tu es certain que... ?

Manuel ne répondit rien, l'air toujours aussi concentré.

— Et puis, finalement, je n'en veux plus, de cette satanée boisson ! explosa-t-il. De toute façon, le chocolat, ce n'est même pas bon... Hé !

Pakarel venait de lui voler son gobelet et s'éloignait en trottant, sa queue touffue ballottant derrière, tout en buvant le chocolat chaud.

— Hé ! lui cria Manuel dans une totale impuissance. Sale voleur ! En plus de voler mon diamant, tu oses voler mon chocolat chaud ! Attends que je t'attrape et que je te mange le nez jusqu'au cerveau !

— Tu aurais dû accepter mon aide, lui dit Victor en riant, espèce de bouffon. Ah, et merci d'avoir alerté Naveed, tout à l'heure. Tu m'as sauvé la vie.

— Ouais, pour la millième fois, grommela Manuel d'un air noir et renfrogné.

Chapitre 22

Le feu de camp

— Hé, Victor! lança Rudolph. Je veux savoir ce qui s'est réellement passé dans cette jungle. Ce crâne nous a bourrés de conneries, tout à l'heure.

Afin de satisfaire la curiosité de Pakarel et des autres, mis à part Manuel, qui rouspétait sans cesse, Victor se mit à expliquer en détail ce qui s'était réellement passé. Lorsqu'il décrivit la scène plutôt étrange avec Eduardo Mortaz, quelques rires se firent entendre, si bien que le pianiste dut marquer une pause dans son histoire.

— Je me disais bien que tu n'avais pas sauvé Victor des griffes d'un zombie maléfique en le bernant avec ton supposé intellect supérieur, lâcha Caleb à l'intention de Manuel.

— C'est du pareil au même! protesta ce dernier en guise de mince défense. J'ai peut-être oublié un ou deux détails...

— Tu es un menteur, renvoya Pakarel, taquin, à l'intention de Manuel. Et Victor n'a jamais perdu connaissance en voyant Eduardo!

— S'il vous plaît, intervint Victor, afin de mettre un terme à la dispute. Ce n'est pas important. Je peux continuer?

En terminant son histoire, le jeune homme se rendit compte, de par la réaction des autres, que Manuel avait ajouté une bonne couche de stupidités à son récit. En effet, selon le crâne, Victor se serait affaissé sous le poids de ces responsabilités, implorant ensuite Manuel de lui offrir une mort libératrice. Même Victor, qui tentait de garder un certain sérieux, ne put s'empêcher de lâcher un bon rire, lorsqu'on lui raconta cette ineptie. Cependant, la mention de nouveaux robots assassins fit taire les rires.

— Des robots ? répéta Caleb, l'air alarmé, tout en fronçant les sourcils.

— Manuel ne vous a rien dit à leur sujet ? demanda Victor à ses amis d'un air étonné.

— Oups ! lâcha le crâne d'un air stupide. J'ai peut-être oublié de mentionner nos copains robotisés…

— Saleté de crâne inutile ! lâcha Rudolph d'un air exaspéré. Tu ne sers à rien. On devrait te balancer à la mer.

— Hé ! protesta Manuel, l'air sérieusement offensé. Ce n'est pas juste ! On ne fait pas une telle chose à un crâne sans défense !

— Menteur, lui renvoya Pakarel d'un air sombre. Tu l'as fait à ton équipage.

— Souviens pas, mentit Manuel. J'ai fait ça, moi ?

— Et ces robots, Pelham, tu es parvenu à les détruire ? lui demanda Baroque de sa voix remarquablement grave, remettant ainsi la conversation sur la bonne voie.

— Non, lui répondit Victor en hochant la tête de gauche à droite. En réalité, j'en ai endommagé un, mais ils ont réellement succombé aux radiations. Ils étaient tout aussi frêles que les derniers que nous avons vus, cependant… ils étaient équipés de propulseurs sous-marins.

— Tu veux dire qu'ils sont venus par la voie des mers ? lui demanda Pakarel.

— C'est ce que je crois, confirma le pianiste.

— Ces robots ne nous suivent pas par hasard, marmonna Udelaraï, ne s'adressant à personne en particulier. Quelqu'un sait que nous sommes ici.

L'intervention du vieil homme en surprit plus d'un, puisque ce dernier était resté silencieux depuis un bon moment déjà.

— Vous croyez qu'ils suivent notre position par une sorte de traceur, hein ? lui demanda Caleb.

— Moi, je crois qu'ils suivent ta mauvaise haleine, lui fit savoir Manuel en lâchant son fameux rire immature et bruyant. Et pourquoi tu portes tes cheveux bleus, hein ? Tu aimes avoir l'air d'un troll efféminé ?

Le visage déjà blême de Caleb s'assombrit, mais ce dernier se passa de commenter.

— Il est très probable qu'ils nous suivent avec un traceur quelconque, dit Baroque de sa voix grave. Il faudrait peut-être vérifier tout notre équipement, et même le sous-marin…

— Inutile, intervint Udelaraï. Si nous étions marqués, je l'aurais su. Faites-moi confiance. Victor, reprends ton histoire, s'il te plaît.

Le grand lézard ne protesta pas, mais son regard en disait long ; il était en désaccord avec le vieillard.

Afin de satisfaire la curiosité de tous, Victor poursuivit son histoire. Lorsqu'il détailla l'étendue des symptômes que les radiations avaient causés sur lui, Udelaraï fuit son petit-fils du regard, les yeux humides. Caleb, lui, ne se gêna pas pour foudroyer le vieillard du regard, montrant très bien qu'il lui en voulait d'avoir mis la vie de son meilleur ami en danger.

— Et tu es quand même parvenu à revenir jusqu'au pied de la colline ? s'étonna Rauk. Ben merde, mon gars, tu n'as pas froid aux yeux !

— Oh ! euh... merci, lui envoya Victor, qui ne savait pas trop quoi dire.

— Dire que je veux mourir quand j'ai un petit rhume, marmonna Pakarel d'une petite voix.

— Moi, je ne ressentais rien ! s'empressa de dire Manuel, dans un besoin évident d'avoir un peu d'attention positive. J'étais complètement immunisé !

À cet instant, Caleb se leva, la main refermée sur quelque chose, avant de marcher d'un pas vif vers Manuel. Le crâne venait visiblement de faire déborder le vase.

— À l'aide, Victor ! gémit Manuel d'une voix suppliante.

— Tu veux que je te montre l'étendue de ton immunité ? marmonna Caleb d'un ton sarcastique. Regarde, je vais te montrer.

— Hé ! protesta le crâne. Attends !

Le demi-gobelin lui colla alors le drone à champ électromagnétique sur la tête, avant d'émettre un grognement sonore d'intense satisfaction.

— Tiens ! lâcha-t-il. Un peu de paix ne nous fera pas de mal. Et cette fois, petit emmerdeur, je t'emmène. Ça t'apprendra à me chercher, sale con.

Alors que le demi-gobelin retournait s'asseoir en traînant le crâne, qu'il fourra ensuite dans son sac, quelques sourires apparurent sur les visages de Victor et de ses amis. Apparemment, tout le monde était content de la décision de Caleb.

— On pourrait chanter des chansons ? proposa l'épouvantail avec entrain.

Rudolph, qui s'occupait à rallumer le feu en y balançant quelques brindilles de bois, lui envoya un regard meurtrier, qui indiquait très clairement son point de vue.

— Ce n'était qu'une idée, ajouta l'épouvantail avec un sourire forcé, l'air dégonflé.

— Profitons du moment pour nous relaxer, suggéra alors Victor en s'allongeant sur le sable, utilisant son sac comme oreiller.

— Tu es capable de dormir à la belle étoile ? lui demanda Ichabod d'une voix incertaine, qui laissait facilement entrevoir que l'idée ne lui plaisait pas vraiment.

Après un bâillement à s'en décrocher la mâchoire, le jeune homme, couché sur le dos, lui répondit :

— Si tu veux retourner au calmar pour dormir dans l'une des chambres, vas-y.

— Ah ! euh… non, balbutia Ichabod. Non, ça ira, répéta-t-il d'un air décidé. Je vais rester dehors avec vous.

— C'est parce que tu as peur de rester seul ? le taquina Victor, qui s'était tordu le cou pour lui envoyer un sourire en coin.

— Pas du tout ! mentit Ichabod, sur la défensive. Je… je ne voudrais simplement pas paraître effronté et vous laisser dehors ainsi, voilà tout.

Imitant Victor, le pakamu s'allongea sur le sable. Il utilisa son chapeau comme oreiller et déboutonna ensuite son manteau, afin d'en faire une couverture.

— Si tout le monde se couche, alors vous ne m'en voudrez pas de désactiver ma batterie solaire ? demanda poliment l'épouvantail.

— Bien sûr que non, mon vieux, lui répondit le pianiste, qui observait les étoiles. Vas-y.

Ichabod tira donc la manche droite de son manteau afin de dévoiler le gadget, muni d'une petite ampoule jaune lumineuse, qui était accroché à son mince poignet. Il appuya sur un bouton et le gadget s'éteignit. Aussitôt privés d'énergie solaire, les grands yeux verdâtres et globuleux de l'épouvantail perdirent de leur éclat.

— Je crois que… que je suis fatigué, marmonna Ichabod avant de s'effondrer sur le côté dans un mince nuage de sable, ronflant fortement.

— Pratique, commenta Rudolph, l'air étonné.

À ce moment-là, une question naquit dans la tête de Victor.

— Grand-père ? lui demanda-t-il avant de tourner lentement la tête vers lui.

— Qu'y a-t-il, jeune homme ? lui répondit le vieillard, confortablement assis, les jambes croisées.

— Comment saviez-vous que l'Agas mènerait Manuel à la Liche ?

— Oh, simple intuition, répondit le vieil homme, comme si de rien n'était.

— Je ne vous crois pas ! lui lança amicalement le pakamu, qui, les bras levés vers les étoiles, semblait vouloir les attraper.

— Moi non plus, dit le hobgobelin en ricanant.

— Vous cachez quelque chose ! l'accusa Pakarel d'un air moqueur.

Udelaraï émit un petit rire, les lèvres fermées.

— Eh bien, continua-t-il en observant Victor, c'est la vérité. Après un certain âge, notre intuition devient plus fine, plus… développée.

— Je suis plus vieux que vous, et mon intuition n'a pas changé ! rétorqua Pakarel d'un air peu convaincu.

— Malheureusement, répondit Udelaraï avec un sourire ironique, c'est quelque chose qui est propre à certains d'entre nous. Lorsque tu auras mon âge, Victor, tu comprendras.

Le jeune homme observa le vieil homme d'un œil intrigué. Avait-il réellement usé d'une simple intuition pour déduire que Manuel serait amené à la Liche ? Tenter de se creuser la tête davantage à ce sujet était une perte de temps, et Victor savait très bien qu'avec son grand-père, il n'aurait jamais de réponse claire.

— Monsieur Udelaraï ? lui envoya Pakarel. Où est notre carrosse hybride ?

— Que veux-tu dire, cher ami ? répondit le vieil homme en levant un sourcil.

— Vous savez, quand vous faites disparaître des choses avec vos bagues magiques ? expliqua le raton laveur en levant sa petite main pour mimer les gestes du vieillard, lorsqu'il usait de ses étranges capacités. Où vont-ils ?

Intrigué, Victor tourna la tête afin de regarder son grand-père. Lui aussi s'était souvent posé cette question.

— Oui, où vont ces objets ? demanda le jeune homme. Ils ne disparaissent pas, en tout cas ?

Souriant, Udelaraï répondit :

— Bien vu. En effet, ils ne disparaissent pas. Tu te souviens de ce que je t'ai expliqué au sujet du déplacement de l'être, voilà plusieurs années, lorsque tu es venu à moi ?

— Comment aurais-je pu oublier ce moment ? lui répondit Victor en toute franchise. Oui, je m'en souviens, mais vous ne m'aviez pas expliqué les détails de son fonctionnement.

— Moi, je ne sais pas ! s'empressa Pakarel. Racontez, racontez !

— Eh bien, continua le vieillard, le déplacement de l'être consiste à se déplacer d'un endroit à un autre en divisant un être ou un objet jusqu'à un niveau moléculaire. De cette façon, les molécules empruntent ce que nous appelons « les voies du néant ». C'est une forme d'énergie très pure et condensée qui sillonne l'Univers.

Une lumière s'alluma au fond de la tête de Victor. Il se souvint que son grand-père avait mentionné les voies du néant, lorsque lui et les siens discutaient autour de la table dans la cuisine, le soir de leur départ.

Pakarel, qui n'avait jamais entendu ce terme, leva sa petite main, qu'il agita de gauche à droite.

— Comprends pas ! lâcha-t-il avec une certaine fierté.

Une expression souriante et bienveillante figée sur le visage, Udelaraï reprit :

— Imaginez… des milliers de ficelles entremêlées, chacune d'entre elles menant à une destination.

— Oh ! lâcha Pakarel d'un air illuminé. Comme les voies souterraines qui mènent à Ludénome !

— Hum, je suppose, répondit Udelaraï d'un air vague. Pour en revenir au sujet, les molécules empruntent les voies du néant à une vitesse qui est immesurable pour vous. Nous, les Mayas, avons depuis longtemps inventé des unités de mesure capables de définir la vitesse exacte des voies du néant, mais il serait un peu inutile de tenter de vous les expliquer, considérant le fait que vous ne connaissez pas notre tableau périodique des matières.

Le raton laveur, qui fixait le ciel, avait le visage figé dans une profonde expression de concentration, qui semblait bien douloureuse.

— Revenez-en au sujet avant que la tête de Pakarel explose, ricana Victor.

Ils entendirent soudain un ronflement sonore. C'était Rudolph qui s'était endormi.

L'ayant remarqué, Udelaraï lâcha un petit rire.

— Une fois le chemin emprunté, continua le vieillard à voix basse, les molécules de l'objet ou de la personne se rassemblent à sa destination dans les secondes qui suivent. Le carrosse hybride se trouve donc sur l'une de mes terres, dans les trois royaumes d'Orion.

— Wouah ! s'étonna Pakarel en se redressant rapidement.

— Que… quoi ? marmonna Rudolph d'une voix pâteuse, qui venait de se réveiller en sursautant.

— Vous voulez dire que tout ce que vous faites disparaître va sur une autre planète ? poursuivit Pakarel en ignorant le hobgobelin, qui s'était recouché.

— En quelque sorte, répondit Udelaraï.

L'air stupéfait, les yeux grands ouverts, Pakarel articula lentement :

— Alors ça, c'est trop cool.

Quelques instants plus tard, Caleb revenait du sous-marin avec Rauk et Baroque. Pendant que ses camarades s'installaient autour du feu, réveillant au passage Rudolph, qui décida avec mauvaise humeur de rester éveillé, le jeune homme se redressa sur les coudes et leur demanda :

— Alors ?

— Rien, pas de traceur, répondit Rauk en se laissant tomber en position assise dans le sable, l'air morne. Et vous ?

— Rien non plus, répondit Pakarel, qui venait de se rasseoir, l'air endormi.

— Je suggère que tout le monde jette un coup d'œil dans ses affaires avant de s'endormir, proposa Rudolph, juste au cas où. C'est simplement... Vous savez..., afin de s'assurer que l'on n'ait rien manqué.

Les paroles du hobgobelin firent naître une idée dans le cerveau du pianiste.

— Justement ! dit Victor en se redressant aussitôt en position assise. Caleb, j'ai une question pour toi.

— Non, et je t'avertis, répondit aussitôt le demi-gobelin d'un air presque menaçant, je ne te laisse pas réveiller Manuel.

Ignorant cette remarque, le jeune homme s'empressa alors de dire :

— Tu crois qu'on aurait pu utiliser de la lueur collante contre nous ?

Après un bref moment d'hésitation mêlée de surprise, le demi-gobelin répondit :

— Impossible. La lueur collante laisse une horrible sensation adhérente sur la peau.

— Attendez une minute ! s'exclama Rauk en palpant ses avant-bras musculeux. Je sens que ma peau est collante !

— Tu es certain que ce n'est pas de la sueur ? lui renvoya Victor d'un air moqueur. Tu as le front mouillé.

D'un air un peu idiot, Rauk se renifla l'aisselle droite avant de grimacer.

— Rien dit, grommela-t-il alors que Pakarel et Rudolph lâchaient un rire.

D'un air espiègle, comme un enfant qui fait un mauvais coup, Caleb retira délicatement le chapeau d'Ichabod, qui dormait profondément, avant de le mettre sur sa propre tête et de ricaner, en complicité avec Pakarel.

— Remets-lui son chapeau ! gronda le pianiste à l'intention de son meilleur ami en tentant de dissimuler son sourire, afin d'avoir l'air sérieux.

— C'était pour rire, répondit Caleb avec un grand sourire avant de glisser le chapeau haut de forme sur la tête de l'épouvantail.

Une douce odeur de vanille traversa les narines de Victor, qui vit son attention dériver vers sa droite ; Baroque venait d'allumer sa pipe, qu'il fumait doucement, les yeux fermés. Un silence tranquille s'installa ensuite, seulement dérangé par le crépitement du feu ainsi que le bruit des vagues calmes qui venaient mourir contre la plage. Il y eut soudain un toussotement ; c'était Rudolph, le hobgobelin à l'épiderme brunâtre et au crâne chauve.

— À qui appartient le dernier chocolat chaud ? demanda-t-il en observant le gobelet avec une profonde envie.

En remarquant le gobelet, le pianiste se demanda la même chose.

— Ah, c'est probablement celui de Naveed, déduisit Victor. Je suppose qu'Ichabod était trop mal à l'aise pour aller lui porter... J'irai, ajouta-t-il en se redressant.

— Tu devrais plutôt te reposer, mon bonhomme ! lui fit savoir Rauk d'un air désapprobateur, ses sourcils broussailleux bien froncés. Tu as passé une rude journée !

— Et le chocolat chaud doit avoir bien refroidi, depuis le temps qu'il a été servi ! ajouta Pakarel. Il n'aimerait probablement pas que… Victor ? Il ne nous écoute même plus.

En effet, le jeune homme avait quand même pris le gobelet rempli de la boisson chocolatée, maintenant tiède, avant d'enjamber Ichabod, endormi, et d'entreprendre sa marche jusqu'à Naveed.

Avançant sur la plage, ses pieds fouettant le sable, Victor s'approchait de plus en plus du démon aux quatre cornes, qui observait les étoiles, dos à la jungle. La lueur de la Lune reflétait sur les anneaux dorés qui entouraient la paire de cornes supérieures de Naveed. Lorsque le jeune homme arriva près de lui, ce dernier ne lui accorda même pas un regard. Un peu mal à l'aise par cet accueil plutôt froid, le jeune homme fit semblant d'observer les alentours afin de se donner un peu de temps pour trouver quoi dire.

— Ichabod a préparé des chocolats chauds, débuta Victor en brandissant le gobelet en direction de Naveed. Il en a préparé pour tout le monde…, vous aussi, évidemment…, et j'ai pensé…

Puisque le démon restait silencieux, sans même démontrer le moindre signe d'intérêt, Victor ne prit pas la peine de finir sa phrase. Froissé, il ramena son bras vers lui avant de poser le gobelet dans le sable, près de Naveed. Ne sachant plus quoi dire et se mordant la lèvre inférieure, le jeune homme fit volte-face, l'air contrarié.

— C'est gentil à toi, Victor Pelham, lui répondit le démon. Mais le sucre n'est pas très bon pour moi.

Bien qu'il fût toujours un peu froissé, Victor se retourna, succombant à sa curiosité.

— Et… puis-je savoir pourquoi ?

— Le sucre augmente ma température corporelle, lui expliqua Naveed, qui observait toujours le ciel étoilé. À tel point que je peux m'enflammer. Ce n'est pas très agréable.

— Vous voulez dire… prendre feu ? s'assura Victor, qui n'était pas certain d'avoir bien compris.

Naveed acquiesça d'un hochement de tête.

— Lorsque je consomme de la nourriture sucrée, continua le démon orangé, en plus d'avoir chaud, mon corps sécrète une huile qui s'enflamme au contact de ma sueur. C'est ainsi pour tous les rahks.

— Rahks ? répéta Victor, qui n'avait jamais entendu ce mot auparavant. C'est le nom de votre race ?

Naveed hocha la tête positivement. Sans avoir été invité à le faire, le pianiste s'assit ensuite auprès du démon, à une certaine distance. Voyant bien que Naveed ne boirait pas la boisson chocolatée, Victor saisit le gobelet et le porta à ses lèvres. Alors qu'il allait boire, Victor remarqua un détail qui lui fit stopper son mouvement ; la pochette protectrice du démon, qui était attachée à son harnais, sur le côté de sa poitrine, semblait contenir quelque chose.

— C'est… c'est le fragment que j'ai ramené du manoir ? demanda le pianiste.

— Je te l'ai pris lorsque je t'ai trouvé en bas de la colline, lui répondit Naveed. Ton grand-père me l'a ordonné, avant que j'aille te chercher.

Était-ce une bonne idée de confier un fragment au démon ? Indécis, Victor se mordit le bas de la lèvre. Cela voulait dire que, désormais, Naveed ferait partie de leur voyage. Ce n'était pas une mauvaise chose en soi, mais était-ce réellement une bonne idée ? Contrairement à ses autres camarades, Victor n'était pas sûr de pouvoir faire confiance au démon… surtout qu'il avait failli mettre tout le groupe du jeune homme en pièce. Le pianiste en vint donc à la conclusion que, pour l'instant, il laisserait Naveed porter le fragment, puisque son grand-père lui avait ordonné de le prendre, mais il allait tout de même garder un œil sur lui. Le regard plongé au fond de son gobelet, Victor avala son contenu à grandes gorgées.

— Naveed, je peux te poser une question ? lui demanda ensuite le jeune homme, qui ne jugeait plus nécessaire de le vouvoyer.

— Mmmh ? lui répondit le démon perse, qui n'avait pas bougé son regard du ciel.

— Que faisais-tu sur cette île, avant notre rencontre ?

Cette fois, le démon détacha son regard du ciel avant de poser ses pupilles en spirales sur le jeune homme. Aussitôt, la poitrine du pianiste se contracta.

— Je te l'ai déjà dit, lui fit savoir le démon d'un air calme, j'ai été banni de ma terre natale. Je me suis retrouvé ici par hasard, dans ma barque sans rames, poussée par les vagues.

Les dires de Naveed n'avaient pas beaucoup de sens, mais le pianiste ne chercha pas à lui poser davantage de questions à ce sujet. Il ne voulait surtout pas pousser le démon à se fâcher. Au bout d'un moment de silence, le démon déclara :

— Les étoiles sont fascinantes, n'est-ce pas ?

Un peu surpris par le commentaire, Victor répondit en tentant d'avoir l'air le plus normal possible :

— Euh… oui, oui. En effet, fascinantes.

Le jeune homme regarda le démon d'un air incertain, tout en restant silencieux. Que voulait-il insinuer ? Savait-il quelque chose à son sujet ou était-ce une simple question d'astronomie ?

— Victor Pelham, reprit Naveed, je voulais te mettre en garde.

— À quel propos ? lui demanda le pianiste, qui leva un sourcil, intrigué, alors qu'il faisait inconsciemment tourner le gobelet entre ses mains.

— Les ogres savent que nous sommes ici, répondit le démon d'un air calme. Ils nous ont observés pendant près d'une heure avant de disparaître dans la jungle.

Soudain alarmé, Victor se retourna brusquement vers la jungle, tentant de discerner la silhouette d'un ogre à travers la végétation endormie et assombrie.

— Ne te retourne pas, lui ordonna aussitôt Naveed.

Alors que le pianiste ramenait son attention vers l'océan, le démon perse poursuivit :

— S'ils restent à l'écart, c'est parce qu'ils ne savent pas que nous sommes au courant de leur présence. Sinon, ils n'auraient plus aucune raison de rester cachés. Leur comportement reste surprenant. Il n'est pas typique pour un ogre d'agir ainsi. Ils ont une motivation bien particulière.

— Pourquoi… pourquoi ne pas nous avoir avertis plus tôt ? lui demanda Victor à travers ses dents serrées, dans une grimace d'irritation.

— Je l'aurais fait en temps et lieu, répondit simplement Naveed. Retourne rejoindre tes camarades et explique-leur que nous allons probablement devoir nous battre. Je resterai ici pour le moment. Va.

Sans prendre la peine de répondre au démon, Victor reprit le gobelet et se releva rapidement, avant de retourner jusqu'au campement. Il n'en croyait pas ses oreilles.

Chapitre 23

Les brutes

Comment Naveed avait-il pu négliger un détail aussi dangereux que la présence des ogres à proximité ? En arrivant près du feu de camp, Victor réalisa que ses camarades, bien installés autour du feu, avaient retiré leur équipement, qui était étalé sur le sable. Caleb, Rudolph, Pakarel et Baroque étaient complètement désarmés, simplement vêtus de leurs vêtements. Seuls Udelaraï, Rauk et Ichabod n'avaient pas enlevé un morceau, étant donné qu'ils n'étaient pas vraiment armés.

– Qu'est-ce que vous faites ? leur envoya Victor, alarmé.

Il n'eut pour seule réponse que des visages étonnés et des regards interrogateurs.

– Nous venons d'inspecter nos affaires, répondit Rudolph en se grattant la tête, un peu confus de la réaction du jeune homme. Nous voulions être certains qu'il n'y avait aucune forme de traceur quelconque. Nous n'avons rien trouvé ici. Faudra fouiller le calmar demain matin, car nous n'y voyons pas grand-chose, ce soir…

– Ouais ! confirma Pakarel, sans son chapeau, simplement vêtu d'une chemise trop grande et d'un petit pantalon. C'est mon idée !

– Réarmez-vous ! leur envoya le pianiste en saisissant une ceinture et les trois fourreaux d'épée qui y étaient attachés. Caleb, reprends tes affaires, merde ! lui cria le jeune homme en lui plaquant ses armes sur le ventre.

Le demi-gobelin resta là, ses affaires dans ses bras, un regard énigmatique figé sur le visage.

– Hé, hé ! intervint Baroque en posant sa grosse main griffue et écailleuse sur l'épaule de Victor. Calme-toi, Pelham. Qu'est-ce que tu as ?

Udelaraï arriva auprès de son petit-fils et lui dit d'un ton sévère :

– Victor, parle-nous.

Le jeune homme se plaqua la main sur le front, prenant une seconde pour canaliser ce qu'il voulait dire en étant clair et sans crier.

– Naveed vient de m'avertir qu'il a vu les ogres rôder dans la jungle, dit le pianiste d'un ton normal, mais sévère. Ils risquent de nous attaquer d'un moment à l'autre.

Ichabod couina un petit cri qu'il étouffa aussitôt de ses grandes mains, tandis que Pakarel se ruait pour récupérer ses affaires. Caleb l'imita alors, suivi de Rudolph.

– Ben merde ! lâcha Rauk, qui cracha au sol. Tu parles d'une sale nouvelle...

Le grand lézard, lui, ne paraissait pas étonné, mais bien songeur, son regard balayant les alentours au-dessus de la tête de Victor, qui était bien plus petit. Le lozrok était complètement dépourvu de son équipement traditionnel, mis à part une simple tunique en coton d'apparence usée. Certes, sa stature était moins imposante que lorsqu'il portait son armure, mais il restait tout aussi intimidant. Ce dernier répondit finalement d'un simple grognement.

– Que faisons-nous ? demanda Victor à l'intention de Baroque. As-tu une idée, toi qui as mené des hommes au combat ?

À la suite de cette demande, le visage bourru de Rudolph s'imprégna d'un air mauvais et hostile. Le hobgobelin observait Victor de ses petits yeux plissés tout en grinçant des dents.

« Quel idiot ! » se dit Victor, qui venait de se rendre compte de son erreur. Il venait tout juste d'insulter royalement Rudolph, qui lui aussi avait été un capitaine, tout comme Baroque ! Le jeune homme allait devoir réparer son erreur, et vite. Il ajouta donc, en tentant d'avoir l'air complètement sérieux :

– Rudolph, je veux... je veux ton avis à toi aussi, évidemment.

Le hobgobelin leva un sourcil de façon peu convaincue. Visiblement, il n'accordait guère de crédibilité au jeune homme, qui sentit son masque de fausse honnêteté s'écrouler totalement.

— Ah, alors, maintenant, tu veux mon avis ? lui renvoya Rudolph d'un air noir en ajustant les lanières en cuir de son plastron, qu'il venait d'enfiler sur sa grosse poitrine.

— Hum... oui, confirma Victor, qui cherchait ses mots avec peu de subtilité. Enfin..., toi et Baroque, vous vous y connaissez dans le domaine..., non ? Alors que... que nous suggérez-vous ?

Rudolph observa avec froideur le pianiste pendant de longues et lourdes secondes, durant lesquelles Victor déglutit avec difficulté.

— Arrête ton cinéma, grogna Rudolph d'un air bougon. Tu t'es planté, Victor. Tu n'as pas besoin de deux d'entre nous pour te dire l'évidence. Il n'y a rien à faire à part nous assurer que nous avons suffisamment de terrain pour bouger. Voilà.

Victor sentit un ballon se dégonfler au fond de son ventre. Effectivement, il s'était bel et bien planté.

— Naveed ne devrait-il pas se joindre à nous ? demanda Udelaraï, qui fixait la silhouette du démon, plus loin sur la plage.

— Inutile de compter sur l'aide de ce chien, lâcha Baroque avec mépris.

— On pourrait savoir pourquoi il y a des tensions entre toi et Naveed ? lui demanda Rauk avec un certain manque de discrétion, mais sans pour autant être impoli.

Baroque lâcha un grognement pour signifier son indifférence, sans répondre à la question de Rauk, qui haussa les épaules, peu affecté.

— Victor, lui demanda le hobgobelin, qui attachait à sa ceinture le fourreau de son fusil à canon scié. Passe-moi ma massue, tu veux ?

Le pianiste saisit l'arme par la poignée. Sans grand étonnement, le poids de la massue de fer était écrasant.

— Seigneur ! lâcha Victor en la soulevant avec difficulté. Tu portes ce truc sur toi en tout temps ?

— C'est si lourd ? s'étonna naïvement Pakarel, occupé à enfiler son sac à dos.

— Oh ! tu sais, lâcha le hobgobelin d'un air satisfait, ce n'est pas très lourd...

La ruse de Victor avait bien fonctionné ; complimenter Rudolph avait fait oublier sa rogne à ce dernier. Un court moment plus tard, tout le monde était prêt, l'arme en main, dans un silence paroissial simplement dérangé par le crépitement des flammes. Malgré la crainte que des ogres surgissent de n'importe où, le petit groupe se resserra autour du feu de camp, armé et alerte, tout en observant en direction de la jungle.

Posant discrètement son regard sur ses camarades à tour de rôle, Victor s'estima bien heureux de savoir qu'ils étaient tous à ses côtés. Son regard s'arrêta sur son grand-père, qu'il observa pendant un bon moment. Même s'ils vivaient de durs moments, le pianiste réalisa que celui-ci était venu sur Terre pour l'aider lui, les siens et tous les habitants du monde au prix de sa propre vie.

Alors que tout semblait calme, Naveed accourut auprès de Victor et des siens, brandissant sa lance d'une main.

— Préparez-vous. Les ogres, ils arrivent.

Le sol se mit à trembler au rythme de lourds pas qui martelaient le sol. Le jeune homme et les siens échangèrent de brefs regards imprégnés de crainte. Soudain, trois énormes silhouettes émergèrent de la jungle, poussant les fougères de leurs grosses mains, de lourdes armes appuyées sur leurs épaules. À la vue des trois colosses, Victor sentit son courage se dissiper et ses tripes se contracter au fond de son ventre.

— Oh... non, murmura-t-il.

Grands et élancés, ces immenses humanoïdes avaient la peau grisâtre, et leur nez, encadré de hautes pommettes, était gros et écrasé. Une barbe blanchâtre, tachetée de sang et dégarnie pendait à leur menton pointu, tandis que leurs sourcils leur donnaient un air sévère et malin. Ils étaient habillés de vêtements faits en peau animale et portaient de gros pendentifs faits d'ossements. Même si leur intelligence était remarquable, ces êtres étaient de nature malveillante. En effet, ils avaient la réputation de mutiler leurs adversaires avec un sadisme particulièrement poussé.

L'un d'eux tenait une massue qui avait plutôt l'air d'être un tronc d'arbre arraché, un autre brandissait une hache de la taille d'un fauteuil et le dernier maniait une grande hallebarde usée et tachée de sang.

— Ils ont mangé quoi, pour être aussi gros ? lâcha Rauk avec quelques jurons bien grossiers.

Alors qu'ils s'approchaient de leur démarche lente, mais pesante, les ogres se mirent à hurler avec rage, faisant ainsi sursauter Victor et ses amis. De longs filets de bave s'écoulaient alors qu'ils grognaient, la gueule ouverte, et qu'ils entrechoquaient leurs armes et se donnaient des coups de poing sur l'épaule, comme pour se motiver.

Le pianiste et les siens n'avaient pas été pris au dépourvu, mais un vent oppressant s'abattit tout de même sur tout le groupe, dont le moral semblait avoir chuté en flèche. Maudissant leur situation, Victor passa la bandoulière de son arbalète par-dessus sa tête, avant d'armer un carreau dans cette dernière.

Caleb ne dégaina qu'une seule arme, et Pakarel tira de son sac à dos la dague bleutée de l'assassin maya. Baroque, lui, dégaina sa large épée de son fourreau, qu'il mania à deux mains, avant de s'avancer aux côtés de Naveed et d'Udelaraï, qui se trouvaient en tête du groupe. Rudolph, lui, saisit sa pesante massue ainsi que son fusil à mécanisme d'horlogerie à canon scié.

— Merde ! grogna-t-il en réalisant que son arme était vide. Où est mon sac, bordel ? Il me faut des munitions ! Merde !

Les plaintes du hobgobelin rappelèrent à Victor que son glaive n'avait pas été armé d'une nouvelle balle. Quel oubli ! Un vif coup d'œil vers les assaillants lui fit comprendre qu'il avait le temps d'armer le mécanisme d'arme à feu de son glaive. Laissant son arbalète pendre sur sa bandoulière, Victor fouilla rapidement à l'intérieur de son sac, d'une seule main.

— Allez… allez ! marmonna le jeune homme, qui ruisselait de sueurs froides alors que les autres s'avançaient doucement sur la page, dispersés.

Heureusement, il parvint à trouver un petit sachet qui contenait quelques balles d'onyxide. Maîtrisant ses gestes malgré l'adrénaline qui circulait déjà dans son corps, le jeune homme réarma sans problème son glaive d'une balle d'onyxide. Le glissant dans son étui, Victor reprit ensuite son arbalète en main et rejoignit son grand-père et les autres.

— Victor ! s'écria alors la voix de Pakarel.

Jetant un coup d'œil derrière lui, le jeune homme vit le pakamu accroupi près de l'épouvantail, qui dormait toujours.

— Je ne suis pas capable de le réveiller ! lui cria le raton laveur d'un air alarmé.

Lâchant quelques jurons à voix basse, le jeune homme se rendit d'un pas rapide, mais boiteux, aux côtés de Pakarel. Se laissant tomber sur un genou, le pianiste saisit le poignet de l'épouvantail afin d'activer son gadget solaire.

— Reste auprès de lui, dit Victor à l'intention de Pakarel, tout en se redressant en s'appuyant sur son arbalète. Il va se réveiller, mais d'ici là, essaie de le protéger.

— Mais je ne veux pas rester en arrière ! protesta le raton laveur, l'air boudeur comme un enfant.

— Pakarel ! lui lança Victor d'un air autoritaire. Ce n'est vraiment pas le moment !

Le pakamu soupira bruyamment.

— Bon… ça va, se résigna-t-il.

Après avoir tapoté la petite épaule de son camarade au chapeau démesurément gros, Victor rejoignit rapidement les autres, qui faisaient face aux mastodontes, qui s'étaient mis à courir en leur direction, leur gros ventre grassouillet bondissant dans tous les sens. Victor estimait qu'ils devaient avoir environ une courte minute avant que les ogres leur tombent dessus.

— Il ne faudrait pas que leurs masses s'abattent contre notre sous-marin, dit Udelaraï avec inquiétude. Nous serions coincés sur cette île pendant un bon moment.

— Merde, gronda Rudolph en observant les assaillants d'un regard dur. Restez derrière, adressa-t-il à l'intention des autres, vous ne portez pas de plastrons en fer comme moi et Baroque.

— À ta place, je ne me serais pas encombré de cent kilos d'équipement et d'armure, lui dit Caleb de son habituel ton sarcastique. Car si ces gros tas de merde te balancent un coup de leur tronc d'arbre, ajouta-t-il en désignant les ogres du menton, alors, mon vieux, tu n'es pas mieux que mort…, avec ou sans armure.

À la surprise générale, Naveed se détacha du groupe, courant à toute vitesse en direction des ogres.

— Hé ! lui cria Caleb. Naveed ! Et merde ! lâcha le demi-gobelin, se lançant alors aux trousses du démon, armé d'une seule épée.

— Caleb, attends ! s'écria Victor, qui tenta de rattraper son ami de sa démarche boiteuse, mais sans succès.

Il fut aussitôt dépassé par Baroque, puis par Rudolph et finalement par son propre grand-père, qui courait à la rencontre des ogres, sa cape et ses cheveux argentés voltigeant dans l'air. Victor ne s'était jamais senti aussi physiquement limité.

— Tu sais manier cette arbalète, mon gars ? lui demanda Rauk, qui venait d'arriver à ses côtés. On va leur montrer, à ces gros porcs, ce que les infirmes savent faire !

En éclatant d'un gros rire bien viril, Rauk se mit à tirer coup de feu après coup de feu, les balles passant de justesse entre leurs camarades avant de s'écraser comme des mouches contre l'épiderme graisseux des ogres dans une giclée de sang.

Détestant l'idée de faire feu à travers ses propres amis, Victor porta la visée de son arbalète sous son œil et, après avoir coupé sa respiration, décocha quelques carreaux explosifs. Les fléchettes fendirent l'air avec une précision remarquable, frôlant Caleb et Rudolph, avant d'éclater contre les cuisses de l'un des ogres, celui qui maniait la hache. Contrairement aux balles de la carabine maniée par Rauk, l'impact des carreaux eut pour effet de faire trébucher l'ogre, qui s'écrasa lourdement au sol avant de rouler tout bêtement dans une dune, lâchant sa hache au passage.

Les deux autres ogres poursuivirent leur course comme des rhinocéros enragés, sans même se soucier de leur camarade, qui grognait de rage et de douleur. Naveed et Caleb étaient en tête, courant à la rencontre des deux grosses brutes. Une fraction de seconde plus tard, le combat était commencé.

Naveed s'appuya sur le pied de sa lance afin de se propulser vers l'un des ogres, celui maniant une hallebarde, enfonçant ensuite son pied droit dans son ventre grassouillet. L'impact fut si puissant que, même à cette distance, Victor fut capable de voir les vagues graisseuses parcourir le ventre de l'ogre, qui fut arrêté sur place avant de tomber bêtement sur le derrière, comme s'il avait frappé un mur.

La force de Naveed était incroyable ; Victor arrivait à peine à y croire, rien n'aurait pu arrêter une créature aussi lourde qu'un ogre en plein élan !

Au même instant, l'autre ogre tenta d'attaquer Caleb en balançant son immense massue à l'horizontale.

— Caleb ! cria Victor de toutes ses forces, sans même s'en rendre compte, le cœur crispé.

Comme s'il percevait la scène au ralenti, le pianiste vit son ami demi-gobelin glisser au sol, sur les genoux, dans une traînée de sable, tout en s'inclinant vers l'arrière. Le coup dévastateur de la massue passa juste au-dessus de la tête de Caleb, dont la chevelure bleutée voltigeait dans l'air. Après être passé entre les jambes de l'ogre, le demi-gobelin freina son élan en s'agrippant au pagne du monstre.

D'un bond surprenant et tout en s'aidant de sa poigne solide, Caleb se propulsa sur le dos de l'ogre, tout en faisant habilement tourner son épée à l'envers. D'un geste puissant, le demi-gobelin enfonça sa lame sur le côté de la nuque de l'ogre, qui se mit à hurler tout en envoyant de larges coups dans tous les sens, dans l'espoir de se débarrasser de Caleb, qui évitait les coups avec chance et adresse. Tout en poussant dans le dos de l'ogre à l'aide de ses pieds, le demi-gobelin délogea son épée de sa nuque. De longs jets de sang noir giclèrent dans l'air alors que le colosse s'effondrait à genoux, sa grosse main droite contre sa nuque.

Naveed menait à lui seul un combat contre l'ogre à la hallebarde, et tous deux s'éloignaient de la mêlée, avant de disparaître dans la jungle. Le démon tentait de mener l'ogre le plus loin possible du campement. Ramenant son attention vers les autres, Victor réalisa avec horreur que le troisième ogre, celui qui maniait la hache, s'était relevé et levait son arme en direction de Caleb, qui, le dos tourné, venait à peine de se redresser.

— Attention ! hurla Udelaraï en volant les mots de la bouche de son petit-fils.

Par chance, Baroque tira Caleb par le bras alors qu'une énorme hache s'abattait sur le sol, là où le demi-gobelin s'était trouvé une seconde plus tôt. À cet instant, Victor, qui tenait son arbalète brandie devant lui, vit une grosse main se diriger vers la queue de Baroque. C'était celle de l'ogre que Caleb avait grièvement blessé à la nuque.

Avant même que Victor puisse penser à crier quoi que ce soit, le grand lézard s'était déjà retrouvé projeté à plat ventre sur le sol. Lâchant au passage sa large épée, qui tomba dans un bruit étouffé sur le sable, Baroque se fit balancer en direction de la jungle comme une vulgaire poupée de chiffon. Sous les yeux horrifiés du pianiste et de ses amis, le lozrok s'écrasa contre un arbre avant de s'effondrer au sol, dans la végétation abondante.

— Baroque ! hurla Rauk à s'en déchirer la gorge. Baroque !

L'air confus par ce qui venait de se produire, Caleb s'était figé sur place, fixant l'endroit où le grand reptile avait été envoyé. L'ogre blessé à la nuque saisit sa massue dans un dernier effort et la balança en direction du demi-gobelin et de Rudolph. Dans un juron, le hobgobelin bouscula Caleb sur le sol ; la massue vola au-dessus d'eux avant de s'enfoncer dans la mer dans une éclaboussure gigantesque. Quant à Victor et Rauk, encore à une bonne distance de la scène de combat, tous deux levèrent leurs armes en direction de l'ogre maniant la hache, avant de faire feu sur lui jusqu'à ce qu'il perde l'équilibre et s'effondre au sol, encore une fois.

— Fais chier ! cria le hobgobelin, qui s'était relevé, l'air enragé, avant de se ruer vers l'ogre blessé. Tu veux te battre, hein ?

Rudolph, maniant à la fois sa massue et son fusil à canon scié, pointa son arme à feu vers la créature qui se tenait toujours la nuque ruisselante de sang d'une main, à genoux au sol. Le hobgobelin tira deux coups de feu sonores, dont la multitude de plombs atteignit l'ogre en pleine nuque et sur le bras. Rudolph lâcha son fusil vidé de munitions avant de se jeter contre l'ogre à pleine vitesse.

Hurlant comme un barbare tout en lâchant des jurons, le hobgobelin acheva l'ogre déjà mortellement blessé en lui assenant une volée de coups au visage à l'aide de sa massue. L'ogre ne bougeait plus et ne pouvait qu'être mort, mais Rudolph ne cessait de porter des coups à son visage devenu méconnaissable.

— Rudolph, arrête ! lui envoya Caleb en se ruant sur lui pour l'éloigner du cadavre du mastodonte. Arrête, je te dis !

Rudolph était si enragé qu'Udelaraï dut se joindre à Caleb pour le décrocher. Le hobgobelin fut tout de même en mesure d'envoyer quelques coups supplémentaires avec quelques jurons bien choisis avant d'être écarté de force par le demi-gobelin et le vieillard, tous trois tombant au sol dans le mouvement. Juste derrière eux, l'ogre qui maniait la hache s'était mis à bouger.

— Derrière vous ! leur cria Victor en levant son arme.

Udelaraï, Caleb et Rudolph se redressèrent, récupérant au passage leurs armes, avant de prendre une certaine distance avec l'ogre qui se relevait d'un air noir. La créature se mit à hurler des paroles agressives dans un dialecte asiatique tout en regardant en leur direction d'un air mauvais.

— Il a l'air vraiment fâché, marmonna Rauk avec un brin de peur dans la voix. Je pense qu'il nous regarde. J'veux dire, toi et moi.

Rauk avait raison. L'ogre regardait au-dessus de son grand-père et de ses camarades apparentés aux gobelins, qui se trouvaient dans son chemin. La grosse créature les observait, lui et Rauk. Le jeune homme jeta alors un coup d'œil au barillet de son arbalète.

— Il ne me reste plus que six carreaux, dit-il en soupirant. Tu es prêt, Rauk ?

Il entendit alors un clic ! annonciateur d'une mauvaise nouvelle. Tournant ses yeux vers la gauche, Victor réalisa que c'était l'arme de Rauk, pointée vers l'ogre, qui était à court de munitions.

— Merde, plus de balles, gronda Rauk avant de balancer la carabine au sol d'un air impuissant. Tu vas devoir le trouer sans moi, ajouta-t-il en désignant l'ogre du menton.

À cet instant, comme s'il avait été défié par Rauk, l'ogre s'élança en leur direction, et même s'il boitait de sa jambe blessée à la cuisse, sa cadence n'en semblait pas moins ralentie. Caleb et Rudolph s'écartèrent chacun de leur côté pour éviter de se faire piétiner, mais Udelaraï resta là, bien droit, comme si de rien n'était. Pris d'horreur, le jeune homme voulut crier pour l'avertir, mais il en était incapable, sa poitrine était paralysée par la peur de perdre un être cher.

— Hé, bonhomme ! cria Rauk, tentant sans succès de retenir Victor, qui venait de lâcher son arbalète pour courir d'une démarche titubante au secours de son grand-père.

Dans une seconde, Udelaraï se ferait plaquer par le colosse. Au lieu de s'écarter de son chemin, il laissa tomber son bâton avant de balayer l'air d'un grand geste du revers de la main. Une vague d'énergie ou de vent fouetta violemment l'air, faisant s'élever un nuage de sable avec une telle puissance que Victor, qui se trouvait à plusieurs mètres derrière Udelaraï, en perdit l'équilibre. L'ogre s'arrêta brusquement, portant ses gros bras devant son visage pour se protéger de l'impact invisible. Les traits asiatiques du visage de l'ogre s'endurcirent dans une expression mêlant l'étonnement, la haine et la crainte, avant qu'il se mette à hurler comme un dément.

— Retourne auprès des autres ! s'exclama Udelaraï à l'intention de son petit-fils en lui envoyant un regard par-dessus son épaule. Ne reste pas ici !

Victor, abasourdi par ce qui venait de se produire, eut besoin de quelques secondes avant que l'information se rende à son cerveau. Il entendit alors un cri de douleur lointain ; c'était celui de Naveed. Alerté, Victor le repéra aisément à une bonne distance, courant hors de la jungle. Le démon perse se tenait le bras, retenant à peine sa lance, dont la pointe traînait au sol, suivi du dernier ogre, qu'il avait combattu seul, jusqu'à maintenant. Par sa démarche affaiblie, Naveed donnait la sérieuse impression qu'il allait perdre son combat.

— Caleb, Rudolph, portez-lui secours ! leur ordonna Udelaraï, qui ne quittait pas l'ogre des yeux. Maintenant !

Au lieu d'obéir instantanément, le demi-gobelin et le hobgobelin hésitèrent, se croisant du regard.

— Vous... vous êtes certain ? lui demanda ensuite Caleb, Rudolph et lui étant manifestement hésitants à l'idée de laisser le vieillard seul face à l'ogre.

— Allez ! vociféra Udelaraï. Dépêchez-vous !

Sans ajouter quoi que ce soit, Rudolph et Caleb se mirent à courir en direction de Naveed, leurs pas rapides martelant le sable. Soudain, l'ogre blessé à la cuisse s'élança vers Udelaraï, levant sa hache en l'air pour l'attaquer. Le cœur de Victor manqua un battement. Le vieillard leva rapidement la main, sa longue manche tombant et dévoilant son bras.

Sous les regards stupéfaits de Rauk et de Victor, la hache de l'ogre venait de s'arrêter en plein élan, comme s'il avait atteint un obstacle invisible, à un mètre à peine de la main d'Udelaraï, dont le bras s'était mis à trembler.

— Cette... folie... est terminée ! grogna le vieillard d'une voix glaciale.

Udelaraï exerça alors un geste vif, arrachant ainsi la hache de la poigne solide de l'ogre, avant de la lui renvoyer. Avec une rapidité surprenante, la créature l'évita partiellement, mais la hache lui creusa tout de même une sérieuse entaille au niveau du bras. L'ogre s'affaissa au sol dans un grognement de douleur, se retenant le bras alors que son sang noir se répandait sur ses mains avant de dégouliner lourdement sur le sable.

Le vieil homme tomba alors à genoux, avant de s'affaisser sur le côté. L'ogre se releva, l'air sauvagement furieux, avant de s'approcher d'Udelaraï. Le colosse asiatique allait le tuer. Avant même que le cerveau de Victor puisse l'empêcher d'agir, le jeune homme s'élança vers l'ogre, ignorant la douleur de sa jambe gauche tout en dégainant son glaive.

– Victor ! s'écria Rauk. Non ! Merde !

Le jeune homme ne l'écoutait pas. Il n'allait pas laisser son grand-père mourir. Alors que Victor se rapprochait de la créature d'un pas de course claudicant, son cœur battant jusque dans sa gorge, l'ogre empoigna la tête d'Udelaraï. S'il exerçait une pression, le vieil homme allait mourir.

– Hé ! lui cria Victor. Lâche-le ! Regarde-moi !

La diversion fonctionna ; l'ogre leva la tête, ses dents serrées et l'air rageur. Profitant de cet instant, le jeune homme pointa son glaive vers le visage de la créature avant de presser la détente. Un projectile d'onyxide fendit l'air avant de se planter dans l'œil gauche du monstre asiatique. Ce dernier se cambra aussitôt, lâchant Udelaraï et portant la main à son œil, hurlant de douleur en vociférant des paroles incompréhensibles.

Victor saisit son grand-père par le bras et tenta en vain de le tirer vers lui, mais l'ogre retournait déjà son attention vers lui, son œil dégoulinant de sang noir. En une fraction de seconde, toute la motivation et le courage du pianiste s'envolèrent, laissant place à la peur et à l'impuissance. L'ogre l'agrippa par la chemise avant de le projeter de toutes ses forces vers sa gauche. Lorsque les pieds du jeune homme décollèrent du sol, sa respiration fut coupée et une violente impression de vertige lui figea le cœur. Fermant les yeux, le pianiste n'espéra qu'une chose : survivre.

Lorsqu'il rouvrit les yeux, Victor était étendu sur le sable, et tout son corps bourdonnait d'une douleur stridente. Étrangement, il n'entendait plus rien à part les vibrations sur le sol et quelques cris inaudibles. Quelques longues secondes s'écoulèrent, pendant lesquelles Victor s'efforça très lentement de se redresser, gémissant de douleur, tout en articulant lentement la mâchoire pour se déboucher les oreilles. Il pouvait sentir son sang tiède dégouliner sur son visage couvert de sable, dans son nez et dans sa bouche. Par réflexe, il porta une main à son visage et vit avec dégoût la quantité de sang qui s'accumulait déjà au creux de sa paume.

Le jeune homme avait conscience qu'il aurait dû se relever rapidement, surtout en sachant qu'un ogre accourait vers lui, mais il en était incapable... Il ne pouvait faire autrement qu'accorder un moment de répit à son corps. Le jeune homme entendait des cris et des hurlements, sans trop savoir de qui ils venaient.

S'étant finalement hissé sur ses pieds, étourdi, Victor renifla par réflexe le sang qui coulait de ses narines. S'étouffant aussitôt dans son propre sang, le pianiste se mit à tousser à pleins poumons dans une douleur perçante au niveau de sa poitrine. Il avait peut-être quelques côtes brisées.

Lorsque le jeune homme vit une énorme silhouette à quelques mètres de lui, sa lucidité lui revint en un instant. Reculant de quelques pas, Victor vit que l'ogre combattait maintenant Caleb et Rudolph. Que faisaient-ils là ? se demanda le jeune homme, quelque peu surpris. N'étaient-ils pas censés prêter main-forte à Naveed ?

Même s'ils étaient revenus dans l'espoir de l'aider, Rudolph et Caleb s'étaient retrouvés dans une bien fâcheuse position. En effet, ces deux-là ne pouvaient pas espérer faire autre chose que tenter d'éviter les coups de hache géante portés par le colosse enragé et qui fendaient brutalement l'air avant de s'abattre contre le sable. Même s'il était sévèrement blessé par toutes les balles, les carreaux explosifs et les entailles qui ruisselaient de sang sur son corps, l'ogre semblait à leur grand malheur deux fois plus énergique, pris d'une véritable frénésie meurtrière.

Voulant aider ses amis, Victor chercha son glaive du regard. Ce simple mouvement l'étourdit grandement ; sa tête était lourde et fragile. Alors qu'il tentait de retrouver ses esprits, les yeux fermés et une main contre le front, le pianiste entendit un bruit inquiétant. Lorsqu'il rouvrit les yeux, il vit l'ogre envoyer un imposant coup de poing au niveau de la poitrine de Rudolph, qui tituba vers l'arrière avant de s'effondrer.

Caleb était revenu à l'attaque, brandissant cette fois deux de ses épées. Il parvint à trancher plusieurs entailles dans les cuisses de l'ogre tout en évitant les coups de hache, avant de se voir infliger un vulgaire coup de pied assené par l'ogre. Lâchant ses épées, Caleb perdit l'équilibre et s'écrasa au sol, les mains contre le ventre.

Victor, très mal en point et étourdi, se dirigea tout de même vers l'une des épées du demi-gobelin. S'inclinant douloureusement, le pianiste saisit l'arme, mais le simple bruit de la lame frottant à peine le sol suffit à attirer l'attention de l'ogre, qui tourna brusquement la tête vers le jeune homme.

— Tu ne veux pas mourir, toi, hein? lui marmonna Victor avec difficulté, ses dents recouvertes de sang, frustré par la situation.

L'ogre lui répondit d'un rugissement si puissant que le jeune homme, pourtant à quelques mètres de distance, sentit son haleine nauséabonde contre son visage, faisant vibrer les quelques brins d'herbe au passage. Comme s'il cherchait à inciter le jeune homme à combattre, l'ogre fendit l'air de sa hache par trois fois avant de la faire pivoter habilement entre ses mains.

Même s'il avait récupéré l'une des épées de Caleb, Victor était bien trop affaibli pour s'en servir. Sa jambe gauche bourdonnait de douleur, et chaque respiration lui transperçait la poitrine. Ses bras tremblaient légèrement et ses étourdissements n'aidaient en rien. À bout de force, le pianiste s'écroula sur un genou, avant de tomber sur les fesses tout en lâchant l'épée. Jetant un coup d'œil à ses amis, il vit que ni Rudolph ni Caleb n'avaient été en mesure de se relever, tous deux se tordant de douleur au sol.

Tandis que l'ogre marchait vers lui, agitant sa hache nerveusement, le pianiste fut pris d'un étrange rire douloureux, même s'il n'y avait absolument rien de drôle. En fait, c'était un rire de désespoir total qui se transforma bientôt en sanglots, alors que quelques larmes lui coulaient sur les joues.

C'est alors qu'une pluie de carreaux s'abattit dans le dos de l'ogre, qui se retourna vers son assaillant. C'était Rauk, au loin, qui avait tiré les derniers carreaux de l'arbalète de Victor.

— Fait pas d'bien, hein? le provoqua Rauk, au loin, qui avançait d'un pas boiteux. Oh, merde!

L'ogre venait de lui lancer sa hache, qui fouettait lourdement l'air en sa direction. Rauk l'évita en se jetant à plat ventre sur le sable.

À ce moment-là, Victor vit Pakarel apparaître du coin de l'œil, son gros sac à dos balançant de gauche à droite au rythme rapide des petits pas du raton laveur, qui se faufila rapidement entre les jambes de l'ogre, qui observait dans la direction opposée. Surpris et ne sachant pas où donner de l'attention, le colosse asiatique tenta de se retourner, mais Pakarel lui avait déjà planté sa dague bleutée dans le mollet.

Lâchant un grognement de douleur, l'ogre tomba sur un genou, portant une main à sa blessure. Ichabod sortit soudain de nulle part, pointant son pistolet à barillet vers l'ogre avant de faire feu sur lui. La plupart des projectiles le manquèrent, mais quelques-uns l'atteignirent tout de même, l'affaiblissant un peu plus.

— Je suis désolé! couina Ichabod, qui semblait avoir perdu tout son courage avec ses dernières balles.

D'un bond surprenant, Pakarel planta alors sa dague dans le bas du dos de l'ogre déconcentré, avant de se hisser sans problème sur lui. Utilisant sa dague comme appui, le pakamu escalada le dos de l'ogre, qui tentait sans succès d'attraper le petit personnage. Arrivé à la hauteur de la tête de l'ogre, Pakarel s'agrippa à son nez d'une main et, de l'autre, lui trancha la gorge.

L'ogre s'affaissa à genoux, une main appuyée sur sa gorge et l'autre sur le sol. Le monstre tenta de se relever, mais ses yeux roulèrent vers le haut, avant qu'il s'effondre lourdement sur le sol dans une volée de sable. Il était mort.

Victor, toujours au sol, se remit en position assise, une main contre la poitrine. Sa respiration haletante lui faisait terriblement mal ; il avait l'impression que ses côtes lui perforaient la peau, de l'intérieur vers l'extérieur.

— On a réussi ! On a réussi ! s'écria Pakarel, qui courait vers Victor comme un enfant surexcité.

La course du pakamu fut courte. En effet, le petit personnage s'arrêta soudainement, les yeux grands ouverts, fixant quelque chose derrière Victor. Le jeune homme entendit alors des pas qui se rapprochaient de lui. Rudolph et Caleb, au sol, un peu plus loin, levèrent aussi un regard inquiet au-dessus de l'épaule du pianiste. Lentement, même s'il ne voulait pas savoir ce qui se trouvait dans son dos, Victor jeta un coup d'œil derrière lui.

À son grand soulagement, ce n'était pas le dernier ogre, mais bien le démon orangé, qui marchait d'un pas difficile en se servant de sa lance comme d'un bâton de marche.

— Naveed ! lui envoya Pakarel. Tu es en vie !

— On peut dire, répondit le démon affichant un sourire sur son visage généralement sévère et froid.

Naveed marcha jusqu'à Victor et, sans même lui en demander la permission, il le souleva par le bras, juste sous l'aisselle. Cette simple action éveilla toutes les blessures du corps du jeune homme, qui gémit de douleur.

— Où est l'autre ogre ? demanda Rudolph, qui était parvenu à se relever, à l'intention du démon orangé.

— Je l'ai tué, répondit Naveed. Il m'a brisé le bras gauche, mais j'ai remis l'os en place.

Le démon perse avait parlé sans aucune forme de vantardise, comme s'il expliquait quelque chose de tout à fait banal. Son regard retomba sur Victor, qui arrivait à peine à se tenir debout.

— Tu as combattu un ogre, alors que tu marches avec une canne, lui dit Naveed. Tu es dément.

Le jeune homme lâcha un rire trop douloureux, qui se termina en un gémissement de douleur. Il ouvrit la bouche pour répondre, mais quelqu'un d'autre le fit à sa place :

— Oh non. Victor n'est pas dément. Il est simplement courageux.

Udelaraï était là, soutenu par Ichabod et Rauk, un œil fermé et l'autre simplement entrouvert. Même si ses jambes touchaient le sol, il était clair, par leur position, qu'elles ne supportaient pas son poids. En voyant son grand-père en vie, Victor sentit une vague d'émotion monter en lui, lui humidifiant les yeux.

Udelaraï se remit alors sur ses jambes, tout en se détachant du soutien fourni par Rudolph et Ichabod. D'une démarche affaiblie, mais d'une posture étonnamment droite, le vieil homme marcha à la rencontre de son petit-fils. Les deux se blottirent l'un contre l'autre dans une étreinte douloureuse, mais incroyablement apaisante.

— Grand-père, dit Victor avec difficulté, tellement sa bouche était pleine de sang. Baroque… Baroque est blessé…

— Chut, lui dit Udelaraï en tapotant de sa main l'arrière de la tête de son petit-fils. Ne dis rien. Baroque va bien.

Par-dessus l'épaule de son grand-père, Victor vit le grand lézard à la crête jaune marcher vers eux d'un pas boiteux. Sa jambe gauche était visiblement blessée, puisqu'il ne mettait presque pas de poids dessus.

— Baroque, envoya Victor d'une voix faible, mais enjouée.

Le lozrok leva le pouce avant de lui envoyer un clin d'œil. Caleb, la lèvre en sang et une pommette écorchée, s'avança alors vers Victor et posa la main sur son épaule, même s'il était encore dans les bras de son grand-père.

— On est tous là, mon vieux, lui dit le demi-gobelin d'un grand sourire.

Rempli de joie, Victor ne put s'empêcher de sourire à son tour.

— Merde, dit-il en ricanant, j'ai mal.

Avec des tapes encourageantes dans le dos et des cris de joie, Victor et ses amis profitèrent d'un moment pour se féliciter d'avoir survécu à l'assaut des trois ogres. Cependant, à travers les rires, le jeune homme remarqua que Baroque ne s'était pas joint au groupe. Le lozrok s'était plutôt avancé vers la plage, observant au loin d'un air dévasté. Que voyait-il ? Puisqu'il était impossible pour Victor de voir ce que Baroque observait, étant donné que plusieurs arbres et palmiers s'étendaient sur sa droite, le jeune homme se détacha de ses amis afin de satisfaire sa curiosité.

– Qu'est-ce qu'il y a ? lui demanda Caleb, fronçant les sourcils, un peu surpris de voir son ami s'éloigner.

En s'avançant sur la plage, Victor comprit pourquoi Baroque semblait si désappointé.

– Oh non, lâcha le jeune homme d'un murmure.

Sa bonne humeur, de courte durée, s'était déjà estompée.

– Victor, est-ce que tout va bien ? lui demanda Pakarel, qui trottait vers lui.

N'en croyant pas ses yeux, le jeune homme se laissa tomber en position assise sur le sol dans un sentiment d'injustice. Pakarel et Caleb observèrent à leur tour dans la direction du campement. Juste derrière le feu de camp, ils virent le calmar métallique chaviré sur le côté, partiellement caché par des flammes montantes. L'immense hache de l'ogre qu'ils venaient d'abattre était plantée dans l'un des moteurs, duquel émanait une épaisse fumée noire.

– Oh non, oh non ! lâcha Pakarel d'une petite voix, avant de se laisser tomber aux côtés de Victor.

Sans voix, Caleb pivota sur lui-même, les mains sur les hanches, avant d'abaisser la tête. Victor vit alors Rauk arriver d'un pas boiteux, mais rapide, l'air inquiet, tout en marmonnant dans sa grosse barbe hirsute :

– Qu'est-ce que vous avez, nom d'une…

Rauk s'était interrompu, et Victor savait très bien pourquoi. Ramenant son regard vers le calmar, le jeune homme vit quelques arcs électriques se former sur l'un des moteurs, avant qu'une petite explosion bourrée d'étincelles survienne. L'un des moteurs était ficnu. Naveed arriva ensuite, suivi de Rudolph et d'Ichabod, qui soutenaient Udelaraï.

Tout comme Victor, Rauk s'était laissé tomber sur les fesses, dans le sable, avant de lâcher une espèce de râle de désespoir ultime mélangé avec un soupir.

— Lorsque l'ogre a balancé sa hache avant de mourir, récapitula Pakarel d'une voix sans énergie, il l'a lancée par hasard sur notre sous-marin?

— Comment est-ce possible? couina Rauk d'une petite voix en levant une main impuissante vers le calmar avant de lancer, dans un puissant sanglot, une série de jurons dignes de heurter les oreilles les plus endurcies.

— Ce n'est pas une coïncidence, intervint Naveed, qui s'était avancé en tête du groupe, utilisant sa lance comme un bâton de marche.

Quelques regards froncés étaient posés contre la nuque du démon.

— Tu… tu veux dire que… ? balbutia Ichabod, grattant son visage de pantin.

— Je suis du même avis que Naveed, déclara Victor, qui observait, d'un regard absent, en direction du calmar. Ces ogres ne sont pas ici par hasard.

Le regard du jeune homme avait regagné sa lucidité.

— Et je parie qu'ils sont venus ici dans le but de nous coincer sur cette île, continua-t-il en fixant le calmar, derrière les flammes dansantes du feu de camp. Il faudra vérifier leur corps.

Chapitre 24

Une vieille vérité

Victor voulut se lever, mais la douleur au niveau de sa poitrine lui fit stopper son mouvement dans un grognement de douleur. L'ayant remarqué, Rudolph s'agenouilla auprès de lui et lui demanda :

— Qu'est-ce que tu as ? Où as-tu mal ?

— À la poitrine, grogna Victor en grimaçant de douleur. Je crois que j'ai quelques côtes brisées.

— Je vais aller vérifier le corps des ogres, lui fit savoir Caleb. Repose-toi, d'accord ?

Victor lui répondit d'un hochement de tête.

— Je vais t'accompagner, proposa Naveed. Je sais où se trouve le corps de l'ogre que j'ai tué dans la jungle.

Le demi-gobelin acquiesça avant de s'éloigner sur la plage en compagnie du démon orangé.

Sans même lui demander permission, le hobgobelin souleva la chemise de Victor.

— On ne se gêne pas, hein ? commenta le pianiste, à moitié sarcastique.

Le hobgobelin fronça les sourcils. Un peu inquiet, Victor jeta un coup d'œil à son propre ventre ; il était recouvert de larges ecchymoses foncées.

— Dis-moi si ça fait mal, lui demanda alors Rudolph tout en pressant sur une côte du bout de ses doigts.

Le pianiste lâcha un cri de douleur prononcé. Avec un regard assassin, les dents serrées, il grogna au hobgobelin :

— Je t'ai dit que j'avais des côtes brisées, espèce de gros…

Au lieu de terminer sa phrase, Victor préféra fermer sa bouche et ravaler sa mauvaise humeur.

— Bah, dit Rudolph, qui semblait trouver drôle la réaction du pianiste, je ne faisais que confirmer.

— Laissez-moi voir, intervint Udelaraï, qui, s'appuyant sur Ichabod, se déplaçait lentement vers son petit-fils. Ichabod, pouvez-vous m'aider à m'asseoir auprès de Victor ?

Voyant bien que l'épouvantail avait un peu de mal à soutenir le vieil homme, Rudolph se leva afin de leur apporter son aide. Pendant que le vieillard se faisait doucement asseoir au sol, Victor l'observa, l'air inquiet. Son grand-père était sérieusement affaibli, et c'était si triste à voir qu'il en avait presque des pincements au cœur. Certes, il était au courant que la santé d'Udelaraï était loin d'être optimale, mais ce dernier lui avait toujours paru très en forme, pour son âge. Maintenant, il semblait avoir pris un sérieux coup de vieux, comme un centenaire mourant. En le contemplant avoir autant de mal à bouger par lui-même, le jeune homme avait l'impression que son grand-père allait s'écrouler à tout moment. Tout cela… c'était trop pour un homme de son âge.

— Ouille ! se plaignit Udelaraï d'un air presque amusé, lorsqu'il fut finalement assis, mes vieux os… Oh, Victor, il te faudrait retirer cette pièce de vêtement…

— Ma chemise ? précisa le pianiste.

Presque à bout de souffle, le front ruisselant, Udelaraï répondit :

— Oui, oui…

Comme Victor s'y était attendu, le simple fait de retirer sa chemise fut une vraie épreuve, surtout qu'elle était collée à sa peau par la sueur et le sang. Chaque faux mouvement lui donnait l'impression qu'un objet pointu lui déchirait le ventre depuis l'intérieur. Une fois torse nu, Victor se sentit un peu plus à l'aise, ce qui rendit l'exploit qu'il venait d'accomplir un peu plus justifiable.

— Alors…, voyons voir, marmonna Udelaraï en approchant sa main tremblante de la poitrine de son petit-fils.

Les yeux fermés, le vieil homme garda la main à une distance d'un ou deux centimètres du ventre de Victor, balayant doucement de haut en bas, comme s'il cherchait quelque chose. De temps à autre, les sourcils d'Udelaraï se fronçaient. Ne sachant pas trop ce que cela voulait dire, Victor échangeait des regards incertains avec ses amis, qui observaient en silence. Étrangement, le jeune homme avait l'impression qu'on lui tâtait les muscles sous la peau, alors qu'en fait, Udelaraï ne le touchait même pas.

— Tu as quatre côtes cassées, déclara finalement le vieil homme sans pour autant écarter la main. Tu souffres beaucoup ?

— Ça ira, mentit Victor en s'efforçant de sourire pour faire bonne impression.

Udelaraï observa son petit-fils de ses yeux faiblement entrouverts, avant de sourire. Il savait que Victor mentait. C'est alors que le vieillard plaqua la main contre la poitrine du jeune homme. Soudain, en une fraction de seconde, une vive et stridente pointe de douleur lui défonça le ventre, mais avant même que le jeune homme puisse ordonner à son corps de hurler toute la douleur ressentie, elle s'était entièrement estompée.

L'air complètement perdu, interloqué par ce qui venait de se produire, Victor réalisa qu'il avait instinctivement agrippé le poignet tremblant de son grand-père. Un peu surpris, il retira sa main, l'air désolé.

— Victor..., est-ce que tu vas bien ? lui demanda Pakarel, hésitant.

Le jeune homme balaya ses amis du regard ; visiblement, ils partageaient l'incompréhension du pakamu.

— Je... je vais bien, confirma Victor, qui, tâtant sa propre poitrine, n'arrivait pas à y croire.

Il n'avait plus mal. De sa main, Udelaraï fit signe à Baroque de s'approcher de lui.

— Baroque, venez, lui ordonna-t-il d'une faible voix.

Même si son visage reptilien laissait entrevoir un certain manque de confiance, le lozrok s'approcha d'un pas boiteux, avant de s'arrêter à un mètre du vieil homme, qui, agitant la main afin de l'inciter à s'approcher, lui dit :

— Encore, encore...

Baroque s'était maintenant suffisamment approché pour que le vieillard puisse être à portée de sa jambe. Tout comme il l'avait fait pour Victor plus tôt, Udelaraï balaya la surface de la jambe du lozrok, sans pour autant le toucher, avant de lui dire :

— Vous avez un os brisé. Je ne saurais dire lequel, étant donné que je ne connais pas votre anatomie, mais je crois tout de même pouvoir vous aider…

Lorsque la main d'Udelaraï toucha sa forte jambe écailleuse, les muscles des sourcils inexistants du reptile se contractèrent, démontrant son inconfort. Puis, Baroque eut une drôle de réaction : il recula brusquement, sa longue queue fouettant violemment le sable. Baroque resta là, l'air incrédule, tentant de comprendre ce qui venait de se passer. Victor savait que le reptile venait de ressentir cette douleur qui ne durait qu'une fraction de seconde. Le lozrok se mit ensuite à se tâter la jambe, avant de mettre tout son poids dessus.

— Impossible, marmonna Baroque en observant sa jambe de ses yeux bleus sur fond jaune. Ma jambe est… L'os n'est plus brisé ?

— Il vous faudra faire attention, l'avertit Udelaraï. L'os ne sera pas entièrement ressoudé avant quelques heures.

— Puis-je vous demander un simple service ? marmonna le vieillard, qui avait fermé les yeux. J'aurais besoin… d'un peu de repos… Pouvez-vous ramener un homme affaibli au feu de camp ?

— Bien sûr, voyons ! répondit Victor.

Le pianiste et Baroque soulevèrent Udelaraï par les bras, avant de le ramener près du sous-marin, suivis par Pakarel et Rauk, qui, l'air absent, fixait le vide sans cligner des paupières. Quant à Ichabod et Baroque, ils étaient restés en arrière afin de ramasser leurs armes, qui étaient tombées au sol pendant le combat. En ramenant son grand-père vers le feu de camp avec l'aide de Baroque, Victor dit à ses amis :

— Je suggère que nous dormions un peu, à tour de rôle, pendant que d'autres montent la garde.

— C'est… plutôt évident, lui répondit Baroque d'un air presque grogneur.

Victor et les autres se dirigeaient vers le feu de camp, à l'exception de Rauk, qui, sans leur dire un mot, était parti vers son sous-marin. Alors que le jeune homme aidait Ichabod à étendre Udelaraï sur le sable, il jeta un coup d'œil à Rauk. Auprès du calmar, le bonhomme à la jambe de bois passait doucement sa main sur la coque du sous-marin, la tête baissée. Alors que Baroque venait de lancer une bûche dans le feu mourant, faisant virevolter quelques tisons qui perdaient de leur éclat, Udelaraï dit, d'une voix lente et fatiguée :

— Victor…, je t'ai dit que je t'aiderais, plus tôt dans la journée.

— M'aider ? répéta Victor, qui, fouillant dans sa mémoire, ne se rappelait pas de quoi il s'agissait.

Avec un faible geste de main, le vieil homme lui dit :

— Donne-moi ta radio.

Levant un sourcil, le jeune homme ne bougea pas un muscle.

— Allez, insista Udelaraï, qui, les yeux fermés, avait deviné l'inaction de son petit-fils. Ta radio.

Fouillant dans son sac, le pianiste en tira sa radio portative et la plaça dans la main ouverte d'Udelaraï, sans trop savoir ce qu'il voulait en faire. Toujours étendu sur le dos et sans même ouvrir les yeux, le vieil homme pinça l'antenne de la radio avec l'index et le pouce de sa main droite.

— Ces gadgets fonctionnent par la voie des ondes, demanda Udelaraï, n'est-ce pas ?

— Euh… c'est exact, confirma Victor, qui ne voyait pas où son grand-père voulait en venir.

— Très bien, très bien… marmonna le vieillard, qui donnait l'impression de se parler à lui-même. Les ondes radiophoniques…, une technologie si ancienne, peu fiable… Je crois que…

Lorsqu'il appuya sur le bouton d'activation de la radio, son antenne prit une teinte bleutée, avant de devenir légèrement translucide.

— Ah, dit Udelaraï avec un faible sourire de satisfaction. Ça devrait marcher. Ta radio fonctionnera en tant qu'intermédiaire afin de permettre à ta voix de traverser les voies du néant. Tu auras une demi-heure d'utilisation, plus ou moins. N'étire pas le temps d'utilisation, car cela pourrait t'épuiser.

Victor cligna des yeux, tentant de faire parvenir l'information à son cerveau, qui refusait de comprendre.

— Oh ! et, ajouta-t-il en éteignant la radio, dont l'antenne était redevenue normale, pour t'en servir, tu n'auras qu'à utiliser les bagues que je t'ai demandé d'amener ainsi que ta tête. Tu as toujours les bagues, jeune homme ?

— Je... Pardon ? balbutia Victor en récupérant sa radio d'une main hésitante, observant d'un air incrédule l'objet qui venait de reprendre ses couleurs normales. Euh... oui, bien sûr, j'ai toujours les bagues ; elles se trouvent dans mon sac..., mais comment... ?

— Je te l'ai dit, répondit le vieil homme, utilise ta tête, c'est plus simple que tu le crois.

Sur ces paroles, Udelaraï se tourna vers la droite, tournant le dos au groupe. Il sembla s'endormir aussitôt, sa respiration devenant lente et profonde. Victor aurait voulu lui arracher davantage d'information, mais il savait très bien que son grand-père avait grandement besoin de repos.

— De quoi voulait-il parler ? murmura Ichabod, qui venait d'échanger un regard avec Rudolph et Pakarel.

— La radio était brisée ? demanda le pakamu, qui s'était approché du jeune homme.

— Non, répondit Victor en observant son gadget. Elle était parfaitement fonctionnelle.

Une lumière s'alluma dans le cerveau du jeune homme. Il venait de comprendre. Plus tôt dans la journée, alors qu'ils se trouvaient à bord du sous-marin, en direction de cette île des Antilles, son grand-père lui avait fait savoir qu'il l'aiderait à joindre Maeva. Un mélange d'excitation, de joie et de déception envahit alors Victor. Afin de démêler ses émotions contradictoires, il tira sa montre de poche et vérifia l'heure ; il était trois heures du matin.

— Qu'est-ce qui ne va pas, Victor ? lui demanda Pakarel, qui avait bien vu l'expression désappointée sur le visage de son ami.

Après un soupir, le jeune homme lui expliqua :

— Tu te souviens des bagues de Mila, cette femme maya qui était venue nous attaquer au Belize ?

Lorsque le pakamu confirma d'un hochement de tête, le pianiste continua :

— Eh bien, je les ai amenées avec moi, et grand-père veut que je les utilise avec la radio pour joindre Maeva. Seulement, ajouta-t-il dans un soupir de désespoir, je n'ai aucune idée de comment m'y prendre. Il dit que c'est plus simple que je le crois ! Pire encore, même si j'y arrivais, il est beaucoup trop tard pour que j'appelle chez Béatrice…

Pakarel fronça les sourcils, comme s'il s'était attendu à bien pire.

— C'est tout ? lui demanda-t-il. C'est tout ? C'est l'heure tardive qui t'inquiète ?

Victor confirma d'un hochement de tête. Le pakamu se mit à glousser de rire.

— Tu veux que je l'appelle à ta place ? ricana le raton laveur d'un air taquin.

Victor se sentit dans un premier temps offensé par la moquerie de Pakarel, mais après quelques secondes, le visage du jeune homme perdit toute sévérité et il secoua la tête, souriant. Pakarel venait de lui faire comprendre une chose ; ses craintes étaient idiotes. Béatrice était son amie, en plus de celle de Maeva. Elle était donc forcément au courant de leur aventure. Béatrice ne serait jamais offensée par son appel en pleine nuit.

À cet instant, ils entendirent des pas sur la plage. Jetant un coup d'œil derrière lui, le pianiste vit les silhouettes de Caleb et de Naveed. Ils traînaient avec eux ce qui semblait être un sac. Une fois ces deux-là arrivés auprès de Victor et des autres, ce dernier leur fit signe d'être silencieux en portant son index à ses lèvres. Le demi-gobelin s'installa auprès du pianiste tandis que le démon orangé alla s'asseoir un peu à l'écart, sous l'œil mauvais de Baroque.

— Il dort ? chuchota Caleb, qui passait par-dessus ses épaules la sangle du sac plutôt rudimentaire qu'il avait visiblement récupéré des ogres, avant de le déposer par terre.

Le jeune homme lui confirma d'un hochement de tête.

— Vous avez trouvé quelque chose ? leur demanda Rudolph à voix basse.

— Ça, lui murmura le demi-gobelin en désignant du menton le sac qu'il ouvrait. Et, Victor, je crois que tu vas trouver cela intéressant. Regarde.

Le demi-gobelin tira du sac ce qui semblait être un rouleau de parchemin en bois, avant de le tendre vers son ami.

— Jette un coup d'œil à ça, lui dit-il.

Pakarel, Ichabod et Rudolph se rapprochèrent afin d'observer par-dessus l'épaule du jeune homme, qui déroulait le parchemin. Il s'agissait d'une lettre, finement écrite à la main, dans une langue inconnue. À quoi Caleb s'attendait-il ? songea amèrement le jeune homme, qui soupira.

— Je ne comprends pas, lui dit Victor.

Caleb lui sourit.

— Naveed l'a traduite pour toi. Regarde au verso.

Retournant le parchemin, Victor découvrit une lettre écrite avec une substance noire qui n'avait rien à voir avec l'encre. C'était du sang.

— Comment l'a-t-il écrite ? s'étonna Pakarel. Il avait un crayon, ou une plume et un encrier ?

— Il l'a tracée avec l'ongle de son index et le sang d'un ogre, lui expliqua Caleb.

Le pakamu afficha une grimace horrifiée plutôt enfantine.

— Lis ce qu'elle dit, Pelham, lui demanda Baroque, qui, un peu plus loin, semblait tout aussi curieux que les autres de connaître son contenu.

À la lueur du feu de camp, le jeune homme lut la traduction du parchemin à voix haute.

Votre mission est très simple. Comme nous en avons discuté la semaine dernière, vous devrez entrer en contact avec la Liche et, si elle s'avère capable de raisonnement, avertissez-la de la venue de Victor Pelham. Quoi qu'il advienne, faites en sorte que Pelham et les siens trouvent la mort sur cette île. Je tiens à vous rappeler que, lorsque vous êtes venus me rendre visite à Casablanca, vous avez été plus que lourdement payés. Ne me décevez pas. Sinon, je me verrai dans l'obligation de récupérer le montant que j'ai mis entre vos mains cadavériques.

P.-S. – Détruisez cette lettre après l'avoir reçue.

L. D.

Victor abaissa le parchemin, le regard absent, opaque, fixant les flammes du feu de camp. Quelqu'un lui prit le parchemin des mains, mais il n'y prêta pas vraiment attention ; il était perdu dans ses pensées. Les voix autour de lui étaient devenues inaudibles, indiscernables. La première fois qu'il avait vu ces initiales, Victor se trouvait dans son atelier, chez lui, alors qu'il tentait de décrypter la carte mère d'un robot. Il s'agissait de la seule trace laissée par la personne qui lui en voulait.

Le pianiste avait récupéré d'autres cartes mères depuis, qu'il n'avait pas été en mesure de décrypter faute de matériel, mais Victor pouvait mettre sa main au feu qu'il y trouverait les mêmes initiales, au fond de leur banque de données. Et voilà que cette mystérieuse personne avait engagé des mercenaires, une bande d'ogres venus des terres nordiques de l'Europe de l'Est, afin d'entrer en contact avec Eduardo Mortaz et, bien évidemment, de mettre un terme à la vie du jeune homme et de ses camarades. Une question revenait sans cesse dans la tête du jeune homme : comment diable ce L. D. faisait-il pour le suivre à la trace ? Victor en était presque frustré.

Tandis que lui et les siens échangeaient des regards incertains, Victor fut traversé par l'étrange impression que leur aventure ne tirerait pas à sa fin de sitôt, mais qu'au contraire, elle ne faisait que commencer. En effet, quelque chose lui disait que sa quête vers la dernière Liche lui réservait encore bien des surprises. Dans tous les cas, il ne lui restait plus qu'un seul fragment à acquérir. Un seul bout de métal, et ils pourraient réparer le métronome. Vu comme ça, se disait Victor, ça ne pouvait pas être si difficile...

... Du moins, c'est ce qu'il croyait.